Foundation course in

FRENCH
LANGUAGE
AND
CULTURE

Foundation course in

FRENCH
LANGUAGE
AND
CULTURE

Clifford S. Parker
University of New Hampshire

with the collaboration of Pierre Maubrey
Georgetown University

D. C. HEATH AND COMPANY
Lexington, Massachusetts Toronto London

Illustrations by Michael Jackson

Maps by Aldren A. Watson

Cover Design by A. Norman Law, Jr.

Preface

What is new and up-to-date in this FOUNDATION COURSE IN FRENCH LAN-
GUAGE AND CULTURE?

The original book, published in 1957, offered a largely grammatical approach to French.
Various lessons, to be sure, had brief *Oral Introductions* or even initial *Dialogues,* while all lessons contained oral exercises. But at the time the book was written, "audio-lingual" method-
ology had not become popular. During the past ten years, the "audio-lingual approach" has
been praised by linguists, incorporated in numerous textbooks by writers, and practiced as
well as possible by professors and teachers. But teachers are now asking for a compromise
between the grammatical and the audio-lingual methods, for what can be called a "synthetic"
method. The FOUNDATION COURSE IN FRENCH LANGUAGE AND CULTURE
has retained some of the valuable features of the grammatical method and introduced various
audio-lingual techniques, especially introductory *Dialogues, Pattern Practice* exercises for classroom and laboratory, and the use of language laboratory tapes. In every lesson, however,
there are *Lectures* and some more or less conventional exercises.

The acquisition of a "correct accent" has long been recognized as a desirable but difficult
objective of foreign language study. The FOUNDATION COURSE IN FRENCH LAN-
GUAGE AND CULTURE offers a four-pronged attack upon this problem. The *Phonetic
Introduction* presents the traditional phonetic symbols, with drill exercises; these symbols are
used regularly in the first sixteen lessons and occasionally thereafter; they are available also
for reference with every word in the general French-English Vocabulary. Secondly, the
Dialogues at the beginning of each lesson may be pronounced in class by teachers and repeated
by students. Thirdly, the drill exercises in the *Introduction,* the lesson *Dialogues,* and various
other exercises have been recorded on tapes, with authentic French voices, for imitation by
students in a Language Laboratory. Fourthly, there are sets of 12″ LP records which should
be procured by students and used as "homework" practice in listening and speaking.

Listening Comprehension is an important linguistic skill. When the lesson *Dialogues* are
used orally in the classroom or in the laboratory, they help students acquire this skill.

The Modern Language Association of America (MLA) has issued an important document
entitled "Advice to the Language Learner." One remark: "In learning a language you must
practice imitating a model who is speaking at normal speed." The *Dialogues* in this FOUN-
DATION COURSE IN FRENCH LANGUAGE AND CULTURE provide material for
such imitation, whether spoken by teachers in a classroom or recorded on tapes for use in a
Language Laboratory.

The characters in these dialogues are sometimes French, sometimes Americans. The latter
are usually to be thought of as young people, with whom American students can identify.
Situations and topics of discussion are varied and practical. Teachers may require students
to memorize the French dialogues in whole or in part, depending upon the time available
in a school or college course. The *Dialogues* are accompanied by free English translations (except in the last four lessons).

The MLA document advises students to learn also by analysis. The sections entitled *Grammatical Usage* explain "how the new language is put together, how it works, how it differs from English." The order in which structures are introduced in the new book differs considerably from that of the original book.

One of the most useful inventions of recent years is the "Pattern Drill." However, some types of such drills are more useful than others. The *Pattern Practice* exercises in this book are intended to be as practical as possible.

"Reading and Writing" is one of the headings in the MLA statement. Every regular lesson contains a *Lecture*. Some of these readings were used in the original FOUNDATION COURSE IN FRENCH, others are entirely new. Because there is general agreement that speaking and reading should precede writing, there are no written exercises in the earlier lessons. At first there should be stress upon imitation, memorization, and analysis. But as college students who take notes during lectures or when consulting reference works well know, writing is an invaluable aid to memorization. So in Lesson 11 and subsequent lessons, there are exercises in English, to be first translated orally into French, and then written down.

Lesson Vocabularies have been shortened in the new book so that they contain only new words introduced in the *Lectures*. Inasmuch as the *Lesson Dialogues* are accompanied by translations and the *Cultural Dialogues* have plentiful footnotes, and as *all* French words can be found in the general French-English Vocabulary at the end of the book, long lesson vocabularies would be useless repetition.

The eight *Dialogues culturels,* an important feature of the original book, have been rewritten, expanded, and newly illustrated. They continue to form an introduction to French civilization, including both daily life and cultural achievements. Such an introduction goes far to justify the time and effort devoted by students to the arduous task of learning a foreign language.

In summary, then, in this FOUNDATION COURSE IN FRENCH LANGUAGE AND CULTURE, the *Dialogues* are new, the order and content of the sections entitled *Grammatical Usage* have been considerably revised, the *Pattern Practice* exercises are entirely new, more than half of the *Lectures* are new, the *Exercises for the Classroom* are new, the *Dialogues Culturels* have been revised. The book will still encourage students to acquire a strong *foundation* for continuing the study of French language and civilization through intermediate and advanced stages.

The authors are very grateful to Dr. Vincenzo Cioffari, who, as Modern Language Editor of D. C. Heath and Company during the period of preparation of this book, was a wise and friendly counselor, to his successor, Clemens L. Hallman, and to Mrs. Caroline Banks, whose expert and indefatigable assistance was invaluable in both the preparation and publication of the book.

C. S. P.

Contents

List of Maps

RECORDINGS FOR PARKER AND MAUBREY:
Foundation Course in FRENCH LANGUAGE AND CULTURE

I. Tapes

Number of Reels:	10 7″ dual track
Speed:	3¾ ips
Running Time:	16 hours
Unit Length (average):	23 minutes

II. Records

Number of Records:	3 12″
Speed:	33⅓ rpm

Foundation course in

FRENCH
LANGUAGE
AND
CULTURE

PHONETIC INTRODUCTION

I. GENERAL DISTINCTIONS

1. The sounds of French and English rarely correspond exactly. When, for convenience, a French sound is explained by comparing it to an English sound, it must be understood that the explanation gives only a close approximation.

2. English has strong stress on one or more syllables of a word (*agreéable, néc essary*); French has weak stress. Each syllable of a French word, therefore, is uttered with almost equal force, though with a tendency to give a rising inflection to the last syllable of a word of two or more syllables. For example:

↗	↗	↗	↗
a-gré-able	Pa-ris	hô-tel	ti-mide

3. When French is pronounced, the organs of speech (tongue, lips, vocal cords) are used more energetically than in English. In other words, the French articulate more distinctly and sharply than English-speaking persons. Compare:

ENGLISH	FRENCH	ENGLISH	FRENCH
gen(e)ral	gé-né-ral	American	A-mé-ri-cain
elegant	é-lé-gant	principal	prin-ci-pal

4. In English there is a tendency to prolong and slur vowel sounds; in French sounds are sharp, quick, tense. Compare:

ENGLISH	FRENCH	ENGLISH	FRENCH
point	point	throw	trop
fruit	fruit	too	tout

II. ACCENTS

1. Accent marks on French words have nothing to do with stress; their usual function is to determine the sound of the vowel over which they appear or else to distinguish one word from another; e.g., **a** = *has*, **à** = *to;* **ou** = *or*, **où** = *where.*

1

2. The acute accent (Fr. *accent aigu*) = ´. It may be used only over **e: é.**

3. The grave accent (Fr. *accent grave*) = `. It may be used over **a, e,** or **u: à, è, ù.**

4. The circumflex accent (Fr. *accent circonflexe*) = ^. It may be used over any vowel: **â, ê, î, ô, û.**

5. The accent is an essential part of the spelling of a French word; it must therefore be written when correct spelling requires it.

III. OTHER ORTHOGRAPHIC SIGNS

1. The cedilla (Fr. *cédille*) is used under **c** to give it the soft sound of **s** before **a, o, u: français, François, garçon, reçu.** (Without the cedilla, **c** before **a, o,** or **u** would have the hard sound of **k.**)

2. The diaeresis (Fr. *tréma* ¨) shows that the vowel bearing it is divided in pronunciation from the preceding vowel, i.e., that each vowel belongs to a separate syllable. **Noël = No-ël.**

3. The apostrophe (Fr. *apostrophe*) shows omission of a final vowel sound before another vowel: **l'ami = le ami; l'amie = la amie; j'ai = je ai; l'orange = la orange; qu'il = que il; s'il = si il; l'homme = le homme,** etc.

Observe that an apostrophe is used before a mute **h** (silent **h**).

IV. SYLLABICATION

1. So far as possible, a syllable of a French word begins with a consonant. Compare:

ENGLISH	FRENCH	ENGLISH	FRENCH
cap-i-tal	ca-pi-tale	choc-o-late	cho-co-lat
Rob-ert	Ro-bert	gene-ral	gé-né-ral
com-rade	ca-ma-rade	lab-o-ra-tory	la-bo-ra-toire
class-ic	cla-ssique	Par-is	Pa-ris

2. Two consonants, of which the second is **l** or **r** (but not the combinations **rl** or **lr**), both belong to the following syllable.

é-cri-vain   ta-bleau   cé-lé-brer

3. Other combinations of consonants representing two or more sounds are divided.

par-ler   per-dre   ar-tis-tique

V. SOUNDS AND SYMBOLS

The French language has more sounds than letters. Obviously some letters have more than one sound. It is therefore convenient to use a phonetic alphabet (that of the *Association Phonétique Internationale*) in which each sound is represented by only one symbol and each symbol has only one sound. The symbols indicate accurately the pronunciation of a word, whereas spelling (either in French or in English) does not. Phonetic symbols are used in the earlier lessons of this book, then from time to time for special exercises, and with every word in the French-English vocabulary at the end of the book.

The following tables give the French letters, their phonetic symbols (in brackets), their *approximate* sounds, and illustrative French words. The *actual* sounds can only be given vocally (not in writing), either by a teacher, by means of a magnetic tape, or a disk-recording.

A. Simple Vowels

FRENCH LETTER	PHONETIC SYMBOL	DESCRIPTION OF SOUND	ILLUSTRATIVE FRENCH WORDS
a	[a]	Between the *a* of *bar* or *far* and the *a* of *cat* or *fat*	a; à; la; table
a, â	[ɑ]	Like *a* in *bar* or *car*	âge; pas; classe
e, é	[e]	Like *a* in *date*	déjà; et; été; les
e, è, ê	[ɛ]	Like *e* in *let*	avec; même; père; mère
e	[ə]	Like *e* in *the man*	de; le; me
e	—	Mute (silent) at end of words, and in certain verb endings	classe; père; tasse; parles; parlent
i, î	[i]	Like *i* in *machine*	ici; idée; il; ils; mari; midi; timide
o, ô	[o]	Like *o* in *go*	chose; côte; stylo
o	[ɔ]	Like *o* in *knot*	bord; notre; porte
u	[y]	No counterpart in English, but something like a blending of *e* and *u*. Round lips to pronounce *oo* (as in *moon*), then try to pronounce *ee* (as in *feet*).	une; du; mur; sur; utile

FIRST DRILL IN PRONUNCIATION
Vowel Sounds

Suggested procedure in class: (1) The teacher explains and pronounces each vowel sound separately; the class repeats each sound in chorus. (2) The teacher pronounces each word twice; the first time the students listen, the second time they pronounce the word silently; then the class pronounces the word aloud in chorus. (3) Individual students pronounce the words aloud in rotation, until each student has pronounced at least three or four words, the teacher correcting any mistakes.

In this first drill, sounds of consonants, division of words into syllables, and intonation should be correct, but attention should be focussed principally upon the vowels.

The illustrative French words are all used in the first ten lessons, with minor additions.

1. [a]: agréable, camarade, capitale, salle, table
2. [ɑ]: château, classe, pas, tasse
3. [e]: agréable, général, passer, traverser, trouver
4. [ɛ]: elle, être, frère, plaine, père
5. [ə]: demain, petit, repas
6. [i]: admirer, ami, artistique, climat, finir, riche
7. [o]: côte, hôtel, mot, poser, rôle, trop, nos, vos
8. [ɔ]: bord, chocolat, comme, possible, notre, votre
9. [y]: culture, mur, musée, rue, sur, université, utile
10. (Mute **e**): avenue, boulevard, promenade, omelette, salade

B. Vowel Combinations

FRENCH LETTER	PHONETIC SYMBOL	DESCRIPTION OF SOUND	ILLUSTRATIVE FRENCH WORDS
ai	[e]	Like *a* in *date*	parlerai; finirai; serai
ai	[ɛ]	Like *e* in *let*	aider; mais; vrai
au, eau	[o]	Like *o* in *go*	au; aussi; autre
au	[ɔ]	Like *o* in *knot*	Paul; mauvais; restaurant
ei	[ɛ]	Like *e* in *let*	Eiffel; Seine
eu	[ø]	Like *u* in *fur;* round lips to pronounce *o* (as in *note*) and pronounce [e] as in *day*.	deux; deuxième; eux; milieu
eu, œu	[œ]	Like *u* in *fur,* but the mouth is more open than for [ø]; round lips to pronounce *o* (*note*) and pronounce [ɛ] (*let*).	neuf; cœur; sœur
ou, où, oû	[u]	Like *oo* in *moon*	ou; où; nous; vous; tout; goût
ou	[w]	Like *w* in *we*	oui; ouest; jouer

C. Nasal Vowels

The nasal vowels of French have no counterparts in English. They are formed by causing air to escape through both nose and mouth at the same time. Vowels and diphthongs are nasalized when they precede and form a syllable with a single **m** or **n**. (If **m** or **n** is followed by a vowel, it begins a new syllable; hence the preceding vowel is not joined with it and is not nasalized. If **m** or **n** is doubled, there is usually no nasalization. The **m** and **n** after nasalized vowels are not sounded at all.)

FRENCH LETTER	PHONETIC SYMBOL	DESCRIPTION OF SOUND	ILLUSTRATIVE FRENCH WORDS
am, an **em, en**	[ã]	Pronounce the *a* of *far* through both mouth and nose. Result should be something like *on* in *pond.* (Note that **am, an, em,** and **en** are all identical in sound.)	grand; enfant; lampe; agent; enchanté
im, in **aim, ain** **eim, ein** **ym, yn**	[ɛ̃]	The [ɛ] sound nasalized, but slightly more open. Like *an* in *bank.*	faim; important; jardin; pain; vin
om, on	[ɔ̃]	The [ɔ] sound nasalized, but slightly more closed. Like *on* in *long.*	mon; ton; son; maison; nom; non; salon
um, un	[œ̃]	The [œ] sound nasalized, but slightly more open. Like *un* in *grunt.*	un; parfum

D. Semi-Vowels

i, y	[j]	Like *y* in *yes*	assiette; bien; viande
oi	[wa]	Like *w* in *we* plus [a]	avoir; moi; toi
oi	[wɑ]	Like *w* in *we* plus [ɑ]	mois; trois
u	[ɥ]	Pronounce [y] merged with the following vowel.	lui; huit; nuit

SECOND DRILL IN PRONUNCIATION
Vowel Combinations, Nasal Vowels, Semi-Vowels

Same procedure as in First Drill.
1. **au** = [o]: aussi, autant, beaucoup, aujourd'hui, pauvre
2. **au** = [ɔ]: Maurice, restaurant
3. **eu** = [ø]: deux, lieu, milieu, vieux, bleu
4. **eu** = [œ]: leur, meuble, professeur, projecteur
5. **ou** = [u]: bonjour, doute, partout, rouge, route, soupe
6. **am, an, em, en** = [ã]: chambre, chance, accent, affluent, moment
7. **aim, ain, im, in** = [ɛ̃]: Américain, certain, faim, inviter, province
8. **om, on** = [ɔ̃]: avion, content, leçon, long, maison
9. **um, un** = [œ̃]: un, parfum
10. **oi** = [wa]: armoire, bonsoir, détroit, étoile, pourquoi, voilà

11. **i** = [j]: escalier, hier, manière, pièce, viande
12. **u** = [ɥ]: cuiller, cuisine, fruit, huit, huitième, puisque, Suisse

E. Consonants

Most consonants are silent at the end of words, but **c, f, l, r** and **s** are pronounced at the end of certain words. (*See Sect. VII.*)

FRENCH LETTER	PHONETIC SYMBOL	DESCRIPTION OF SOUND	ILLUSTRATIVE FRENCH WORDS
b	[b]	Like *b* in *barb*	beau; bon; table
c	[k]	Like *k* in *kick* (**c** has this sound when final or before **a, o,** or **u.**)	avec; école; café; camarade; comme; culture
c, ç	[s]	Like *s* in *see* (**c** has this sound before **e, i,** or **y** or when written with a cedilla.)	ce; cela; ça; France; français; garçon; ici
ch	[ʃ	Like *sh* in *shoe*	chaise; chaud; chambre; chance; riche
d	[d]	Like *d* in *did*	dans; deux; dame; debout
f	[f]	Like *f* in *fat*	frère; femme [fam]; fenêtre [fɔnɛ:tr]
g	[g]	Like *g* in *go* (**g** has this sound before **a, o, u,** or a consonant.)	garçon; gauche; glace; goût; grand; guide
g	[ʒ]	Like *s* in *pleasure* (**g** has this sound before **e, i,** or **y.**)	argent; rouge
h	—	Never pronounced; mute **h** has no effect upon pronunciation; before aspirate **h,** there is no linking and no liaison.	l'heure; l'homme; la huitième leçon
j	[ʒ]	Like *s* in *pleasure*	je; jardin; jeune; joli; jour; jus
k	[k]	Like *k* in *kick*	kilomètre
l	[l]	Like *l* in *law*	le; la; les; salon
l, ll	[j]	Like *y* in *yes* (**l** has this sound often after **i** at end of word; **ll** has this sound when between **i** and another vowel. The sound is known as liquid **l**; Fr. *l mouillé.*)	conseil; soleil; fauteuil; famille; fille; cuiller; meilleur

m, mm	[m]	Like *m* in *man* (Do not sound **m** when preceding vowel is nasalized.)	mari; mère; maman; mois; même; homme; femme [fam]
n, nn	[n]	Like *n* in *not* (Do not sound **n** when preceding vowel is nasalized.)	nom; non; neuf; nous; bonne; Jeanne; donner [dɔne]; une
p	[p]	Like *p* in *pop*	papier; pas; père; penser; pièce; porte; puis; prêt
q	[k]	Like *k* in *kick*	qui; que; quelque; presque; cinq; quoi
r	[r]	No counterpart in English. French **r** is formed by *trilling* either the tip of the tongue or the uvula.	frère; mère; père; mari; rapide; regarder; règle; repas; riche; rouge; route; rue
s, ss	[s]	Like *s* in *see* (Double s has a single [s] sound.)	classe; salle; sœur; Seine; soir; aussi
s	[z]	Like *z* in *zone* (**s** has this sound when between two vowels.)	chaise; rose; saisir; visage; maison
t	[t]	Like *t* in *tall*	table; porte; thé; trois
v	[v]	Like *v* in *vine* and *cave*	avec; va; vendre; élève; vigne
x	[ks]	A combination of **k** and **s**	excellent; extrême; explication; expliquer; exprimer
x	[gz]	A combination of **g** and **z**	exact; examen; exemple
x	[s]	Like *s* in *class*	six; dix; soixante
x	[z]	Like *z* in *zone*	deuxième; dixième
z	[z]	Like *z* in *zone*	zéro

THIRD DRILL IN PRONUNCIATION
Consonants

1. **c** = [k]: café, capitale, carte, cas, arc, parc
2. **c** = [s]: cela, célèbre, centre, cinq, citron, ici, glace
3. **ch** = [ʃ]: chaise, champ, chapelle, chaud, cher, chez, chose
4. **g** = [g]: garçon, gâteau, gauche, goût, magasin, regarder
5. **g** = [ʒ]: âge, général, gens, gentil, géographie, rouge
6. **j** = [ʒ]: déjà, déjeuner, jardin, jeune, jeunesse, joli
7. **qu** = [k]: qualité, question, quitter, quatre, quatrième, qui, que
8. **s** = [s]: salon, semaine, si, sœur, soir, stylo, suivre
9. **s** = [z]: causer, poser, présenter, troisième, visage, visiter
10. **x** = [ks]: expliquer, extérieur, excellent, extrême, explication
11. **x** = [gz]: exemple, exact, exactement, examen

F. Special Combinations of Letters

FRENCH LETTER	PHONETIC SYMBOL	DESCRIPTION OF SOUND	ILLUSTRATIVE FRENCH WORDS
gn	[ɲ]	Like *ny* in *canyon*	campagne; montagne
ph	[f]	Like *f* in *fat*	Philippe; photo
ti	[s]	Sometimes like *s* in *see* (If initial, **ti** = [ti].)	action; nation
th	[t]	Like *t* in *top*	thé; théâtre

G. Observations

1. Note that the same sound may be expressed by various letters or combinations of letters.

[o]   au; eau; mot; hôtel
[j]   bien; viande; avion; famille; fauteuil; hier
[s]   salle; classe; dix; ici; place

2. French vowel sounds are slightly longer in some cases than in others. In phonetic symbols, length is indicated by the sign : after a vowel sound.

avoir [avwa:r] *to have*   être [ɛ:tr] *to be*

VI. THE ALPHABET

The French names and sounds of the letters of the alphabet are as follows:

a	a [a]	j	ji [ʒi]	s	esse [ɛs]
b	bé [be]	k	ka [ka]	t	té [te]
c	cé [se]	l	elle [ɛl]	u	u [y]
d	dé [de]	m	emme [ɛm]	v	vé [ve]
e	e [ə]	n	enne [ɛn]	w	double vé [dubləve]
f	effe [ɛf]	o	o [o]	x	iks [iks]
g	gé [ʒe]	p	pé [pe]	y	i grec [igrɛk]
h	ache [aʃ]	q	ku [ky]	z	zède [zɛd]
i	i [i]	r	erre [ɛr]		

VII. FINAL CONSONANTS

Though most consonants are silent at the end of words, **c, f, l, r** and **s** are sometimes pronounced. No rules can be given to tell when or when not to pronounce these final consonants. The phonetic symbols, of course, show whether or not they are pronounced.

PRONOUNCED	NOT PRONOUNCED	PRONOUNCED	NOT PRONOUNCED
avec [avɛk]	banc [bã]	sœur [sœ:r]	parler [parle]
autobus [ɔtɔby:s, otoby:s]	jus [ʒy]	chef [ʃɛf]	clef [kle]
fils [fis]	fois [fwa]	ciel [sjɛl]	détail [deta:j]
amour [amu:r]	donner [dɔne]		

VIII. LINKING ("liaison")

1. Within a group of words closely associated logically, a final consonant (whether usually sounded or not) is regularly sounded and forms a syllable with an initial vowel of a following word. The sound thus carried from one word to the next belongs to the initial syllable of the second word.

un petit enfant [œ̃ pɔtitãfã]

C'est une jolie maison. [sɛtyn ʒɔli mɛʒɔ̃]

2. A few of the consonants change their sound in *liaison:* s and x become z; d becomes t; f often becomes v; g becomes k.

les hommes [lezɔm]
deux amis [døzami]
un grand homme [œ̃ grãtɔm]

neuf heures [nœvœ:r]
un sang impur [œ̃ sãkɛ̃py:r]

3. The n of a nasal is carried on, and the nasal vowel loses its nasality in part, or even wholly.

un bon ami [œ̃ bɔ̃nami] *or* [œ̃ bɔnami]

4. The t of et (*and*) is always silent.

un homme et une femme [œ̃nɔm e yn fam]   lui et elle [lyi e ɛl]

5. *Liaison* is rarely if ever made between a noun subject and a verb in normal affirmative word order.

Les enfants ont joué dans le parc. [lezãfã ɔ̃ ʒwe dã lɔpark.]

NOTE The preceding paragraphs offer only an elementary introduction to the complex phenomena of *liaison* in French.

FOURTH DRILL IN PRONUNCIATION
Combinations of Letters: Syllables; Cognates; the Alphabet

1. *the ending* **-tion** = [sjɔ̃]: animation, conversation, explication, invitation, production, situation, tradition

2. **th** = [t]: cathédrale, thé, théâtre

3. *Syllabication:* camarade, département, féliciter, général, gothique, historique, leçon, moderne, monument, rapide, séparer, village, visiter, américain, américaine, Amérique

4. Proper nouns which are cognates: Amérique, Asie, Afrique, Europe, France, Espagne, Italie, Mexique, Berlin, Londres, Paris, Rome, New York [nœjɔrk]
Albert, Charles, Georges, Henri, Jacques, Maurice, Paul, Philippe, Richard, Robert, Roger
Charlotte, Hélène, Jeanne, Louise, Marcelle, Marguerite, Marianne, Marie, Pauline, Suzanne, Virginie

5. *The alphabet:* a, b, c ———, d, e, f ———, g, h, i ———, j, k, l ———, m, n, o ———, p, q, r ———, s, t, u ———, v, w ———, x, y, z ———.

USEFUL CLASSROOM EXPRESSIONS

Bonjour, monsieur. [bɔ̃ʒuːr, məsjø]   *Good morning, sir.*

Bonjour, messieurs. [bɔ̃ʒuːr, mesjø]   *Good morning, gentlemen.*

Bonjour, madame. [bɔ̃ʒuːr, madam]   *Good morning, madam.*

Bonjour, mademoiselle. [bɔ̃ʒuːr, madmwazɛl]   *Good morning, miss.*

Bonjour, mesdemoiselles. [bɔ̃ʒuːr, medmwazɛl]   *Good morning, young ladies.*

Comment allez-vous, monsieur?   *How are you, sir?*
   [kɔmɑ̃talevu, məsjø]

Je vais très bien, merci; [ʒəvetrɛbjɛ̃, mɛrsi]   *I am very well, thank you;*
   et vous? [evu]   *and you?*

Comment vous appelez-vous?   *What is your name?*
   [kɔmɑ̃vuzaplevu]

Je m'appelle (Albert) (Charlotte). [ʒəmapɛl . . .]   *My name is . . .*

Oui, monsieur; [wi, məsjø]   *Yes, sir;*
   non, monsieur. [nɔ̃, məsjø]   *no, sir.*

Qu'est-ce que c'est que cela? [kɛskəsekəsla]   *What is that?*

C'est un stylo. [setœ̃stilo]   *It's a fountain pen.*

C'est le tableau noir. [selətablonwaːr]   *It's the blackboard.*

C'est très bien. [setrɛbjɛ̃]   *That's very good.*

Au revoir, à demain. [o(rə)vwaːr, adəmɛ̃]   *Good-bye, till tomorrow.*

Première leçon

I. DIALOGUE

Albert, Roger et Maurice, trois jeunes Américains, sont à Paris. Maurice est à la porte de la chambre de Roger et d'Albert.

ROGER. Bonjour, Maurice. Comment allez-vous?

MAURICE. Très bien, merci. Et vous?

ALBERT. Pas mal, merci.

MAURICE. C'est votre chambre. Elle est jolie, même si elle est très petite.

ROGER. Elle est sans doute petite mais elle est confortable.

MAURICE. Moi, j'ai aussi une chambre confortable dans un très petit hôtel.

ALBERT. Et vous prenez vos repas à l'hôtel?

MAURICE. Non, je prends mes repas

Albert, Roger and Maurice, three young Americans, are in Paris. Maurice is at the door of Roger's and Albert's room.

—*Hello, Maurice. How are you?*

—*Fine, thanks. And you?*

—*Not bad, thanks.*

—*So this is your room. It's pretty, even if it is very small.*

—*Of course it's small, but it's comfortable.*

—*I, too, have a comfortable room in a very small hotel.*

—*Do you get your meals in the hotel?*

—*No, I get my meals in a restaurant.*

11

dans un restaurant. Il est tout près de la Sorbonne.	*It's very near the Sorbonne.*
ALBERT. Mais vous êtes dans le Quartier latin!	—*So you're in the Latin Quarter!*
MAURICE. Oui. Et le long du boulevard Saint-Michel il y a plusieurs petits restaurants très intéressants. Ils ne sont pas chers.	—*Yes. And along the Boulevard Saint-Michel there are several very interesting little restaurants. They are not expensive.*
ALBERT. Et dans ces restaurants, on rencontre toujours beaucoup d'étudiants.	—*And in those restaurants one always finds a lot of students.*
MAURICE. C'est vrai, surtout le soir entre huit heures et minuit.	—*True enough, especially in the evening, between eight o'clock and midnight.*

II. GRAMMATICAL USAGE

A. Gender

MASCULINE		FEMININE	
le père	*the father*	la mère	*the mother*
le repas	*the meal*	la porte	*the door*
le restaurant	*the restaurant*	la chambre	*the room*

All French nouns are either masculine or feminine. As in English, nouns denoting male beings are masculine, nouns denoting female beings are feminine, but, unlike English, all other nouns must be grammatically either masculine or feminine. It is important to learn the gender at the same time that one learns the meaning of a noun.

B. Formation of Plural of Nouns

SINGULAR	PLURAL
le restaurant	les restaurants
l'étudiant	les étudiants
le repas	les repas

The plural of nouns is regularly formed by adding **-s** to the singular but a noun which ends in **-s** in the singular is unchanged in the plural.

C. Definite Article

MASC. SING.	MASC. PLUR.	FEM. SING.	FEM. PLUR.
le repas	les repas	la porte	les portes

MASC. SING.	MASC. PLUR.
l'étudiant	les étudiants
l'hôtel	les hôtels

The definite article (*the*) in French has the following forms:

In the SINGULAR: **le** before a masculine noun beginning with a consonant

                     la before a feminine noun beginning with a consonant

                     l' before any noun beginning with a vowel or mute **h**

In the PLURAL: **les** before every noun

NOTES 1. The definite article must be repeated before each noun in a series e.g., les hôtels et les restaurants, *the hotels and (the) restaurants.*

2. The different sounds of the singular and plural articles must be clearly pronounced since the singular and plural of nouns are usually pronounced exactly the same.

D. Indefinite Article

un restaurant	une chambre
un hôtel	une porte

The indefinite article (*a, an*) has the following forms:

         un before any masculine singular noun

         une before any feminine singular noun

E. ÊTRE, "to be"

This verb has the following forms in the present tense:

AFFIRMATIVE		INTERROGATIVE	
je suis	*I am*	est-ce que je suis?	*am I?*
tu es	*you are*	es-tu?	*are you?*
il est	*he is*	est-il?	*is he?*
elle est	*she is*	est-elle?	*is she?*
nous sommes	*we are*	sommes-nous?	*are we?*
vous êtes	*you are*	êtes-vous?	*are you?*
ils sont	*they (m.) are*	sont-ils?	*are they (m.)?*
elles sont	*they (f.) are*	sont-elles?	*are they (f.)?*

NOTE The interrogative form **suis-je?** exists but is not commonly used; therefore it is replaced here by **est-ce que je suis?** (literally, *is it that I am?*), a form which is more often used.

F. Personal Pronouns

The personal pronouns used as subjects with the forms of **être** given in **E** are different in various ways from their English equivalents.

1. **je** *(I)* is written with a small **j** except when it begins a sentence.

2. **Tu** and **vous** both mean *you*, but if one uses **tu** when speaking to a person, this expresses somewhat the same relationship that calling a person by his or her first name does in English.   In French, if one is speaking to a member of the family, a small child, a close friend, or an animal, **tu** is used.   In all other cases, and always in the plural, **vous** is used.   Even when **vous** is addressed to one person, the form of the verb is plural.

3. François? Il est dans le salon.	*François? He is in the living room.*
Le téléviseur? Il est dans le salon.	*The TV? It is in the living room.*
La chambre est jolie. Elle est jolie.	*The room is pretty. It is pretty.*

Il means either *he* or *it* when it refers to a masculine singular noun.   **Elle** means either *she* or *it* when it refers to a feminine singular noun.

4. Albert et Maurice sont à Paris. Ils sont à Paris.	*Albert and Maurice are in Paris.* *They are in Paris.*
Les repas ne sont pas chers. Ils ne sont pas chers.	*The meals are not expensive. They are not expensive.*
Mme Lachance et Mme Pommier sont à la porte de la maison. Elles sont à la porte de la maison.	*Mrs. Lachance and Mrs. Pommier are at the door of the house. They are at the door of the house.*
Les portes sont ouvertes. Elles sont ouvertes.	*The doors are open. They are open.*

Instead of having one word for *they,* French has **ils** to refer to a masculine plural noun or to several nouns of which one is masculine, while **elles** refers to a feminine plural noun or to two or more feminine nouns.

G. Idioms

There are in French a very large number of idiomatic words and expressions.   Observe in this lesson:

Comment allez-vous?	*How are you?*
Il y a plusieurs petits restaurants.	*There are several little restaurants.*

aller, *to go,* may mean idiomatically *to be* in regard to health.
avoir, *to have,* in the expression **il y a** means *there is* or *there are.*

III. PATTERN PRACTICE for classroom and laboratory

In a classroom, the speaker will be the teacher; in a language laboratory the speaker will be a voice on the tape.

A. *Repeat during the indicated pauses (#) what the speaker has said, imitating his pronunciation as closely as possible:*

le restaurant # les restaurants #   le restaurant, les restaurants #
le boulevard # les boulevards #   le boulevard, les boulevards #
le repas # les repas #   le repas, les repas #
la porte # les portes #   la porte, les portes #
la chambre # les chambres #   la chambre, les chambres #

l'hôtel # les hôtels #   l'hôtel, les hôtels #
l'étudiant # les étudiants #   l'étudiant, les étudiants #
l'Américain # les Américains #   l'Américain, les Américains #

Now speak the plurals of the articles and nouns you hear:

le restaurant # le repas # le boulevard # la porte # la chambre #
l'étudiant # l'Américain # l'hôtel #

B. *Repeat what the speaker has said:*

le restaurant # un restaurant #   le repas # un repas #
l'hôtel # un hôtel #   la porte # une porte #
la chambre # une chambre #   le père # un père #
la mère # une mère #   l'étudiant # un étudiant #

Now change the combination of the definite article le *or* la *and noun into a combination of* un *or* une *and noun:*

le restaurant # le repas # l'hôtel # la porte # la chambre # le père #
la mère # le boulevard # l'étudiant # le salon # la maison #

C. *Repeat after the speaker:*

Où (*where*) est Albert? # Est-il à Paris? #   Oui, il est à Paris. #
Où est Roger? # Est-il à Paris? #   Oui, il est à Paris. #
Où est Maurice? # Est-il à la porte? #   Oui, il est à la porte. #
Où est Albert? # Est-il dans la chambre? #   Oui, il est dans la chambre. #

Listen carefully, then answer the questions you hear as in the models just given, beginning your answers with "Oui":

Où est Albert? A Paris? # Où est Roger? A Paris? # Où est Maurice? A Paris? # Où est Albert? Dans la chambre? # Où est Maurice? A la porte? # Où est Maurice? A la porte de la chambre? #

D. *Repeat what the speaker has said:*
Où est la chambre? #
Est-elle dans un petit hôtel? #   Oui, elle est dans un petit hôtel. #
Où est la Sorbonne? #
Est-elle dans le Quartier latin? #   Oui, elle est dans le Quartier latin. #

Listen carefully, then answer the questions you hear affirmatively, beginning your answers with "Oui":
   Où est la chambre?   Dans un petit hôtel? # Où est la Sorbonne?   Dans le Quartier latin? #

Now be careful in your answers to use either il *or* elle, *whichever is correct:*
   Où est Roger?   A Paris? # Où est Albert?   Dans la chambre? # Où est Maurice?   A la porte de la chambre? # Où est la chambre?   Dans un petit hôtel? # Où est l'hôtel?   Près de la Sorbonne? # Où est la Sorbonne?   A Paris? # Où est la Sorbonne?   Dans le Quartier latin? # Où est le Quartier latin?   A Paris? #

E. *Repeat what the speaker has said:*
Où sont Albert, Roger et Maurice? #   Ils sont à Paris. #
Où sont-ils? #   Ils sont dans le Quartier latin. #
Où sont les restaurants? #   Ils sont le long du boulevard. #

Now tell where the persons or things mentioned are, beginning your answers with Ils sont:
   Où sont les étudiants?   A Paris? # Sont-ils dans un hôtel? # Sont-ils dans une chambre? # Sont-ils dans un restaurant? # Sont-ils dans le Quartier latin? # Où sont les restaurants? A Paris? # Sont-ils le long du boulevard Saint-Michel? #

F. *Repeat after the speaker:*
Les chambres sont confortables. #   Oui, elles sont confortables. #
Now agree with the speaker, as in the model:
   Les chambres sont petites. # Les chambres sont confortables. # Les chambres sont dans un petit hôtel. #

IV. LECTURE

OÙ SONT LES ENFANTS?

   Georges et Robert sont les enfants de Monsieur et de Madame Pommier. François Lachance est un camarade de Georges et de Robert.
   Où sont Georges, Robert et François?   Ils sont dans le salon de M. et de Mme Pommier.   Pourquoi?   Parce que le téléviseur est dans le salon!
   Madame Lachance, la mère de François, est à la porte de la maison.

Mme Pommier est aussi à la porte de la maison.

MME LACHANCE. Bonjour, madame. . . Vous êtes madame Pommier?

MME POMMIER. Bonjour, madame. Oui, c'est moi.

MME LACHANCE. Je suis madame Lachance, la mère de François. Où est-il?

MME POMMIER. François? Il est dans le salon avec Georges et Robert.

MME LACHANCE. François? Tu es dans le salon?

FRANÇOIS. Oui, maman. Je suis avec Georges et Robert. Papa est déjà à la maison?

MME POMMIER. Oui, et le dîner est prêt.

FRANÇOIS. Au revoir, Georges; au revoir, Robert.

GEORGES ET ROBERT. Au revoir, François.

MME LACHANCE. Bonsoir, madame.

MME POMMIER. Bonsoir, madame.

VOCABULARY FOR THE *LECTURE*

avec *with*

bonsoir *good evening*

camarade *m. comrade, friend*

déjà *already*

dîner *m. dinner*

enfant *m. child*

lecture *f. reading*

maison *f. house*

maman *Mama, mother*

papa *Papa, dad*

parce que *because*

pourquoi *why*

prêt *ready*

revoir: au revoir *good-bye*

V. EXERCISES for the classroom

A. *Pronounce carefully the following words and combinations of words:*

Américain [amerikɛ̃]

camarade [kamarad]

chambre [ʃɑ̃:br]

enfant [ɑ̃fɑ̃]

étudiant [etydjɑ̃]

intéressant [ɛ̃teresɑ̃]

maison [mɛzɔ̃]

petit [pəti]

quartier [kartje]

téléviseur [televizœ:r]

bonjour, monsieur [bɔ̃ʒu:r, məsjø]

bonjour, madame [bɔ̃ʒu:r, madam]

bonjour, mademoiselle

  [bɔ̃ʒu:r, madmwazɛl]

comment allez-vous? [kɔmɑ̃talevu]

très bien, merci [trebjɛ̃, mɛ:rsi]

et vous? [evu]

moi, je vais bien [mwa, ʒəve bjɛ̃]

bonsoir, monsieur [bɔ̃swa:r, məsjø]

bonsoir, madame [bɔ̃swa:r, madam]

bonsoir, mademoiselle

  [bɔ̃swa:r, madmwazɛl]

au revoir, monsieur [orəvwa:r, məsjø]

au revoir, madame [orəvwa:r, madam]

au revoir, mademoiselle

  [orəvwa:r, madmwazɛl]

B. *Answer in French:*

1. Qui (*who*) sont Georges et Robert? 2. Qui est François Lachance? 3. Où sont les trois enfants? 4. Pourquoi sont-ils dans le salon? 5. Où est madame Lachance? 6. Où est madame Pommier? 7. Qui est le père de Georges et de Robert? 8. Qui est la mère de Georges et de Robert?

C. *Repeat:*

Êtes-vous à Paris? — Oui, je suis à Paris. — Oui, nous sommes à Paris.

Answer the following questions in French, saying first "Yes, I am . . .", then "Yes, we are . . ." in the place mentioned:

1. Êtes-vous à Paris? 2. Êtes-vous dans le Quartier latin? 3. Êtes-vous près de la Sorbonne? 4. Êtes-vous dans un restaurant? 5. Êtes-vous dans un restaurant intéressant? 6. Êtes-vous avec un camarade?

D. *Compose original sentences in French (20 or more, as the teacher may direct), taking subjects from column 1, using a correct form of the verb* être, *and completing each sentence with a phrase from column 2:*

1	2
Un étudiant	à Paris
L'étudiant	à la porte d'une chambre
Trois étudiants	à la porte d'une maison
Nous	avec Albert et Roger
Vous	dans une chambre
La chambre	dans la chambre de Roger
Les chambres	dans un petit hôtel
L'hôtel	dans un restaurant
Les hôtels	tout près de la Sorbonne
Le restaurant	dans le Quartier latin
Les restaurants	à la maison

Deuxième leçon

I. DIALOGUE

Deux élèves, Jeanne et Robert, sont dans un couloir à l'extérieur du laboratoire, à l'école.

ROBERT. Bonjour, Jeanne.

JEANNE. Bonjour, Robert.

ROBERT. Je cherche Louis. Où est-il?

JEANNE. Est-il dans une salle de classe?

ROBERT. Non.

JEANNE. Alors, il est peut-être au laboratoire. La porte est ouverte. Regarde!

ROBERT. Il y a seulement deux élèves. Ils sont assis devant la fenêtre.

JEANNE. Mais sur la table entre les deux, il y a un stylo bleu. Est-ce le stylo de Louis?

Two pupils, Jeanne and Robert, are in a corridor outside the laboratory, at school.

—Hello, Jeanne.

—Hello, Robert.

—I'm looking for Louis. Where is he?

—Is he in a classroom?

—No.

—Well then, he is perhaps in the laboratory. The door is open. Look!

—There are only two pupils. They are seated in front of the window.

—But on the table between the two, there is a blue fountain pen. Is it Louis' pen?

ROBERT. Oui.   Alors, il va revenir.   *—Yes.   So then he's going to come back.*
JEANNE. Attends-le.   *—Wait for him.*
ROBERT. Non, je n'ai pas le temps.   *—No, I haven't time.   I have a class at*
  J'ai une classe à trois heures.   *three o'clock.*
JEANNE. Au revoir, Robert.   *—Good-bye, Robert.*
ROBERT. Au revoir, Jeanne.   *—Good-bye, Jeanne.*

II. GRAMMATICAL USAGE

A. Contractions

1. au laboratoire   *in the laboratory*   du laboratoire   *of the laboratory*

au Quartier latin   *in the Latin Quarter*   du boulevard   *of the boulevard*

aux élèves   *to the pupils*   des élèves   *of the pupils*

When the prepositions **à** (*at, to, in*) and **de** (*of, from*) precede a definite article, the following contractions occur:

$$\grave{a} + le = au \qquad de + le = du$$
$$\grave{a} + les = aux \qquad de + les = des$$

2. à la porte   *at the door*   de la chambre   *of the room*
à l'école   *at the school*   de l'hôtel   *of the hotel*

à la, à l', de la, and **de l'** do not contract.

B. AVOIR, "to have"

1. The irregular verb **avoir,** *to have,* has the following forms in the present tense:

AFFIRMATIVE		INTERROGATIVE	
j'ai	*I have*	est-ce que j'ai?	*do I have?*
tu as	*you have*	as-tu?	*do you have?*
il a	*he has*	a-t-il?	*does he, it, have?*
elle a	*she has*	a-t-elle?	*does she, it, have?*
nous avons	*we have*	avons-nous?	*do we have?*
vous avez	*you have*	avez-vous?	*do you have?*
ils ont	*they have*	ont-ils?	*do they have?*
elles ont	*they have*	ont-elles?	*do they have?*

2. Note the use of hyphens in the interrogative and the insertion of **-t-** in the third person singular to prevent two vowel sounds from coming together.

3. Present-tense forms in French may be the equivalent of three forms in English: e.g., **j'ai** = *I have, I do have,* or *I am having;* **vous avez** = *you have, you do have,* or *you are having.*

C. Agreement of Adjectives

1. un grand tapis   *a large rug*   une grande table   *a large table*
   un petit hôtel   *a small hotel*   une petite table   *a small table*

       trois jeunes Américains   *three young Americans*
       plusieurs petits restaurants   *several little restaurants*

M. SING.	F. SING.	M. PLUR.	F. PLUR.	MEANING
grand	grande	grands	grandes	*large*
petit	petite	petits	petites	*small*
joli	jolie	jolis	jolies	*pretty*
jeune	jeune	jeunes	jeunes	*young*

Adjectives agree both in gender and in number with the nouns they qualify. They regularly add **-e** to form the feminine unless they already end in **-e** in the masculine. To form the plural they regularly add **-s** to either the masculine or feminine singular.

2. La chambre est petite mais elle est   *The room is small but it is pretty.*
    jolie.
   Les restaurants ne sont pas chers.   *The restaurants are not expensive.*

Adjectives after **être** agree with noun or pronoun subjects.

D. Position of Adjectives

1. un petit hôtel   un ami américain   *an American friend*
   une petite chambre   un stylo bleu   *a blue fountain pen*
   une grande table   un fauteuil confortable   *a comfortable armchair*
   un jeune Américain

Some adjectives regularly precede a noun which they modify (e.g., **petit, grand, jeune**), others regularly follow (e.g., **américain, bleu, confortable**). The proper position of an adjective in relation to the noun it modifies must be learned, first by observation, later by rules. (See Lesson 14).

2. une jolie lampe électrique   *a pretty electric lamp*

Observe that a noun may be modified by two adjectives at the same time, one preceding, one following.

E. Numbers

The numbers from 1 to 10 and from *first* to *tenth* are as follows:

1	un, une [œ̃,yn]	*first*	premier *(m.)* première *(f.)*
2	deux [dø]	*second*	deuxième
3	trois [trwɑ]	*third*	troisième
4	quatre [katr]	*fourth*	quatrième
5	cinq [sɛ̃k]	*fifth*	cinquième
6	six [sis]	*sixth*	sixième
7	sept [sɛt]	*seventh*	septième
8	huit [ɥit]	*eighth*	huitième
9	neuf [nœf]	*ninth*	neuvième
10	dix [dis]	*tenth*	dixième

NOTES

1. The French for *one* is the same as the indefinite article.
2. The final consonants of **cinq, six, sept, huit, neuf, dix** are pronounced when the words stand alone (as in counting), or are before a vowel or mute **h.** They are silent before a word beginning with a consonant.

ALONE	BEFORE A VOWEL OR MUTE h	BEFORE A CONSONANT
six = [sis]	six amis = [sizami]	six camarades = [sikamarad]
	six hôtels = [sizotɛl]	
dix = [dis]	dix amis [dizami]	dix camarades = [dikamarad]
	dix hôtels = [dizotɛl]	

3. The **x** of **deux,** like the **x** of **six** and **dix,** is pronounced [z] in liaison. But when **deux** stands alone or precedes a consonant, the **x** is not pronounced.

deux étudiants [døzetydjɑ̃]   deux stylos [døstilo]

III. PATTERN PRACTICE for classroom and laboratory

A. *Repeat what the speaker has said:*
Où est Robert? #
Est-il au laboratoire? #   Oui, Robert est au laboratoire. #
Est-il à l'école? #   Oui, il est à l'école. #
Est-il à la porte de la chambre? #   Oui, il est à la porte de la chambre. #

Now agree that Robert is ("Oui, il est . . .") in the places mentioned:
Est-il au laboratoire? # Est-il au restaurant? # Est-il au Quartier latin? # Est-il à l'école? # Est-il à la porte de l'école? # Est-il à la porte de la salle de classe? # Est-il à la porte de l'hôtel? # Est-il à la porte de la chambre? #

B. *Repeat what the speaker has said:*
Où sommes-nous? #
Nous sommes près du Quartier latin. # Nous sommes près du boulevard Saint-Michel. # Nous sommes près de la Sorbonne. # Nous sommes près de l'université. # Nous sommes près des restaurants du boulevard Saint-Michel. #

Now say in French that we are near the places or things mentioned:
le boulevard Saint-Michel # le Quartier latin # le laboratoire # la porte du laboratoire # la Sorbonne # l'hôtel de Maurice # l'hôtel de Roger et d'Albert # les restaurants # les restaurants du boulevard Saint-Michel #

C. *Repeat what the speaker has said:*

Avez-vous un stylo? #	Oui, j'ai un stylo. #
Avez-vous un stylo bleu? #	Oui, j'ai un stylo bleu. #
Avez-vous une grande chambre? #	Oui, j'ai une grande chambre. #
Avez-vous une chambre confortable? #	Oui, j'ai une chambre confortable. #

Now agree that you have what is mentioned:
Avez-vous un stylo bleu? # Avez-vous une petite chambre? # Avez-vous une jolie chambre? # Avez-vous une jolie petite chambre? # Avez-vous une grande table? # Avez-vous une petite table? # Avez-vous une grande table et une petite table? #

D. *Repeat what the speaker has said:*
Avez-vous une petite chambre? #   Oui, nous avons une petite chambre. #

Now say in French that we have what is mentioned:
une chambre confortable # une petite chambre confortable # un fauteuil # deux fauteuils # deux fauteuils confortables # une jolie lampe # une lampe électrique # une jolie lampe électrique #

E. *Repeat what is said:*
J'ai une classe à deux heures. # Robert a une classe à trois heures. # Jeanne a une classe à quatre heures. # Nous avons une classe à cinq heures. # Vous avez une classe à six heures. # Robert et Jeanne ont une classe à sept heures. # Ils ont une classe à huit heures. #

Now say in French that the following persons have a class at two, three, four o'clock, and so on:
Robert # Jeanne # Robert et Jeanne # Nous # Vous # Les élèves #

F. *Repeat:*

Il y a un stylo bleu sur la table. # Il y a deux élèves dans la salle de classe. # Il y a un élève au laboratoire. # Il y a deux élèves au laboratoire. #

Now place Il y a *before the following phrases:*

deux élèves à l'école # trois élèves au laboratoire # quatre élèves devant la fenêtre # six élèves dans un couloir # sept élèves à l'extérieur du laboratoire # dix élèves dans une salle de classe #

G. *Repeat:*

1, 2, 3 # 4, 5, 6 # 7, 8 # 9, 10 #
1, 2, 3, 4 # 5, 6, 7, 8 # 9, 10 #
1, 2, 3, 4, 5 # 6, 7, 8, 9, 10 #

la première leçon # la deuxième leçon # la troisième leçon # la quatrième leçon # la cinquième leçon # la sixième leçon # la septième leçon # la huitième leçon # la neuvième leçon # la dixième leçon #

IV. LECTURE

LETTRE DE MAURICE A UN AMI AMÉRICAIN

Paris, France

Cher David,

Je suis dans une petite chambre, dans un hôtel de la rue des Écoles.

La chambre est bien meublée. Au centre, il y a une grande table. Sur la table il y a une jolie lampe électrique. Il y a aussi une lampe électrique sur une petite table près du lit.

J'ai deux chaises, l'une près de la grande table, l'autre près du lit. Il y a aussi un fauteuil confortable près de la fenêtre.

Pour les vêtements il y a une armoire à glace— c'est une armoire avec une glace sur la porte.

Dans un coin de la chambre il y a un lavabo. J'ai l'eau courante, froide et chaude.

Enfin, sur le plancher il y a un grand tapis.

Je suis très content d'être au Quartier latin, près de la Sorbonne et près des cafés du boulevard Saint-Michel.

J'ai l'intention de suivre trois ou quatre cours à l'université de Paris.

Bien à vous,

Maurice

VOCABULARY FOR THE *LECTURE*

armoire *f. wardrobe*
autre *other*
bien *well;* bien à vous *sincerely yours,*
    cordially yours
café *m. café*
centre *m. center*
chaise *f. chair*
chaud *hot, warm*
cher, chère *dear*
coin *m. corner*
content *glad, happy*
courant *adj. running*
cours *m. course*

eau *f. water*
enfin *finally*
froid *cold*
glace *f. mirror*
lavabo *m. washstand*
lettre *f. letter*
lit *m. bed*
meublé *furnished*
plancher *m. floor*
rue *f. street*
suivre *to take (courses)*
vêtements *m.pl. clothes, clothing*

V. EXERCISES for the classroom

A. *Pronounce carefully the following words and combinations of words:*

le laboratoire [ləlabɔratwaːr]
au laboratoire [olabɔratwaːr]
le boulevard [ləbulvaːr]
au boulevard [obulvaːr]
une salle de classe [ynsaldəklɑs]

deux élèves [døzelɛːv]
Ils sont assis. [ilsõtasi]
peut-être [pøtɛːtr]
seulement [sœlmã]
l'eau courante [lokurãt]

B. *Ask in French if Robert is in the places mentioned. (Examples: (1)* L'école.—Est-il
à l'école? *(2)* La salle de classe.—Est-il dans la salle de classe?
1. L'hôtel. 2. Un hôtel. 3. Un petit hôtel. 4. Une chambre. 5. Une salle de
classe. 6. Le laboratoire. 7. Le restaurant. 8. Le Quartier latin. 9. Un restaurant
du Quartier latin. 10. Un restaurant du boulevard Saint-Michel. 11. A la
maison. 12. Dans le salon.

C. *Compose original sentences in French (20 or more, as the teacher may direct), taking
subjects from column 1 (two or three names may be combined to form one subject), using a
correct form of the verb* avoir, *and completing each sentence with an item from column 2:*

1	2
Roger	une jolie chambre
Albert	une petite chambre
Maurice	une chambre confortable
Georges	un grand salon
Robert	un téléviseur
François	un camarade
M. Pommier	un camarade à Paris

Mme Pommier	un ami américain
Mme Lachance	deux amis américains
Jeanne	trois camarades
je	quatre amis
nous	un fauteuil
tu	une armoire à glace
vous	un stylo bleu
	une classe à trois heures

D. *Say that you have only one of the things mentioned* (J'ai seulement un, une . . .):
Avez-vous deux chaises? Avez-vous deux glaces? Avez-vous trois fauteuils?
Avez-vous deux lits? *Now say that we have only one.* Avez-vous deux fenêtres?
Avez-vous deux portes? Avez-vous deux lampes électriques? Avez-vous deux
grands tapis? Avez-vous deux grandes tables? Avez-vous deux camarades
américains à Paris?

E. *Pronounce carefully:*
Au revoir, monsieur. Au revoir, madame. Au revoir, mademoiselle.

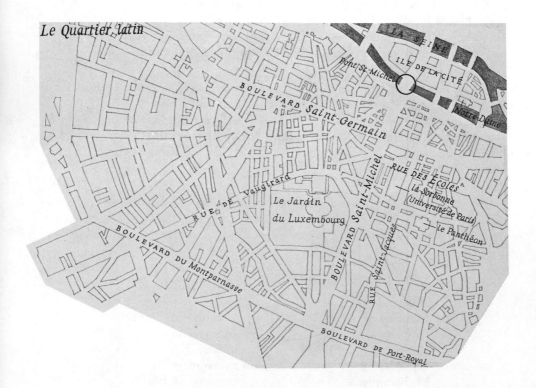

Le Quartier latin

Troisième leçon

I. DIALOGUE

Madame Laroche est dans son appartement avec son amie madame Pierre.

MME PIERRE. Vous avez vraiment un appartement très agréable.

MME LAROCHE. Oui, il a neuf grandes pièces en tout. Voilà le salon et la salle à manger.

MME PIERRE. Et cette porte à droite, c'est la cuisine?

MME LAROCHE. Oui, c'est ça. Là-bas au bout du couloir, ce sont les chambres de nos enfants.

MME PIERRE. Vous avez trois enfants, n'est-ce pas?

MME LAROCHE. Oui, deux garçons et une fille. En ce moment les garçons sont à la campagne chez leurs grands-parents.

Mrs. Laroche is in her apartment with her friend Mrs. Pierre.

—You really have a very nice apartment.

—Yes, it has nine large rooms altogether. There's the living room and the dining room.

—And that door on the right, it's the kitchen?

—Yes it is. Down there, at the end of the hall, are our children's rooms.

—You have three children, don't you?

—Yes, two boys and a girl. Just now, the boys are in the country at their grandparents' home.

MME PIERRE. Et votre fille?

MME LAROCHE. Elle est chez ma sœur.

MME PIERRE. Ça, c'est sans doute la chambre des garçons? Ce téléviseur portatif, ces photos sur les murs, tous ces souvenirs de vacances!

MME LAROCHE. Oh! Ces deux frères sont insupportables. Ils collent tout au mur: photos de vedettes de cinéma, modèles d'avion, c'est une véritable passion. Et les meubles sont en bien mauvais état!

MME PIERRE. Les chambres des garçons sont partout les mêmes!

—How about your daughter?

—She's at my sister's.

—This is of course the boys' room? That portable TV, those photographs on the wall, all those souvenirs of their vacations!

—Oh! These two brothers are impossible! They stick everything up on the wall: photographs of movie stars, airplane models; they are crazy about things like that! And the furniture is in pretty poor shape!

—Boys' rooms are the same everywhere!

II. GRAMMATICAL USAGE

A. The Possessive Adjective

M. SING.	F. SING.	M. AND F. PLURAL	MEANING
mon	ma	mes	*my*
ton	ta	tes	*your*
son	sa	ses	*his, her, its*
notre	notre	nos	*our*
votre	votre	vos	*your*
leur	leur	leurs	*their*

The possessive adjectives, which in fact express relationship as well as actual possession or ownership, are shown in the above table.

1. mon père — *my father* — ma mère — *my mother*
   mon frère — *my brother* — ma sœur — *my sister*
   mon salon — *my living room* — ma salle à manger — *my dining room*
   nos enfants — *our children* — leurs grands-parents — *their grandparents*

A possessive adjective agrees in gender and number with the noun it modifies (not, as in English, with the person whose ownership or relationship is concerned).

2. mon ami (*m.*)   mon amie (*f.*)   *my friend* (*m. or f.*)
   son ami (**m.**)   son amie (*f.*)   *his or her friend*

The forms **mon, ton, son** are used instead of **ma, ta, sa,** respectively, before feminine nouns beginning with a vowel or mute **h.**

3. mon père et ma mère   *my father and (my) mother*
   mon frère et ma sœur   *my brother and (my) sister*
   leur fils et leur fille   *their son and (their) daughter*
   leur grand-père et leur grand-mère *their grandfather and grandmother*

Possessive adjectives are regularly repeated before each noun in a series. (In English, they may or may not be repeated.)

4. son appartement   *his or her apartment*
   ses enfants   *his or her children*

Since **son, sa, ses** mean *his, her, its,* it can be known only from the context which is meant.

B. Negation

With verbs, *not* or *no* is **ne . . . pas,** with the verb placed between them, **ne** becoming **n'** before a vowel.

PRESENT NEGATIVE OF **être**	PRESENT NEGATIVE OF **avoir**
I am not, etc.	*I do not have, etc.*
je ne suis pas	je n'ai pas
tu n'es pas	tu n'as pas
il n'est pas	il n'a pas
elle n'est pas	elle n'a pas
nous ne sommes pas	nous n'avons pas
vous n'êtes pas	vous n'avez pas
ils ne sont pas	ils n'ont pas
elles ne sont pas	elles n'ont pas

NOTE The simple negative forms in French, like the affirmative forms, correspond to various equivalent forms in English, but the relationship should be obvious; e.g., **il n'est pas** = *he is not* or *he isn't.* **Vous n'avez pas** = *you have not, you do not have, you are not having.*

C. VOICI and VOILA

Voici mon père.	*Here is (Here's) my father.*
Voici ma mère.	*Here is my mother.*
Voici mes amis.	*Here are my friends.*
Voilà le salon.	*There's the living room.*
Voilà ma famille.	*There's my family.*
Voilà mes amis.	*There are my friends.*

Voici, which means *here is* or *here are*, and **voilà,** which means *there is* or *there are*, point out or direct one's attention to someone or something.

NOTE **Voici** and **voilà** are never used negatively.

D. Personal Pronoun Direct Objects

The personal pronouns which are used as direct objects of verbs are as follows:

	1ST PERSON		2ND PERSON		3RD PERSON	
SING.	me	*me*	te	*you*	le, la	*him, her, it*
PLUR.	nous	*us*	vous	*you*	les	*them*

Où est mon stylo? L'avez-vous?	*Where is my fountain pen? Do you have it?*
Non, je ne l'ai pas.	*No, I don't have it.*
Le voilà.	*There it is.*
Avez-vous mes livres?	*Do you have my books?*
Je ne les ai pas.	*I do not have them.*
Nous ne les avons pas.	*We do not have them.*
Les voilà.	*There they are.*
Oui, les voici.	*Yes, here they are.*

These personal pronouns used as direct objects regularly stand *before* a verb. If the verb is negative, they stand between **ne** and the verb.

E. Demonstrative Adjectives

1. ce téléviseur	*this* or *that TV*	ces frères	*these* or *those brothers*
cet appartement	*this* or *that apartment*	ces photos	*these* or *those photo-*
cette porte	*this* or *that door*		*graphs*

The forms of the demonstrative adjective (in English, *this, these, that, those*) are as follows:
ce before a masculine singular noun beginning with a consonant

cet before a masculine singular noun beginning with a vowel or mute **h**
cette before a feminine singular noun
ces before any plural noun

2. ce garçon-ci   *this boy*   cette jeune fille-ci   *this girl*
   ce garçon-là   *that boy*   cette jeune fille-là   *that girl*
   ces garçons-ci   *these boys*   ces jeunes filles-là   *those girls*

To distinguish *this* from *that* or *these* from *those,* or for emphasis, one adds
-ci for *this* or *these*, **-là** for *that* or *those*, to the noun modified by the demonstrative adjective.

3. Cela est vrai.   *That is (That's) true.*
   Oui, c'est ça.   *Yes, that's so. (Yes it is.)*
   Ça, c'est la chambre des garçons.   *That is the boys' room.*

Cela (frequently abbreviated to **ça**) is a neuter pronoun meaning *that.*

III. PATTERN PRACTICE for classroom and laboratory

A. *Repeat what is said:*
Mon père est à Paris. #   Mon père n'est pas à Paris. #
Ma mère est à Paris. #   Ma mère n'est pas à Paris. #

Make the following sentences negative:
Mon frère est à Paris. # Ma sœur est à Paris. # Mon grand-père est à
Paris. # Ma grand-mère est à Paris. # Le mari de Mme Laroche est à la
campagne. # La femme de M. Pierre est à la campagne. #

B. *Repeat:*
Mme Laroche a quatre enfants. #   Mme Laroche n'a pas quatre enfants #
Mme Pierre a un appartement très   Mme Pierre n'a pas un appartement
  agréable. #   très agréable. #

Make the following sentences negative:
J'ai un appartement très agréable. # Nous avons un appartement très agréable. # Vous avez un appartement très agréable. # Nos amis ont un appartement très agréable. #

C. *Repeat:*
Où est M. Laroche? #   Le voici. #
Où est Mme Laroche? #   La voici. #
Où sont M. et Mme Laroche? #   Les voici. #

Answer the following questions by saying le voici, la voici, *or* les voici, *whichever would be correct:*

Où est le fils de Mme Laroche? # Où est la fille de Mme Laroche? # Où sont le fils et la fille de Mme Laroche? # Où est le salon de Mme Laroche? # Où est la cuisine de Mme Laroche? # Où sont les chambres des enfants? #

Answer the following questions by saying le voilà, la voilà, *or* les voilà, *whichever would be correct:*

Où est le téléviseur? # Où sont les modèles d'avion? # Où sont les photos de vedettes du cinéma? # Où est l'appartement de Mme Pierre? # Où est son salon? # Où est sa cuisine? # Où sont ses enfants? #

D. *Repeat:*

Êtes-vous dans l'appartement de Mme Pierre? # Je ne suis pas dans l'appartement de Mme Pierre. #

Say that you are not in the places mentioned:

Êtes-vous dans le salon de Mme Pierre? # Êtes-vous dans sa salle à manger? # Êtes-vous dans sa cuisine? # Êtes-vous dans la chambre des garçons? # Êtes-vous dans le couloir? # Êtes-vous dans une des pièces de son appartement? #

E. *Repeat:*

Êtes-vous à Paris? #   Nous ne sommes pas à Paris. #

Say that we are not in the places mentioned:

Êtes-vous dans la chambre de Roger et d'Albert? # Êtes-vous dans un couloir à l'extérieur d'un laboratoire? # Êtes-vous dans le salon de M. et de Mme Pommier? # Êtes-vous devant le téléviseur? # Êtes-vous avec Georges et Robert? # Êtes-vous dans un hôtel de la rue des Écoles? # Êtes-vous dans le Quartier latin? # Êtes-vous à Paris? #

F. *Repeat:*

Aujourd'hui nous avons la première   Non! Nous n'avons pas la première
  leçon. #   leçon aujourd'hui. #

Respond to the statements by saying "No! We do not have *(what is said)* today!":

Aujourd'hui nous avons la première leçon. # Aujourd'hui nous avons la deuxième leçon. # Aujourd'hui nous avons la quatrième leçon. # Aujourd'hui nous avons la cinquième leçon. # Aujourd'hui nous avons la huitième leçon. # Aujourd'hui nous avons la dixième leçon. #

IV. LECTURE

MA   FAMILLE

JACQUES. Voici une photo de ma famille.   La première personne debout, à gauche, est mon père.   Ensuite, voilà un grand garçon, mon frère. Cette jolie jeune fille, à côté de mon frère, est ma sœur.   A droite, cette jeune femme est ma mère.   Voici mon grand-père, assis sur une chaise, devant mon père; et voici ma grand-mère, assise dans un fauteuil, devant ma mère.   Voilà ma famille—mon père, mon frère, ma sœur, ma mère, mon grand-père et ma grand-mère.

PHILIPPE. Il y a sept personnes sur la photo.   Entre vos grands-parents il y a un petit garçon très laid.   C'est un frère?

JACQUES. Non!   Ce petit garçon-là n'est pas mon frère!

PHILIPPE. Ce n'est pas votre frère?   Alors, c'est vous!

VOCABULARY FOR THE *LECTURE*

côté: à — de *at the side of, next to*
debout *standing*
ensuite *next*
gauche: à—, *on the left*

grand *(of persons) tall*
laid *homely, ugly*
personne *f. person*

V. EXERCISES for the classroom

A. *Pronounce carefully the following words and combinations of words:*
l'enfant [lɑ̃fɑ̃]
ces enfants [sezɑ̃fɑ̃]
ce garçon-ci [səgarsɔ̃si]
plusieurs garçons [plyzœ:rgarsɔ̃]
ces garçons-là [segarsɔ̃la]
votre fille [vɔtrfi:j]
à droite [adrwɑ:t]
assis [asi]

cet enfant [sɛtɑ̃fɑ̃]
deux garçons [døgarsɔ̃]
ce garçon-là [səgarsɔ̃la]
ces garçons-ci [segarsɔ̃si]
ma fille [mafi:j]
la jeune fille [laʒœnfi:j]
à gauche [ago:ʃ]
debout [dəbu]

NOTE **la fille** = *the daughter;* **la jeune fille** = *the girl.*

B. *Answer in French:*
1. Dans la photo de la famille de Jacques, où est son père?   2. Où est sa sœur?   3. Où est sa mère?   4. Où est son grand-père?   5. Où est sa grand-mère?   6. Où est son frère?   7. Où est le petit garçon laid?   8. Êtes-vous un grand garçon?   9. Êtes-vous un petit garçon laid?   10. Êtes-vous une jeune fille?   11. Êtes-vous une femme?

C. *Answer in French:*

1. Où est Mme Laroche?   2. Où est Mme Pierre?   3. Où sont les chambres des enfants?   4. Où sont les garçons en ce moment?   5. Où est la fille de Mme Laroche?

D. *Make the following sentences negative:*

1. Les élèves sont au laboratoire.   2. Louis est dans une salle de classe. 3. La porte est ouverte.   4. Jeanne et Robert sont à l'école.   5. Ils sont assis devant la fenêtre.   6. Mme Pierre a un appartement très agréable.   7. Son appartement a neuf grandes pièces.   8. M. et Mme Pierre ont trois enfants.   9. Ils ont deux garçons et une fille.   10. Les étudiants ont toujours l'eau courante dans leurs chambres.   11. Les chambres des étudiants sont toujours très grandes et très jolies.   12. Le soir, entre huit heures et minuit, les étudiants sont toujours dans leurs chambres.

Quatrième leçon

I. DIALOGUE

Jeanne et Pauline Gagnon, deux étudiantes américaines, sont à Paris. Mme Hubert, une amie de leur mère, les présente à M. Michel.

MME HUBERT. Je vous présente Jeanne et Pauline, les deux filles de mon amie.

M. MICHEL. Je suis très heureux de faire votre connaissance, mesdemoiselles.

PAULINE. Enchantée, monsieur.

JEANNE. C'est pour nous un plaisir de connaître encore un Français.

M. MICHEL. Vous parlez très bien ma langue, mesdemoiselles. Je vous félicite.

JEANNE. Nous la parlons avec un mauvais accent, n'est-ce pas?

Jeanne and Pauline Gagnon, two American students, are in Paris. Mme Hubert, a friend of their mother, introduces them to M. Michel.

—*I introduce to you Jeanne and Pauline, my friend's two daughters.*

—*I am very happy to meet you, (young ladies).*

—*Delighted, sir.*

—*It's a pleasure for us to be acquainted with another Frenchman.*

—*You speak my language very well. I congratulate you.*

—*We speak it with a poor accent, don't we?*

MME HUBERT. Jeanne, ce n'est pas vrai. Votre accent est très bon. Vous n'avez pas assez de pratique, c'est tout.	—*Jeanne, that isn't true. Your accent is very good. You don't have enough practice, that's all.*
M. MICHEL. Ne parlez-vous pas français avec vos amis français?	—*Don't you speak French with your French friends?*
JEANNE. Oui, mais nous n'avons pas assez d'amis français.	—*Yes, but we don't have enough French friends.*
M. MICHEL. Et moi, est-ce que je ne suis pas votre ami?	—*Am I not your friend?*
PAULINE. Oui, mais vous parlez trop vite. Pourquoi les Français parlent-ils toujours très vite?	—*Yes, but you talk too fast. Why do French people always talk very fast?*
M. MICHEL. Je parle trop vite? Allons. Pourquoi n'allez-vous pas au Louvre demain avec moi? Nous parlerons français tout le temps!	—*I talk too fast? Well now, why don't you go to the Louvre tomorrow with me? We'll speak French all the time!*
JEANNE. C'est une idée merveilleuse! Nous acceptons.	—*That's a wonderful idea! We accept.*
M. MICHEL. A demain donc.	—*See you tomorrow then.*

II. GRAMMATICAL USAGE

A. Regular Conjugations

French verbs are divided, according to the infinitive endings **-er, -ir,** or **-re,** into three classes or conjugations:

I	II	III
parl **er** *to speak*	fin **ir** *to finish*	perd **re** *to lose*

Verbs of the first conjugation will be presented in this lesson, verbs of the second and third conjugations in later lessons.

B. The First Conjugation, Present Tense

The present tense of all regular verbs of the first conjugation is formed as follows:

AFFIRMATIVE

I speak, am speaking, do speak, etc.

je parl e	nous parl ons
tu parl es	vous parl ez
il parl e	ils parl ent
elle parl e	elles parl ent

NEGATIVE

I do not speak, am not speaking, etc.

je ne parle pas	nous ne parlons pas
tu ne parles pas	vous ne parlez pas
il ne parle pas	ils ne parlent pas
elle ne parle pas	elles ne parlent pas

INTERROGATIVE

do I speak? am I speaking?, etc.

est-ce que je parle?	parlons-nous?
parles-tu?	parlez-vous?
parle-t-il?	parlent-ils?
parle-t-elle?	parlent-elles?

NEGATIVE-INTERROGATIVE

do I not speak? am I not speaking?, etc.

est-ce que je ne parle pas?	ne parlons-nous pas?
ne parles-tu pas?	ne parlez-vous pas?
ne parle-t-il pas?	ne parlent-ils pas?
ne parle-t-elle pas?	ne parlent-elles pas?

NOTES 1. The interrogative forms **parlé-je** and **ne parlé-je pas** are extremely rare; the substitute forms with **est-ce que,** shown above, are commonly used.

2. As the endings **-e, -es, -e,** and **-ent** all have mute e, all forms of the verb with these endings are pronounced alike; e.g.,

je parle [ʒəparl]	je ne parle pas [ʒənəparlpɑ]
tu parles [typarl]	ne parle-t-il pas? [nəparltilpɑ]
il parle [ilparl]	ne parlent-ils pas? [nəparltilpɑ]

3. For the three English forms of the present tense of verbs, French has but one form; e.g., *he speaks, he is speaking, he does speak* = **il parle.**

4. Verbs of the first conjugation in French are far more numerous than those of the second and third conjugations combined. Whenever a new verb is added

to the French language, it is always of the first conjugation.   But students must watch out for many useful *irregular* verbs in French.

C. Negative-Interrogative of AVOIR and ÊTRE:

avoir	être
do I not have? don't I have?, etc.	*am I not?, etc.*
n'ai-je pas?	ne suis-je pas?
n'as-tu pas?	n'es-tu pas?
n'a-t-il pas?	n'est-il pas?
n'a-t-elle pas?	n'est-elle pas?
n'avons-nous pas?	ne sommes-nous pas?
n'avez-vous pas?	n'êtes-vous pas?
n'ont-ils pas?	ne sont-ils pas?
n'ont-elles pas?	ne sont-elles pas?

D. Interrogation

In addition to the use of interrogative and negative-interrogative forms, given in sections **B** and **C,** questions may be asked in French in various ways:

1. Est-ce que je parle trop vite?   *Do I talk too fast?*
   Est-ce que je ne suis pas votre ami?   *Am I not your friend?*
   Où est Louis?   Est-ce qu'il est dans   *Where is Louis?   Is he in the*
       la salle de classe?   *classroom?*

A question may be introduced by **Est-ce que,** which is followed by the normal declarative order.   This procedure has the effect of turning a statement into a question.

2. Je suis votre ami, n'est-ce pas?   *I am your friend, am I not?*
   Vous parlez français, n'est-ce pas?   *You speak French, don't you?*
   Nous parlons français avec un   *We speak French with a poor*
       mauvais accent, n'est-ce pas?   *accent, don't we?*

By concluding a sentence with the words **n'est-ce pas?** (lit., *is it not?*) any statement can be given the force of a question.   An answer agreeing with the statement is expected.   **N'est-ce pas** in French corresponds to *all* such English locutions as *am I not?, don't you?, doesn't he?,* etc.

3. Pourquoi les Français parlent-ils   *Why do French people talk*
       si vite?   *so fast?*

| Pourquoi Jeanne et Pauline sont-elles à Paris? | *Why are Jeanne and Pauline in Paris?* |

When the subject of an interrogative sentence is a noun, the word order may be *noun - verb - pronoun.* This is called the "inverted" or interrogative word order and is very common in French. ("Inverted," because instead of *subject - verb*, as **ils parlent,** one has *verb - subject*, as **parlent-ils?**)

NOTE Pourquoi les Français parlent-ils si vite?
Pourquoi est-ce que les Français parlent si vite?

Either the inverted word order or the construction with **est-ce que** may be used after **pourquoi?** = *why?*

| 4. Vous parlez français? | *You speak French?* |
| Je parle trop vite? | *I talk too fast?* |

As in English, interrogation may be expressed by a rising inflection of the voice, without the use of an interrogative form or word order.

E. TOUT

tout le temps	*all the time*
tous les jours	*every day*
toutes les jeunes filles	*all the girls*

The forms of the adjective **tout** (= *all, every, entire, whole*) are **tout** (*m.s.*), **toute** (*f.s.*), **tous** (*m.pl.*), **toutes** (*f.pl.*).

III. PATTERN PRACTICE for classroom and laboratory

A. *Repeat:*

Je parle français. #	Je ne parle pas français. #
Robert parle français. #	Robert ne parle pas français. #
M. Michel nous présente à Mme Hubert. #	M. Michel ne nous présente pas à Mme Hubert. #
Mme Hubert félicite les jeunes filles. #	Mme Hubert ne félicite pas les jeunes filles. #
Elle les félicite. #	Elle ne les félicite pas. #
Vous parlez français tout le temps. #	Vous ne parlez pas français tout le temps. #

Make the following sentences negative:
Je parle français tout le temps. # Je présente mes amis à Mme Hubert. # M. Michel parle trop vite. # Mme Hubert parle trop vite. # Les Français parlent trop vite. # Nous parlons français tout le temps. # Nous parlons fran-

çais avec nos amis. # Vous parlez français avec un mauvais accent. # Jeanne accepte votre invitation. # Jeanne et Pauline acceptent votre invitation. #

B. *Repeat:*

Parlez-vous français avec vos amis? #   Ne parlez-vous pas français avec vos amis? #

Change the following questions from affirmative-interrogative to negative-interrogative:

Avez-vous assez d'amis français? # Parlez-vous français avec vos amis américains? # Allez-vous au Louvre demain? # Allez-vous au laboratoire aujourd'hui? # Voilà M. Michel. Parle-t-il très vite? # Voilà Mme Hubert Parle-t-elle très vite? # Voici Jeanne et Pauline. Parlent-elles français? # Le parlent-elles très bien? # Le parlent-elles avec un bon accent? # Parlez-vous français avec un bon accent? #

C. *Repeat:*

Parlez-vous français? #   Est-ce que vous parlez français? #
Êtes-vous avec Mme Hubert? #   Est-ce que vous êtes avec Mme
                                            Hubert? #

Avez-vous une chambre   Est-ce que vous avez une chambre
  confortable? #   confortable? #
Allez-vous au Louvre demain? #   Est-ce que vous allez au Louvre
                                            demain? #

Change the following questions into equivalent forms beginning with Est-ce que:

Êtes-vous un ami de M. Michel? # Êtes-vous une amie de Mme Hubert? # Avez-vous des amis à Paris? # Avez-vous assez d'amis français? # Parlez-vous français avec vos amis français? # Allez-vous au Louvre avec M. Michel? #

D. *Repeat:*

Avez-vous des amis à Paris? #   Vous avez des amis à Paris, n'est-ce
                                            pas? #

Parlez-vous français avec vos amis? #   Vous parlez français avec vos amis,
                                            n'est-ce pas? #

Change the following questions into equivalent questions, using n'est-ce pas?:

Avez-vous une chambre confortable? # Avez-vous une chambre dans un petit hôtel? # Êtes-vous dans le Quartier latin? # Avez-vous un appartement très agréable? # Est-ce qu'il y a des restaurants près de votre hôtel? # Est-ce que Louis est dans une salle de classe? # Est-ce qu'il est au laboratoire? # Est-ce qu'il va revenir? # Est-ce que vous avez une classe à trois heures? #

E. *Repeat:*

Pourquoi M. Michel parle-t-il si   Pourquoi est-ce que M. Michel parle
  vite? #   si vite? #

Change the following questions into forms with est-ce que:

Pourquoi Jeanne et Pauline sont-elles à Paris? # Pourquoi Mme Hubert les présente-t-elle à M. Michel? # Pourquoi M. Michel les félicite-t-il? # Pourquoi les jeunes filles ne parlent-elles pas français tout le temps? # Pourquoi la porte du laboratoire est-elle ouverte? # Pourquoi la porte de la salle de classe est-elle ouverte? # Pourquoi votre accent est-il mauvais? # Pourquoi l'accent de M. Michel est-il bon? # Pourquoi les Français parlent-ils toujours très vite? #

IV. LECTURE

DIX JOURS A PARIS

Louis Beaulieu et sa sœur Anne traversent l'océan Atlantique par avion. Ils quittent l'aéroport international Kennedy de New York le soir et arrivent le lendemain matin à l'aéroport d'Orly, près de Paris. Un autocar les transporte au centre de la ville. Grâce à un taxi, ils trouvent très vite leur hôtel, au Quartier latin, près de l'université de Paris.

Louis et Anne ont l'intention de suivre deux cours de français et de civilisation à la Sorbonne. Avant le commencement de leurs cours, ils passent dix jours à visiter les quartiers intéressants de la ville.

Les deux étudiants admirent, dans l'Île de la Cité, la grande cathédrale, Notre-Dame de Paris. Au nord de la Seine, sur la Rive droite, ils visitent la Place de la Concorde, où ils admirent un obélisque égyptien et deux fontaines. Ensuite, sur la Place de l'Étoile, ils montent au sommet de l'Arc de Triomphe.

Au sud de la Seine, sur la Rive gauche, ils admirent surtout le Jardin du Luxembourg et la Tour Eiffel.

Dix jours passent vite à Paris! Louis et Anne n'ont pas le temps de visiter tous les quartiers intéressants de la ville avant le commencement de leurs cours.

VOCABULARY FOR THE *LECTURE*

admirer *to admire*
aéroport *m. airport*
arc *m. arch*
arriver *to arrive*
autocar *m. bus*
avant *before*
égyptien,-ne *Egyptian*
étoile *f. star*
fontaine *f. fountain*

grâce à *thanks to*
jardin *m. park, garden*
jour *m. day*
lendemain *next day*
matin *m. morning*
monter *to go up*
nord *m. north*
obélisque *m. obelisk (column)*
où *where*

par *by*   tour *f. tower*
passer *to spend (time)*   transporter *to transport*
quitter *to leave*   traverser *to cross*
rive *f. bank*   trouver *to find*
sommet *m. summit, top*   ville *f. city*
sud *m. south*

V. EXERCISES for the classroom

A. *Pronounce carefully the following words and combinations of words:*
américain [amerikɛ̃]   une jeune fille [ynʒœnfi:j]
américaine [amerikɛn]   les jeunes filles [leʒœnfi:j]
votre accent [vɔtraksɑ̃]   toutes les jeunes filles [tutleʒœnfi:j]
un bon accent [œ̃bɔ̃naksɑ̃]   tout le temps [tulətɑ̃]
un mauvais accent [œ̃mɔvɛzaksɑ̃]   tous les jours [tuleʒu:r]

B. *Change the following sentences into questions by using* Est-ce que:
1. Louis et Anne traversent l'océan Atlantique par avion. 2. Un autocar les transporte au centre de Paris. 3. Un taxi les transporte à leur hôtel. 4. Les étudiants admirent Notre-Dame de Paris. 5. Ils montent au sommet de la Tour Eiffel.

C. *Prefix* Pourquoi *to each of the following sentences, making necessary changes:*
1. Louis et sa sœur traversent l'océan par avion. 2. Ils ont l'intention de suivre deux cours à la Sorbonne. 3. Les deux étudiants visitent l'Île de la Cité.
4. Ils montent au sommet de l'Arc de Triomphe. 5. Louis et Anne n'ont pas le temps de visiter tous les quartiers intéressants de Paris.

D. *Answer the following questions affirmatively in French, substituting personal pronoun subjects:*
1. Jeanne le parle avec un bon accent, n'est-ce pas? 2. Pauline le parle avec un mauvais accent, n'est-ce pas? 3. M. Michel le parle trop vite, n'est-ce pas?
4. Tous les Français parlent très vite, n'est-ce pas?

E. *Answer the following questions negatively in French:*
1. Est-ce que Mme Hubert est une amie de votre mère? 2. Est-ce que M. Michel est un ami de votre père? 3. Est-ce que Louis Beaulieu est votre frère?
4. Est-ce que Jeanne et Pauline sont vos sœurs? 5. Ne parlez-vous pas français tout le temps? 6. Votre accent est-il très bon? 7. Est-ce que vous parlez trop vite? 8. Est-ce que vos amis parlent trop vite? 9. La porte de la salle de classe est-elle ouverte? 10. La porte de votre chambre est-elle ouverte?

SUPPLEMENTARY EXERCISES for lessons 1–4

A. *Combine the two words in each of the following groups so as to tell who you are.* (*Example:* le frère, le garçon.—Je suis le frère du garçon.)
  1. la sœur, le garçon. 2. le fils, le professeur. 3. la femme, le professeur.
4. l'ami, la jeune fille. 5. l'ami, les jeunes filles. 6. la sœur, l'étudiant. 7. un ami, le père et la mère de Pauline. 8. un camarade, les étudiants français.

B. *Give affirmative replies to question* (a) *in each pair, negative replies to question* (b) *in each pair. Examples:* (a) Êtes-vous un étudiant américain?—Oui, je suis un étudiant américain. (b) Êtes-vous un touriste français?—Non, je ne suis pas un touriste français.
  1. (a) Êtes-vous dans une salle de classe aujourd'hui?
     (b) Êtes-vous dans la chambre d'un hôtel?
  2. (a) Nous avons la quatrième leçon aujourd'hui, n'est-ce pas?
     (b) Est-ce que nous avons la sixième leçon aujourd'hui?
  3. (a) Louis et Anne Beaulieu sont-ils à Paris?
     (b) Jeanne et Pauline sont-elles à New York?
  4. (a) Est-ce que votre chambre est confortable?
     (b) Avez-vous deux chambres?
  5. (a) Est-ce qu'il y a un restaurant dans cet hôtel?
     (b) Est-ce qu'il y a plusieurs restaurants dans cet hôtel?
  6. (a) Ne parlez-vous pas français?
     (b) N'êtes-vous pas en France?
  7. (a) Les Français parlent vite, n'est-ce pas?
     (b) Parlez-vous vite?
  8. (a) Êtes-vous heureux de faire la connaissance de M. Michel?
     (b) Est-ce que Jeanne parle français avec un mauvais accent?

C. *Repeat the following sentences, changing the subjects and verbs from singular to plural:*
  1. Je traverse l'océan Atlantique par avion. 2. J'arrive vite à Paris. 3. Je trouve une chambre dans un hôtel du Quartier latin. 4. J'ai l'intention de suivre trois ou quatre cours à la Sorbonne. 5. Mon ami passe dix jours à Paris. 6. Mon ami visite tous les quartiers intéressants. 7. Mon ami monte au sommet de la Tour Eiffel. 8. Mon ami parle français tous les jours.

Premier dialogue culturel

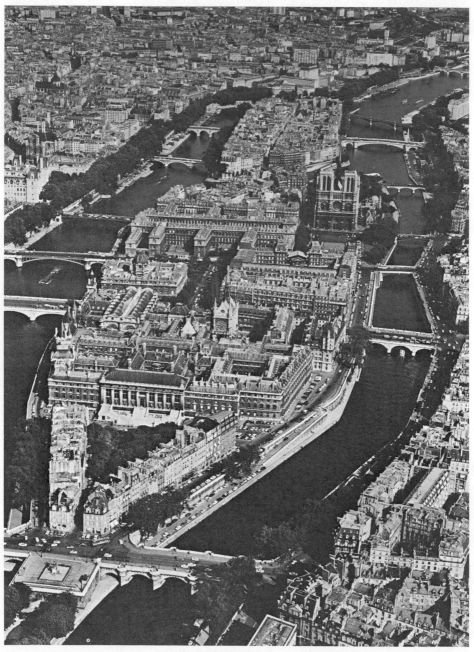

PARIS, CAPITALE DE LA FRANCE

Deux étudiants américains, Robert et Charlotte Cartier, sont en route pour Paris! Ils quittent l'Amérique par avion, ils traversent très vite l'océan Atlantique, ils arrivent à l'aéroport d'Orly, près de Paris.

A l'aéroport ils rencontrent[1] un ami français, Philippe Lefort.

Le lendemain matin, Robert, Charlotte et Philippe commencent, dans la voiture[2] de Philippe, une visite rapide de Paris. Les voilà déjà au sommet de la Tour Eiffel.

PHILIPPE. Voilà la grande ville de Paris! Voici, près de nous, la Seine. Ce fleuve[3] traverse Paris d'un bout à l'autre. Regardez! Voilà le Pont d'Iéna—Iéna, c'est le nom[4] d'une victoire de Napoléon Bonaparte—ensuite le Pont de l'Alma, le Pont des Invalides, le Pont Alexandre III et le Pont de la Concorde.

ROBERT. Près du *Pont* de la Con-

[1]rencontrer *to meet*   [2]voiture *f. car, auto*   [3]fleuve *m. river*   [4]nom *m. name*

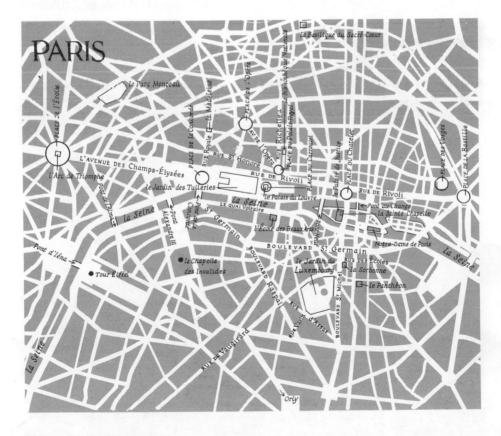

L'ÎLE DE LA CITÉ (à gauche)

45

corde il y a la *Place* de la Concorde, n'est-ce pas?

PHILIPPE. Oui. Le Pont de la Concorde relie[5] la Place de la Concorde à la Rive gauche.

CHARLOTTE. Est-ce que nous sommes sur la Rive gauche?

PHILIPPE. Oui, Charlotte. Nous sommes sur la Rive gauche parce que nous sommes au sud de la Seine.

ROBERT. Alors, la Rive droite est au nord de la Seine, n'est-ce pas?

PHILIPPE. Oui, c'est vrai. Après le Pont de la Concorde, il y a un, deux, trois, quatre ponts et enfin le Pont-Neuf.

CHARLOTTE. Le Pont-Neuf[6] est très vieux, n'est-ce pas?

PHILIPPE. Oui, il est vieux. Il relie la Rive droite à l'Île de la Cité et aussi l'Île de la Cité à la Rive gauche.

Les trois amis admirent longtemps la vue magnifique du sommet de la Tour Eiffel. Enfin ils descendent. La voiture de Philippe les transporte par les rues étroites[7] de la Rive gauche jusqu'à l'Île de la Cité. Les deux Américains admirent la

[5]relier *to join*

[6]neuf *new;* vieux *old* [7]étroit *narrow*

LE JARDIN DES TUILERIES

46

LA PLACE DE LA CONCORDE

grande cathédrale, Notre-Dame de Paris, exemple remarquable de l'architecture gothique. Ils admirent aussi la Sainte-Chapelle; l'intérieur surtout est d'une beauté extraordinaire.

Dans la voiture de Philippe, les trois amis traversent le Pont-Neuf. Les voici au nord de la Seine, sur la Rive droite. Dans la rue de Rivoli ils tournent à gauche et arrivent sur la Place du Carrousel, où ils trouvent le Palais[8] du Louvre. Mais, ce premier jour à Paris, ils n'ont pas le temps de regarder les tableaux[9] et les statues du Musée célèbre.

Près du Louvre les Américains admirent un parc magnifique, le Jardin des Tuileries. Ensuite, dans la voiture, ils retournent à la rue de Rivoli et arrivent vite à la Place de la Concorde.

ROBERT. Quel est ce monument au milieu de la Place?

PHILIPPE. C'est un obélisque égyptien.

CHARLOTTE. Pourquoi y a-t-il huit statues de femmes autour de[10] cette Place?

PHILIPPE. Les statues représentent huit villes importantes de la France.

ROBERT. J'aime surtout les deux grandes fontaines.

[8]palais *m. palace*   [9]tableau *m. picture*   [10]autour de *around*

47

L'ARC DE TRIOMPHE

PHILIPPE. Elles sont très, très jolies, surtout quand elles sont illuminées. Voilà la rue Royale et au bout de la rue une église,[11] la Madeleine.

CHARLOTTE. Elle a la forme d'un temple grec, n'est-ce pas?

De la Place de la Concorde Philippe et ses deux amis américains montent l'avenue des Champs-Élysées et arrivent à la Place de l'Étoile.

PHILIPPE. Pour monter au sommet de l'Arc de Triomphe, il y a un ascenseur[12] et un escalier[13] . . .

CHARLOTTE. Nous avons le temps de monter par l'escalier, n'est-ce pas?

Les trois jeunes gens[14] montent

[11] église *f. church*

[12]ascenseur *m. elevator* [13]escalier *m. stairway, stairs* [14]jeunes gens *young people*

UN VIEUX QUARTIER

par l'escalier.

PHILIPPE. Voilà, à l'horizon, à gauche, la masse énorme d'une église catholique, la Basilique du Sacré-Cœur.[15]

ROBERT. Voilà, à droite, un autre dôme.

PHILIPPE. Oui, c'est le dôme de la Chapelle des Invalides. Sous le dôme est le tombeau de Napoléon.

CHARLOTTE. Voilà un troisième dôme.

PHILIPPE. C'est le dôme du Panthéon, édifice immense où la France honore ses grands hommes.

Les trois camarades descendent de l'Arc de Triomphe. Dans la voiture de Philippe ils descendent l'avenue des Champs-Élysées jusqu'à la Place de la Concorde, où ils tournent à gauche. Ils suivent la rue Royale et deux grands boulevards à la Place de l'Opéra. L'animation de cette place étonne les deux Américains.

PHILIPPE. La Place de l'Opéra est presque le centre de la ville moderne.

CHARLOTTE. Mais Paris n'est pas une ville moderne!

PHILIPPE. Paris est en même temps une ville historique et une ville moderne. Les grandes villes américaines—New York, Chicago, Saint Louis, San Francisco, par exemple—sont, de notre point de vue, modernes. Mais Paris est d'abord[16] une ville historique. Les ruines des Arènes[17] datent de l'époque romaine. Notre-Dame de Paris et la Sainte-Chapelle datent du Moyen

PARIS MODERNE: ANIMATION SUSPENDUE

Age.[18] L'obélisque égyptien, dans la Place de la Concorde, marque à peu près le site de la guillotine pendant la Révolution. Paris est aussi une ville moderne. La Tour Eiffel est moderne, comme les grands édifices de New York. Et les modes[19] d'aujourd'hui, Charlotte, où les trouvez-vous?

CHARLOTTE. Dans les magasins[20] de la rue Saint-Honoré!

PHILIPPE. La musique moderne, la littérature moderne, l'art moderne—les souvenirs et les chefs-d'œuvre[21] des Impressionnistes, des

[15]Sacré-Cœur *Sacred Heart* [16]d'abord *first, in the first place* [17] Arènes *f.pl. Arena*

[18]du Moyen Age *from the Middle Ages* [19]mode *f. fashion* [20]magasin *m. store* [21]chef-d'œuvre *m. masterpiece*

49

POUR
LES PARISIENS

Cubistes, des Surréalistes, des Expressionnistes—vous trouvez tout cela à Paris, n'est-ce pas? Paris est une ville d'une variété remarquable. Il y a des quartiers riches et des quartiers pauvres. Il y a le Paris du commerce et le Paris des lettres[22] et des sciences.

[22]lettres *f.pl. (here) Humanities*

ROBERT. Il y a aussi le Paris des touristes.

PHILIPPE. Oui, Robert. C'est surtout pour les touristes qu'il y a les hôtels élégants de la rue de Rivoli, les grands cafés des Champs-Élysées, et les boîtes de nuit.[23] Mais les parcs, surtout le Jardin des Tui-

[23]boîte de nuit *f. night-club*

BOUL' MICH': LE PARIS DES ÉTUDIANTS

50

LA TOUR EIFFEL ILLUMINÉE

leries et le Jardin du Luxembourg, les grands magasins, les écoles, les églises, les immeubles[24] où il y a un grand nombre d'appartements, tout cela est pour les Parisiens. Paris a presque trois millions d'habitants.

CHARLOTTE. Pourquoi la ville est-elle si grande?

PHILIPPE. Parce que Paris a une situation très favorable. La ville est située sur un grand fleuve, la Seine, au centre d'une vaste plaine, le Bassin parisien. L'Amérique a deux capitales, n'est-ce pas? Washington est la capitale politique, New York est la capitale financière. Paris est le Washington et le New York d'un pays[25] très centralisé. Paris est aussi la capitale artistique et littéraire de la France. Mais surtout, c'est une ville d'un charme et d'une beauté extraordinaires.

[24]immeuble *m. building, block*

[25]pays *m. country*

Sixième leçon

I. DIALOGUE

Maurice est dans la chambre de Roger et d'Albert.

MAURICE. Qu'est-ce que vous pensez des petits déjeuners français? Vous les aimez?

ROGER. J'aime beaucoup les avoir dans notre chambre!

MAURICE. Hélas! Je prends tous mes repas dans un petit restaurant près de mon hôtel.

ALBERT. Ce matin encore, la femme de chambre nous a apporté du café au lait vers 8 heures.

ROGER. Et sur notre plateau nous avons trouvé des petits pains, des croissants délicieux . . .

MAURICE. Sans doute aussi du beurre et de la confiture.

ALBERT. Oui, mais je n'aime pas

Maurice is in Roger's and Albert's room.

—*What do you think of French breakfasts? Do you like them?*

—*I like very much having them in our room!*

—*Alas! I take all my meals in a little restaurant near my hotel.*

—*Again this morning, the maid brought us coffee with milk about 8 o'clock.*

—*And on our tray we found rolls, delicious crescent-rolls . . .*

—*Of course butter and jam also.*

—*Yes, but I don't like the jam. It tastes*

cette confiture. Elle a le goût de la prune.

like a kind of plum.

MAURICE. La femme de chambre vous a apporté du jus d'orange?

—*The maid brought you some orange juice?*

ROGER. Non, elle n'en a pas apporté. Nous n'en avons pas commandé.

—*No, she didn't bring any. We didn't order any.*

MAURICE. En bons Américains, vous aimez avoir des œufs au petit déjeuner?

—*Being good Americans, you like to have eggs for breakfast?*

ALBERT. Dans cet hôtel on n'en sert jamais au petit déjeuner.

—*In this hotel they never serve any at breakfast.*

MAURICE. Vous n'avez pas de chance! Ce matin, au restaurant, j'ai demandé un œuf à la coque et le garçon m'en a apporté deux!

—*You're out of luck! This morning, in the restaurant, I asked for a soft-boiled egg and the waiter brought me two!*

II. GRAMMATICAL USAGE

A. The Past Participle

INFINITIVE	PAST PARTICIPLE
parl er	parl é
apporter	apporté

The past participle of all verbs of the first conjugation is composed of the stem plus the ending **-é.**

B. The PASSÉ COMPOSÉ

PASSÉ COMPOSÉ OF **parler**	
I spoke, I have spoken, etc.	
j'ai parlé	nous avons parlé
tu as parlé	vous avez parlé
il a parlé	ils ont parlé
elle a parlé	elles ont parlé

1. The **passé composé** tense, which corresponds in English to a perfect tense or simple past tense, is composed of a past participle and, for most verbs, the present tense of **avoir.**

2. The English equivalent of the **passé composé** of **parler** is *I spoke,* or *I have spoken, you spoke* or *you have spoken, he spoke* or *he has spoken,* etc.

3. The past participle of **avoir** is **eu,** of **être** is **été.**   Therefore the **passé composé** of these verbs is as follows:

	avoir		être
j'ai eu	*I had* or *I have had*	j'ai été	*I was* or *I have been*
tu as eu	*you had* or *have had*	tu as été	*you were* or *have been*
	etc.		etc.

4. La femme de chambre a apporté   *The maid brought some coffee*
   du café au lait.   *with milk.*
   J'ai demandé un œuf à la coque.   *I asked for a soft-boiled egg.*

The **passé composé** is used, in informal or conversational style, to express or narrate a simple fact or occurrence in the past.

C. Word Order in Compound Tenses

En a-t-elle apporté?   *Did she bring any?*
Elle en a apporté—elle n'en a   *She brought some—she did not*
   pas apporté.   *bring any.*
En avez-vous commandé?   *Did you order any?*
Nous n'en avons pas commandé.   *We did not order any.*

In compound tenses, such as the **passé composé,** it is the auxiliary (usually **avoir**), not the entire verb form, which is made interrogative or negative.

D. The General Noun

Aimez-vous les petits déjeuners   *Do you like French breakfasts?*
   français?
Les grandes villes américaines   *Large American cities are modern.*
   sont modernes.
La musique moderne, la littérature *Modern music, modern literature,*
   moderne, l'art moderne—vous trouvez *modern art—you find all that*
   tout cela à Paris.   *in Paris.*

Nouns used in a general sense are preceded by a definite article in French, though not commonly in English.

E. The Partitive Construction

1. du beurre et du café   *(some) butter and coffee*
   de la confiture   *(some) jam*
   des croissants   *(some) crescent-rolls*
   Avez-vous du jus d'orange?   *Have you any orange juice?*

Some or *any,* whether expressed or implied before a noun in English, is regularly expressed in French by **de** and the definite article. (Regular contractions take place.)

NOTES 1. This use of **de** + definite article is called the "partitive" construction, the word or words for *some* or *any* being called "the partitive sign."
2. A "partitive noun" is one preceded by **de** + definite article with the meaning of *some* or *any;* a "partitive pronoun" (see below) is one which means *some* or *any.*
3. The plural of an indefinite article is a partitive sign: une photo, **des** photos.

2. Vous n'avez pas de chance.   *You don't have any luck.*
   Elle n'a pas apporté de jus   *She did not bring any orange juice.*
       d'orange.
   Je n'ai pas commandé de croissants.   *I did not order any crescent-rolls.*
   Il n'y a pas de croissants.   *There aren't any crescent-rolls.*

When the partitive noun is the direct object of a negative verb, *some* or *any* is expressed by **de** alone (in other words, the definite article is omitted).

3. La femme de chambre en a apporté.   *The maid brought some.*
   En voici.   *Here are some.*
   Elle n'en a pas apporté.   *She did not bring any.*
   Nous n'en avons pas commandé.   *We did not order any.*

Some or *any* as a pronoun is **en,** which must be expressed in French even when omitted in English (see 4.). Like the personal pronoun objects, **en** stands directly before a verb (before the auxiliary in a compound tense).

4. Est-ce qu'il y a du café sur le   *Is there any coffee on the tray?*
       plateau?
   Oui, il y en a.   *Yes, there is.*
   Non, il n'y en a pas.   *No, there isn't.*

Observe the order of **y** and **en** when the partitive pronoun is used with the expression **il y a,** *there is, there are.*

III. PATTERN PRACTICE

A. *Repeat:*

Je parle français avec mes amis. #   J'ai parlé français avec mes amis. #
Je passe dix jours à Paris. #   J'ai passé dix jours à Paris. #
Je commande du café au lait. #   J'ai commandé du café au lait. #

Repeat the following sentences, changing the verbs from present tense to passé composé:
    Je passe dix jours à Paris. # Je parle français avec M. Michel. # Je parle français avec Jeanne et Pauline. # Je présente mes amies à M. Michel. #

B. *Repeat:*

Nous passons dix jours à Paris. #   Nous avons passé dix jours à Paris. #

Repeat the following sentences, changing the verbs from present tense to passé composé:
    Nous parlons français avec les Français. # Nous traversons la Seine. # Nous visitons l'Île de la Cité. # Nous admirons la cathédrale. # Nous admirons la Sainte-Chapelle. #

C. *Repeat:*

Roger et Albert commandent leur   Ils ont commandé leur petit
    petit déjeuner. #   déjeuner. #

Repeat the following sentences, changing the verbs from present tense to passé composé *(use third person plural forms):*
    Ils commandent leur petit déjeuner. # Ils commandent du café au lait. # Ils commandent des petits pains. # Ils demandent de la confiture. # Ils demandent du jus d'orange. # Ils trouvent du beurre et de la confiture sur le plateau. # Ils trouvent des croissants sur le plateau. #

D. *Repeat:*

La femme de chambre, a-t-elle   Non, elle n'a pas apporté de jus
    apporté du jus d'orange? #   d'orange. #
Avez-vous commandé des oranges? #   Non, je n'ai pas commandé
                                           d'oranges. #

Answer the following questions negatively, as just illustrated:
    La femme de chambre, a-t-elle apporté du beurre? # Avez-vous commandé du beurre? # A-t-elle apporté du café américain? # Avez-vous commandé du café americain? # A-t-elle apporté de la confiture? # Avez-vous commandé de la confiture? # A-t-elle apporté des prunes? # Avez-vous commandé des prunes? #

E. *Repeat:*

Est-ce que le garçon a apporté du café
  au lait? #   Oui, il en a apporté. #
Est-ce que la femme de chambre a
  apporté des petits pains? #   Oui, elle en a apporté. #

Agree that he or she brought some (of what is mentioned):
  Est-ce que le garçon a apporté des croissants? # La femme de chambre a-t-elle apporté des petits pains? # A-t-elle apporté du beurre? # A-t-elle apporté de la confiture? #

Repeat:

Est-ce que la femme de chambre a
  apporté du jus d'orange? #   Non, elle n'en a pas apporté. #

Answer the following questions by saying "No, he or she did not bring any.":
  Est-ce qu'il a apporté du beurre? # A-t-il apporté des œufs à la coque? # A-t-elle apporté de l'eau froide? # A-t-elle apporté de l'eau chaude? # A-t-il apporté des oranges? #

F. *Repeat:*
Est-ce qu'il y a du café sur le plateau? #   Oui, en voici. #

Answer the following questions by saying "Yes, here is some *or* here are some.":
  Est-ce qu'il y a du lait sur le plateau? # Est-ce qu'il y a du beurre sur le plateau? # Des petits pains? # Des croissants? #

G. *Repeat:*
Est-ce qu'il y a du café au lait sur le
  plateau? #   Oui, il y en a. # Non, il n'y en a pas. #

Answer the following questions, first affirmatively, then negatively:
  Est-ce qu'il y a du café au lait sur le plateau? # # Est-ce qu'il y a du beurre sur le plateau? # # Est-ce qu'il y a des œufs sur le plateau? # # Est-ce qu'il y a des œufs à la coque sur le plateau? # #

IV. LECTURE

LE PETIT DÉJEUNER

  Roger et Albert sont dans leur petite chambre. C'est le matin. Une femme de chambre a apporté leur petit déjeuner sur un plateau. Elle a apporté du café au lait, des petits pains, des croissants, du beurre, du sucre et de la confiture reine-claude.   Elle a aussi apporté des assiettes, des tasses, des cuillers et des serviettes.   Les assiettes et les tasses ne sont pas jolies, les serviettes sont en papier.

Monsieur et Madame Lepic sont des touristes américains.   Ils sont très riches.   Ils ont une chambre élégante dans un hôtel magnifique.   La chambre est très bien meublée, très bien éclairée.   C'est le matin.   Un valet de chambre a apporté leur petit déjeuner sur un plateau.   Sur le plateau il y a des assiettes et des tasses de fine porcelaine et des serviettes de linge fin. Le valet a apporté du café au lait, des croissants, des petits pains, du beurre, du sucre et de la confiture reine-claude.

Dans leur hôtel magnifique, dans leur chambre élégante, M. et Mme Lepic ont le même petit déjeuner que les étudiants américains.   Et, comme Roger et Albert, ils aiment les petits déjeuners français.   Ils aiment surtout le café au lait, les croissants et la confiture reine-claude.

VOCABULARY FOR THE LECTURE

assiette *f. plate*
cuiller *f. spoon*
éclairé *lighted*
élégant *elegant*
fin *fine, delicate*
linge *m. linen*
matin *m. morning*
même *adj. same*

papier *m. paper*
porcelaine *f. porcelain, china*
reine-claude *f. species of plum*
riche *rich*
serviette *f. napkin*
tasse *f. cup*
valet *(m.)* de chambre *manservant*

V. EXERCISES for the classroom

A. *Pronounce carefully the following words and combinations of words:*
des petits pains [depətipɛ̃]
du jus d'orange [dyʒydɔrɑ̃:ʒ]
un œuf, des œufs [œ̃œf, dezø]
un œuf à la coque [œ̃œfalakɔk]

une assiette [ynasjɛt]
des assiettes [dezasjɛt]
une cuiller [ynkɥijɛ:r]
des cuillers [dekɥijɛ:r]

B. *Change the tense of the verbs in the following sentences from present to* passé composé:
1. Mme Hubert présente Jeanne et Pauline Gagnon à M. Michel.   2. Les jeunes filles parlent français tout le temps.   3. Elles le parlent avec un bon accent.   4. M. Michel félicite Jeanne et Pauline.   5. Parlez-vous français tout le temps?   6. Ne parlez-vous pas français tout le temps?   7. Oui, je le parle toujours.   8. Est-ce que M. Michel vous félicite?   9. Non, il ne me félicite pas. 10. Pourquoi M. Michel ne vous félicite-t-il pas?   11. Parce que je parle avec un

mauvais accent.   12. Vos camarades parlent-ils français avec vous?   13. Est-ce que vous parlez français avec vos camarades?   14. Oui, nous parlons français tout le temps.

C. *Read the following sentences in French, supplying the proper partitive sign in the blanks:*
1. Jeanne et Pauline ont — amies à Paris, n'est-ce pas?   2. Les jeunes filles ont visité — parcs, — places, et — musées.   3. Pour le petit déjeuner, elles commandent toujours — café, — lait, — petits pains, — beurre, — sucre et — — confiture. 4. Il y a toujours sur un plateau — assiettes, — tasses, — cuillers, et — serviettes.
5. Où sont les cuillers?   Il n'y — a pas; la femme de chambre n' — a pas apporté.   6. Comment!   Elle n'a pas apporté — cuillers?   7. Ah, — voici, sous les serviettes.
8. Avez-vous — café américain?   9. Nous n' — avons pas.   Il n'y — a pas dans cet hôtel.   10. Ici on n' — sert jamais.

D. *Invent replies to the following questions:*
1. Est-ce que vous aimez le café au lait?   2. Aimez-vous le lait?   3. Vous aimez le café, n'est-ce pas?   4. Vous avez toujours du café au petit déjeuner, n'est-ce pas?   5. Est-ce que vous avez du jus d'orange tous les jours?   6. Aimez-vous les confitures?   7. Et les œufs à la coque, les aimez-vous?   8. En avez-vous tous les jours?

E. *Answer the following questions, first affirmatively, then negatively:*
1. Est-ce que la femme de chambre a apporté notre petit déjeuner?   2. A-t-elle apporté du café?   3. A-t-elle apporté du jus d'orange?   4. Est-ce qu'elle a apporté des croissants?
5. Avez-vous du café?   6. Avez-vous de la confiture?   7. Avez-vous des croissants?   8. Avez-vous des petits pains?
9. Est-ce qu'il y a des assiettes sur le plateau?   10. Des cuillers?   11. Des tasses de fine porcelaine?   12. Des serviettes de linge fin?

Septième leçon

I. DIALOGUE

Jeanne Gagnon a étudié le *Premier dialogue culturel.* Sa sœur, Pauline, lui pose des questions.

PAULINE. Quand Robert et Charlotte sont arrivés à l'aéroport, qui les a accueillis?

JEANNE. Philippe, un ami français. Le lendemain matin, il les a emmenés à la Tour Eiffel.

PAULINE. Du sommet de la Tour Eiffel, quel fleuve Philippe a-t-il montré à ses amis?

JEANNE. Il leur a montré la Seine et ses nombreux ponts.

PAULINE. Quel pont relie la Rive droite à l'Île de la Cité?

JEANNE. C'est un très vieux pont— le Pont-Neuf!

Jeanne Gagnon has studied the First Cultural Dialogue. Her sister, Pauline, asks her questions.

—*When Robert and Charlotte arrived at the airport, who greeted (welcomed) them?*

—*Philippe, a French friend. The next morning, he took them to the Eiffel Tower.*

—*From the top of the Eiffel Tower, what river did Philippe show (point out) to his friends?*

—*He showed them the Seine and its numerous bridges.*

—*What bridge joins the Right Bank to the Île de la Cité?*

—*It's a very old bridge—the New Bridge!*

PAULINE. Et dans l'Île de la Cité, qu'est-ce que Philippe leur a montré?

JEANNE. La cathédrale, Notre-Dame de Paris, et la Sainte-Chapelle. Comme tous les touristes, ils les ont beaucoup admirées.

PAULINE. Il y a huit statues autour de la Place de la Concorde. Elles représentent des villes. Quelles villes?

JEANNE. Philippe n'a pas dit quelles villes elles représentent.

PAULINE. Qu'est-ce que Robert aime surtout à la Place de la Concorde?

JEANNE. Les belles fontaines—et moi aussi, je les aime, surtout le soir, quand elles sont illuminées.

PAULINE. Où les trois amis ont-ils fini leur rapide visite de Paris?

JEANNE. Ils l'ont finie à la Place de l'Opéra, n'est-ce pas? Quant à nous, nous allons finir ici cet examen ennuyeux!

—*And on the Île de la Cité, what did Philippe show them?*

—*The cathedral, Notre-Dame de Paris, and the Sainte-Chapelle. Like all tourists, they admired them very much.*

—*There are eight statues around the Place de la Concorde. They represent cities. What cities?*

—*Philippe didn't say what cities they represent.*

—*What does Robert especially like in the Place de la Concorde?*

—*The beautiful fountains—and I, too, like them, especially in the evening, when they are illuminated.*

—*Where did the three friends end their quick tour of Paris?*

—*They ended it in the Place de l'Opéra, didn't they? As for us, we are going to end this boring quiz right here!*

II. GRAMMATICAL USAGE

A. Verbs of the Second Conjugation

INFINITIVE	fin **ir**	*to finish (end)*
PAST PARTICIPLE	fin **i**	*finished (ended)*

1. Verbs of the second conjugation have an infinitive ending in **-ir** and a past participle ending in **-i**, like the model verb **finir**.

2. The present tense is as follows:

I finish, do finish, am finishing, etc.	
je fin **is**	nous fin iss **ons**
tu fin **is**	vous fin iss **ez**
il fin **it**	ils fin iss **ent**

3. The negative, interrogative, and negative-interrogative of the present tense are formed according to the same principles as in first-conjugation verbs:

NEGATIVE	INTERROGATIVE	NEGATIVE-INTERROGATIVE
I do not finish, etc.	*do I finish?, etc.*	*do I not finish?, etc.*
je ne finis pas	est-ce que je finis?	est-ce que je ne finis pas?
il ne finit pas	finit-il?	ne finit-il pas?
ils ne finissent pas	finissent-ils?	ne finissent-ils pas?
etc.	etc.	etc.

4. The **passé composé** is a combination of the present tense of **avoir** and a past participle:

j'ai fini	*I finished*
vous avez fini	*you finished*
etc.	etc.

5. The negative, interrogative, and negative-interrogative of the **passé composé** are regularly formed.

Où ont-ils fini leur visite?	*Where did they finish their tour?*
Ils ne l'ont pas encore finie.	*They haven't finished it yet.*
Ne l'ont-ils pas finie?	*Haven't they finished it?*

NOTE The second conjugation contains relatively few verbs. Some important verbs whose infinitive ends in **-ir** are irregular; e.g., **accueillir,** *to greet, welcome* (used in this lesson). **Choisir,** *to choose,* which is a regular verb, will be used in Lesson 8. Other verbs in **-ir** will be introduced in subsequent lessons.

B. Agreement of the Past Participle

1. Qui les a accueillis? — *Who greeted them?*
Philippe les a emmenés à la Tour Eiffel. — *Philippe took them to the Eiffel Tower.*
Les touristes ont admiré la cathédrale et la Sainte-Chapelle. Ils les ont admirées. — *The tourists admired the cathedral and the Sainte-Chapelle. They admired them.*

In a compound tense formed with **avoir,** the past participle agrees in gender and number with a *preceding* direct object. (Add **-e** for *fem. sing.*, **-s** for *masc. pl.*, **-es** for *fem. pl.*)

2. Est-ce que la femme de chambre   *Did the maid bring any rolls?*
    a apporté des petits pains?
    Elle n'en a pas apporté.   *She did not bring any.*

The past participle does not agree with **en** *(some, any)*.

NOTE The **-s** or **-es** added to a past participle in accordance with this rule is usually pronounced, by reason of *liaison, only* if the next word begins with a vowel. Otherwise it has no effect upon pronunciation. Therefore correct agreement is rarely important in *oral* French but it should be made in *written* French.

C. The Interrogative Adjective

Quel fleuve a-t-il montré à ses amis?   *What river did he show to his friends?*

Quelle place ont-ils visitée?   *What square did they visit?*
Quels ponts leur a-t-il montrés?   *What (Which) bridges did he show them?*

De quelles villes a-t-il parlé?   *What cities did he talk about?*

Quel *m.,* **quelle** *f.,* **quels** *m.pl.,* **quelles** *f.pl.* = *which? what?* Agreement is with the noun modified.

D. Interrogative Pronouns

1. Qui les a accueillis?   *Who greeted (met) them?*
    Qui a-t-il accueilli à l'aéroport?   *Whom did he greet (meet) at the airport?*
    A qui est-ce que Pauline a posé des   *To whom did Pauline ask questions?*
    questions?

The interrogative pronoun **qui,** *who, whom,* may be used as subject of a verb, object of a verb, or object of a preposition. (**Qui** never becomes **qu'.**)

2. Que regardez-vous?   *What are you looking at?*
    Qu'avez-vous montré à vos amis?   *What did you show (to) your friends?*
    Qu'est-ce que Philippe vous a   *What did Philippe show you?*
    montré?

    Qu'est-ce qu'il y a au centre de   *What is there at the center of the*
    la Place?   *Square?*

Que and **qu'est-ce que** both mean *what* and are used as objects of verbs in questions. (Note that **que** is followed by an inverted order whereas **qu'est-ce que** is followed by an affirmative order.)

E. Indirect Object Pronouns

The personal pronouns used as *indirect* objects of verbs are as follows:

me	*me, to me*	nous	*us, to us*
te	*you, to you*	vous	*you, to you*
lui	*him, to him, her, to her*	leur	*them, to them*

Pauline lui pose des questions.	*Pauline asks her questions.*
Qui nous a parlé?	*Who spoke to us?*
Qui vous a parlé?	*Who spoke to you?*
Qu'est-ce que Philippe leur a montré?	*What did Philippe show them?*
Il leur a montré la Seine.	*He showed them the Seine.*

Observe that **me, te, nous,** and **vous** may be used either as direct or as indirect objects of verbs. **Le** *(him),* **la** *(her),* and **les** *(them)* must be carefully distinguished from **lui** and **leur.** Observe also that a past participle does not agree with a preceding *indirect* object.

III. PATTERN PRACTICE

A. *Repeat:*

Quelle leçon finissez-vous? La septième? #	Oui, je finis la septième leçon. #
Quelle leçon est-ce que Roger finit? La première? #	Oui, il finit la première leçon. #
Quelle leçon les élèves finissent-ils aujourd'hui? La sixième? #	Oui, ils finissent la sixième leçon. #

Continue to agree that the persons mentioned are finishing the lesson mentioned:

Quelle leçon est-ce que Roger finit?   La deuxième? # Quelle leçon est-ce que Marie finit?   La quatrième? # Quelle leçon est-ce que nous finissons?   La cinquième? # Quelle leçon est-ce que les élèves finissent?   La sixième? # Quelle leçon finissez-vous?   La première? #

B. *Repeat:*

Est-ce que Robert a fini la deuxième leçon? #	Oui, il l'a finie. #
Avez-vous fini la troisième leçon? #	Oui, je l'ai finie. #

Continue to answer the questions affirmatively:

Voilà Jeanne.   A-t-elle fini la quatrième leçon? # Voilà Suzanne.   A-t-elle fini la cinquième leçon? # Quelle leçon avez-vous finie?   La cinquième aussi? # Quelle leçon les élèves ont-ils finie?   La sixième? #

C. *Repeat:*

Mon ami m'a posé une question. #   Qui vous a posé une question? #
Jeanne a étudié un dialogue. #   Qui a étudié un dialogue? #

After each statement, pretend that you have not understood who *was meant and ask* who
did what was mentioned:

    Jeanne m'a posé une question. # Mme Hubert m'a parlé. # Elle m'a posé
des questions. # Philippe nous a montré le Pont-Neuf. # Il nous a emmenés à
la Tour Eiffel. # Mme Hubert nous a présentés à M. Michel. #

D. *Repeat:*

Jeanne a parlé à ma sœur. #   A qui a-t-elle parlé? #
Jeanne lui a parlé de sa sœur. #   De qui lui a-t-elle parlé? #

After each statement, ask to whom, à qui, *or* of (about) whom, de qui, *the person has
spoken:*

    Jeanne a parlé à Mme Hubert. # Elle lui a parlé de sa sœur. # Pauline a
parlé à M. Michel. # Philippe a parlé à des jeunes filles. # Il leur a parlé de
ses amis américains. # Les jeunes filles ont parlé à M. Michel. # Mme Laroche
a parlé à Mme Pierre. # Elle lui a parlé de ses garçons. #

E. *Repeat:*

Qu'avez-vous étudié? #   Qu'est-ce que vous avez étudié? #

Change the following questions from que *and verb to* qu'est-ce que *and verb:*

    Qu'avez-vous admiré dans l'Île de la Cité? # Qu'avez-vous regardé sur la
Place de la Concorde? # Qu'avez-vous regardé du sommet de la Tour
Eiffel? # Que pensez-vous des petits déjeuners français? # La femme de chambre
qu'apporte-t-elle sur son plateau? # Que commandez-vous pour votre petit
déjeuner? #

F. *Repeat:*

Philippe montre la Seine à son ami. #   Il lui montre la Seine. #
Il montre le Pont-Neuf aux
    Américains. #   Il leur montre le Pont-Neuf. #

Repeat the following sentences, changing the indirect objects to indirect object pronouns:

    Philippe montre un fleuve à ses amis. # Il montre des ponts à ses amis. # Il
montre un très vieux pont à Charlotte. # Robert pose des questions à Philippe. # Robert et Charlotte posent des questions à Philippe. # Pauline pose des
questions à sa sœur. #

G. *Repeat Exercise F, with all verbs in the* passé composé.

IV. LECTURE

LETTRE DE LOUIS BEAULIEU
A UN PROFESSEUR AMÉRICAIN

Cher Monsieur,

Nous voici, ma sœur et moi, à Paris! Vous nous avez donné une si forte envie de visiter la capitale de la France que nous allons passer au moins un mois ici.

M. Dorval, un ami de notre père, nous a accueillis à l'aéroport d'Orly. Le lendemain de notre arrivée, M. Dorval nous a montré la ville de Paris. En un jour? Oui! Il nous a emmenés au sommet de la Tour Eiffel, où, en dix minutes, nous avons vu non seulement toute la ville mais aussi une grande partie des environs de Paris! Nous avons longtemps admiré cette vue magnifique!

Dans sa voiture, M. Dorval nous a emmenés ensuite à l'Île de la Cité, où nous avons visité Notre-Dame de Paris et la Sainte-Chapelle; puis, par des rues et des avenues, il nous a conduits à la Place de l'Étoile. Dans les rues étroites de Paris il y a souvent des embouteillages (j'ai trouvé ce mot-là dans un dictionnaire!) mais en général les agents de police dirigent la circulation avec beaucoup d'adresse.

Du sommet de l'Arc de Triomphe M. Dorval nous a montré une vue extraordinaire! L'avenue des Champs-Élysées, la Place de la Concorde, avec son obélisque, le Jardin des Tuileries, le Palais du Louvre! Tout cela au centre de cette grande ville! Il n'y a pas de vue semblable ailleurs au monde!

Tous les monuments historiques de Paris m'intéressent parce que j'ai étudié l'histoire de France. Avec les musées, les théâtres, les environs de la ville et peut-être un cours de français oral, un mois passe vite.

Dans votre cours de français, vous nous avez enseigné des expressions utiles. Je finis ma lettre par une de ces expressions:

Veuillez agréer, monsieur, l'assurance de mes sentiments distingués,

Louis Beaulieu

VOCABULARY FOR THE *LECTURE*

adresse *f. skill*

agent *(m.)* de police *policeman*

agréer *to accept*

ailleurs *elsewhere*

Cher Monsieur *Dear Sir*

circulation *f. traffic*

conduire *(irreg.) to drive*

diriger *to direct*

distingué *distinguished*

donner *to give*

embouteillage *m. traffic jam*

enseigner *to teach*

envie *f. desire*

environs *m.pl. surroundings*

fort *adj. strong*

moins: au —, *at least*

mois *m. month*

monde *m. world*

monument *m. building, structure, edifice*

mot *m. word*

semblable *similar*

si *adv. so*

souvent *often*

utile *useful*

Veuillez agréer . . . *Sincerely yours*

vu *(pp. of* voir, *irreg.) seen*

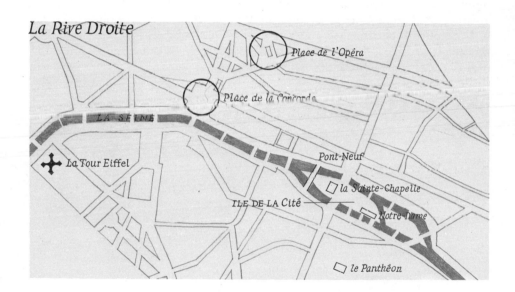

V. EXERCISES for the classroom

A. *Pronounce carefully the following words and combinations of words:*

étudier [etydje]

cette leçon [sɛtləsɔ̃]

Qui a étudié cette leçon? [kiaetydje sɛtləsɔ̃]

quel pont? [kɛlpɔ̃]

un vieux pont [œ̃vjøpɔ̃]

quel monument? [kɛlmɔnymã]

la Tour Eiffel [latu:rɛfɛl]

quelle ville? [kɛlvil]

quelles villes? [kɛlvil]

quels garçons? [kɛlgarsɔ̃]

quelles jeunes filles? [kɛlʒœnfi:j]

B. *Repeat the following sentences in French, making the italicized words plural, and making other words plural as may be necessary:*
1. *La jeune fille* a étudié plusieurs leçons.—*Quelle leçon* a-t-elle étudiée? 2. Jacques a montré *une photo* de sa famille à Philippe.—*Quelle photo* lui a-t-il montrée? 3. *La chambre* de l'appartement est bien meublée.—De *quelle chambre* parlez-vous? 4. Mme Hubert a présenté *une jeune fille* à M. Michel.—*Quelle jeune fille* lui a-t-elle présentée? 5. *La jeune fille* a parlé avec un bon accent.   M. Michel *l'*a félicitée.   6. *Votre camarade français*, ne parle-t-il pas français avec vous?—Je n'ai pas de *camarade français*.   7. Vous avez posé *une question* à *votre ami*, n'est-ce pas?—*Quelle question lui* avez-vous *posée?*   8. *L'étudiante* a étudié le Premier dialogue culturel.—Qui *lui* a posé *une question?*

C. *After each statement, ask an appropriate question, beginning each question with the proper form of* quel:
1. Robert et Charlotte Cartier ont traversé un océan.   2. Philippe leur a montré une cathédrale.   3. Robert et Charlotte ont admiré la cathédrale. 4. Nous avons admiré des fontaines.   5. Philippe nous a montré plusieurs ponts. 6. Les étudiants ont traversé un vieux pont.   7. Nous avons admiré des statues. 8. Robert et Charlotte ont traversé un fleuve.   9. Ils ont admiré une cathédrale.   10. Ils ont admiré des statues.

Huitième leçon

I. DIALOGUE

Richard Dumont, qui est un jeune Américain, cause avec M. Michel.

RICHARD. A midi je déjeune d'ordinaire dans un petit restaurant qui n'est pas loin du Panthéon.

M. MICHEL. Qu'est-ce qu'on vous donne comme déjeuner?

RICHARD. D'ordinaire je choisis un repas à prix fixe. Hier, par exemple, on m'a apporté des hors-d'œuvre, de la viande, des légumes, du fromage et une glace.

M. MICHEL. C'est normal pour les Français.

RICHARD. Le soir je dîne souvent dans un restaurant du Boulevard Saint-Michel. On me donne un potage, de la viande, des pommes

Richard Dumont, who is a young American, is chatting with M. Michel.

—At noon I usually have lunch in a little restaurant which is not far from the Pantheon.

—What do they give you for lunch?

—Usually I choose a fixed-price meal. Yesterday, for example, they brought me hors-d'œuvre, meat, vegetables, cheese and ice cream.

—That's normal for French people.

—In the evening I often have dinner in a restaurant on the Boulevard Saint-Michel. They give me soup, meat, potatoes, salad, cheese and pastry.

de terre, une salade, du fromage
et une pâtisserie.

M. MICHEL. Vous dînez bien! Mais
pourquoi me dire tout cela?

—*You dine well! But why tell me all that?*

RICHARD. En France, est-ce qu'on
mange toujours autant au déjeuner qu'au dîner?

—*In France, do they always eat as much at lunch as at dinner?*

M. MICHEL. La seule différence, c'est
que le déjeuner est le repas qu'on
prend à midi et le dîner est le repas qu'on prend le soir.

—*The only difference is that lunch is the meal one has at noon and dinner is the meal one has in the evening.*

RICHARD. Comment! A-t-on toujours deux grands repas par jour?

—*What! Do they always have two big meals a day?*

M. MICHEL. Si vous n'avez pas faim
à midi, entrez dans un café et
commandez un sandwich et de la
bière.

—*If you are not hungry at noon, go into a café and order a sandwich and beer.*

RICHARD. Le «potage parisien» qu'on
vous donne souvent n'est qu'un
potage aux légumes, n'est-ce pas?

—*The "Paris soup" which they give you often is only a vegetable soup, isn't it?*

M. MICHEL. C'est vrai. Demain soir
commandez une soupe à l'oignon,
qui est une spécialité de la cuisine
française.

—*That's right. Tomorrow evening order onion soup, which is a specialty of French cooking.*

RICHARD. Et comme fromage? En
Amérique j'en mange rarement.

—*How about cheese? In America I rarely eat any.*

M. MICHEL. Choisissez le camembert,
qui est le fromage préféré des
Français. Enfin, n'oubliez pas
qu'un repas sans vin c'est une
journée sans soleil. C'est là un
proverbe excellent!

—*Choose camembert, which is the favorite cheese of French people. Finally, don't forget that a meal without wine is a day without sunshine! That's an excellent proverb!*

II. GRAMMATICAL USAGE

A. The Imperative

The forms of the imperative of the model verbs **parler** and **finir** are as
follows:

2ND PERSON SING.	parl **e**	*speak*	fin **is**	*finish*
1ST PERS. PL.	parl **ons**	*let us speak*	fin iss **ons**	*let us finish*
2ND PERS. PL.	parl **ez**	*speak*	fin iss **ez**	*finish*

B. Pronoun Objects with Imperatives

1. Commandez une soupe à l'oignon; commandez-la.	*Order onion soup; order it.*
Choisissez le camembert; choisissez-le.	*Choose camembert; choose it.*
Expliquez tout cela à Richard; expliquez-lui tout cela.	*Explain all that to Richard; explain all that to him.*
Commandez des hors-d'œuvre; commandez-en.	*Order some hors-d'œuvre; order some.*
N'oubliez pas le vin; ne l'oubliez pas.	*Don't forget the wine; don't forget it.*
Ne donnez pas de bière à Charlotte; ne lui donnez pas de bière.	*Don't give Charlotte any beer; don't give her any beer.*
N'en donnez pas à Charlotte.	*Don't give any to Charlotte.*

Personal pronoun objects, both direct and indirect, follow an affirmative imperative and are joined to it by a hyphen. They precede a negative imperative (with no hyphen).

2. Regardez-moi!	*Look at me!*
Ne me regardez pas!	*Don't look at me!*
Donnez-moi du potage.	*Give me some soup.*
Ne me donnez pas de potage.	*Don't give me any soup.*

After an imperative, but not before, **moi** replaces **me** for either the direct or indirect object.

C. The Indefinite Pronoun ON

1. On parle des repas français.	*They are talking about French meals.*
On m'a donné des hors-d'œuvre.	*They gave me some hors-d'œuvre.*
Ici on parle français.	*French is spoken here.*

One, they, people, someone, we, you, used indefinitely, are represented in French by **on,** with the verb always in the third person singular. (Note that **on** + active verb in French may be the equivalent of a passive in English.)

2. A-t-on toujours deux grands repas par jour?	*Do they always have (Does one always have) two big meals a day?*

When following a verb with a final vowel, **on** is joined to it by **-t-.**

NOTE **On** never has a definite antecedent; it must never be used in place of **ils** or **elles.**

D. Two Relative Pronouns

1. Richard, qui est un jeune Améri-   *Richard, who is a young American,*
   cain, cause avec M. Michel.   *is chatting with M. Michel.*
   Commandez une soupe à l'oignon,   *Order onion soup, which is a*
   qui est une spécialité de la cuisine   *specialty of French cooking.*
   française.

In a relative clause (a clause which modifies a noun), **qui,** *who, which, that,* is used as subject of a verb. (**qui** never becomes **qu'.**)

2. Le potage parisien que vous avez   *The Paris soup which you have chosen is*
   choisi n'est qu'un potage aux   *only a vegetable soup.*
   légumes.
   Le dîner est le repas qu'on prend   *Dinner is the meal which one has in the*
   le soir.   *evening.*

In a relative clause, **que,** *whom, which, that,* is used as the object of a verb. **Que** becomes **qu'** before a vowel.

NOTE The relative pronoun, frequently omitted in English, is never omitted in French. So one may say in English: *The soup you have chosen . . .*, but one must say in French: *Le potage que vous avez choisi . . .*

3. La conversation que Richard a eue   *The conversation which Richard has had*
   avec M. Michel est intéressante.   *with M. Michel is interesting.*
   La soupe à l'oignon que j'ai   *The onion soup which I ordered*
   commandée est excellente.   *is excellent.*

The relative pronoun **que,** though invariable in form, assumes the gender and number of its antecedent (the noun to which it refers): in accordance with the rule that a past participle used with **avoir** must agree in gender and number with a preceding direct object, such a past participle in a relative clause agrees with **que.**

III. PATTERN PRACTICE

A. *Repeat:*

Commandez votre déjeuner. #   Commandez-le. #
Commandez ce sandwich-là. #   Commandez-le. #
Commandez la soupe à l'oignon. #   Commandez-la. #
Apportez un sandwich et de la bière
   tout de suite! #   Apportez-les tout de suite! #

Replace the imperatives and noun-objects in the following commands with imperatives and pronoun-objects:

Commandez votre petit déjeuner à huit heures. # Commandez votre déjeuner à midi. # Commandez votre dîner à six heures. # Choisissez le repas à prix fixe. # Choisissez ce fromage-là. # Choisissez cette pâtisserie-là. # Apportez tout de suite la viande que j'ai commandée! # Apportez tout de suite les légumes que j'ai commandés! #

B. *Repeat:*

Commandez des hors-d'œuvre. #   Commandez-en. #
Commandez de la viande. #   Commandez-en. #

Change the following commands from verb + partitive noun to verb + partitive pronoun:

Commandez du fromage. # Commandez des légumes. # Commandez de la viande. # Commandez des pommes de terre. #

C. *Repeat:*

Commandez du fromage. #   Ne commandez pas de fromage. #

Make the following commands negative:

Commandez du potage parisien. # Commandez de la bière. # Commandez du café au lait. # Commandez des légumes. #

D. *Repeat:*

Voilà du potage parisien;
  commandez-en. #   Non! N'en commandez pas! #
Voilà des hors-d'œuvre;
  commandez-en. #   Non! N'en commandez pas! #

Respond to each statement by "Non!" *and a negative imperative:*

Voilà du potage aux légumes; commandez-en. # Voilà de la glace; commandez-en. # Voilà de la bière; commandez-en. # Voilà des sandwichs; commandez-en. #

E. *Repeat:*

Quel garçon vous a apporté ce   Voilà le garçon qui m'a apporté ce
  potage? #   potage. #

After each question, say "There is the waiter who brought me " *(what is mentioned):*

Quel garçon vous a apporté cette viande? # Quel garçon vous a apporté ces légumes? # Quel garçon vous a apporté ce fromage? # Quel garçon vous a apporté cette glace? #

F. *Repeat:*

Dans ce restaurant-là, # qu'est-ce qu'on vous donne à midi? # Un repas à prix fixe? # Oui, on me donne un repas à prix fixe. #

Answer the following questions, beginning each answer with "Oui":

Qu'est-ce qu'on vous donne à midi? Des hors d'œuvre? # Qu'est-ce qu'on vous donne ensuite? De la viande? # Qu'est-ce qu'on vous donne après cela? Du fromage et une glace? # Qu'est-ce qu'on vous donne avec votre déjeuner? De la bière? # Qu'est-ce qu'on vous donne le soir? Un repas à prix fixe? # Qu'est-ce qu'on vous donne avec votre dîner? Du vin? #

IV. LECTURE

LES REPAS

—Est-ce que la conversation que Richard a eue avec M. Michel est intéressante?

—Oui, assez intéressante, mais je n'aime pas l'explication que M. Michel lui a donnée de la différence entre un déjeuner et un dîner.

—Pourquoi pas?

—Parce que son explication est trop simple. Naturellement on prend son déjeuner à midi, son dîner le soir. Mais qu'est-ce qu'on commande d'ordinaire au déjeuner, qu'est-ce qu'on commande au dîner? Expliquez-moi tout cela, s'il vous plaît.

—Il est impossible de donner des réponses précises à vos questions. Il n'y a pas de bonnes règles pour guider un Américain quand il entre dans un restaurant français. Il y a des restaurants qui n'ont qu'une carte pour les deux repas. On choisit donc les plats qu'on aime. Quelquefois il y a une carte spéciale pour le déjeuner et une autre pour le dîner. Dans ce cas-là, on ne trouve que rarement du potage sur la carte du déjeuner. Commandez donc des hors-d'œuvre à midi, avec une omelette ou un plat de viande aux pommes, une salade, du fromage et un dessert. Pour le dîner, les conseils que M. Michel a donnés à Richard sont excellents. Commandez donc une soupe à l'oignon, un tournedos aux pommes, ensuite d'autres légumes, une salade et du camembert. Demandez au garçon de vous apporter votre boisson préférée—du vin blanc, du vin rouge ou du vin rosé. Très souvent, après le dîner, on va à un café où on commande, naturellement, du café!

VOCABULARY FOR THE *LECTURE*

assez *adv. rather*	carte *f. bill of fare*
blanc, -he *white*	cas *m. case*
boisson *f. drink*	conseil *m. advice*

explication *f. explanation*
naturellement *naturally, of course*
plaît: s'il vous plaît *please*
plat *m. dish*
précis *precise, exact*

quelquefois *sometimes*
règle *f. rule*
rosé *rose (wine)*
rouge *red*
tournedos *m. steak (like filet mignon)*

V. EXERCISES for the classroom

A. *Pronounce carefully the following words and combinations of words:*
1. Avez-vous faim [avevufɛ̃]? J'ai toujours faim [ʒetuʒu:rfɛ̃] à 8 heures du matin [aɥitœ:rdymatɛ̃], à midi [amidi] et à 7 heures du soir [easɛtœ:rdyswa:r].
2. Donnez-moi [dɔnemwa] une réponse précise [ynrɔpɔ̃:spɾesiz] à ma question [amakɔɔtjɔ̃], s'il vous plaît [sivuplɛ].
3. Choisissez [ʃwazise] du vin blanc [dyvɛ̃blɑ̃], du vin rouge [dyvɛ̃ru:ʒ] ou du vin rosé [udyvɛ̃roze].

B. *In the following sentences, insert* qui *or* que (qu'), *whichever makes good sense, in the blanks and replace the infinitives within parentheses by the correct forms of the past participle:*
Example: Robert Cartier, — est un jeune Américain, est le touriste — nous avons *(rencontrer)* au sommet de la Tour Eiffel. *(qui), (que), (rencontré)*.
1. Charlotte, — est la sœur de Robert, est la jeune fille — Philippe a *(accueillir)* à l'aéroport. 2. Est-ce que M. Michel, — a *(donner)* des conseils à Richard Dumont, est le Français — a *(causer)* avec Jeanne et Pauline? 3. Quels sont les conseils — M. Michel a *(donner)* à Richard? 4. Avez-vous déjà *(oublier)* les conseils — il lui a *(donner)*? 5. Avez-vous déjà *(oublier)* les conseils — je vous ai *(donner)*? 6. Aimez-vous la boisson — vous avez *(commander)* et — le garçon vous a *(apporter)*? 7. Quelle boisson avez-vous *(commander)*? 8. Vous ne m'avez pas *(donner)* de réponses précises aux questions — je vous ai *(poser)*.

C. *Answer in French the following questions:*
1. Avec qui est-ce que Richard Dumont cause aujourd'hui? 2. D'ordinaire, où Richard déjeune-t-il? 3. Hier, qu'est-ce qu'on lui a apporté? 4. Quelle est la différence entre un déjeuner et un dîner? 5. Est-ce que vous mangez toujours autant au déjeuner qu'au dîner? 6. Quel potage donne-t-on souvent à Richard? 7. Quel potage est la spécialité de la cuisine française? 8. Aimez-vous le camembert? 9. En France, quel repas prend-on à 7 heures ou à 8 heures du matin? 10. En France, où va-t-on souvent après le dîner? 11. Qu'est-ce qu'on y commande souvent?

Neuvième leçon

I. DIALOGUE

Louise et Marguerite, deux étudiantes américaines, sont dans la
chambre qu'elles occupent à
Paris.

LOUISE. L'après-midi, vers 4 heures,
nous sommes toujours fatiguées,
n'est-ce pas? Au lieu de sortir
pour prendre du thé, si nous
achetions du thé, des gâteaux...

MARGUERITE. C'est une idée merveilleuse! On vend du thé sans
doute chez l'épicier de la rue Vavin et des gâteaux dans la pâtisserie de la rue d'Assas.

LOUISE. Où vend-on des tasses et des
cuillers, à bon marché?

MARGUERITE. On en vend sans doute
dans le Monoprix du boulevard
Raspail.

*Louise and Marguerite, two American
students, are in the room which they
occupy in Paris.*

*—In the afternoon, about four o'clock, we
are always tired, no? Instead of going
out to get some tea, if we bought some
tea and some cakes...*

*—That's a wonderful idea! Of course
they sell tea at the grocery store on the
rue Vavin and cakes in the pastry
shop on the rue d'Assas.*

*—Where do they sell cups and spoons,
cheap?*

*—They surely sell them in the Monoprix
on the Boulevard Raspail.*

LOUISE. Je vais faire tous les achats nécessaires. Attends-moi ici. Tu as une leçon de géographie à préparer. . . .

—I'll buy all the necessary things. Wait for me here. You have a geography lesson to study. . . .

MARGUERITE. Enfin, te voilà. Mets tes paquets sur cette table-ci.

—There you are at last! Put your bundles on this table.

LOUISE. Voyons. Dans ce paquet-ci il y a des tasses, des soucoupes, des cuillers et des serviettes . . . Les voici. Tu les aimes?

—Let's see. In this package there are cups, saucers, spoons and napkins . . . Here they are. You like them?

MARGUERITE. Oui, ça va . . . Et dans ce paquet-là, qu'est-ce qu'il y a?

—Yes, they're O.K. . . . And what's in that package?

LOUISE. Il y a du thé et du sucre. J'ai acheté aussi des citrons chez le fruitier.

—There's tea and sugar. I also bought some lemons at the fruit dealer's.

MARGUERITE. Tu as bien fait. Voilà un autre sac. Qu'est-ce qu'il y a là-dedans? Des gâteaux?

—Good for you. There's another bag. What's in it? (What is there in it?) Cakes?

LOUISE. Non, quelques bonbons que j'ai achetés chez le confiseur.

—No, some candy I bought at the confectioner's.

MARGUERITE. Tu es gourmande! Et les gâteaux? Où sont les gâteaux?

—You're a gourmand! And the cakes? Where are the cakes?

LOUISE. J'ai oublié les gâteaux! . . . Mais où sont mes lunettes? Je les ai perdues!

—I forgot the cakes! . . . But where are my glasses? I've lost them!

MARGUERITE. Tu les perds tous les jours! Mais attends! Il y a quelque chose dans ce sac-ci, sous les serviettes . . . Les voilà, tes lunettes!

—You lose them every day! But wait! There's something in this bag, under the napkins . . . There they are, your glasses!

LOUISE. Oh! merci beaucoup!

—Oh! Thanks a lot!

II. GRAMMATICAL USAGE

A. Verbs of the Third Conjugation

1. Verbs of the third conjugation have an infinitive ending in **-re** and a past participle in **-u.**

| INFINITIVE: | perd **re** | *to lose* |
| PAST PARTICIPLE: | perd **u** | *lost* |

2. Third conjugation verbs form their present tense like the model verb **perdre:**

I lose, am losing, do lose, etc.	
je perd **s**	nous perd **ons**
tu perd **s**	vous perd **ez**
il perd	ils perd **ent**

3. The **passé composé** is formed in the same way as verbs of the first and second conjugations: **j'ai perdu,** etc.

4. The imperative is regular:

perds   perdons   perdez

B. Use of CHEZ

1. chez l'épicier   *at the grocer's, at a grocery store*
   chez le fruitier   *at the fruit dealer's, at a fruit store*
   chez le confiseur   *at the confectioner's, at a candy store*

Chez denotes *at the place of business of* the person designated by the following noun.

2. On vend du thé chez un (l') épicier.   *They sell tea at the grocer's.*
   On vend du thé dans une épicerie.   *They sell tea in a grocery store.*

One may often choose between using **chez** + noun which designates a merchant and **dans** + a word which designates a kind of store.

3. chez mon père   *at my father's (house, home)*
   chez le médecin   *at the doctor's (office)*

Chez is used also for *home, office,* etc.

NOTE The use of **chez** + *pronoun* will be presented in Lesson 17.

C. Some Verbs with Special Meanings or Uses

1. Attends-moi. ⎫
   Attendez-moi. ⎭   *Wait for me.*
   Marguerite attend Louise.   *Marguerite waits for Louise.*

Contrary to the English usage for *wait,* **attendre** takes a direct object without an intervening preposition.

2. M. Michel a répondu aux
   questions de Richard Dumont.

*M. Michel answered Richard
Dumont's questions.*

Répondre, like *to reply* in English, but unlike *to answer,* takes an indirect object.

3. Louise demande à Marguerite
   de l'attendre.
   Elle lui demande de l'attendre.
   Marguerite lui pose des questions.

*Louise asks Marguerite to
wait for her.*
She asks her to wait for her.
Marguerite asks her some questions.

Demander never means *to demand;* it means *to ask for (something)* or *to ask someone to do something.* *To ask a question* is **poser,** not **demander.**

D. Use or Omission of Definite Article with Geographical Nouns

COUNTRIES		PROVINCES	
l'Allemagne *(Germany)*	—en Allemagne	l'Alsace	—en Alsace
la Belgique	—en Belgique	la Bourgogne *(Burgundy)*	—en Bourgogne
l'Espagne *(Spain)*	en Espagne	la Bretagne *(Brittany)*	—en Bretagne
la France	—en France	la Champagne	—en Champagne
l'Italie	—en Italie	la Lorraine	—en Lorraine
la Suisse *(Switzerland)*	—en Suisse	la Normandie	—en Normandie
le Canada	—au Canada	la Touraine	—en Touraine
le Portugal	—au Portugal	le Languedoc	—dans le Languedoc
		l'Anjou *(m.)*	—dans l'Anjou
		l'Île-de-France	—dans l'Île-de-France

RIVERS		MOUNTAINS	
la Garonne	le Rhin	les Alpes	le Massif Central
la Loire	*(Rhine)*	les Pyrénées	le Mont Blanc
la Seine	le Rhône	les Vosges	les montagnes du Jura
la Meuse	l'Oise		
la Marne	l'Aube		

la Manche = *the English Channel*

1. All geographical nouns in French are either masculine or feminine, like common nouns.
2. When used as subjects or objects of verbs, they are regularly preceded by the definite article, but unmodified *feminine* names of countries and

provinces, after **en** = *in* or *to,* are not preceded by an article.

3. A definite article is not used with names of cities (**Paris, Lyon,** etc.), but there are a few exceptions, such as **le Havre.** *In* before a city is usually **à** (not **dans**).

III. PATTERN PRACTICE

A. *Repeat:*

Qui perd ses lunettes tous les jours? Louise? #	Louise perd ses lunettes tous les jours. #
Qui vend des citrons? Le fruitier? #	Le fruitier vend des citrons. #
Qui attend son amie? Marguerite? #	Marguerite attend son amie. #
Qui répond bien à vos questions? Les jeunes filles? #	Les jeunes filles répondent bien à mes questions. #

Answer the following questions by saying that the person does what is asked about:

Qui perd ses lunettes tous les jours? Le professeur? # Qui perd souvent son stylo? L'étudiante? # Qui vend du thé? L'épicier? # Qui vend des bonbons? Le confiseur? # Qui attend Louise? Marguerite? # Qui attend les étudiants? Le professeur? # Qui attend le professeur? Les étudiants? # Qui attend les étudiantes? Les étudiants? # Qui répond bien aux questions de Richard Dumont? M. Michel? # Qui répond bien aux questions de M. Michel? Jeanne et Pauline? #

B. *Repeat:*

Est-ce que vous perdez souvent votre stylo? #	Non, je ne le perds pas souvent. #
Est-ce que vous attendez vos amis? #	Non, je ne les attends pas. #

Answer the following questions in the negative, as in the models:

Est-ce que vous perdez souvent vos lunettes? # Est-ce que vous perdez souvent votre dictionnaire? # Est-ce que vous perdez souvent vos livres? # Est-ce que vous attendez votre ami? # Est-ce que vous attendez vos amis? # Est-ce que vous attendez le professeur? # Est-ce que vous attendez vos camarades? #

C. *Repeat:*

Louise perd ses lunettes. #	Louise a perdu ses lunettes. #
Je vous attends au café. #	Je vous ai attendu au café. #
Pourquoi ne répondez-vous pas à mes questions? #	Pourquoi n'avez-vous pas répondu à mes questions? #

Repeat the following sentences, changing the tense of the verbs from present to passé composé:

J'attends mon ami au café. # Mais Maurice ne m'attend pas au café. # Marguerite attend son amie dans leur chambre. # Où attendez-vous vos amis? # Où est-ce que vos amis vous attendent? # Pourquoi cette jeune fille ne répond-elle pas à votre question? # Pourquoi les jeunes filles ne répondent-elles pas à vos questions? # Est-ce que le professeur répond bien à vos questions? # Est-ce que vous répondez à toutes les questions du professeur? #

D. *Repeat*:

Je vous pose une question. #	Je vous ai posé une question. #
Vous ne répondez pas à ma question. #	Vous n'avez pas répondu à ma question. #
Les enfants de M. et de Mme Pommier demandent des bonbons. #	Ils ont demandé des bonbons. #

Repeat the following sentences, changing the tense of the verbs from present to passé composé. *Use personal pronoun subjects in your responses:*

Je vous pose des questions. # Vous ne répondez pas à mes questions! # Le professeur pose des questions aux étudiants. # Est-ce que les étudiants posent des questions au professeur? # Est-ce que les étudiants répondent à ses questions? # Est-ce que le professeur répond à leurs questions? # Le professeur demande aux étudiants de répondre à ses questions. # Les étudiants demandent au professeur de poser toutes ses questions aux jeunes filles. # Louise demande ses lunettes. # Est-ce qu'elle demande à Marguerite de lui donner ses lunettes? # Les enfants demandent des bonbons. # Ils demandent à leur mère de leur donner des bonbons. #

IV. LECTURE

LES FLEUVES ET LES RIVIÈRES

En France il y a plusieurs grands fleuves.   La Seine a sa source en Bourgogne, passe par les villes de Troyes et de Paris, traverse la Normandie, et, près du Havre, se jette dans la Manche.   La Loire a sa source dans le Massif Central, coule au nord-ouest jusqu'à la ville d'Orléans, où elle tourne à l'ouest; elle traverse la Touraine et l'Anjou et se jette dans l'océan Atlantique.   La Garonne a sa source dans les Pyrénées, coule au nord et au nord-ouest, et arrive à Bordeaux; puis la Garonne et la Dordogne forment la Gironde.   Le Rhône a sa source en Suisse, où il forme le lac de Genève; puis il entre en France et traverse les Alpes françaises.   A

Lyon il est grossi par la Saône et coule ensuite tranquillement vers le sud, jusqu'à la mer Méditerranée.   Le Rhin forme une partie de la frontière entre l'Alsace et l'Allemagne.

Ces grands fleuves ont des affluents, qui sont des rivières.   La Marne, l'Aube et l'Oise, par exemple, sont des affluents de la Seine.   Le Cher est un affluent important de la Loire.   La Saône et la Durance sont des affluents du Rhône.

Remarquez, sur une carte de France, les noms de petits fleuves et de petites rivières, tels que la Somme, la Charente, la Vienne, l'Allier et le Doubs.   Ces petits fleuves et ces petites rivières ont eux-mêmes des affluents.   Par conséquent, on trouve presque partout en France des cours d'eau.

Les fleuves et les rivières favorisent l'industrie et le commerce.   Avec des barrages, on produit de l'électricité.   Tous les cours d'eau arrosent les champs et les rendent fertiles.   C'est en grand partie grâce aux fleuves et aux rivières que la France est un pays riche et prospère.

VOCABULARY FOR THE *LECTURE*

affluent *m. tributary*
arroser *to water*
barrage *m. dam*
carte *f. map*
champ *m. field*
conséquent: par —, *consequently*
couler *to flow, run*
cours *(m.)* d'eau *river, stream*
eux-mêmes *themselves*
favoriser *to favor*
frontière *f. frontier*
grossir *to enlarge*

jeter: il se jette dans, *it empties into,*
    it flows into
lac *m. lake*
mer *f. sea*
ouest *m. West*
produire *(irreg.) to produce*
prospère *prosperous*
rendre *to render, make*
rivière *f. river*
tel, telle *such*
tranquillement *quietly*

V. EXERCISES for the classroom

A. *Pronounce carefully the following geographical names:*

l'Allemagne [lalmaɲ]
l'Espagne [lɛspaɲ]
l'Italie [litali]
le Canada [ləkanada]
le Portugal [ləpɔrtygal]
l'Alsace [lalsɑs]
la Bourgogne [laburgɔɲ]
la Bretagne [labrətaɲ]
la Champagne [laʃɑ̃paɲ]

la Garonne [lagarɔn]
la Loire [lalwar]
la Seine [lasɛn]
les Alpes [lezalp]
les Pyrénées [lepirene]
les Vosges [levo:ʒ]
le pays [ləpei]
la province [laprɔvɛ̃:s]
la montagne [lamɔ̃aɲ]

B. *Answer in French the following questions, which are based upon the Dialogue:*

1. Où sont Louise et Marguerite?   2. Est-ce qu'un épicier vend des tasses et des cuillers?   3. Où vend-on des tasses et des soucoupes?   4. Est-ce qu'un fruitier vend du café?   5. Qui vend du café?   6. Où vend-on des gâteaux?   7. Où vend-on du thé?   8. Qu'est-ce que Louise a apporté dans la chambre?   9. Qu'est-ce que Louise a acheté chez un fruitier?   10. A-t-elle acheté aussi des oranges?   11. Où a-t-elle acheté du thé et du sucre?   12. Qu'est-ce que Louise a perdu?   13. A-t-elle laissé ses lunettes dans une épicerie?   14. Qui a trouvé ses lunettes?   15. Où les a-t-on trouvées?

C. *First read, then write the following sentences in French, with the correct forms of the past participles:*

1. J'ai (perdre) mes lunettes!—Les avez-vous (trouver)?   2. Vous n'avez pas (répondre) à ma question!—Avez-vous (trouver) mes lunettes?   3. Vous avez (perdre) vos lunettes?—Où les avez-vous (perdre)?   4. Les avez-vous (laisser) dans notre chambre ou les avez-vous (laisser) chez l'épicier?   5. Je ne les ai pas (laisser) chez l'épicier!   6. Chez le fruitier?   7. Non! je ne les ai pas (laisser) chez le fruitier!   8. Oh, je les ai (trouver)!   9. Où les avez-vous (trouver)?   10. Je les ai (trouver) dans ce sac avec les bonbons que vous avez (acheter).

FRANCE: *Les Fleuves et les Rivières*

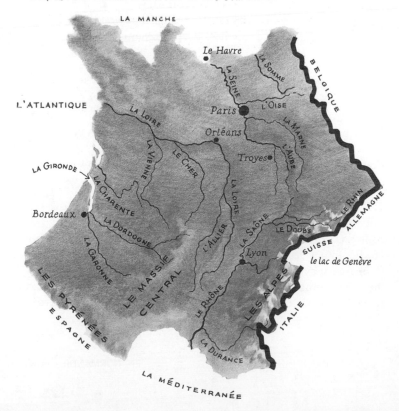

SUPPLEMENTARY EXERCISES for lessons 6–9

A. *Repeat:*

Avez-vous commandé du jus d'orange? #
Hier j'en ai commandé mais aujourd'hui je n'en ai pas commandé. #

Answer the following questions by saying that yesterday you ordered some but that today you did not order any:

Avez-vous commandé des croissants? # Avez-vous commandé des œufs à la coque? # Avez-vous commandé de la confiture? # Avez-vous commandé du beurre? #

Now answer the above questions by saying that we *ordered some yesterday, but we have not ordered any today:*

B. *Repeat:*

Est-ce que vous aimez le café français? #   Non, je ne l'aime pas. #
Est-ce que vous aimez ces croissants-ci? #   Non, je ne les aime pas. #

Say that you do not like what is asked about: (Some of the items will be singular, some plural.)

Est-ce que vous aimez cette confiture-ci? # Est-ce que vous aimez ces oranges? # Aimez-vous les citrons? # Aimez-vous le café au lait? # Aimez-vous les petits déjeuners français? # Aimez-vous cet hôtel-ci? # Aimez-vous cet hôtel-là? #

Answer the same seven questions by saying we *do not like what is asked about.*

C. *Repeat:*

Pourquoi n'avez-vous pas étudié   Étudiez-la tout de suite. #
  la huitième leçon? #

Pourquoi n'avez-vous pas fini votre   Finissez-la tout de suite. #
  leçon? #

Tell someone to do immediately what he has not done:

Pourquoi n'avez-vous pas étudié la cinquième leçon? # Pourquoi n'avez-vous pas étudié la sixième et la septième leçons? # Pourquoi n'avez-vous pas étudié toutes les leçons? # Pourquoi n'avez-vous pas commandé de café? # Pourquoi n'avez-vous pas commandé de fromage? # Pourquoi n'avez-vous pas fini vos légumes? # Pourquoi n'avez-vous pas choisi de pâtisseries? # Pourquoi n'avez-vous pas commandé le tournedos? # Pourquoi n'avez-vous pas fini votre dîner? #

EN NORMANDIE: PORT-EN-BESSIN (à droite)

Deuxième dialogue culturel

LA GÉOGRAPHIE DE LA FRANCE

Ce soir Robert et Charlotte Cartier sont dans l'appartement de M. et de Mme Lefort, qui sont les parents de Philippe. Après un dîner excellent, le père et la mère de Philippe laissent[1] les jeunes gens seuls.

Philippe invite ses amis américains à regarder une grande carte de France, qui est au mur de sa chambre.

PHILIPPE. Regardez cette carte de France. Qu'est-ce qui sépare la France et l'Angleterre?[2]

CHARLOTTE. C'est le Pas de Calais.

ROBERT. Qu'est-ce que c'est que le Pas de Calais?

PHILIPPE. C'est un détroit[3] qui relie la Manche et la Mer du Nord.

ROBERT. Un détroit? Aux États-Unis nous avons la ville de «Detroit.»

PHILIPPE. La ville est bâtie sur un détroit, n'est-ce pas?

CHARLOTTE. Oui, sur un détroit entre le lac Érié et le lac Saint-Clair.

PHILIPPE. Très bien. Passons maintenant[4] aux frontières de la France. Nommez[5] les pays au nord et à l'est.[6]

CHARLOTTE. Au nord il y a la Belgique, au nord-est le Luxembourg, à l'est l'Allemagne et la Suisse, et au sud-est l'Italie.

PHILIPPE. Et au sud et à l'ouest?

CHARLOTTE. La mer Méditerranée et l'Espagne sont situées au sud de la France. A l'ouest on trouve l'océan Atlantique.

PHILIPPE. La France a donc des ports de mer au nord, à l'ouest et au sud. De plus[7] elle a des frontières avec six pays. Elle a une situation vraiment privilégiée.[8] Et vous, Robert, montrez-nous les fleuves importants de la France.

ROBERT. Voilà la Seine, qui traverse Paris et passe par Rouen et le Havre; la Loire, qui passe par Orléans, Tours et Saint-Nazaire; le Rhône, qui passe par Lyon et Valence et se jette[9] dans la Méditerranée; enfin, la Garonne, qui a sa source dans les Pyrénées, passe par Toulouse et Bordeaux, et se jette dans l'océan Atlantique.

PHILIPPE. Très bien! Mais n'oubliez pas le Rhin, qui forme une partie de la frontière entre l'Allemagne et la France. Et montrez-moi aussi quelques affluents de ces grands fleuves: la Marne, la Moselle, la Saône et la Dordogne... Cherchez-les sur la carte... Très bien. Maintenant je trace sur la carte une ligne imaginaire qui commence à Biarritz... Où est Biarritz?

CHARLOTTE. Biarritz est situé au bord[10] de l'océan Atlantique, près de la frontière espagnole. Biarritz a une plage[11] célèbre.

PHILIPPE. Ma ligne monte au nord-est, passe près de Périgueux, de Limoges, de Nevers et de Nancy,

---

[1]laisser *to leave, let* [2]l'Angleterre *f. England* [3]détroit *m. strait* [4]maintenant *now* [5]nommer *to name* [6]est *m. East* [7]de plus *moreover* [8]privilégié *favorable* [9]se jette *empties, flows (into)* [10]bord *m. coast, shore, edge* [11]plage *f. beach*

FRANCE PHYSIQUE

LONDRES

Cherbourg

Calais

Touquet-Paris-Plage

Concarneau

Mont-St-Michel

Bayeux

Le Havre

Azincourt

Lille

Pont-Aven

Caen

Deauville

Crécy-en-Ponthieu

BRUXELLES

Rennes

Rouen

Amiens

Vitré

Beauvais

St. Nazaire

Versailles

Chantilly

Soissons

Angers

Chartres

Paris

Reims

Nantes

Fontainebleau

Verdun

Tours

Orléans

Blois

Troyes

Poitiers

VOSGES

Nancy

Cognac

Bourges

Vézelay

Strasbourg

Angoulême

Nevers

Dijon

Bordeaux

Limoges

Besançon

St. Émilion

Périgueux

Vichy

Montignac

Clermont-Ferrand

JURA

Clairvaux

Biarritz

Aven

Conques

BERNE

Lourdes

Moissac

MASSIF

Lyon

GENÈVE

PYRÉNÉES

Albi

CENTRAL

Chambéry

Chamonix

Toulouse

CÉVENNES

ALPES

Grenoble

Valence

BARCELONA

Nîmes

Orange

Montpellier

Avignon

TURIN

Arles

Marseille

Aix

MONACO

Nice

Cannes

CORSE

ROME

et finit à la frontière allemande. Au nord et à l'ouest de cette ligne, on trouve des plaines, à l'est et au sud on trouve surtout des montagnes. Mais nous avons assez regardé la carte. J'ai un projecteur et une collection de diapositives.[12] Nous allons regarder d'abord des paysages[13] qu'on trouve au nord de ma ligne.

(Philippe pose son projecteur sur une table; place un écran[14] devant la carte de France, et montre à ses amis des diapositives: une vue générale de Biarritz, la plage de Biarritz, des paysages de la Normandie, de la Bretagne, de la Bourgogne, du Languedoc et ainsi de suite.)[15]

CHARLOTTE. La culture de la vigne est un des traits[16] marquants[17] des paysages français, n'est-ce pas?

PHILIPPE. Le climat de la Bretagne et de la Normandie est trop froid pour les vignes mais on trouve des vignobles[18] en Alsace, en Bourgogne, en Touraine, dans le Languedoc et en Champagne. Le vin de Bordeaux a fait[19] la fortune de cette ville à travers[20] les âges.

ROBERT. Les Américains aiment surtout le vin de Champagne.

PHILIPPE. Cela ne m'étonne pas. Oui, la France est renommée[21] pour ses vins, mais n'oubliez pas qu'elle

[16]trait *m. feature* [17]marquant *striking* [18]vignoble *m. vineyard* [19]fait *pp. of* faire *to do, make* [20]à travers *through* [21]renommé *renowned, famous*

[12]diapositive *f. slide* [13]paysage *m. landscape* [14]écran *m. screen* [15]ainsi de suite *and so forth*

PAYSAGE EN AQUITAINE

UNE ROUTE TYPIQUE A LA CAMPAGNE

est aussi un grand producteur de blé[22] et de toutes sortes de fruits et de légumes.

CHARLOTTE. Les routes que vous nous avez montrées, je les aime beau-coup, avec ces arbres[23] de chaque[24] côté; mais est-ce qu'il y a des auto-routes en France?

PHILIPPE. Oui, il y en a, et de plus

[22]blé *m. wheat*

[23]arbre *m. tree*   [24]chaque *each;* chaque côté *each side*

AUTOROUTE FRANÇAISE

en plus chaque année.[25] Regardez ces diapositives: voici une autoroute qui est au nord de Marseille, en voici une autre qui est au sud de Lille. Il y a une autoroute de Paris à Fontainebleau et une autre entre Paris et Nantes.

ROBERT. Montrez-nous maintenant des vues des montagnes de la France.

PHILIPPE. Avec plaisir! Regardez d'abord des diapositives qui montrent les Pyrénées. Ces montagnes forment une véritable barrière entre la France et l'Espagne.

ROBERT. Oui, c'est vrai, mais les Alpes, en France et en Suisse, sont plus hautes[26] que les Pyrénées, n'est-ce pas?

PHILIPPE. Sans doute, mais près de la Méditerranée, les Alpes ne sont pas très hautes. Elles sont pourtant[27] très pittoresques! . . . Regardez le massif du Mont Blanc qui est le point le plus élevé[28] de toute la chaîne des Alpes.

CHARLOTTE. Il est impressionnant en effet.[29] Entre la Suisse et la France il y a des montagnes—mais j'ai oublié leur nom!

PHILIPPE. Ce sont les montagnes du Jura. Mais où sont les Vosges?

ROBERT. En Alsace.

[25]année *f. year*

[26]haut *high* [27]pourtant *however* [28]élevé *high;* le plus élevé *the highest* [29]en effet *indeed*

SKIEURS A CHAMONIX: ALPES FRANÇAISES

LE TRAVAIL:
MINEURS

PHILIPPE. Voici maintenant des diapositives du Massif Central, qui est vraiment un haut plateau. Les montagnes qui le composent ne sont pas très élevées, mais les Cévennes, qui sont au sud-est du Massif, sont très pittoresques.

ROBERT. Quelles sont les principales régions industrielles de la France?

PHILIPPE. Il y a des usines[30] non seulement autour de Paris mais aussi dans toutes les grandes villes. Si l'industrie américaine est connue pour le volume de sa production, l'industrie française, elle, l'est pour la qualité supérieure de certains de ses produits, comme les vêtements, les meubles, les parfums et les porcelaines. La France est le pays de la production artistique, le pays du bon goût.

CHARLOTTE. Quel plaisir de voir la présentation d'une «collection» de nouveaux[31] modèles chez un des grands couturiers[32] parisiens!

PHILIPPE. Je vais demander à ma mère de vous procurer une invitation. Est-ce que les vêtements vous intéressent beaucoup, Robert?

ROBERT. Pas du tout! C'est la géographie de la France qui m'intéresse. Montrez-nous des diapositives de villes importantes.

PHILIPPE. Avec plaisir. Attendez . . . Voici d'abord plusieurs petites villes et ensuite deux ou trois grandes villes. Il y a des villes pittoresques partout en France . . .

CHARLOTTE. Quel est le trait dis-

[30]usine *f. factory*

[31]nouveau *new*   [32]couturier *m. dress-designer*

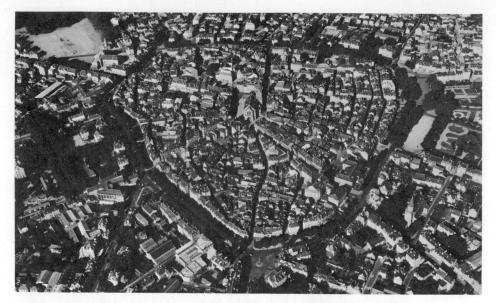

BRIVE: VUE AÉRIENNE D'UNE VILLE HISTORIQUE ET MODERNE

tinctif des villes françaises?

PHILIPPE. En France, une petite ville ou un village a une grand'rue, une place et plusieurs rues étroites.

La petite ville est entourée[33] de champs. Une grande ville a, au centre, une partie historique où il y

[33]entouré *surrounded*

RUE ÉTROITE À SAINT-ÉMILION

ANCIENNES *Provinces*

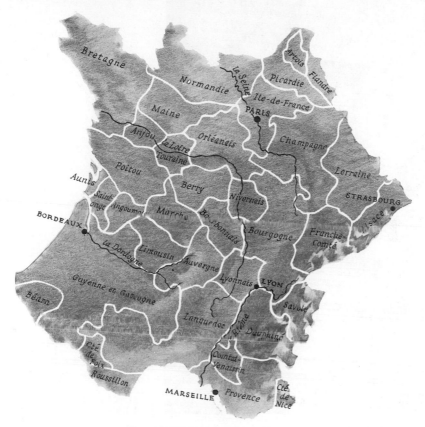

a des places et des rues étroites, et tout autour une partie moderne, où il y a des avenues et des boulevards.

ROBERT. Vous avez mentionné les noms de plusieurs provinces: la Bourgogne, la Champagne, par exemple. Est-ce que les provinces ressemblent aux états des États-Unis?

PHILIPPE. Les provinces françaises ne jouent[34] aucun rôle politique. Pendant[35] la Révolution on a supprimé[36] les provinces pour les remplacer par des départements.

CHARLOTTE. Pourquoi parle-t-on toujours des provinces?

PHILIPPE. Parce qu'il y a des provinces qui ont des traditions historiques.

CHARLOTTE. Paris a une partie historique et une partie moderne. Est-ce que Paris a toutes les caractéristiques d'une grande ville typique?

PHILIPPE. Non, Charlotte. Paris est trop grand pour être une ville typique. Un touriste qui a visité seulement Paris a une idée absolument fausse[37] de notre pays!

CHARLOTTE. Et pourtant je suis très contente d'être à Paris!

[34]jouer *to play:* ne jouent aucun *do not play any*
[35]pendant *during* [36]supprimer *to suppress, abolish*
[37]faux, fausse *false*

SAINT-MARTIN-VÉSUBIE: VILLAGE DANS LES ALPES MARITIMES

ORAL TEST

Listen carefully to the questions and then, instead of repeating what you hear, choose and pronounce the correct answer. (For a written test, students may simply mark (a) or (b) after each question.)

1. Où sont les Pyrénées?—(a) Elles sont entre la France et l'Italie.   (b) Elles sont entre la France et l'Espagne.
2. Où sont les Vosges?—(a) Elles sont en Alsace.   (b) Elles sont en Lorraine.
3. Où sont les montagnes du Jura?—(a) Elles sont entre la France et la Suisse. (b) Elles sont entre la France et le Luxembourg.
4. Où est le Massif Central?—(a) C'est un haut plateau au centre de la France.   (b) Il est près du Mont Blanc.
5. Où est-ce que la Seine a sa source?—(a) Elle a sa source près de Paris.   (b) Elle a sa source en Bourgogne.
6. Où est-ce que la Loire a sa source?—(a) La Loire a sa source en Suisse.   (b) La Loire a sa source dans le Massif Central.

94

7. De quel fleuve est-ce que la Marne est un affluent?—(a) La Marne est un affluent de la Seine. (b) La Marne est un affluent de la Loire.
8. De quel fleuve est-ce que la Saône et la Durance sont des affluents?—(a) La Saône et la Durance sont des affluents de la Garonne. (b) La Saône et la Durance sont des affluents du Rhône.
9. Quel fleuve a sa source en Suisse?—(a) Le Rhône a sa source en Suisse. (b) La Marne a sa source en Suisse.
10. Où est le Pas de Calais?—(a) Le Pas de Calais est entre la France et l'Angleterre. (b) Le Pas de Calais est entre la Manche et l'océan Atlantique.
11. Où est Biarritz?—(a) Biarritz est au bord de l'océan Atlantique. (b) Biarritz est près de la mer Méditerranée.
12. Quel fleuve traverse la ville de Lyon?—(a) C'est le Rhône qui la traverse. (b) C'est la Garonne qui la traverse.
13. Quels pays y a-t-il à l'ouest de la France?— Il y a l'Allemagne, le Luxembourg et la Suisse. (b) Il n'y a pas de pays à l'ouest de la France.
14. Quel pays y a-t-il au sud de la France?—(a) Au sud de la France il y a l'Italie. (b) Au sud de la France il y a l'Espagne.
15. Est-ce que la France a des frontières avec plusieurs pays?—(a) La France a des frontières avec quatre pays. (b) La France a des frontières avec six pays.
16. Est-ce qu'il y a des autoroutes en France?—(a) Oui, il y en a. (b) Non, il n'y en a pas.
17. Est-ce que les provinces françaises ressemblent aux états des États-Unis?—(a) Elles ressemblent beaucoup aux états. (b) Elles ne ressemblent pas beaucoup aux états.
18. Pourquoi parle-t-on souvent des provinces en France?—(a) Parce qu'elles jouent un rôle politique important. (b) Parce qu'elles ont des traditions intéressantes.
19. Est-ce que Paris est une ville française typique?—(a) Paris est trop grand pour être une ville typique. (b) Paris est une grande ville typique.
20. Où est Paris? (a) Paris est dans l'Île de la Cité. (b) Paris est dans l'Île-de-France.

Onzième leçon

I. DIALOGUE

Jeanne et Pauline Gagnon causent avec Mme Hubert.

JEANNE. Maman nous a dit que vous étiez sa meilleure amie quand elle était à Paris.

MME HUBERT. Votre mère était tellement gentille. Je l'aimais beaucoup.

PAULINE. Est-ce que vous suiviez les mêmes cours à la Sorbonne?

MME HUBERT. Non, elle préparait le diplôme de français pour étudiants étrangers. Moi, je faisais de la peinture à l'École des Beaux-Arts. Mais, en dehors des cours, nous étions toujours ensemble.

JEANNE. Qu'est-ce que vous faisiez ensemble?

PAULINE. Vous faisiez sans doute des

Jeanne and Pauline Gagnon are chatting with Mme Hubert.

—Mother told us that you were her best friend when she was in Paris.

—Your mother was so very nice. I liked her very much. (I was very fond of her.)

—Did you take the same courses at the Sorbonne?

—No, she was studying for a diploma (degree) in French for foreign students. I was studying painting at the School of Fine Arts. But, outside of the courses, we were always together.

—What did you usually do together?

—Of course you took walks in the Jardin

promenades dans le Jardin du Luxembourg? Vous montriez à Maman toutes les curiosités de Paris?

du Luxembourg? You showed Mother all the sights of Paris?

MME HUBERT. Oui, nous aimions marcher, comme tous les jeunes gens. Je voulais montrer à votre mère tous les musées de Paris.

—Yes, we liked to walk, like all young people. I wanted to show your mother all the museums of Paris.

JEANNE. Naturellement, puisque vous étiez étudiante de l'École des Beaux-Arts.

—Of course, since you were a student in the School of Fine Arts.

MME HUBERT. C'est vrai. Presque tous les jours nous faisions quelque chose d'intéressant. Nous n'avions pas de temps à perdre!

—That's right. Almost every day we did something interesting. We didn't have any time to waste!

PAULINE. Et les week-ends, qu'est-ce que vous faisiez?

—And on week-ends, what did you do?

MME HUBERT. Quand il faisait beau, nous allions voir les environs de Paris, d'ordinaire à bicyclette.

—When the weather was good, we used to go and see the country around Paris, usually by bicycle.

JEANNE. A bicyclette?

—By bicycle?

MME HUBERT. Oui, très souvent nous partions de bonne heure le samedi, nous passions la nuit dans une Auberge de la Jeunesse, et nous rentrions à Paris le dimanche soir.

—Yes, very often we would start out early on Saturday, we used to spend the night in a Youth Hostel, and we would come back to Paris Sunday evening.

PAULINE. C'était en effet une excellente manière de voir les environs de Paris.

—That was really a wonderful way to see the country around Paris.

MME HUBERT. Et pendant les vacances nous faisions de la même manière de plus longs voyages, en Normandie, en Bretagne, en Bourgogne, bref, un peu partout!

—And during vacations we used to take longer trips, just the same way, in Normandy, Brittany, Burgundy, in short, practically everywhere!

II. GRAMMATICAL USAGE

A. Imperfect Tense of Regular Verbs

The imperfect tense of regular verbs has the following forms:

parler	finir	perdre
I was speaking, used to speak, etc.	*I was finishing, used to finish, etc.*	*I was losing, used to lose, etc.*
je parl **ais**	je finiss **ais**	je perd **ais**
tu parl **ais**	tu finiss **ais**	tu perd **ais**
il parl **ait**	il finiss **ait**	il perd **ait**
nous parl **ions**	nous finiss **ions**	nous perd **ions**
vous parl **iez**	vous finiss **iez**	vous perd **iez**
ils parl **aient**	ils finiss **aient**	ils perd **aient**

B. Imperfect Tense of AVOIR and ÊTRE

avoir		être	
I was having, used to have, etc.		*I was, you were, etc.*	
j'avais	nous avions	j'étais	nous étions
tu avais	vous aviez	tu étais	vous étiez
il avait	ils avaient	il était	ils étaient

C. Uses of Imperfect Tense

1. Votre mère était tellement gentille. *Your mother was so very nice.*
   Vous étiez sa meilleure amie quand *You were her best friend when*
   elle était à Paris.   *she was in Paris.*

The imperfect tense is used to *describe* a person or situation.

2. Est-ce que vous suiviez les mêmes *Were you taking the same courses?*
   cours?
   Nous passions la nuit dans une *We used to spend the night in a*
   Auberge de la Jeunesse.   *Youth Hostel.*

The imperfect tense is used to narrate *habitual* or *customary* action in past time.

3. Quand il faisait beau . . . *When the weather was fine . . .*
   Quand elle était à Paris . . . *When she was in Paris . . .*

The imperfect tense is used to tell what the situation was or what was going on, when something else took place.

NOTE The imperfect tense should not be used to narrate single, separate actions in the past.   That is the function of the **passé composé.**

D. FAIRE, "to do," "to make"

1. This irregular verb has the following forms in the present, imperfect, imperative and **passé composé** tenses:

PRESENT	IMPERFECT	IMPERATIVE
je fais	je faisais	fais
tu fais	tu faisais	faisons
il fait	il faisait	faites
nous faisons	nous faisions	PASSÉ COMPOSÉ
vous faites	vous faisiez	j'ai fait
ils font	ils faisaient	etc.

2. In addition to its regular meanings of *to do* and *to make*, **faire** is used in many important idioms.   Here are a few of them·

Il fait beau, il faisait beau.	*It (the weather) is* or *was fine (beautiful).*
faire une promenade (des promenades)	*to take a walk (walks)*
faire un voyage	*to take a trip*
faire de la peinture	*to study painting* or *to paint*

E. Numbers from 11 to 20

	CARDINAL	ORDINAL
11	onze [ɔ̃:z]	onzième
12	douze [du:z]	douzième
13	treize [trɛ:z]	treizième
14	quatorze [katɔrz]	quatorzième
15	quinze [kɛ̃:z]	quinzième
16	seize [sɛ:z]	seizième
17	dix-sept [dissɛt]	dix-septième
18	dix-huit [dizɥit]	dix-huitième
19	dix-neuf [diznœf]	dix-neuvième
20	vingt [vɛ̃]	vingtième

NOTE No elision or linking occurs before **onze** or **onzième:**
la onzième leçon [laɔ̃zjɛmləsɔ̃]   *the eleventh lesson*

III. PATTERN PRACTICE

A. *Repeat:*
Quand j'étais à Paris, je parlais français. #
Quand Mme Gagnon était à Paris, elle parlait français. #
Quand nous étions à Paris, nous parlions français. #

Repeat and add that the persons mentioned used to speak French:
   Quand ma mère était à Paris, # Quand mon père était à Paris, # Quand mon père et ma mère étaient à Paris, # Quand nous étions à Paris, # Quand vous étiez à Paris, # Quand mes camarades étaient à Paris, #

B. *Repeat:*

Que faisiez-vous quand vous étiez à Paris? #	Je faisais des promenades. #
	Je marchais un peu partout. #
	Je ne perdais pas mon temps! #

Continue saying what you used to do in Paris, basing your statements upon the following phrases:
   causer avec mes camarades # visiter des musées # préparer un diplôme de français # montrer à des Américains toutes les curiosités de la ville # aller voir les environs de Paris # faire des voyages à bicyclette # faire de la peinture # faire quelque chose d'intéressant tous les jours #

C. *Repeat* **B**; *use the first person plural* (nous) *in your responses.*

D. *Repeat:*
Quand il faisait beau, # Mme Hubert faisait des promenades. #

Continue saying that the following persons used to take walks:
   Mme Gagnon # Mme Hubert et Mme Gagnon # Jeanne # Pauline # Jeanne et Pauline # Nos amis # Les étudiants # Les touristes # Nous # Vous #

E. *Repeat:*
10 et 1 font 11 # 10 et 2 font 12 #

Now continue to add the following numbers:
   10 et 3 font # 10 et 4 font # 10 et 5 font # 10 et 6 font # 10 et 7 font # 10 et 8 font # 10 et 9 font # 10 et 10 font #

F. *Repeat:*
Après la première leçon, on a la deuxième leçon. #
Après la troisième leçon, on a la quatrième leçon. #

Complete the following sentences, using one ordinal higher than the one given:
Après la cinquième leçon, # Après la septième leçon, # Après la neuvième
leçon, # Après la onzième leçon, # Après la treizième leçon, # Après la
quinzième leçon, # Après la dix-septième leçon, # Après la dix-neuvième
leçon, #

IV. LECTURE

VICTOR HUGO ET MADAME DE CHATEAUBRIAND

Dans sa jeunesse Victor Hugo était très timide.   Il rendait souvent visite
au grand écrivain Chateaubriand, qui était déjà célèbre.   Hugo admirait
beaucoup cet auteur mais il détestait sa femme. Madame de Chateaubriand
donnait de l'argent aux pauvres et visitait les malades.   Elle était, cependant, toujours désagréable.   Son père était riche et madame de Chateaubriand faisait la grande dame.   Chaque fois que Victor Hugo faisait une
visite à Chateaubriand, il traversait le salon, où madame de Chateaubriand
était assise. Hugo lui disait: «Bonjour, madame,» mais elle ne lui répondait
pas.   Elle méprisait le jeune homme qui était pauvre et qui n'était pas encore célèbre.

Une seule fois madame de Chateaubriand a parlé avec bonté à Victor Hugo.

Ce jour-là, le jeune homme passait comme d'ordinaire par le salon.   La
femme de l'auteur était dans cette pièce.   C'était le matin et c'était l'été.
Il y avait un rayon de soleil sur le tapis—et un sourire sur le visage
de madame de Chateaubriand.

—Bonjour, monsieur Hugo.

Victor était étonné.   Madame de Chateaubriand lui parlait!

—Bonjour, madame.

—Je suis heureuse de vous voir.   Je vous attendais.

Pendant qu'elle parlait, elle montrait à Victor Hugo des paquets qui
étaient sur une petite table près de son fauteuil.

—Un de ces paquets est pour vous, monsieur Hugo.

Dans les paquets il y avait du chocolat que madame de Chateaubriand
vendait au profit d'un hôpital.   Elle a donné un paquet au jeune homme,
qui était trop timide pour refuser de l'accepter.

—C'est quinze francs.

Victor lui a donné quinze francs.   A cette époque-là, il était encore très
pauvre.   Pour le jeune homme quinze francs étaient une somme énorme.
Il ne dépensait qu'un franc par jour.   Le chocolat et le sourire de madame
de Chateaubriand lui ont coûté quinze francs de nourriture.

VOCABULARY FOR THE *LECTURE*

aider *to aid, help*

argent *m. money*

auteur *m. author*

bonté *f. kindness*

cependant *however*

coûter *to cost*

dame *f. lady;* faire la grande—, *to put on airs*

dépenser *to spend*

désagréable *disagreeable*

disait *imperf. tense of* dire, *to say*

écrivain *m. writer*

été *m. summer*

fois *f. time*

franc *m. franc;* quinze francs, *at that time about $3.00*

homme *m. man*

jeunesse *f. youth*

malade *sick*

mépriser *to scorn*

nourriture *f. food*

pendant que *while*

profit *m. benefit*

rayon *m. ray*

rendre visite à *to pay a visit to*

soleil *m. sun, sunshine*

somme *f. sum, amount*

sourire *m. smile*

visage *m. face*

voir *(irreg.) to see*

V. EXERCISES for the classroom

A. *Répondez en français aux questions suivantes:*

1. Quand est-ce que Victor Hugo était timide?　2. A qui rendait-il souvent visite?　3. Est-ce que Victor Hugo était déjà célèbre?　4. Est-ce qu'il détestait Chateaubriand?　5. A qui est-ce que madame de Chateaubriand donnait de l'argent?　6. Qui aidait-elle?　7. Pourquoi madame de Chateaubriand faisait-elle la grande dame?　8. Où madame de Chateaubriand était-elle assise d'ordinaire?　9. Qu'est-ce que Victor Hugo lui disait?　10. Pourquoi madame de Chateaubriand méprisait-elle Victor Hugo à cette époque-là?

11. Qu'est-ce qu'il y avait ce matin-là sur le tapis?　12. Ce jour-là madame de Chateaubriand était-elle désagréable?　13. Pourquoi Victor Hugo était-il étonné?　14. Qu'est-ce que madame de Chateaubriand lui a dit?　15. Qu'est-ce qu'il y avait sur une table?　16. Pourquoi Victor Hugo a-t-il accepté le paquet que madame de Chateaubriand lui a donné?　17. Qu'est-ce que Victor Hugo a donné à madame de Chateaubriand?　18. Était-il heureux de lui donner de l'argent?

B. *Read aloud and complete in French:*

6 + 5 font —.　6 + 6 font —.　6 + 7 font —.　7 + 7 font —.　8 + 8 font —. 9 + 9 font —.　10 + 9 font —.　10 + 10 font —.

C. *Answer the following questions in French by saying that Victor Hugo had one more franc than the number in the question:*

1. Est-ce que Victor Hugo avait onze francs?   2. Est-ce qu'il avait treize francs?   3. Est-ce qu'il avait quinze francs?   4. Est-ce qu'il avait seize francs?
5. Est-ce qu'il avait dix-huit francs?   6. Est-ce qu'il avait dix-neuf francs?

D. *Translate the following sentences orally into French; when you are reasonably sure that you can do so correctly, write them in French:*

1. That morning, the weather was beautiful.   2. Victor Hugo was passing through Chateaubriand's drawing room.   3. The wife of that great writer was seated in an armchair near a table.   4. On the table there were some packages.
5. Madame de Chateaubriand spoke to Victor Hugo.   6. The young man was astonished.   7. Usually he spoke to her but she did not answer him.   8. She scorned him because he was poor.
9. She showed him one of the packages.   10. "This package is for you, M. Hugo."   11. "Thank you very much."   12. Madame de Chateaubriand gave one of the packages to the young man.   13. "That's fifteen francs."   14. For Victor Hugo, at that moment, it (**c'**) was an enormous sum.   15. He used to spend only one franc a day.   16. But he was too timid to (**pour**) refuse to (**d'**) accept the package which the lady was giving him.   17. He gave her fifteen francs, which she gave to a hospital.   18. In the package Victor Hugo found some chocolate.
19. The young man liked chocolate—but he did not like Madame de Chateaubriand.

Douzième leçon

I. DIALOGUE

M. et Mme Lepic sont des tou- | *Mr. and Mrs. Lepic are American*
ristes américains. | *tourists.*

M. LEPIC. Qu'est-ce que nous ferons demain? D'après le bulletin du temps, il ne fera pas beau.

—*What shall we do tomorrow? According to the weather report, it will not be fair.*

MME LEPIC. Alors nous n'irons pas au Parc Monceau. Ça sera pour un autre jour.

—*Then we won't go to the Parc Monceau. That will be for another day.*

M. LEPIC. Si nous allions faire des courses dans les grands magasins? J'ai besoin de mouchoirs, de savon . . .

—*How about going shopping in the department stores? I need some handkerchiefs, some soap . . .*

MME LEPIC. C'est une excellente idée! Moi, j'ai besoin d'un sac à main . . .

—*That's a wonderful idea! I need a handbag . . .*

M. LEPIC. Encore un sac? Tu en as déjà au moins trois!

—*Another handbag? You already have at least three!*

MME LEPIC. Oui, mais je n'en ai pas de jaune, et un sac à main jaune

—*Yes. But I haven't a yellow one, and a yellow handbag will go well with*

ira bien avec mon nouveau tailleur.

M. LEPIC. Tu as raison, comme toujours. Nous irons donc d'abord aux Galeries Lafayette.

MME LEPIC. Nous y passerons toute la matinée.

M. LEPIC. Et nous y prendrons notre déjeuner, n'est-ce pas? Le restaurant y est excellent.

MME LEPIC. Oui, et nous passerons l'après-midi dans les boutiques de la rue Saint-Honoré.

M. LEPIC. Si, vers 5 heures, nous trouvons un salon de thé, nous prendrons le thé avec ces petits sandwichs que tu aimes tellement.

MME LEPIC. Quel excellent mari tu es! Ce sera pour moi une journée très agréable . . . et qui, je l'espère, ne te coûtera pas trop cher!

M. LEPIC. Oh, je vais emporter, comme toujours, un portefeuille bien garni!

my new suit.

—*You're right, as always. So we'll go first to the Galeries Lafayette.*

—*We'll spend the whole morning there.*

—*And we'll have our lunch there, won't we? The restaurant there is very good.*

—*Yes, and we'll spend the afternoon in the shops of the rue Saint-Honoré.*

—*If, about 5 o'clock, we find a tearoom, we'll have tea with those little sandwiches that you like so much.*

—*What a wonderful husband you are! It will be a very fine day for me . . . and one which, I hope, will not cost you too much!*

—*Oh, I'm going to take along, as always, a well-filled wallet!*

II. GRAMMATICAL USAGE

A. Future Tense of Regular Verbs

1. The future tense of the model verbs **parler, finir** and **perdre,** has the following forms:

parler	**finir**	**perdre**
I shall speak, etc.	*I shall finish, etc.*	*I shall lose, etc.*
parler **ai**	finir **ai**	perdr **ai**
parler **as**	finir **as**	perdr **as**
parler **a**	finir **a**	perdr **a**
parler **ons**	finir **ons**	perdr **ons**
parler **ez**	finir **ez**	perdr **ez**
parler **ont**	finir **ont**	perdr **ont**

2. The future tense of all regular verbs is formed by adding the endings to the *infinitive*. There is no auxiliary to correspond to the English *shall* and *will*.

3. Note that in the third conjugation, the final **-e** of the infinitive is omitted.

4. Note that in all three conjugations the third person plural ending is **-ont,** which is pronounced.

B. Future Tense of AVOIR, ÊTRE and FAIRE

avoir		être		faire	
aurai	aurons	serai	serons	ferai	ferons
auras	aurez	seras	serez	feras	ferez
aura	auront	sera	seront	fera	feront

C. Use of Future Tense

1. Qu'est-ce que nous ferons demain?   *What shall we do tomorrow?*
   Nous passerons la matinée dans les   *We'll spend the morning in the*
     grands magasins.   *department stores.*

In general, the future tense is used in French as in English.

NOTE There is nothing in French to correspond to the contractions such as *I'll, we'll,* etc. in English.

2. Aussitôt que j'arriverai à Paris,   *As soon as I arrive in Paris, I*
     j'irai chez M. Michel.   *shall go to M. Michel's house.*
   Dès que vous arriverez⎫   *As soon as you arrive*⎫
   Quand vous arriverez ⎬à Paris,   *When you arrive* ⎬*in Paris,*
   Lorsque vous arriverez⎭   *When you arrive* ⎭
     allez chez M. Michel.   *go to M. Michel's house.*
   Tant que vous serez à Paris, M.   *As long as you are in Paris, M.*
     Michel vous aidera.   *Michel will help you.*

The future must be used in French (though not necessarily in English), in subordinate clauses introduced by **aussitôt que, dès que, quand, lorsque** and **tant que** (whose meanings are shown in the examples), when futurity is expressed or implied in the main clause of the sentence.

3. S'il ne fait pas beau demain,   *If the weather is not good tomorrow,*
     qu'est-ce que nous ferons?   *what shall we do?*

A future tense is frequently found in French (as in English) in the con-clusion of a sentence which has a clause introduced by **si,** *if.* Note that the verb in the if-clause (the condition) is in the present tense.

4. Nous n'irons pas au Parc Monceau.   *We won't go to the Parc Monceau.*
   Je vais emporter un portefeuille   *I'm going to take along a well-*
     bien garni.   *filled wallet.*

Futurity may be expressed in French (as in English) by either the future tense or by the use of the verb **aller** + an infinitive. The latter is usually more informal than the future tense.

D. Three Irregular Verbs: ALLER, "to go"; DIRE, "to say, tell"; PRENDRE, "to take"

	aller		dire		prendre
			PRESENT		
vais	allons	dis	disons	prends	prenons
vas	allez	dis	dites	prends	prenez
va	vont	dit	disent	prend	prennent
			IMPERFECT		
allais		disais		prenais	
allais		disais		prenais	
etc.		etc.		etc.	
			IMPERATIVE		
va, allons, allez		dis, disons, dites		prends, prenons, prenez	
			FUTURE		
irai		dirai		prendrai	
iras		diras		prendras	
etc.		etc.		etc.	
			PAST PARTICIPLE		
allé		dit		pris	

E. EN and Y

1. Tu en as trois!   *You have three (of them)!*
   Je n'en ai pas de jaune.   *I haven't any yellow one.*

En, which may mean *some* or *any,* may mean also *of it, of them.* It stands before a verb (except after an affirmative imperative) whereas the expres-sion of quantity upon which it depends may follow the verb.

2. Nous y prendrons notre déjeuner.   *We'll have our lunch there.*
   Allons-y.   *Let's go there.*

Y, *there,* refers to a place already mentioned. It is regularly placed before a verb (like pronoun objects) but follows an affirmative imperative.

F. Three Idioms with AVOIR

J'ai besoin de mouchoirs.	*I need handkerchiefs.*
Vous avez raison.	*You are right.*
Vous avez tort.	*You are wrong.*

Avoir is used idiomatically, without any partitive sign, in the expressions **avoir besoin, avoir raison** and **avoir tort.**

III. PATTERN PRACTICE

A. *Repeat:*

Je parle français quand je suis en France. #

Je parlerai français quand je serai en France. #

Jeanne parle français quand elle est en France. #

Jeanne parlera français quand elle sera en France. #

Quand vous êtes en France, parlez-vous français tout le temps? #

Quand vous serez en France, parlerez-vous français tout le temps? #

Les étudiants parlent français quand ils sont en France, n'est-ce pas? #

Les étudiants parleront français quand ils seront en France, n'est-ce pas? #

Repeat the following sentences, changing the tense of both verbs from present to future:

Je parle français quand je suis dans la classe de français. # Nous parlons français quand nous sommes dans la classe de français. # Vous parlez français quand vous êtes au laboratoire, n'est-ce pas? # Richard Dumont parle français quand il est avec M. Michel. # Jeanne et Pauline parlent français quand elles sont chez Mme Hubert. # M. et Mme Lepic parlent français quand ils sont aux Galeries Lafayette. #

B. *Repeat:*

Aujourd'hui je finis la dixième leçon. #

Demain je finirai la onzième leçon. #

Aujourd'hui nous finissons la douzième leçon. #

Demain nous finirons la treizième leçon. #

Change aujourd'hui *to* demain, *the verbs from present tense to future tense, and the number of the lesson to one higher:*

Aujourd'hui je finis la quatorzième leçon. # Aujourd'hui nous finissons la quinzième leçon. # Aujourd'hui vous finissez la seizième leçon, n'est-ce pas? # Aujourd'hui Jeanne finit la dix-septième leçon. # Aujourd'hui Pauline finit la dix-huitième leçon. # Aujourd'hui Jeanne et Pauline finissent la dix-neuvième leçon. #

C. *Repeat:*

Qu'est-ce que nous ferons demain? #

Qu'est-ce que M. et Mme Lepic feront demain? #

Ask what the following persons will do tomorrow:

M. Lepic # Mme Lepic # M. et Mme Lepic # Nous # Vous #

D. *Repeat:*

Aujourd'hui je vais au Louvre. #   Demain j'irai au Louvre. #

Aujourd'hui Richard Dumont va chez   Demain Richard Dumont ira chez

M. Michel. #   M. Michel. #

Change aujourd'hui *to* demain *and the tense of the verbs from present to future:*

Aujourd'hui Louise va chez l'épicier. # Aujourd'hui nous allons au restaurant des Galeries Lafayette. # Aujourd'hui vous allez au Jardin des Tuileries, n'est-ce pas? # Aujourd'hui Robert et Charlotte vont au Jardin du Luxembourg, n'est-ce pas? # Aujourd'hui M. et Mme Lepic vont au Parc Monceau. # Où est-ce que vous allez aujourd'hui? # Moi, je vais à la Sorbonne aujourd'hui. #

E. *Repeat:*

Un. # Pourquoi as-tu besoin d'un sac à main? # Tu en as déjà un. #

Deux. # Pourquoi avez-vous besoin de mouchoirs? # Vous en avez déjà deux. #

Trois. # Pourquoi est-ce que l'étudiant a besoin d'un stylo? # Il en a déjà trois. #

Answer the following questions as in the models:

Cinq.   Pourquoi as-tu besoin de mouchoirs? # Six.   Pourquoi avez-vous besoin de camarades français? # Dix.   Pourquoi est-ce que Louise a besoin de gâteaux? # Trois. Pourquoi est-ce que Mme Lepic a besoin d'encore un sac? # Deux.   Pourquoi a-t-elle besoin d'un nouveau tailleur? #

IV. LECTURE

COMMENT VA-T-ON DE PARIS A ORLY?

Hélène téléphone à Jacqueline, une de ses amies.

HÉLÈNE. Mon frère va arriver demain matin à Orly.

JACQUELINE. Vraiment? Votre frère Jacques? Quand est-ce que j'aurai le plaisir de faire sa connaissance?

HÉLÈNE. Demain matin, si vous allez à l'aéroport avec moi.

JACQUELINE. Je serai heureuse de vous y accompagner.

HÉLÈNE. Il y a une petite difficulté. Malheureusement je n'aurai pas de voiture. A cause de mon dernier accident, mes parents ne me laissent plus conduire notre Renault.

JACQUELINE. Quel accident?

HÉLÈNE. C'était un accident ridicule! La voiture a accroché une poubelle qui était au bord du trottoir! Cette poubelle a fait un bruit épouvantable et elle a laissé une bosse sur l'aile-avant de notre voiture.

JACQUELINE. Je suis sûre que c'était la faute du concierge, qui a laissé la poubelle trop près de la rue, n'est-ce pas?

HÉLÈNE. Bien sûr! Mais dites-moi. Est-ce que vos parents auront besoin de leur voiture demain matin?

JACQUELINE. Peut-être que non. Mais s'ils nous laissent emprunter la voiture, qui va la conduire? Mon frère ne sera pas ici. . . Ils ne me laissent plus conduire. Ils disent que je suis trop nerveuse!

HÉLÈNE. Les parents modernes ne sont pas raisonnables! Pensez donc! Au lieu d'aller à Orly, mes parents vont laisser leur fils venir ici par autocar!

JACQUELINE. Pourquoi n'allons-nous pas à Orly par autocar? Nous y serons quand votre frère débarquera de l'avion. . .

HÉLÈNE. C'est merveilleux! Jacques sera enchanté de faire votre connaissance et . . .

JACQUELINE. Peut-être qu'il nous ramènera ici en taxi!

VOCABULARY FOR THE *LECTURE*

accrocher *to catch, hook on to*
aile-avant *f. front fender*
autocar *m. bus (interurban)*
bosse *f. dent*
bruit *m. noise*
cause: à — de *because of, on account of*
concierge *m. janitor*
débarquer *to disembark, land, get off*

derni-er, -ère *last*
emprunter *to borrow*
épouvantable *frightful*
faute *f. fault, mistake*
malheureusement *unfortunately*
Pensez donc! *Just think!*
plus: ne . . . plus *no longer, no more*
poubelle *f. garbage can*

raisonnable *reasonable*
ramener *to bring back*

sûr: bien sûr! *of course! certainly!*
trottoir *m. sidewalk*

V. EXERCISES for the classroom

A. *Pronounce carefully the following words and combinations of words:*
1. Quand je serai [kãjəs(ə)re] en France, je parlerai [ʒəparl(ə)re] français.
2. Quand nous serons [kãnus(ə)rɔ̃] en France, nous parlerons [nuparl(ə)rɔ̃] français.
3. Qu'est-ce que nous ferons [kɛskənuf(ə)rɔ̃] demain?
4. Nous n'aurons pas [nunɔrɔ̃pɑ] le temps d'aller au Louvre.
5. Je serai [ʒəs(ə)re] fatigué; vous serez [vus(ə)re] fatigué; nous serons [nus(ə)-rɔ̃] fatigués.
6. Nous n'irons pas [nunirɔ̃pɑ] au Parc Monceau.
7. Ça sera [sas(ə)ra] pour un autre jour.
8. Lorsque [lɔrskə] vous arriverez [vuzariv(ə)re]; quand [kã] vous arriverez, je ne serai pas [ʒənəs(ə)repɑ] ici.

B. *Read the following sentences, supplying a correct form of* avoir, être *or* faire:
1. Si vous dites que je — pauvre, vous — raison. 2. Si vous dites que je — riche, vous — tort. 3. Si vous dites que Maurice — besoin d'argent, vous — raison. 4. Si vous dites qu'il — beau demain, vous — tort. 5. Si vous dites qu'il ne — pas beau demain, vous — raison.

C. *Répondez en français aux questions suivantes:*
1. Qui sont M. et Mme Lepic? 2. Est-ce qu'ils parlent français? 3. Iront-ils au Parc Monceau demain? 4. Pourquoi pas? 5. Quand iront-ils au Parc Monceau? 6. Pourquoi va-t-on à un grand magasin? 7. Avez-vous plusieurs mouchoirs? 8. Avez-vous du savon? 9. Avez-vous besoin d'un sac à main jaune? 10. Est-ce que ce sont les hommes ou les femmes qui portent un tailleur? 11. Où est-ce que M. et Mme Lepic passeront toute la matinée? 12. Où est-ce qu'ils prendront leur déjeuner? 13. Où passeront-ils l'après-midi? 14. Où prendront-ils le thé? 15. Qu'est-ce que M. Lepic va emporter?

D. *Translate the following sentences orally; when you are reasonably sure that you can do so correctly, write them:*
When Mr. and Mrs. Lepic go to Paris, they will have an elegant room in a magnificent hotel of the *rue de Rivoli*. The room will be very well furnished. In the morning, a valet will bring them their breakfast on a tray. On the tray there will be cups and plates of fine porcelain and napkins of fine linen. The valet will bring them coffee, crescent-rolls, butter and jam. The breakfast will be delicious.

As soon as they finish their breakfast, will Mr. and Mrs. Lepic go to the top of the Arch of Triumph or of the Eiffel Tower? No! They will go to a department store. Mrs. Lepic will have a new suit and she will need a new handbag. Always, when a woman has a new suit, she needs a new bag! Mr. and Mrs. Lepic will spend several hours in the Galeries Lafayette.

In the afternoon, will Mr. and Mrs. Lepic go to the Louvre? No! They will spend the first part of the afternoon in the shops of the *rue Saint-Honoré,* where Mrs. Lepic will find the fashions of today, and then they will go to one of the great cafés of the Champs-Élysées.

After an excellent dinner in a magnificent restaurant, Mr. and Mrs. Lepic will go to a night-club.

Mr. and Mrs. Lepic will like Paris very much!

Treizième leçon

I. DIALOGUE

Daniel, un jeune Américain,
cause avec un ami français. Ils
sont en Amérique.

DANIEL. Je vais en Europe l'été prochain et j'espère passer quinze
jours à voir Paris et ses environs.
Si vous y alliez, qu'est-ce que
vous feriez?

—*I'm going to Europe next summer and
I hope to spend two weeks seeing Paris
and the country around it. If you went
there, what would you do?*

FRANÇOIS. D'abord je voudrais visiter
à pied tous les lieux historiques de
Paris. Vous pourriez en faire
autant.

—*First I would want to visit on foot all
the historical places in Paris. You
could do the same thing.*

DANIEL. Oui, je passerais ainsi la
première semaine à voir toutes
les curiosités de la ville. Mais
quel serait le meilleur moyen de
voir les environs de Paris?

—*Yes, I would spend the first week the
same way, seeing all the sights of the
city. But what would be the best way
to see the country around Paris?*

FRANÇOIS. Si vous aviez une voiture,
ça serait facile.

—*If you had a car, that would be easy.*

DANIEL. Ça coûterait cher! Mais si vous étiez à Paris en même temps que moi, nous pourrions en louer une.

FRANÇOIS. Préparons un itinéraire! Lundi nous pourrions voir Versailles et son splendide palais.

DANIEL. Mardi nous irions à Fontainebleau.

FRANÇOIS. Non! Si nous y allions mardi, nous trouverions que le palais, comme tous les musées de France, serait fermé. Mais nous pourrions voir Chartres et sa cathédrale merveilleuse.

DANIEL. Et mercredi nous irions à Fontainebleau.

FRANÇOIS. Jeudi? Ce serait le jour idéal pour voir le château de Chantilly et le magnifique musée qu'on y a installé.

DANIEL. Il nous resterait vendredi, samedi et dimanche.

FRANÇOIS. Nous pourrions aller jusqu'à Rouen et visiter la Normandie. Qu'en pensez-vous?

DANIEL. J'aimerais être déjà en France, avec vous!

—That would cost a lot! But if you were in Paris at the same time as I, we could rent one.

—Let's make up an itinerary! Monday we could see Versailles and its splendid palace.

—Tuesday we would go to Fontainebleau.

—No! If we went there on Tuesday, we would find that the palace, like all the museums in France, would be closed. But we could see Chartres and its wonderful cathedral.

—And Wednesday we would go to Fontainebleau.

—Thursday? That would be the ideal day to see the château de Chantilly and the magnificent museum they have installed in it.

—That would leave us Friday, Saturday and Sunday.

—We could go as far as Rouen and visit Normandy. What do you think of that?

—I would like to be in France already, with you!

II. GRAMMATICAL USAGE

A. Forms of the Conditional Tense

1. The conditional tense of regular verbs has the following forms:

parler *I would speak, etc.*	finir *I would finish, etc.*	perdre *I would lose, etc.*
parler **ais**	finir **ais**	perdr **ais**
parler **ais**	finir **ais**	perdr **ais**
parler **ait**	finir **ait**	perdr **ait**
parler **ions**	finir **ions**	perdr **ions**
parler **iez**	finir **iez**	perdr **iez**
parler **aient**	finir **aient**	perdr **aient**

2. The conditional tense of all irregular verbs is formed in the same way: the stem of the conditional is always the same as the stem of the future; the endings are the same as those of regular verbs.

INFINITIVE	FUTURE	CONDITIONAL
avoir	aurai	aurais, etc.
être	serai	serais, etc.
aller	irai	irais, etc.
faire	ferai	ferais, etc.
dire	dirai	dirais, etc.
prendre	prendrai	prendrais, etc.

B. Uses of the Conditional Tense

1. Si vous alliez à Paris,
    qu'est-ce que vous y feriez?
Si vous aviez une voiture,
    ça serait facile.

If you went to Paris, what would you do there?
If you had a car that would be easy.

The conditional tense is used in the conclusion of a sentence which has a clause introduced by **si** (= *if*).

Note that the verb in the **si** (*if*)—clause is in the imperfect tense. Neither the future nor conditional tense is ever used in French in the **si** (*if*)—clause of a conditional sentence. (The future or conditional may, however, be used after **si** = *whether*.)

2. Vous pourriez en faire autant.
    Ça coûterait cher!

You could do the same thing.
That would cost a lot!

The *condition* whose result is expressed by the conditional tense of a verb may be implied, i.e., not explicitly stated.

C. Adverbs and Adverbial Phrases

1. François parle rapidement.   *François talks fast.*

If the verb is in a simple form, an adverb regularly follows it.

2. Versailles? Nous y avons déjà été.   *Versailles? We have already been there.*

If the verb is in a compound tense, adverbs which do not end in **-ment** frequently (but not always) stand between the auxiliary and the past participle.

3. François a parlé rapidement mais　　*François spoke rapidly but Daniel*
　　Daniel lui a répondu tout de suite.　　*answered him immediately.*

If the verb is in a compound tense, adverbs ending in **-ment** and adverbial phrases usually follow the past participle.

NOTES 1. The adverbial ending **-ment** in French corresponds to the English **-ly.**
2. The position of an adverb in a sentence is often a matter of style rather than of grammar; that is, the above rules are not absolute but should be helpful.

D. POUVOIR and VOULOIR

Pouvoir, *to be able, can,* and **vouloir,** *to want, wish,* are irregular verbs which have the following forms:

pouvoir		vouloir	
	PRESENT		
peux (puis)	pouvons	veux	voulons
peux	pouvez	veux	voulez
peut	peuvent	veut	veulent
	IMPERFECT		
pouvais, etc.		voulais, etc.	
	FUTURE		
pourrai, etc.		voudrai, etc.	
	CONDITIONAL		
pourrais, etc.		voudrais, etc.	
	IMPERATIVE		
(lacking)		veux *(rare)*	
		voulons *(rare)*	
		voulez *or* veuillez	
	PASSÉ COMPOSÉ		
j'ai pu, etc.		j'ai voulu, etc.	

NOTES 1. Of the alternate forms for the first person singular of the present tense of **pouvoir, peux** is most often used in declarative sentences, **puis** in questions. (But one may say: **est-ce que je peux? . . .**)

　　Puis-je vous aider?
　　Est-ce que je peux vous aider? } *Can (May) I help you?*

　　Je ne peux pas vous aider.　　*I cannot help you.*

2. As indicated, the regular imperative of **vouloir** is rarely used. **Veuillez +** an infinitive is common and conveys the idea of *"please."*

　　Veuillez m'aider.　　*Please help me.*

3. Compare **je veux, nous voulons** and **je peux, nous pouvons.**
When, in the present tense of both **pouvoir** and **vouloir,** there is only one short
syllable, the stress must of course be on that syllable, not on the ending **-oir** of
the infinitive or the endings **-ons** and **-ez.** In the spoken language, the shift of
stress caused a change in sound, which is represented in the written language by
a change of spelling from **ou** to **eu.**

E. Names of the Days of the Week

lundi [lœ̃di] *Monday*   jeudi [ʒœdi] *Thursday*
mardi [mardi] *Tuesday*   vendredi [vɑ̃drədi] *Friday*
mercredi [mɛrkrədi] *Wednesday*   samedi [samdi] *Saturday*
                     dimanche [dimɑ̃:ʃ] *Sunday*

NOTE *Usually* (but not always) it is considered in France that **lundi** is the first
day of the week.

III. PATTERN PRACTICE

A. *Repeat:*
Si j'étais en France, je parlerais français. # Je passerais quinze jours à Paris. #

Tell what you would do, if you were in France, as in the model sentences:
   parler français tous les jours # causer avec mes amis français # préparer
un itinéraire # louer une voiture # visiter des lieux historiques #

B. *Repeat:*
Si Daniel était en France, il causerait avec ses amis français. #

If Daniel were in France, say that he would do the following things:
   causer avec François # passer quinze jours à voir Paris et ses environs #
visiter à pied toutes les curiosités de Paris # louer une petite voiture # trouver
que les musées sont fermés le mardi # aimer voir la Normandie #

C. *Repeat:*
J'aurais une petite voiture. # Je serais heureux de l'avoir. # Je voudrais voir
les environs de Paris. # Je pourrais les voir facilement. # J'irais à Versailles. #

Tell what you would do, want to do, or be able to do, using the following cues:
   avoir des amis français # être content de causer avec mes amis # vouloir
avoir une voiture # vouloir voir les environs de Paris # pouvoir aller à Versailles # pouvoir aller à Fontainebleau # aller à Chartres # aller en Normandie #

D. *Repeat:*

Je passerais huit jours à Paris. #

Je causerais tous les jours avec des
Français. #

Nous passerions huit jours à Paris. #

Nous causerions tous les jours avec des
Français. #

Change the verbs in the following sentences from first person singular to first person plural:

Je passerais quinze jours à Paris. # Je parlerais français tous les jours. #
J'aurais des amis français. # Je serais heureux de voir Notre-Dame de Paris. #
Je voudrais monter au sommet de la Tour Eiffel. # Je pourrais voir Versailles. #
Je pourrais aller à Fontainebleau. # J'irais à Versailles. # J'irais à Fon-
tainebleau. #

E. *Repeat:*

S'il fait beau, qu'est-ce que M. et
Mme Lepic feront? #

S'il faisait beau, qu'est-ce qu'ils
feraient? #

*Change the verbs in the following sentences from present to imperfect and from future to con-
ditional:*

S'il ne fait pas beau, qu'est-ce qu'ils feront? # Si Mme Lepic a besoin d'un
sac, ils iront aux Galeries Lafayette. # Si elle a besoin d'un tailleur, ils iront à
la rue Saint-Honoré. # Si M. et Mme Lepic vont aux Galeries Lafayette, ils y
prendront leur déjeuner. # S'ils vont à la rue Saint-Honoré, ils y prendront le thé
dans un salon de thé. # S'ils y prennent du thé, ils auront des sandwichs. # Si
Mme Lepic a besoin d'argent, M. Lepic aura un portefeuille bien garni. #

F. *Repeat:*

lundi # mardi # mercredi # jeudi # vendredi # samedi # dimanche #
S'il faisait beau, # est-ce que nous irions à Versailles mardi? # Non, nous y
irions mercredi. #

Say that we would go to the places mentioned one day later than the day mentioned:

S'il faisait beau, est-ce que nous irions à Chartres lundi? # Est-ce que nous
irions à Fontainebleau mardi? # Est-ce que nous irions à Rouen jeudi? # Est-
ce que nous irions en Suisse vendredi? # Est-ce que nous irions en Italie samedi? # Est-ce que nous irions en Espagne dimanche? #

IV. LECTURE

ALLONS EN ITALIE ET EN ESPAGNE

FRANÇOIS. Si nous avions une voiture en France, nous pourrions faire de
longs voyages de temps en temps.

DANIEL. Si vous vouliez aller de Paris en Italie, quelle route prendriez-vous?

FRANÇOIS. Regardons cette carte de France. Si on voulait aller de Paris en Italie, on pourrait choisir entre trois bonnes routes. On pourrait passer par Fontainebleau et par Dijon; puis on traverserait la Suisse et on entrerait en Italie par un long tunnel sous le col Saint-Bernard. Ou bien, on pourrait traverser la Bourgogne et la Savoie, où on pourrait voir les Alpes françaises, et on entrerait en Italie par un nouveau tunnel sous le Mont Blanc.

DANIEL. Montrez-moi la troisième route.

FRANÇOIS. Regardez la carte. Si on n'aimait pas les montagnes, on descendrait la vallée du Rhône jusqu'en Provence; on trouverait une bonne route entre Avignon et Nice, et on arriverait facilement à la frontière franco-italienne.

DANIEL. En route on pourrait voir la Côte d'Azur, n'est-ce pas? Si on voulait aller de Paris en Espagne, est-ce qu'on trouverait un tunnel sous les Pyrénées?

FRANÇOIS. Pas encore, mais il y en aura un dans deux ou trois ans. Si on allait de Paris à Madrid en automobile, on traverserait les grandes plaines du sud-ouest de la France; au sud de Biarritz, on pourrait traverser la frontière près de l'océan Atlantique.

DANIEL. Tous ces voyages seraient excellents si on n'était pas pressé... mais si on n'avait que quelques jours à passer à Rome ou à Madrid, on voudrait y aller par avion, n'est-ce pas?

FRANÇOIS. Vous avez raison. Par avion on pourrait aller de Paris à Rome ou de Paris à Madrid en deux heures ou moins!

VOCABULARY FOR THE *LECTURE*

col *m. mountain-pass*
côte *f. coast*
Côte d'Azur *f. the French Riviera*
facilement *easily*

ou bien *or else*
pressé *in a hurry*
puis, *next, then*
sud-ouest *m. southwest*

V. EXERCISES for the classroom

A. *Pronounce carefully the following words and combinations of words:*
La treizième leçon [latrɛzjɛmləsɔ̃]   L'été prochain [leteprɔʃɛ̃]
Nous pourrions louer/une voiture. [nupurjɔ̃lwe/ynvwaty:r]
Ça ne coûterait pas/trop cher. [sanəkutərɛpɑ/troʃɛ:r]
Versailles [vɛrsɑ:j]   Chantilly [ʃɑ̃tiji]   Rouen [rwɑ̃]
Chartres [ʃartr]   Fontainebleau [fɔ̃tɛnblo]   le Mont Blanc [ləmɔ̃blɑ̃]

B. *Repeat the following sentences, which come from the Dialogues of previous lessons, changing the tense of the verbs in italics into the conditional tense. (Assume that there is an if-clause with verb in the imperfect tense before each of the changed sentences.)*

1. Maurice *a* une chambre confortable dans un petit hôtel.   2. Il *prend* ses repas dans un restaurant.   3. Il *est* dans le Quartier latin.   4. Mme Laroche *montre* son appartement à Mme Pierre.   5. Elle lui *montre* le salon et la salle à manger.   6. Ses fils ne *sont* pas dans leur chambre.   7. Ils *sont* à la campagne.

8. Mme Hubert vous *présente* à M. Michel.   9. M. Michel *est* très heureux de faire votre connaissance.   10. Vous *parlez* français.   11. M. Michel vous *félicite,* n'est-ce pas?   12. M. Michel *parle* trop vite!

13. Albert *est* dans sa chambre.   14. La femme de chambre lui *apporte* son petit déjeuner.   15. Il y *a* de la confiture sur le plateau.   16. Mais Albert n'*aime* pas la confiture.   17. Elle *a* le goût de la prune!

18. Philippe *a montré* à ses amis la Seine et ses ponts.   19. Ses amis *ont admiré* l'Île de la Cité.   20. Les trois amis *ont fini* leur visite rapide de Paris dans la Place de l'Opéra.

C. *Répondez en français aux questions suivantes:*

1. Où sont François et Daniel?   2. Quand est-ce que Daniel va aller en France? 3. Si Daniel allait en France, où passerait-il quinze jours?   4. Qu'est-ce qu'il voudrait voir?   5. Si vous alliez en France, qu'est-ce que vous pourriez voir à Versailles?   6. A Chantilly?   7. A Chartres?   8. Veuillez me dire les noms de deux palais qu'on peut voir aux environs de Paris.

D. *Translate orally the following sentences into French; when you are reasonably sure that you can do so correctly, write them:*

THE PROFESSOR. If a friend told you that he was going to France, could you help him?

YOU. Yes, I could help him.   I would tell him to (de) see all the interesting places in Paris and in the country around Paris.

THE PROFESSOR. The city of Paris is very large and the Île-de-France is a large province.   Would your friend be able to see all the interesting places in (en) eight or ten days?

YOU. I would tell him to spend fifteen days in Paris.   If he arrived there at the beginning of the academic year, he would have some friends, wouldn't he? Every day they would do something interesting.   (The) weekends, they would go and see the country around Paris by bicycle or they would rent a car.

THE PROFESSOR. I congratulate you.   You speak French with a good accent!

Quatorzième leçon

I. DIALOGUE

Roger, Albert et Maurice sont assis à la table d'un café.

MAURICE. Devinez qui j'ai rencontré ce matin dans une librairie.

—*Guess who I met this morning in a bookstore.*

ALBERT. Une jolie vendeuse? Des jeunes filles américaines?

—*A pretty salesgirl? Some American girls?*

MAURICE. Deux jeunes filles américaines, Jeanne et Pauline Gagnon. Pensez donc! Elles sont parties de New York le même jour que nous!

—*Two American girls, Jeanne and Pauline Gagnon. Just think! They left New York the same day we did.*

ROGER. Ne me dites pas qu'elles sont venues ici par le même avion!

—*Don't tell me that they came here on the same plane!*

MAURICE. Non, elles ont pris le bateau. Et, après être arrivées au Havre, elles sont venues à Paris par le train.

—*No, they took the boat. And, after arriving at le Havre, they came to Paris by train.*

ALBERT. Combien de temps vont-elles rester en France?

—*How long are they going to stay in France?*

121

MAURICE. Elles resteront ici jusqu'à la fin de l'année scolaire. Elles suivent des cours de langue et de civilisation à la Sorbonne.

—They'll stay here until the end of the academic year. They are taking courses in language and civilization at the Sorbonne.

ALBERT. *(à Maurice)* Mais, il y a quelques années, est-ce que vous n'étiez pas amoureux de Pauline?

—(to Maurice) But, a few years ago, weren't you in love with Pauline?

MAURICE. Oui, il y a cinq ou six ans, quand j'étais très jeune. Mais Pauline est allée à Vassar. . .

—Yes, five or six years ago, when I was very young. But Pauline went to Vassar. . .

ROGER. L'absence diminue les médiocres passions, dit La Rochefoucauld. . . Mais quand vous êtes entré dans la librairie, quand vous l'avez retrouvée ce matin, c'était de nouveau le grand amour!

—Absence diminishes mediocre passions, says La Rochefoucauld. . . But when you went into the bookstore, when you saw (found) her again this morning, it was love all over again!

MAURICE. Peut-être. . . En tout cas, je vais la voir cet après-midi à la Sorbonne, quand elle sortira de son cours.

—Perhaps. . . In any case, I'm going to see her this afternoon at the Sorbonne, when she gets out of her class.

ALBERT. On m'a dit que Jeanne, sa sœur, était très jolie. Je serais heureux de faire sa connaissance.

—Someone told me that Jeanne, her sister, was very pretty. I'd be glad to meet her.

MAURICE. C'est facile. Si vous êtes à la Sorbonne cet après-midi, je vous présenterai à elle . . . et peut-être même à Pauline.

—That's easy. If you are at the Sorbonne this afternoon, I'll introduce you to her. . . and perhaps even to Pauline.

II. GRAMMATICAL USAGE

A. Adverbs of Quantity and Measure

assez de pratique *enough practice*
autant de café *as much coffee*
beaucoup de café *much coffee*
combien de temps *how much time*
moins d'argent *less money*
un peu d'argent *a little money*
peu d'argent *little (only a little) money*

assez d'amis *enough friends*
autant d'amis *as many friends*
beaucoup de touristes *many tourists*
combien d'étudiants *how many students*
moins de cours *fewer courses*

peu d'amis *few (only a few) friends*

plus de papier *more paper*
tant de potage *so much soup*
trop de travail *too much work*

plus de livres *more books*
tant d'Américains *so many Americans*
trop d'examens *too many examinations*

The above list contains the most important French *adverbs of quantity* and an indication of the meaning of each, when used with a singular or a plural noun. A French adverb of quantity is linked to its dependent noun by **de (d').**

Combien de livres avez-vous achetés dans la librairie?

How many books did you buy in the bookstore?

J'en ai acheté beaucoup.

I bought a great many.

A past participle agrees in number and gender with a preceding object which is part of a phrase composed of an adverb of quantity and a noun. But there is no agreement with the pronoun **en.**

B. Agreement of Adjectives

1. See Lesson 2, **C.**

2. Observe the feminine and plural forms of the following adjectives, all but two or three of which have been used in previous lessons:

M. SING.	M. PLUR.	F. SING.	F. PLUR.	
amoureux	amoureux	amoureuse	amoureuses	*loving, in love (de, with)*
beau, bel	beaux	belle	belles	*beautiful*
blanc	blancs	blanche	blanches	*white*
bon	bons	bonne	bonnes	*good*
cher	chers	chère	chères	*dear, expensive*
dernier	derniers	dernière	dernières	*last*
heureux	heureux	heureuse	heureuses	*happy*
mauvais	mauvais	mauvaise	mauvaises	*bad*
nouveau, nouvel	nouveaux	nouvelle	nouvelles	*new*
premier	premiers	première	premières	*first*
vieux, vieil	vieux	vieille	vieilles	*old*

3. The forms **bel, nouvel** and **vieil** precede a masculine noun beginning with a vowel or mute **h.**

C. Position of Adjectives

1. une jolie vendeuse *a pretty salesgirl*
   deux jeunes filles *two girls*

Some adjectives regularly precede the noun they modify. Such are:

autre *other*	grand *large*	mauvais *bad*	premier *first*
beau *beautiful*	jeune *young*	nouveau *new*	vieux *old*
bon *good*	joli *pretty*	petit *small*	

2. des jeunes filles américaines   *some American girls*
   l'année scolaire   *the academic year*

Other adjectives (not predicate adjectives) should be placed immediately after the nouns they modify. However, the position of an adjective in relation to a noun is often determined by style rather than by rule.

3. de grands parcs   *some large parks*
   de très belles roses   *some very beautiful roses*
   de beaux fauteuils   *some beautiful armchairs*

When, in a partitive construction, a noun is preceded by an adjective, the definite article of the partitive construction is omitted. So **de grands parcs** instead of **des grands parcs.** In a few cases, however, the adjective and noun are so closely associated that they have the force of a single noun, in which case both **de** and the definite article are regularly used:

des jeunes filles   *some girls*

D. IL Y A

il y a quelques années   *a few years ago*
il y a cinq ou six ans   *five or six years ago*
il y a longtemps   *a long time ago*

Il y a with an expression of time = English *ago*.

E. ÊTRE as Auxiliary

Elles sont parties de New York.   *They left New York.*
Elle est allée à Vassar.   *She went to Vassar.*

The verb **être** (instead of **avoir**) and a past participle form the compound tenses of a few verbs. (The present tense of **être** + past participle = the **passé composé**.) In such cases the past participle must agree in gender and number with the subject.

Among the most common of such verbs are the following:

INFINITIVE	PAST PART.	MEANING	INFINITIVE	PAST PART.	MEANING
aller	allé	*to go*	rester	resté	*to remain*
arriver	arrivé	*to arrive*	retourner	retourné	*to return, go back*
devenir	devenu	*to become*	revenir	revenu	*to return, come back*
entrer	entré	*to enter*	sortir	sorti	*to go or come out*
partir	parti	*to leave*	venir	venu	*to come*
rentrer	rentré	*to return (go or come back in)*			

NOTES 1. All these verbs, except **rester,** denote motion or change of condition. They cannot have a direct object.   Not all verbs denoting motion or change of condition, however, are conjugated with **être.**   Comparatively few are; they are therefore special cases.   The above list is not complete.   Other similar verbs will be introduced in later lessons.

2. **Aller, partir, sortir, venir** and the compounds of **venir** are irregular verbs.

3. Observe these distinctions:

> **retourner** = *to return in the sense of to go back*
> **revenir** = *to return* in the sense of *to come back*
> **partir** = *to leave* in the sense of *to go away*
> **sortir** = *to leave* in the sense of *to go out*

III. PATTERN PRACTICE

A. *Repeat:*

Combien d'étudiants y a-t-il dans cette classe? Beaucoup? #

Oui, il y a beaucoup d'étudiants dans cette classe. #

Combien de jeunes filles y a-t-il dans cette classe-là? Assez? #

Oui, il y a assez de jeunes filles dans cette classe-là. #

Continue answering the following questions in the same way:

Combien de livres avez-vous achetés dans la librairie? Beaucoup? # Combien d'argent avez-vous maintenant? Très peu? # Combien de temps avez-vous passé au café? Beaucoup? # Combien d'étudiants y avait-il au café? Beaucoup? # Combien d'argent avez-vous dépensé au café? Trop? # Combien de camarades avez-vous à Paris? Assez? # Combien d'amis avez-vous à Paris? Peu? # Combien de travail avez-vous à faire? Trop? # Combien d'examens avez-vous cette semaine? Beaucoup trop? #

B. *Repeat:*

Maurice a acheté beaucoup de livres. #	Il en a acheté trop. #
Louise a acheté beaucoup de bon-bons. #	Elle en a acheté trop. #

Say that the person mentioned bought too much *or* too many *of the things mentioned:*

Maurice a acheté beaucoup de papier. # M. Lepic a acheté beaucoup de savon. # Mme Lepic a acheté beaucoup de sacs à main. # Louise a acheté beaucoup de citrons. # Les touristes ont acheté beaucoup de cartes postales. #

C. *Repeat:*

Le jeune homme est beau! # Et la jeune fille? #	Elle est belle. #
Les garçons sont heureux d'être à Paris. # Et les jeunes filles? #	Elles sont heureuses d'être à Paris. #

Complete the following sentences as in the models:

Maurice est beau. Et Pauline? # Les jeunes hommes sont beaux. Et les jeunes filles? # Cet homme-là est vieux. Et cette femme-là? # Roger et Albert sont heureux d'être à Paris. Et Jeanne et Pauline? # Le Pont-Neuf est vieux. Et la cathédrale? # Ce livre est nouveau. Et cette carte? # Mon hôtel est bon. Et votre chambre? # Mon grand-père est vieux. Et votre grand-mère? #

D. *Repeat:*

Ce matin Paul est allé au Louvre. # Il est arrivé au Louvre. # Il est entré dans le Louvre. # Il y est resté longtemps. # Enfin il est sorti du Louvre. # Il est allé à un restaurant. # Cet après-midi il est retourné au Louvre. # Il est rentré dans le Louvre. # Enfin il est devenu fatigué. # Il est revenu à l'hôtel. #

Using the following verbs and expressions as cues, narrate the same series of events, using je *as subject:*

aller au Louvre # arriver au Louvre # entrer dans le Louvre # y rester longtemps # sortir du Louvre # aller à un restaurant # retourner au Louvre # rentrer dans le Louvre # devenir fatigué # revenir à l'hôtel #

Repeat the same series, using nous sommes *before each participle.*

E. *Repeat:*

Quand es-tu arrivé à Paris? #	Je suis arrivé à Paris il y a longtemps. #

Continue saying that you did what is asked about a long time ago:

Quand es-tu allé en France? # Quand es-tu revenu de Paris? # Quand es-tu sorti de la salle de classe? # Quand es-tu allé au laboratoire? # Quand es-tu sorti du laboratoire? # Quand es-tu rentré dans ta chambre? #

IV. LECTURE

LA MALMAISON

Presque tous les touristes américains qui vont en France visitent les palais de Versailles et de Fontainebleau.   Ces palais magnifiques ont de grands parcs.   Beaucoup de touristes vont aussi à la Malmaison, qui n'est pas loin de Paris.   La Malmaison n'est pas grande mais elle est très belle.   Le jardin qui l'entoure est très beau.   On y trouve surtout de très belles roses rouges et blanches.

Napoléon Bonaparte n'aimait pas Versailles et n'y allait pas souvent.   La Malmaison, au contraire, était la demeure préférée de l'empereur et de sa femme, Joséphine.   Napoléon et Joséphine y étaient heureux.   A Paris Napoléon habitait le palais des Tuileries.   Quand il etait fatigué des cérémonies de la cour, il quittait Paris et allait à la Malmaison.

Dans les nombreux salons du château, l'empereur et l'impératrice donnaient des bals ou des concerts (Joséphine aimait beaucoup la musique) ou causaient avec leurs amis.   Dans la bibliothèque du château il y avait de grandes tables élégantes et de beaux fauteuils, mais peu de livres.

Après la bataille de Waterloo Napoléon a été obligé de quitter la France. D'abord il est allé de Paris à la Malmaison.   Il y a passé ses derniers jours en France.   Les guides montrent aux visiteurs la porte par où il est sorti pour la dernière fois.   De la Malmaison Napoléon est allé à Sainte-Hélène, où il est resté jusqu'à sa mort.

Depuis le départ de Napoléon, des visiteurs nombreux sont allés à la Malmaison.   Un des visiteurs célèbres était Louis-Napoléon Bonaparte, qui était le neveu de Napoléon et qui est devenu empereur lui-même.   Il a raconté sa visite à Victor Hugo.

«Je l'ai visitée en détail.   Voici comment.   Je suis allé faire une visite à mon ami Odilon Barrot à Bougival.   Il m'a invité à dîner.   J'ai accepté son invitation.   Mais qu'allons-nous faire avant le dîner?

—Allons à la Malmaison, propose M. Barrot...

Quand nous sommes arrivés à la Malmaison, le château était fermé. Nous avons sonné.   Un vieux portier est venu à la porte.   M. Barrot lui a parlé.

—Nous désirons visiter le château.

—Impossible!

—Comment!   impossible?

—Oui, impossible...J'ai des ordres...Le château est maintenant fermé.

—Mais mon ami est le neveu de l'empereur!

—Le neveu de l'empereur!   Oh, messieurs, entrez!

Nous sommes entrés et nous avons visité le château.   Tout y est encore à peu près à sa place.   Les meubles sont encore les mêmes dans beaucoup de salons, dans beaucoup de chambres.   J'ai retrouvé le petit fauteuil que j'avais quand j'étais enfant. . .»

Aujourd'hui, longtemps après la visite de l'empereur Napoléon III, tout à la Malmaison est encore à peu près à sa place.   A la Malmaison les souvenirs de Napoléon et de Joséphine sont restés vivants.

VOCABULARY FOR THE *LECTURE*

bataille *f. battle*
bibliothèque *f. library*
comment *how*
cour *f. court*
demeure *f. residence*
départ *m. departure*
depuis *since*
habiter *to inhabit, live in*

lui-même *himself*
mort *f. death*
neveu, -x *m. nephew*
raconter *to relate, tell (a story)*
sonner *to ring*
souvenir *m. memory*
vivant *living*

V. EXERCISES for the classroom

A. *Pronounce carefully:*

1. Les jeunes filles [leʒœnfi:j] sont parties [sɔ̃parti] de New York. [dənyjɔrk].
2. Elles sont arrivées [ɛlsɔ̃tarive] au Havre. [oavr].   3. Elles sont venues à Paris [ɛlsɔ̃vənyapari] par le train. [parlətrɛ̃].

4. Je suis entré [ʒəsɥizɑ̃tre] dans une librairie.   [dɑ̃zynlibrɛri].   5. Je n'y suis pas resté [ʒenisɥipɑreste] longtemps. [lɔ̃tɑ̃].

B. *Répondez en français aux questions suivantes:*

1. Est-ce que la Malmaison est grande ou petite?   2. Est-elle belle?   3. Qu'est-ce qu'on trouve dans le jardin?   4. Après la bataille de Waterloo, où Napoléon est-il allé?   5. Y est-il resté longtemps?   6. Qu'est-ce que les guides montrent aux visiteurs?   7. Quand Napoléon est parti de la Malmaison, où est-il allé?

8. Quand Odilon Barrot et Louis-Napoléon Bonaparte sont allés à la Malmaison, qui est venu à la porte?   9. Est-ce que les deux visiteurs sont entrés dans le château?   10. Est-ce que vous voudriez visiter la Malmaison?

C. *Read aloud the following sentences, changing each infinitive in italics to the* passé com-posé:

Hier nous *visiter* un palais.   Nous y *aller* avec des amis.   Nous *partir* de notre hôtel et bientôt[1] nous *arriver* devant le palais.   Nous y *entrer* tout de suite.   Un guide nous *raconter* l'histoire des rois[2] et des reines[3] qui y *laisser* des souvenirs. Nous y *rester* longtemps parce qu'il y avait tant de salons et tant de chambres à visiter.   Enfin nous *sortir*.   Puis nous *faire* une promenade dans le parc du palais.   Nous y *admirer* de belles fleurs.[4]   Enfin nous *retourner* à notre hôtel, où nous *raconter* notre visite à d'autres touristes.

[1]*soon*   [2]*kings*   [3]*queens*   [4]*flowers*

D. *Translate orally the following "story."   When you are reasonably sure that you can do so correctly, write it in French:*

I am going to tell you about my visit to *la Malmaison*.   I was at a friend's home. We went together to *la Malmaison*.

Napoleon and Josephine used to live in this chateau.   In the park one can admire very beautiful roses, because Josephine loved flowers.   We took a walk in the park, then we entered the chateau, where we stayed a long time.   A guide showed us a great many drawing rooms and bedrooms.   Everything there was interesting.

SUPPLEMENTARY EXERCISES for lessons 11–14

A. *Repeat:*
Quand Daniel parle français, # est-ce qu'il le parle bien? #
Quand Daniel parlera français, # est-ce qu'il le parlera bien? #
Quand nous sommes à Paris, # nous y avons des amis. #
Quand nous serons à Paris, # nous y aurons des amis. #

Repeat the following sentences, changing the verbs in both parts of each sentence from present tense to future tense:
Quand Pauline parle français, est-ce qu'elle le parle bien? # Quand vous parlez français, est-ce que vous le parlez bien? # Quand nous parlons français, est-ce que nous le parlons avec un bon accent? # Oui, quand vous parlez français, vous le parlez avec un bon accent. # Non, quand vous parlez français, vous le parlez avec un mauvais accent. # Quand François répond à vos questions, est-ce qu'il parle très vite? # Non, il ne parle pas très vite quand il répond à mes questions. #

B. *Repeat:*
Si vous faites un voyage en France, qui vous aidera? #
Si vous faisiez un voyage en France, qui vous aiderait? #
Si vous allez en France, qu'est-ce que vous y ferez? #
Si vous alliez en France, qu'est-ce que vous y feriez? #

Repeat the following sentences, changing the tense of the verbs after Si *from present to imperfect and the verbs in the conclusions from future to conditional:*

Si je fais un voyage en France, j'aurai besoin d'une voiture. # Si vous allez à Paris, combien de jours y passerez-vous? # Si vous voulez voir les environs de Paris, comment pourrez-vous le faire? # Si vous allez en Normandie, vous aurez besoin d'une voiture. # Si vous avez une voiture, vous pourrez aller un peu partout. #

C. *Repeat the following sentences, changing the tense of each verb from present to* passé composé:

Robert et Charlotte traversent très vite l'océan Atlantique. # Ils arrivent en France. # Ils arrivent à l'aéroport d'Orly. # Le lendemain de leur arrivée, ils commencent une visite rapide de Paris. # Ils admirent la vue magnifique du sommet de la Tour Eiffel. # Ils vont à l'Île de la Cité. # Ils traversent le Pont-Neuf. # Ils n'entrent pas dans le musée du Louvre. # Ils y entrent un autre jour. # Ils vont à la Place de la Concorde. # Ils y admirent de belles fontaines. # Ils vont à la Place de l'Opéra, où ils finissent leur première promenade à Paris. #

PÊCHEURS AU QUAI: PARIS (à droite)

Troisième dialogue culturel

«DÉVOUÉ ET CONSCIENTIEUX . . .»

LA VIE FRANÇAISE

Robert et Charlotte Cartier sont chez Philippe Lefort.

CHARLOTTE. Avez-vous passé toute votre vie[1] à Paris?

PHILIPPE. J'ai passé mon enfance[2] dans un petit village de la Bourgogne, près de Dijon. Mes parents ne sont pas de véritables Parisiens.

ROBERT. Alors, vous êtes allé à l'école dans votre petit village? Les écoles françaises sont-elles bonnes?

PHILIPPE. Très bonnes. Les instituteurs[3] qu'on trouve dans les écoles de garçons et les institutrices[3] qu'on trouve dans les écoles de filles sont dévoués[4] et consciencieux.

CHARLOTTE. Les garçons et les filles ne vont pas à l'école ensemble?

PHILIPPE. Dans les très petits villages il y a des écoles mixtes,[5] mais d'ordinaire il y a deux écoles, l'une pour les garçons, l'autre pour les filles. Les bâtiments[6] de ces écoles sont souvent vieux, mais aujourd'hui, dans beaucoup de villes, il y a de nouveaux bâtiments élégants. Par exemple, il y a une belle école à Suresnes, qui est près de Paris.

ROBERT. Jusqu'à quel âge va-t-on à l'école en France?

PHILIPPE. Cela dépend. Le système d'enseignement est très compliqué. Autrefois[7] les enfants de six à quatorze ans allaient à l'école primaire; cet enseignement était obligatoire et gratuit.[8] Après l'âge

[1]vie *f. life* [2]enfance *f. childhood* [3]instituteur *m.* institutrice *f. teacher* [4]dévoué *devoted*

[5]mixte *coeducational* [6]bâtiment *m. building* [7]autrefois *formerly* [8]gratuit *free*

de quatorze ans, si on était assez intelligent, on pouvait suivre des «cours complémentaires»[9] pendant quatre ans. Mais les enfants de familles riches allaient au *collège*[10] ou au *lycée,*[10] de dix ans à dix-huit ans. On a voulu changer tout cela. Aujourd'hui il y a un seul système ou une «école unique». Tous les enfants, de six à onze ans, vont à une école primaire élémentaire. Puis ils passent deux ans dans un «cycle d'observation» où on étudie leurs aptitudes. A la fin de ce cycle, on les divise en deux groupes. Un groupe, composé d'enfants à l'intelligence supérieure, entre dans les collèges ou les lycées. Les autres enfants suivent des cours pratiques d'une grande variété dans d'autres établissements[11] jusqu'à l'âge de seize ans.

CHARLOTTE. Mais vous, vous êtes allé à un lycée?

PHILIPPE. C'est exact: mes parents sont venus à Paris et je suis entré au lycée Louis-le-Grand.

CHARLOTTE. Est-ce que les collèges et les lycées sont semblables?

PHILIPPE. Il y a une petite différence. Les lycées sont entièrement entretenus[12] par l'État,[13] les collèges sont entretenus en partie par les villes où ils sont situés. Les lycées ont plus de prestige que les collèges.

CHARLOTTE. Est-ce qu'il y a des lycées pour les garçons et d'autres lycées pour les jeunes filles?

PHILIPPE. Il y a en France plusieurs lycées mixtes mais en général les garçons et les jeunes filles vont à des lycées différents.

ROBERT. Que fait-on au lycée?

PHILIPPE. Les lycéens travaillent[14]

[9]complémentaire *second-level* [10]collège, lycée *secondary schools* [11]établissement *m. school*

[12]entretenu *maintained, supported* [13]État *m. State, Government* [14]travailler *to work*

beaucoup et consacrent[15] peu de temps aux sports. Ils veulent obtenir[16] leur baccalauréat à l'âge de dix-huit ans—non pas à l'âge de vingt-et-un ou vingt-deux ans, comme en Amérique. Les examens du baccalauréat—ou du Bachot, comme on dit—sont très difficiles. Mais avec le baccalauréat on peut aller dans n'importe[17] quelle université.

CHARLOTTE. Vous avez parlé du lycée Louis-le-Grand; est-ce qu'il y a d'autres lycées célèbres à Paris?

PHILIPPE. Oui, Charlotte, il y a aussi le lycée Henri IV et le lycée Saint-Louis. Ces lycées occupent de vieux bâtiments. Si nous allions dans ma voiture à Sceaux, qui n'est pas loin de Paris, je pourrais vous montrer un lycée de jeunes filles, le lycée Marie-Curie, qui a des bâtiments modernes.

ROBERT. Et les universités, combien y en a-t-il en France?

PHILIPPE. Vingt. Chaque université a plusieurs «facultés».[18] Par exemple, l'université de Paris a une Faculté des Lettres et des Sciences Humaines, une Faculté de Droit,[19] une Faculté des Sciences, une Faculté de Médecine et une Faculté de Pharmacie. Beaucoup d'étudiants, qui ont leur baccalauréat, vont aux «Grandes Écoles» pour faire des études spécialisées. Ces étudiants ont l'intention de devenir professeurs, ingénieurs,[20] officiers, et ainsi de suite.

[15]consacrer *to devote* [16]obtenir *to obtain* [17]n'importe *no matter*

[18]faculté *f. division (of a university)* [19]droit *m. law* [20]ingénieur *m. engineer*

LA CULTURE DE LA VIGNE

CHARLOTTE. Nous avons assez parlé du système d'éducation. Pouvez-vous nous parler maintenant de votre enfance en Bourgogne?

PHILIPPE. Certainement. Ma famille avait une propriété[21] en pleine campagne.[22] Nous habitions à trois kilomètres d'un village. L'hiver,[23] je suivais mes cours. L'été, pendant mes vacances, j'aidais à faire les vendanges.[24] Je travaillais comme tout le monde.[25]

CHARLOTTE. Le travail, le travail —la vie à la campagne est très dure,[26] n'est-ce pas?

PHILIPPE. Autrefois, oui. Mais les progrès techniques du vingtième siècle[27] ont transformé la vie des paysans.[28] On a des tracteurs, des moissonneuses-batteuses,[29] en France comme en Amérique. Et il y a des amusements de toutes sortes. Par exemple, chaque semaine il y a le jour du marché:[30] on retrouve beaucoup d'amis et on cause avec eux. Regardez cette carte postale qui montre la ville de Concarneau, en Bretagne, un jour de marché.

CHARLOTTE. Les femmes portent de belles coiffes![31]

PHILIPPE. Les coiffes sont la spécialité de cette province.

ROBERT. Est-ce qu'il y a encore, à la campagne, de vieilles maisons pittoresques?

PHILIPPE. Il y en a beaucoup. Autrefois, dans ces maisons pitto-

[21]propriété *f. farm, estate* [22]en pleine campagne *out in the country* [23]hiver *m. winter* [24]vendange *f. grape harvest* [25]tout le monde *everyone* [26]dur *hard* [27]siècle *m. century* [28]paysan *m. peasant* [29]moissonneuse-batteuse *f. harvester, reaper, combine* [30]marché *m. market* [31]coiffe *f. headdress*

JOUR DE MARCHÉ A DIEPPE

135

IMMEUBLE MODERNE PRÈS DE PARIS

resques, on n'avait pas de confort moderne. Aujourd'hui, on a l'électricité, le téléphone, les journaux,[32] la radio et la télévision.

ROBERT. Mais les ouvriers,[33] dans les villes, n'ont pas de maisons pittoresques.

PHILIPPE. C'est vrai. Dans les villes, deux millions de familles vivent[34] dans de vieilles maisons. Mais on construit des immeubles modernes aussi vite que possible. Oui, autrefois la vie des ouvriers était misérable. On travaillait dix ou douze ou même quatorze heures par jour dans les usines. Aujourd'hui, grâce à leurs syndicats[35] et à la protection de l'État, les ouvriers ont beaucoup amélioré[36] leur manière de vivre, surtout dans les grandes villes.

CHARLOTTE. Parlons un peu des plaisirs des Français.

PHILIPPE. Les Parisiens ont à leur disposition une quarantaine[37] de théâtres. On peut aller, par exemple, à la Comédie-Française pour voir des pièces[38] classiques, telles que les tragédies de Corneille ou de Racine et les comédies de Molière, ou bien des pièces modernes.

CHARLOTTE. Nous allons voir autant de pièces classiques que possible.

ROBERT. Les cinémas sont sans doute nombreux.

PHILIPPE. Oui, et les musées aussi. L'été, surtout pendant le mois

[32]journal *m. newspaper* [33]ouvrier *m. worker* [34]vivre *to live* [35]syndicat *m. labor union* [36]améliorer *to improve*

[37]quarantaine *about forty* [38]pièce *f. (theater) play*

d'août,[39] on va à la mer, soit[40] au bord de la Manche, soit[40] au bord de l'océan Atlantique. Le sport a aussi ses fanatiques; le football[41] est le sport préféré des jeunes Français. Beaucoup de Français font de la bicyclette et, une fois par an, ils regardent le *Tour de France,* la célèbre course[42] de bicyclettes. La pêche[43] est toujours très populaire. Le camping a en France un succès croissant;[44] chaque année on compte plus de cinq millions de campeurs, tandis que[45] plus de quatre mille terrains[46] sont mis à leur disposition. En hiver, dans les Alpes ou les Pyrénées, le ski attire[47] des milliers[48] de fervents.[49] Pour ceux qui n'aiment pas l'effort, il y a toujours une table à la terrasse d'un café pour les accueillir. Ils passent alors le temps à causer et à regarder les passants.

CHARLOTTE. Vous n'avez pas besoin de nous dire cela. Nous avons déjà passé beaucoup de temps aux cafés du Boulevard Saint-Germain et du Boulevard Saint-Michel!

[39]août *m. August* [40]soit . . . soit *either . . . or* [41]le football *m. soccer (not American football)* [42]course *f. race* [43]pêche *f. fishing* [44]croissant *increasing* [45]tandis que *whereas, while* [46]terrain *m. (camping) ground* [47]attirer *to attract* [48]milliers *m.pl. thousands* [49]fervent *m. enthusiast*

LE «TOUR DE FRANCE» ARRIVE A NÎMES

137

EN VACANCES!

LES UNIVERSITÉS FRANÇAISES

(listed in order of numbers of students)

Paris	Grenoble	Dijon
Aix-Marseille	Strasbourg	Nantes
Toulouse	Rennes	Besançon
Lyon	Nancy	Orléans
Montpellier	Poitiers	Rouen
Bordeaux	Caen	Reims
Lille	Clermont-Ferrand	

Faculté des Lettres de l'université de Paris à Nanterre (établi en 1964, près de Paris).

EXERCISE for the classroom

Répondez en français aux questions suivantes:

1. Où est-ce que Philippe a passé son enfance? 2. Est-ce qu'il a passé toute sa vie dans un petit village? 3. Est-ce qu'il y a des écoles mixtes en France? 4. Si on allait à Suresnes, qu'est-ce qu'on pourrait y voir? 5. Quelle est la différence entre un collège et un lycée? 6. A quel âge est-ce qu'un jeune Français veut avoir son baccalauréat? 7. Pourquoi veut-on avoir le baccalauréat? 8. Quels lycées célèbres sont à Paris? 9. Combien d'universités y a-t-il en France? 10. Où peut-on acheter des livres en France?

11. Qu'est-ce que Philippe faisait quand il était un enfant? 12. Est-ce que la vie à la campagne était autrefois très dure? 13. Pourquoi la vie des paysans n'est-elle pas si dure maintenant? 14. Quand les paysans vont-ils d'ordinaire à la ville? 15. Autrefois, combien d'heures par jour est-ce que les ouvriers travaillaient dans les usines?

16. Combien de théâtres y a-t-il à Paris? 17. Où peut-on voir des pièces classiques? 18. Pendant quel mois est-ce que beaucoup de Français vont au bord de la mer? 19. Quel est le sport préféré des jeunes Français? 20. Combien de Français font du camping chaque année? 21. Où fait-on du ski? 22. Qu'est-ce que les Français font aux terrasses des cafés?

Seizième leçon

I. DIALOGUE

François et Daniel examinent un plan de Paris.

DANIEL. Voici un plan de Paris. Montrez-moi, s'il vous plaît, des rues qui portent des noms pittoresques. J'irai les voir quand je serai à Paris.

—*Here is a map of Paris. Show me, please, some streets which have picturesque names. I'll go and see them when I am in Paris.*

FRANÇOIS. Nous les trouverons naturellement dans les plus vieilles parties de la ville. Voilà, par exemple, la rue des Petits-Champs. La voyez-vous?

—*We'll find them of course in the oldest parts of the city. There, for example, is the "rue des Petits-Champs" (Street of the Little Fields). Do you see it?*

DANIEL. Oui, je la vois. Elle est presque aussi large qu'une avenue.

—*Yes, I see it. It is almost as wide as an avenue.*

FRANÇOIS. Vous savez donc que les avenues et les boulevards sont en général plus larges que les rues.

—*So you know that the avenues and the boulevards are, in general, wider than the streets.*

DANIEL. Oui, je le sais. Je vois une rue des Bons-Enfants près de la

—*Yes, I know that. I see a "Street of Good-Children" near the Place du*

140

Place du Palais Royal.

FRANÇOIS. Voyez-vous la rue des Mauvais-Garçons? . . . La voilà! C'est une des rues les plus courtes de Paris.

DANIEL. Mais quelle est la plus longue?

FRANÇOIS. La rue de Vaugirard, mais elle n'est pas si intéressante que beaucoup d'autres rues.

DANIEL. Quelle est, à votre avis, la rue qui a le nom le plus pittoresque?

FRANÇOIS. A mon avis, c'est la rue du Pas-de-la-Mule. Vous la voyez, près de la Place des Vosges, n'est-ce pas?

DANIEL. Je la vois. Quand je serai à Paris, je verrai autant de rues pittoresques que possible.

FRANÇOIS. Bien sûr! Paris a plus de cinq mille avenues, boulevards, places et rues!

DANIEL. Mais Paris n'est pas la plus grande ville du monde!

FRANÇOIS. Non, mais c'est la plus belle!

Palais Royal.

—*Do you see the "Street of Bad Boys"? . . . There it is! It is one of the shortest streets in Paris.*

—*But which is the longest?*

—*The "rue de Vaugirard," but it is not as interesting as many other streets.*

—*In your opinion, which street has the most picturesque name?*

—*In my opinion, it is the "Street of the Mule's Footstep." You see it, near the Place des Vosges, don't you?*

—*I see it. When I am in Paris, I shall see as many picturesque streets as possible.*

—*Of course! Paris has more than five thousand avenues, boulevards, squares and streets!*

—*But Paris is not the largest city in the world!*

—*No, but it is the most beautiful!*

II. GRAMMATICAL USAGE

A. Comparison of Adjectives and Adverbs

1. Les avenues et les boulevards sont plus larges que les rues.

   The avenues and boulevards are wider than the streets.

   Cette rue est aussi large qu'une avenue.

   This street is as wide as an avenue.

   Cette rue n'est pas si intéressante que beaucoup d'autres rues.

   This street is not as interesting as many other streets.

   Une rue est moins importante qu'une avenue.

   A street is less important than an avenue.

The comparative of an adjective is regularly formed by placing before it **plus** *(more)*, **moins** *(less)*, or **si** *(so,* after a negative) for inequality or **aussi** *(as)* for equality.   *Than* or *as* = **que.**

2. vite, plus vite, moins vite   *fast, faster, less fast*
   aussi vite que possible   *as fast as possible*
   pas si vite   *not so fast*

Adverbs are compared like adjectives.

3. la plus grande ville du monde   *the largest city in the world*
   les plus vieilles parties de la ville   *the oldest parts of the city*
   une des rues les plus courtes   *one of the shortest streets*
   le nom le plus pittoresque   *the most picturesque name*

To form the superlative of an adjective, place the definite article before **plus** or **moins.**   When the adjective in the superlative follows a noun, there must be a definite article both before the noun and before **plus** or **moins.**

NOTE Occasionally a possessive adjective may replace the first definite article.
      mon ami le plus intelligent   *my most intelligent friend*

4. le plus souvent   *most often*

To form the superlative of an adverb place **le,** which is invariable, before **plus** or **moins.**

B. Irregular Comparisons

1. Ce plan de Paris est meilleur que   *This map of Paris is better*
    ce plan-là.   *than that map.*

The adjective **bon** has an irregular comparative and superlative:

        bon *good*   meilleur *better*   le meilleur *best*

2. Aimez-vous mieux ce livre-ci ou   *Do you like better (Do you*
    ce livre-là?   *prefer) this book or that book?*

The adverbs **beaucoup, bien** and **peu** have the following irregular forms:

    beaucoup *much*   plus *more*   le plus *(the) most*
    bien *well*   mieux *better*   le mieux *(the) best*
    peu *little*   moins *less*   le moins *(the) least*

NOTES 1. The usual comparative and superlative of **mal,** *badly,* are **plus mal,** *worse,* and **le plus mal,** *(the) worst.*   But one finds **pis** in idiomatic expressions:

Tout va de mal en pis.   *Everything is going from bad to worse.*

Tant pis!   *So much the worse!*

2. Observe: Tant mieux!   *So much the better!*

3. If the English *better* is an adjective, its equivalent in French is **meilleur;** if an adverb, its equivalent is **mieux.**   Likewise, *best (adj.) =* **le meilleur,** *best (adv.) =* **le mieux.**

C. Special Uses of DE

1. Paris n'est pas la plus grande ville   *Paris is not the largest city*
   du monde.   *in the world.*

In after a superlative = **de.**

2. Paris a plus de quatre mille rues.   *Paris has more than four thousand streets.*

Than before a number = **de.**

D. AIMER MIEUX

J'aime mieux ce stylo-ci que   *I like this fountain pen better*
   ce stylo-là.   *than that fountain pen.*

In French **mieux** stands immediately after a verb in a simple tense (not, as often in English, after a noun object.)

E. VOIR, "to see" and SAVOIR, "to know"

These irregular verbs have the following forms:

	voir		**savoir**	
		PRESENT		
vois	voyons		sais	savons
vois	voyez		sais	savez
voit	voient		sait	savent
		IMPERFECT		
voyais, etc.			savais, etc.	
		FUTURE		
verrai, etc.			saurai, etc.	
		CONDITIONAL		
verrais, etc.			saurais, etc.	
		IMPERATIVE		
vois, voyons, voyez			sache, sachons, sachez	
		PASSÉ COMPOSÉ		
j'ai vu, etc.			j'ai su, etc.	

NOTES 1. Of **voir,** learn particularly the forms of the present tense, the stem of the future and conditional, and the past participle.

2. The imperative forms and the past participle of **savoir** are rare.

III. PATTERN PRACTICE

A. *Repeat:*

Est-ce que les avenues sont plus larges que les rues? #

Oui, elles sont plus larges que les rues. #

Answer the following questions affirmatively, substituting pronouns for noun subjects:

Est-ce que cette rue-ci est plus longue que cette rue-là? # Est-ce que cette rue-ci est plus courte que cette rue-là? # Est-ce que cette partie-ci de la ville est plus vieille que cette partie-là? #

B. *Repeat:*

Est-ce que cette rue-ci est aussi large qu'une avenue? #

Ask if the first street named is as wide as the second one:

La rue des Bons-Enfants; la rue des Mauvais-Garçons # La rue de Vaugirard; la rue des Petits-Champs # L'avenue de l'Opéra; l'avenue des Champs-Élysées #

C. *Repeat:*

Paris est plus grand que Bordeaux. #

Par conséquent, # Bordeaux n'est pas si grand que Paris. #

La rue de Vaugirard est plus longue que la rue des Petits-Champs. #

Par conséquent, # la rue des Petits-Champs n'est pas si longue que la rue de Vaugirard. #

After each "par conséquent", # speak the correct sentence:

New York est plus grand que Paris. Par conséquent, # Paris est plus grand que le Havre. Par conséquent, # La rue des Bons-Enfants est plus longue que la rue des Mauvais-Garçons. Par conséquent, # La Place de la Concorde est plus grande que la Place des Vosges. Par conséquent, #

D. *Repeat:*

Quelle est la plus grande ville de la France? Paris? #

Oui, Paris est la plus grande ville de la France. #

Quelle est la rue la plus longue de Paris? La rue de Vaugirard? #

Oui, la rue de Vaugirard est la rue la plus longue de Paris. #

Answer the following questions affirmatively, beginning your answers with the suggested subjects:

Quelle est la plus grande ville des États-Unis? New York? # Quelle est l'avenue la plus célèbre de Paris? L'avenue des Champs-Élysées? # Quelle est la plus grande place de Paris? La Place de la Concorde? # Quel est le plus grand musée de Paris? Le Louvre? # Quelle est la plus vieille partie de Paris? L'Île de la Cité? #

E. *Repeat:*

Avez-vous vu le Quartier latin? #	Non, pas encore, mais je le verrai demain. #
Avez-vous vu la Place des Vosges? #	Non, pas encore, mais je la verrai demain. #

Answer the following questions by saying in French: No, not yet, but I shall see it (or them) tomorrow:

Avez-vous vu le boulevard Saint-Michel? # Avez-vous vu les grands boule-vards? # Avez-vous vu la Sorbonne? #

Repeat: "Nous le verrons demain." # *Answer the following questions by saying:* We shall see it (or them) tomorrow:

Avez-vous vu le Louvre? # Avez-vous vu la rue du Pas-de-la-Mule? # Avez-vous vu le Jardin du Luxembourg? # Avez-vous vu les Galeries Lafayette? #

IV. LECTURE

LES RUES DE PARIS

Tout le monde sait que Paris a de belles avenues, comme l'avenue des Champs-Élysées, et de grands boulevards, comme le boulevard Saint-Germain. Paris a aussi beaucoup de rues pittoresques. Daniel et François cherchent sur un plan de Paris les noms les plus intéressants des rues de la ville. Quand Daniel sera à Paris, il verra ces rues qui ont des noms bizarres.

DANIEL. Voici la rue des Bons-Enfants. Quels enfants ont donné leur nom à cette rue?

FRANÇOIS. Je ne sais pas. Autrefois il y avait beaucoup de bons enfants, aujourd'hui il n'y a que des enfants terribles.

DANIEL. Je verrai la rue du Jour!

FRANÇOIS. Très bien! Vous verrez sans doute aussi la rue des Nuits!

DANIEL. J'irai voir la rue des Petits-Champs.

FRANÇOIS. Vous n'y trouverez pas de champs, parce que cette rue est dans un des quartiers les plus peuplés de Paris.

DANIEL. Je sais bien que je ne verrai pas de lions si je vais dans la rue des Lions!

FRANÇOIS. Il y a peut-être des lions en pierre! Savez-vous qu'il y a une rue Madame et aussi une rue Monsieur? La rue Madame est beaucoup plus longue que la rue Monsieur.

DANIEL. C'est un joli compliment que les Parisiens ont fait à Madame! Mais à quelle dame?

FRANÇOIS. Autrefois on disait «Monsieur» pour désigner le frère du roi et «Madame» pour désigner la femme du frère du roi. Leur fille, la nièce du roi, était «Mademoiselle.»

DANIEL. Je trouve la rue Monsieur-le-Prince.

FRANÇOIS. Et voilà la rue Princesse. Savez-vous pourquoi il y a une rue de la Reine Blanche? C'est que le poète François Villon parle dans un de ses poèmes d'une reine qui était «blanche comme lys.» Il parle probablement de Blanche de Castille, mère de Louis IX (neuf). Il a fait un calembour: «la reine Blanche comme lys.»

DANIEL. Pourquoi y a-t-il une rue des Ciseaux, une rue de la Chaise et une rue du Pot-de-Fer?

FRANÇOIS. Autrefois les marchands de Paris mettaient des enseignes devant leurs boutiques pour montrer quelles sortes de marchandises ils vendaient. Dans la rue des Ciseaux il y avait probablement un marchand de ciseaux, dans la rue de la Chaise un marchand de meubles et dans la rue du Pot-de-Fer un marchand qui vendait des pots.

DANIEL. Je vois une Place des Deux Sœurs.

FRANÇOIS. Elle est très loin de la rue des Deux Frères.

DANIEL. Les sœurs et les frères n'étaient pas de la même famille!

FRANÇOIS. Faisons maintenant un long voyage. Voilà la rue du Pôle-Nord!

DANIEL. Pourquoi ne pas aller plus loin? Voilà la rue du Soleil!

FRANÇOIS. Allons aussi loin que possible. Voilà la rue de l'Étoile!

DANIEL. Je n'aurai pas le temps de voir toutes ces rues qui ont des noms pittoresques. Il y en a trop!

FRANÇOIS. Vous avez raison. Vous savez, n'est-ce pas, que la capitale de la France n'est pas seulement la plus belle ville du monde mais aussi une des plus pittoresques!

VOCABULARY FOR THE *LECTURE*

bizarre *odd, peculiar, strange*
calembour *m. pun*
ciseaux *m.pl. scissors, shears*
dame *f. lady*
désigner *to designate*
enseigne *f. sign*

lys *m. lily*
marchand *m. merchant*
marchandise *f. merchandise*
peuplé *thickly-settled*
pierre *f. stone*
pot-de-fer *m. iron pot*

V. EXERCISES for the classroom

A. *Answer the following questions by saying:* J'aime mieux . . ., *and by completing your answer with* either *of the alternatives given. There will be no right or wrong choices.*
1. Aimez-vous mieux ce livre-ci ou ce livre-là?   2. Aimez-vous mieux ce garçon-ci ou ce garçon-là?   3. Aimez-vous mieux ce restaurant-ci ou ce restaurant-là?
4. Aimez-vous mieux cet hôtel-ci ou cet hôtel-là?   5. Aimez-vous mieux le vin ou la bière?   6. Aimez-vous mieux mon stylo ou votre stylo?   7. Aimez-vous mieux ce beau garçon ou cette belle jeune fille?

B. *Translate orally into French the following sentences; when you are reasonably sure that you can do so correctly, write them in French:*

PAUL. Are the avenues of Paris more important or less important than the streets?

ANNE. In general, an avenue is more important than a street.

PAUL. If I go to Paris, shall I see all the avenues and all the boulevards?

ANNE. No!   There are too many of them!   There are more than five thousand avenues, boulevards, squares and streets.

PAUL. So much the worse!   I shall see only the most beautiful avenues and the most famous boulevards.

ANNE. There are streets which are as interesting as the avenues and the boulevards.

PAUL. So much the better!   I'll see a great many streets!

ANNE. All the streets which have picturesque names are not picturesque!

PAUL. What is the difference between a *"plan"* and a *"carte"*?

ANNE. When one speaks of a city, one says *"un plan,"* but when one speaks of a country, one says *"une carte."*

PAUL. Thank you very much!

Dix-septième leçon

I. DIALOGUE

DANIEL. Au lieu de revenir aux États-Unis en septembre, je vais passer un an à une université française. Me conseillez-vous de rester à Paris, ou d'aller à une autre université? Je n'aime pas avoir froid.

—*Instead of coming back to the United States in September, I'm going to spend a year at a French university. Do you advise me to stay in Paris, or to go to another university? I don't like to be cold.*

FRANÇOIS. A Paris, en hiver, il ne neige que rarement, mais le ciel gris, la pluie, le brouillard sont souvent désagréables.

—*In Paris, in winter, it rarely snows, but the gray sky, the rain, the fog are often disagreeable.*

DANIEL. J'irai donc ailleurs.

—*So I'll go somewhere else.*

FRANÇOIS. Mais le climat de Paris n'est pas trop mauvais! Toujours, «après la pluie vient le beau temps!»

—*But the climate of Paris is not too bad! Always, "after the rain comes fair weather." ("Every cloud has a silver lining.")*

DANIEL. Mon ami Paul a passé un an à l'université de Rennes; il y pleuvait tout le temps!

—*My friend Paul spent a year at the University of Rennes; it rained there all the time!*

FRANÇOIS. Cela ne m'étonne pas. En Bretagne il pleut plus souvent qu'ailleurs.

DANIEL. Et la Provence? J'ai entendu dire que le ciel et la mer y sont toujours bleus.

FRANÇOIS. Cette région mérite son nom de Côte d'Azur. Il y pleut quand même de temps en temps. Sans pluie, il n'y aurait pas de fleurs.

DANIEL. A votre avis, quelle est en France la saison la plus agréable? Pour moi, en Amérique, c'est l'automne.

FRANÇOIS. En France, je crois que c'est le printemps.
«Le mois de mai, sans la France, Ce n'est pas le mois de mai.»

DANIEL. Ce n'est pas vous qui avez composé ces vers, c'est Victor Hugo!

FRANÇOIS. Oui, c'est lui, mais c'est moi qui vous dis que la France sans le mois de mai ne serait pas la France!

—*That doesn't surprise me. In Brittany it rains more often than anywhere else.*

—*How about Provence? I've heard that the sky and the sea are always blue there.*

—*That region deserves its name of Azure Coast. It rains there, just the same, from time to time. Without rain, there wouldn't be any flowers.*

—*What is the best season in France, in your opinion? For me, in America, it is autumn.*

—*In France, I think that it's spring. "The month of May, without France, Is not the month of May."*

—*It isn't you who made up those lines, it's Victor Hugo!*

—*Yes, it's he, but it's I who tell you that France without the month of May would not be France!*

II. GRAMMATICAL USAGE

A. Disjunctive Personal Pronouns

The personal pronouns given in previous lessons are used as subjects or objects of verbs and are called "conjunctive" (*joined with* verbs); they are never used alone or in other stressed positions. The following forms, called "disjunctive," are used in stressed positions:

moi	*I, me*	nous	*we, us*
toi	*thou, thee, you*	vous	*you*
lui	*he, him*	eux (m.)	*they, them*
elle	*she, her*	elles (f.)	*they, them*

B. Uses of Disjunctive Pronouns

1. C'est moi qui vous dis cela.   *It's I who tell you that.*
   Ce n'est pas vous qui avez   *It isn't you who made up those lines.*
   composé ces vers.
   Est-ce Victor Hugo qui a écrit   *Is it Victor Hugo who wrote those lines?*
   ces Vers?—Oui, c'est lui.   *—Yes, he did.*

Disjunctive pronouns are used after **être.** **C'est** (singular) should be used before **moi, toi, lui, elle, nous** and **vous;** before **eux** and **elles,** one may use either **c'est** or **ce sont.**

2. avec moi   pour lui   chez elle

Disjunctive pronouns are used after prepositions.

3. Qui a dit cela? Vous?—Oui, moi.

Disjunctive pronouns may stand alone.

4. Moi, j'ai une chambre confortable   *I have a comfortable room in a*
   dans un petit hôtel.   *small hotel.*
   Moi, est-ce que je ne suis pas   *Am I not your friend?*
   votre ami?

Disjunctive pronouns may be used to reinforce other personal pronouns. The use of **moi** in this construction is particularly common.

5. François parle plus vite que vous;   *François talks faster than you;*
   vous ne parlez pas si vite que moi;   *you do not talk as fast as I do;*
   et moi, je ne parle pas si vite que   *and I do not talk as fast as he.*
   lui!

Disjunctive pronouns are used after **que** in comparisons.

6. Je vais chez moi.   *I am going home.*
   Quand serez-vous chez vous?   *When will you be at home?*

Disjunctive pronouns are used after **chez,** in accordance with par. 2 above. **Chez** may be used with an expression of *going* or *being* home.

C. Words and Expressions Pertaining to Weather

1. Quel temps fait-il?   *What kind of weather is it?*
   Il fait beau (temps).   *It is fine.*

Il fait mauvais (temps).	*It is bad (the weather is bad).*
Il fait froid (chaud).	*It is cold (warm, hot).*

As illustrated, the verb **faire** is used *impersonally* with various expressions pertaining to weather.

2. Il pleut, il pleut souvent.   *It is raining, it rains often.*

The irregular and impersonal verb **pleuvoir,** *to rain,* has the following forms:

PRES.	IMPERF.	FUT.	COND'L.	PASSÉ COMPOSÉ
il pleut	il pleuvait	il pleuvra	il pleuvrait	il a plu

3. Il ne neige que rarement.   *It rarely snows.*

Neiger, *to snow,* is a regular, impersonal verb.

D. Two Idioms with AVOIR

Je n'aime pas avoir froid.	*I don't like to be cold.*
Avez-vous froid?— Non, j'ai chaud.	*Are you cold?—No, I'm warm.*

Froid and **chaud** are used idiomatically with **avoir** (*not* with **être**) when the subject is a person or persons.

E. LE JOUR and LA JOURNÉE

il y a quelques jours	*a few days ago*
Nous avons passé une journée agréable.	*We spent a pleasant day.*

The masculine **jour** refers to *a unit of time,* telling *when;* the feminine **journée** denotes an *extent of time,* during which something happens.

F. Seasons and Months

1.
le printemps *spring*	l'automne *autumn, fall*
au printemps	en automne
l'été *summer*	l'hiver *winter*
en été	en hiver

The names of the four seasons in French are masculine; *in* = **au** before **printemps, en** before the other three.

2.
janvier	avril	juillet	octobre
février	mai	août	novembre
mars	juin	septembre	décembre

The names of the months are masculine.   For *in* before a month one may say either **en** or **au mois de:**

$$\left. \begin{array}{l} \text{en mai} \\ \text{au mois de mai} \end{array} \right\} \quad \textit{in May}$$

NOTE The pronunciation [u] is correct for **août,** whereas [a/u], sometimes heard in France, is not considered to be correct.   Therefore, [u] is all that is left in oral French of the Latin word **Augustum,** from which the French as well as the English names of the month have been derived.

III. PATTERN PRACTICE

A. *Repeat:*
Aujourd'hui il fait très beau. #   Mais non! il ne fait pas très beau! #

Contradict the following statements by saying "Mais non!" and repeating the statements in the negative:
Aujourd'hui il fait mauvais. # Aujourd'hui il fait froid. # Aujourd'hui il fait très chaud. # Aujourd'hui il pleut. # Aujourd'hui il va pleuvoir. # Aujourd'hui il va neiger. #

Continue the same procedure; verbs will be in a past tense, and sentences will begin with "Hier," Yesterday:
Hier il faisait très froid. # Hier il faisait très beau. # Hier il a neigé beaucoup. # Hier il a plu. #

Continue the same procedure but with the verbs in the future tense; sentences will begin with "Demain," Tomorrow:
Demain il fera très beau. # Demain il fera très mauvais. # Demain il fera très froid. # Demain il pleuvra. # Demain il neigera. #

B. *Repeat:*
Je vais à Paris. #   Voulez-vous y aller avec moi? #
François va à Paris. #   Voulez-vous y aller avec lui? #
François et Daniel vont à Paris. #   Voulez-vous y aller avec eux? #

Ask if you want to go there with me, us, him, her, them, as may be suggested by the statements:
Je vais à Paris. # Nous allons à Paris. # Daniel va à Paris. # Cette jeune fille va à Paris. # Roger et Albert vont à Paris. # Jeanne et Pauline vont à Paris. #

C. *Repeat:*
Je vais chez moi. # Marguerite va chez elle. #

Continue to say in French that the persons mentioned are going home:
Moi # Vous # Nous # M. Michel # M. et Mme Michel # M. Lepic #
Mme Lepic # M. et Mme Lepic # Les garçons # Les jeunes filles #

D. *Repeat:*
Le printemps a trois mois: mars, avril, mai. #

Repeat after the speaker, adding the names of the months in the following seasons:
L'été a trois mois: # L'automne a trois mois: # L'hiver a trois mois: #

IV. LECTURE

LE DÉJEUNER SUR L'HERBE

Chère Alice,

Il y a huit jours, M. et Mme Hubert, des
amis de notre mère, nous ont invitées, Jeanne et moi,
à passer une journée à la campagne avec eux. Heureusement il a fait beau toute la journée et notre
pique-nique a été un grand succès.

Les Hubert ont une petite voiture, une Simca, je
crois. Elle était assez grande pour M. et Mme Hubert, Jeanne et moi, mais le siège de derrière était un
peu étroit pour deux personnes et un chien. Oui, leur
caniche va partout avec eux! C'est avec difficulté
que nous avons trouvé de la place pour tous nos
ustensiles.

Tu demandes quels ustensiles? Je parle ici des assiettes, des serviettes, des couteaux, des fourchettes,
des cuillers, des verres pour le vin, des tasses pour le
café, et une nappe pour la table, en un mot, de tous
les ustensiles nécessaires pour faire un «déjeuner sur
l'herbe,» c'est-à-dire un pique-nique. Très souvent,
cependant, on voit des Français qui, au lieu de déjeuner sur l'herbe, à proprement parler, sont assis à
une table, avec de l'herbe sous les pieds. Voilà une
habitude qui surprend un peu les Américains.

Je ne t'ai pas encore dit où nous sommes allés. Nous
sommes sortis de Paris par la route nationale numéro
7, qui passe près de l'aéroport d'Orly. Jusqu'à Fontainebleau, c'est une autoroute. Mais avant d'arriver

à Fontainebleau, nous avons fait un détour pour visiter le village de Barbizon, où on trouve des souvenirs de plusieurs grands artistes—surtout Corot, Millet, Théodore Rousseau, Dupré et Daubigny.

Dans la forêt de Fontainebleau nous avons trouvé un joli endroit pour notre déjeuner sur l'herbe— c'est-à-dire sur la table.   L'après-midi nous sommes allés au palais de Fontainebleau, dont nous avons admiré la façade, telle qu'on la voit sur les photographies; nous sommes entrés dans le palais et nous y sommes restés plus de deux heures.   Un guide nous en a montré tous les salons, pleins de meubles magnifiques.   Ensuite nous avons visité le beau parc du palais.   Enfin nous sommes revenus à Paris par la route nationale numéro 5.

Ça a été une journée très agréable pour Jeanne et pour moi, et très utile aussi, parce que M. et Mme Hubert sont des gens intelligents et cultivés, comme beaucoup de Français.   A Barbizon, par exemple, ils nous ont expliqué l'importance de «L'École de Barbizon» et à Fontainebleau ils ont su nous raconter, mieux que le guide, quelques-uns des événements de l'histoire du palais.

Bien à toi,
Pauline Gagnon

VOCABULARY FOR THE *LECTURE*

caniche *m. poodle*
chien *m. dog*
couteau, -x *m. knife*
croire *to believe*
cultivé *cultured*
endroit *m. place, spot*
événement *m. event*
fourchette *f. fork*
herbe *f. grass*
heureusement *fortunately*

nappe *f. tablecloth*
numéro *m. number*
pique-nique *m. picnic*
plein *full*
proprement: à — parler
   properly speaking
siège *m. seat;* — de
   derrière *back seat*
surprendre *to surprise*
verre *m. glass*

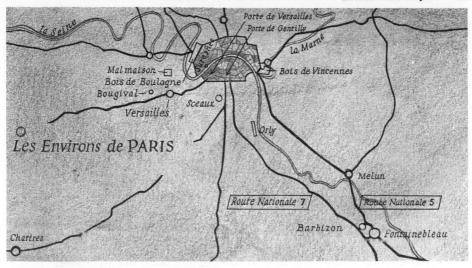

Les Environs de PARIS

V. EXERCISES for the classroom

A. *Pronounce carefully:*

le printemps [ləprɛ̃tã]
l'été [lete]
l'automne [lotɔn]
l'hiver [livɛːr]
janvier [ʒãvje]
février [fevrije]
mars [mars]
avril [avril]
mai [mɛ]
juin [ʒɥɛ̃]
juillet [ʒɥije]
août [u]

septembre [sɛptãːbr]
octobre [ɔktɔbr]
novembre [nɔvãːbr]
décembre [desãːbr]
le premier janvier [ləprəmjeʒãvje]
le cinq mars [ləsɛ̃kmars]
le premier avril [ləprəmjeavril]
le 20 juin [ləvɛ̃ʒɥɛ̃]
le 14 juillet [ləkatɔːrzʒɥije]
le 10 août [lədisu]
le 11 novembre [ləɔ̃ːznɔvãːbr]
le 25 décembre [ləvɛ̃sɛ̃kdesãːbr]

B. *Répondez en français aux questions suivantes:*
1. Qu'est-ce que M. et Mme Hubert ont invité Jeanne et Pauline Gagnon à faire?   2. Quand sont-ils allés à la campagne?   3. Quel temps faisait-il?   4. Combien de personnes y avait-il dans la voiture?   5. Quels ustensiles est-ce que les Français emportent pour faire un pique-nique?   6. Aimez-vous déjeuner sur l'herbe?   7. Aimez-vous mieux faire un pique-nique dans une forêt ou au bord de la mer?   8. Est-ce que Fontainebleau est au bord de la mer? 9. Par quelle route est-ce que M. et Mme Hubert et les jeunes filles sont sortis de Paris? 10. Quel village ont-ils visité?   11. Pourquoi ont-ils visité ce village? 12. Où sont-ils allés après leur déjeuner sur l'herbe?   13. Combien de temps sont-ils restés dans le palais?   14. Dans quel palais?   15. Qu'est-ce qu'ils ont visité ensuite? 16. Par quelle route sont-ils retournés à Paris?

C. *Give at least six possible replies to the question:* Quel temps fait-il?

D. *Using two or three expressions, describe as accurately as you can the state of the weather at the moment you are reading this sentence.*

E. *Translate orally into French the following sentences; when you are reasonably sure that you can do so correctly, write them:*
  —How are you today?
  —I'm well, thank you, but the weather is very bad, isn't it?
  —Yes, it is always bad here in February.
  —Does it rain here all the time in February?
  —No! Often it snows!
  —Then it is always bad here in winter.
  —You are right. And it is not very warm in spring or in autumn.
  —What kind of weather is it here in summer? I don't like to be hot!
  —It is not too cold, it is not too hot; it is fine every day.
  —Next year I'll spend the months of January, February and March at home.
  —Are you going to come back here?
  —In the month of May or in the month of June, or perhaps in July or in August. But I shall not stay here a long time! I don't like countries where the weather is bad!

Dix-huitième leçon

I. DIALOGUE

Roger et Albert sont dans la chambre de Maurice. Il est une heure et demie de l'après-midi.

ROGER. Et vos vacances de Noël et du Nouvel An, vous aimeriez les passer avec nous sur la Côte d'Azur?

MAURICE. C'est une idée merveilleuse. J'accepte tout de suite. Le mois de décembre est toujours froid et humide à Paris. Nous pourrions passer une dizaine de jours au soleil.

ALBERT. Nous louerons une voiture. La Peugeot 404[1] est une voiture confortable et peut faire du 100[2] kilomètres à l'heure.

ROGER. Voyons. Entre Paris et Nice il y a moins de 1000[3] kilo-

—And your Christmas and New Year's vacation, would you like to spend it with us on the Riviera?

—That's a wonderful idea. I accept at once. The month of December is always cold and damp in Paris. We could spend about ten days in the sunshine.

—We'll rent a car. The Peugot 404 is a comfortable car and can do 100 kilometers an hour.

—Let's see. From Paris to Nice it's less than 1,000 kilometers, that is to say a

157

mètres, c'est-à-dire un peu plus de 600[4] milles. En deux jours nous pourrons être au bord de la Méditerranée.

little more than 600 miles. In two days we can be on the shores of the Mediterranean.

ALBERT. C'est juste. Mais allons plus lentement pour mieux voir le pays. Le premier jour nous pourrions suivre la route nationale 7 jusqu'à Lyon.

—That's right. But let's go more slowly so as to see the country better. The first day we could take National Highway 7 as far as Lyons.

ROGER. Et le lendemain nous pourrions suivre la vallée du Rhône jusqu'à Avignon ou à Arles.

—And the next day we could follow the valley of the Rhone as far as Avignon or Arles.

MAURICE. Combien de kilomètres y a-t-il de Lyon à Arles?

—How many kilometers is it from Lyons to Arles?

ROGER. Il y en a 264.[5]

—It's (There are) 264.

MAURICE. Nous aurions le temps de voir le Palais des Papes à Avignon et le théâtre romain d'Arles.

—We would have time to see the Palace of the Popes in Avignon and the Roman theater in Arles.

ROGER. Oui, et le troisième jour nous pourrions pousser jusqu'à Nice.

—Yes, and the third day we could push on to Nice.

ALBERT. Combien de kilomètres y a-t-il d'Arles à Nice?

—How many kilometers is it from Arles to Nice?

ROGER. Il y en a 260.[6]

—It's 260.

ALBERT. Alors, de Paris à Lyon, 471[7] kilomètres; de Lyon à Arles, 264; et d'Arles à Nice 260; ça fait 995[8] kilomètres.

—Well then, from Paris to Lyons, 471 kilometers; from Lyons to Arles, 264; and from Arles to Nice, 260; that makes 995 kilometers.

ROGER. Je vous ai dit qu'entre Paris et Nice il y a moins de 1000 kilomètres! Mais il est 2 heures moins 10; un de mes cours commence à 2 heures. Je vous retrouverai au Café de Flore à 3 heures et demie et nous reparlerons de nos vacances. Au revoir et à plus tard.

—I told you that from Paris to Nice it is less than 1,000 kilometers! But it is ten minutes to two; one of my courses starts at two o'clock. I'll meet you at the Café de Flore at half past three and we'll talk some more about our vacation. Good-bye and see you later.

---

[1]*Pronounce:* quatre cent quatre   [2]cent   [3]mille cent soixante   [7]quatre cent soixante et onze   [4]six cents   [5]deux cent soixante-quatre   [6]deux neuf cent quatre-vingt-quinze

II. GRAMMATICAL USAGE

A. Cardinal Numbers (cont.)

1. The numbers from 1 to 20 have been previously given.   The following table shows how to compose numbers above 20:

21 vingt et un	71 soixante et onze	200 deux cents
22 vingt-deux	72 soixante-douze	201 deux cent un
23 vingt-trois	etc.	etc.
etc.	80 quatre-vingts	1000 mille
30 trente	81 quatre-vingt-un	1001 mille un
31 trente et un	82 quatre-vingt-deux	2000 deux mille
32 trente-deux	etc.	10.000 dix mille
etc.	90 quatre-vingt-dix	100.000 cent mille
40 quarante	91 quatre-vingt-onze	1.000.000 un million
50 cinquante	etc.	2.000.000 deux millions
60 soixante	100 cent	etc.
70 soixante-dix	101 cent un	

NOTES 1. The t of **vingt** is sounded in 21–29 but is silent from 81–99; the t of cent is silent in **cent un, deux cent un,** etc.

2. A period is used in French where a comma is used in English in 10.000 and above.   On the other hand, a comma is used in French where a period is used in English to indicate decimals; c.g., English: 8.5; 12.75.   French: 8,5; 12,75.

2. vingt francs   cent francs
   quatre-vingts francs   trois cents francs
   quatre-vingt-dix francs   trois cent cinquante francs
                          deux mille francs

Vingt and **cent** take an **-s** only when multiplied by a preceding number and not followed by another number.   **Mille** never takes **-s.**

3. cent francs   *one hundred francs*
   mille francs   *one thousand francs*
   un million, deux millions   *one million, two millions*

Neither **cent** nor **mille** is ever preceded by **un,** but **million,** being a noun, may be preceded by **un, deux,** etc.

4. trois cent vingt   *three hundred and twenty*

In numbers involving *hundred,* the English *and* has no equivalent in French.

5. plus de cent   *more than one hundred*
   moins de mille   *less than (fewer than) a thousand*

Than before a number is **de.**

B. Ordinal Numbers

vingt et unième	*twenty-first*
vingt-deuxième	*twenty-second*
la centième fois	*the hundredth time*

Ordinal numbers above *twentieth* are regularly formed.

C. Time of Day

The hours and fractions of hours are expressed in French as indicated in the following examples:

1. Il est une heure.   *It is one o'clock.*
   Il est deux (trois, etc.) heures.   *It is two (three, etc.) o'clock.*
   Il est trois heures et demie.   *It is half past three.*
   Il est quatre heures et quart.   *It is a quarter past four.*
   Il est cinq heures moins le quart.   *It is a quarter to (before) five.*
   Il est six heures dix (vingt, etc.).   *It is ten (twenty, etc.) minutes past six.*
   Il est sept heures moins cinq.   *It is five minutes to (before) seven.*
   vers les neuf heures   *about nine o'clock*
   à neuf heures précises   *at exactly nine o'clock*

2. (a) Il est dix heures du matin.   *It is 10 A.M.*
       Il est deux heures de l'après-midi.   *It is 2 P.M.*
       Il est onze heures du soir.   *It is 11 P.M.*

   (b) Il est dix heures.   *It is 10 A.M.*
       Il est quatorze heures.   *It is 2 P.M.*
       Il est vingt et une heures.   *It is 9 P.M.*
       Il est vingt-trois heures.   *It is 11 P.M.*

To distinguish hours before noon and those after noon, there are two systems in use in France, as illustrated in the above examples. Method (b) is becoming more and more common; it is used by the railroads, the armed forces, in announcements of theaters, concerts, lectures, etc.

3. Il est midi.   *It is 12 o'clock noon.*
   Il est minuit.   *It is midnight.*

For *twelve o'clock,* use either **midi *(m.)*** or **minuit *(m.)*** .

D. Idioms of Age

Quel âge avez-vous?	*How old are you?*
J'ai dix-sept ans.	*I'm seventeen (years old).*
à l'âge de vingt ans	*at the age of twenty*
un enfant de dix ans	*a ten-year-old child*

Note in these idioms of age the use of **avoir** instead of **être**.

E. AN, ANNÉE

J'ai vingt ans.	*I am twenty years old.*
cette année	*this year*
l'année prochaine	*next year*

An denotes a year as a unit of time which may be counted, whereas **année** denotes a year as an extent of time during which something may happen. (This distinction is the same as for **jour** and **journée,** previously given.)

F. SUIVRE, "to follow," (of courses of study) "to take"

PRESENT		IMPERFECT	FUTURE	CONDITIONAL
suis	suivons	suivais, etc.	suivrai, etc.	suivrais, etc.
suis	suivez			
suit	suivent			

PASSÉ COMPOSÉ
j'ai suivi, etc.

NOTE **Suivre** regularly means *to follow* in the sense of "to come after," "to come along behind," "to take (the same course as)," or "to stay on (a road or highway)." Academically, it means "to take" a course of study. This verb has been used occasionally in previous lessons but its forms have not been presented as above.

G. Kilometers and Miles

A kilometer (*un kilomètre*) is 5/8 of a mile (*un mille*). To change kilometers into miles, multiply the number of kilometers by 5 and divide the result by 8 or, to be a little more accurate, multiply the number of kilometers by .62.

100 kilomètres = 62 milles   1000 kilomètres = 620 milles

III. PATTERN PRACTICE

A. *Pronounce carefully:*
vingt # trente # quarante # cinquante # soixante # soixante-dix # quatre-vingts # quatre-vingt-dix # cent #

B. *Repeat:*

Combien font dix et dix? #   Dix et dix font vingt. #
Combien font dix et vingt? #   Dix et vingt font trente. #

Answer the following questions as in the models:
   Combien font trente et dix? # Combien font 30 et 20? # Combien font 40 et 10? # Combien font 50 et 10? # Combien font 60 et 10? # Combien font 70 et 10? # Combien font 80 et 10? # Combien font 90 et 10? #
   Combien font 20 et 20? # Combien font 30 et 30? # Combien font 40 et 40? # Combien font 50 et 50? #

C. *Repeat:*
Vous avez 20 francs; on vous donne 4 francs. # Combien de francs avez-vous? #
J'en ai vingt-quatre. #

Answer the following questions in the same way:
Vous avez 20 francs, on vous donne 6 francs; combien de francs avez-vous? #
Vous avez 30 francs, on vous donne 8 francs; combien de francs avez-vous? #
Vous avez 100 francs, on vous donne 10 francs; combien de francs avez-vous? #
Vous avez 200 francs, on vous donne 20 francs; combien de francs avez-vous? #
Vous avez 400 francs, on vous donne 50 francs; combien de francs avez-vous? #

D. *Repeat:*

Quelle heure est-il? Est-il une heure? #   Il est une heure et demie. #
Quelle heure est-il? Est-il 3 heures? #   Il est 3 heures et demie. #
Est-il 4 heures et demie? #   Il est 5 heures. #

Say that it is one-half hour later than the time given by the speaker:
   Est-il 2 heures? # Est-il 3 heures? # Est-il 5 heures et demie? # Est-il 6 heures et demie? # Est-il 8 heures? # Est-il 9 heures et demie? # Est-il 10 heures et demie? # Est-il 11 heures? #

E. *Repeat:*

Quel âge avez-vous? #   J'ai 20 ans. #
Et vous? #   J'ai 21 ans. #
Avez-vous 21 ans? #   J'ai 22 ans. #

Say that you are one year older than the number in the question:
   Avez-vous 16 ans? # Avez-vous 18 ans? # Avez-vous 20 ans? # Avez-vous
22 ans? #

F. *Repeat:*
Combien de cours suivez-vous cette année? #   Je suis 4 cours. #
Combien de cours suiviez-vous l'année passée? #   Je suivais 4 cours. #
Combien de cours suivrez-vous l'année prochaine? #   Je suivrai 4 cours. #

*Say that you are taking, were taking, or will take, 4 courses, as may be suggested by
the tense of the verb in the questions:*
   Combien de cours suiviez-vous l'année passée? # Combien de cours suivez-
vous? # Combien de cours suivrez-vous l'année prochaine? #

Continue to make appropriate answers, using always quatre cours:
   Combien de cours avez-vous suivis il y a deux ans? # Combien de cours
Roger et Albert suivent-ils? # Combien de cours les étudiants suivront-ils à la
Sorbonne? # Si vous étiez à la Sorbonne, combien de cours suivriez-vous? #
Si nous étions à la Sorbonne, combien de cours est-ce que nous suivrions? #

IV. LECTURE

JUSQU'AU BOUT

   Une Américaine qui ne parlait pas le français était à Paris avec son
mari.   M. Duncan, professeur américain, voulait passer des journées en-
tières à la Bibliothèque Nationale; il pensait pouvoir y découvrir des signifi-
cations nouvelles de plusieurs vieux mots français qu'on peut trouver dans
les poèmes de François Villon.
   Tous les matins M. et Mme Duncan allaient à la Bibliothèque Nationale.
Quand ils y arrivaient, le professeur entrait dans le grand bâtiment de la
rue Richelieu, tandis que sa femme allait à pied au Jardin du Palais-
Royal, qui n'était pas loin.   Elle y restait jusqu'à midi.   A cette heure-là
M. et Mme Duncan déjeunaient ensemble dans un restaurant de la Place
du Théâtre-Français.   A 2 heures le mari retournait à la Bibliothèque, sa
femme au Palais-Royal.
   D'abord tout allait bien.   Mme Duncan avait des revues américaines
et anglaises, elle regardait des enfants qui jouaient, elle marchait un peu.

Mais elle n'osait pas sortir du Jardin! Si on ne peut pas poser des questions en français, comment peut-on retrouver son chemin si on est perdu? Bientôt le temps passait lentement, très lentement.

Tout à coup M. Duncan a une idée excellente.

—Tu veux voir Paris, n'est-ce pas? dit-il à sa femme. Eh bien, tu pourras faire des promenades en autobus pendant que je serai à la Bibliothèque Nationale.

—Moi? Seule?

—Écoute-moi! Tu peux dire: «Jusqu'au bout,» n'est-ce pas?

—Jusqu'au bout!

—Et «jusqu'à la Place du Palais-Royal.»

—Jusqu'à la Place du Palais-Royal.

—Bon! Je vais t'acheter plusieurs carnets de tickets d'autobus. Il y a vingt tickets dans chaque carnet. Voici un arrêt d'autobus. Monte dans un des autobus qui passent par ici et prends une place confortable. Quand le receveur te demandera des tickets, donne-lui un de tes carnets et dis-lui: «Jusqu'au bout!» Il en détachera une quantité suffisante de tickets. Quand tu arriveras au bout de la ligne, tu monteras dans un autre autobus qui porte le même numéro que le premier. Dis au receveur: «Jusqu'à la Place du Palais-Royal.» Tu seras bientôt de retour ici. Comme ça, tu feras un aller et retour, et tu verras Paris!

Le lendemain matin, Mme Duncan monte dans un autobus de la ligne 21. L'autobus va à la Place du Châtelet, puis il traverse la Seine par le Pont au Change, passe devant le Palais de Justice dans l'Île de la Cité, monte le boulevard Saint-Michel, traverse une grande partie du Quartier latin et arrive enfin à la Porte de Gentilly. Grâce à un autre autobus du même numéro, elle retourne sans difficulté à la Place du Palais-Royal.

L'après-midi Mme Duncan choisit un autobus de la ligne 39. Elle voit le Louvre, le Quai Voltaire, la Porte de Versailles! Bientôt elle ose descendre à la Place de l'Opéra, où elle peut prendre d'autres autobus qui vont à d'autres parties de la ville. Maintenant, pour Mme Duncan, les journées ne passent pas trop lentement, elles ne sont pas assez longues! Il y a plus de cent lignes d'autobus à Paris!

Au bout d'un mois M. Duncan n'a pas trouvé une seule signification nouvelle d'un seul vieux mot français, mais Mme Duncan a déjà vu une grande partie de Paris. Tant pis pour lui! Tant mieux pour elle!

Quels sont, à son avis, les mots les plus importants de la langue française? «Jusqu'au bout!»

VOCABULARY FOR THE *LECTURE*

anglais *English*
arrêt *m. stop, stopping place*
carnet *m. book (of tickets)*
chemin *m. road, way*
découvrir *to discover*
détacher *to detach, take out*
écouter *to listen (to)*
monter *to get in or on (a vehicle)*

oser *to dare*
promenade *f. walk, ride*
receveur *m. conductor (of bus)*
retour *m. return;* être de —, *to be back;*
    aller et —, *round trip*
revue *f. magazine, periodical*
signification *f. meaning*
suffisant *sufficient*

V. EXERCISES for the classroom

A. *Give in French the following hours of the day:*
A.M. (du matin): 8:30; 9:20; 10:10; 10:15; 10:30; 11; 11:55.
P.M. *(each in two ways; e.g.,* 2:00 = 2 heures ou 14 heures): 2:15; 3:30; 4; 4:30;
5; 6; 7:15; 7:30; 7:45; 8; 8:30; 8:45; 9:30; 10; 11; 12.

B. *Répondez en français aux questions suivantes:*
1. Combien de jours y a-t-il en janvier?   2. En février?   3. En mars?   4. En avril?   5. En mai?   6. En juin?   En juillet?   8. En août?   9. Combien d'heures y a-t-il entre midi et minuit?   10. Combien d'années y a-t-il dans un siècle?

C. *Translate orally into French the following sentences; when you are reasonably sure that you can do so correctly, write them in French:*
1. Who is following us?   2. Is that man following us?   3. Don't follow us!
4. Why are you following us?   5. I am not following you!
6. If you go to Chartres in a *(une)* Renault, I shall follow you in a Simca.   7. If you went to Reims in a Simca, I would follow you in a Peugeot.   8. If you went to the seashore in a Peugeot, I would follow you in a Citroën!
9. Yes, you would follow me—because you could not go as fast as I!   10. I would go *(faire)* always more than 100 kilometers an hour!

D. *Change the following distances from kilometers into miles:*

Paris - Chartres 94	Paris - Rouen 140	Paris - Le Havre 226
Paris - Lyon 471	Lyon - Arles 264	Arles - Nice 260
	Paris - Nice *(most direct route)* 952	

E. The value of the French unit of currency, *le franc,* has fluctuated widely, in

relation to American dollars, during the twentieth century.   Today its value is
as follows:

1 franc = (app.) $ .20	1 centime = 1/100 franc
5 francs = (app.) $1.00	50 centimes = ½ franc = (app.) $ .10
50 francs = (app.) $10.00	1 sou = 5 centimes = 1/20 franc
100 francs = (app.) $20.00	= $ .01

*Si vous alliez payer les objets suivants, aimeriez-vous mieux les payer en francs ou en
dollars, d'après les prix donnés dans les deux listes?*

	FRANCS	DOLLARS ET CENTS
Du chocolat (comme Victor Hugo!)	15	$ 1.50
Des cigarettes	3	.35
Une tasse de café	1.50	.20
Un livre	3.50	1.45
Un stylo	6	1.50
Un déjeuner	14	2.75
Un dîner	22	3.75
Une paire de gants	50	7.50
Un chapeau	125	19.95
Un dictionnaire	35	7.95
Un sac à main	70	15.00
Un tailleur	495	119.00

Dix-neuvième leçon

I. DIALOGUE

Roger, Albert et Maurice sont au Café de Flore.

MAURICE. Quelle route voulez-vous prendre pour revenir de Nice à Paris?

—*What route do you want to take to come back from Nice to Paris?*

ROGER. Au printemps et en été nous pourrions prendre la route des Alpes, mais au mois de janvier, en plein hiver!

—*In spring and in summer we could take the "route des Alpes", but in the month of January, in the middle of winter!*

ALBERT. J'aimerais mieux laisser la voiture là-bas et revenir par le train.

—*I would rather leave the car down there and come back by train.*

MAURICE. Avec une voiture chauffée et confortable comme la Peugeot 404, nous pourrions traverser les Alpes maritimes, même en hiver.

—*With a heated and comfortable car like the Peugeot 404, we could cross the Maritime Alps, even in winter.*

ALBERT. Mais écoutez, j'ai examiné l'horaire des trains. Si l'on part

—*But listen, I have studied the train timetable. If one leaves Nice at 8*

de Nice à 20 heures, on arrive à Paris vers 8 heures.

MAURICE. J'ai changé d'avis! Albert a raison! Nos vacances commenceront le 23 décembre et finiront le 2 janvier. Si nous mettons trois jours à aller de Paris à Nice, nous y arriverons le 25 . . .

ROGER. Le jour de Noël!

MAURICE. Et si nous partions le 30 décembre, pour être de retour à Paris le premier janvier, nous n'aurions que quatre jours là-bas.

ALBERT. Nous avons parlé d'une dizaine de jours au soleil!

ROGER. J'ai un rendez-vous avec mon professeur d'histoire le 3 janvier. Si nous sommes de retour à Paris le 2 janvier, ça m'est égal si nous revenons par le train ou par avion! Restons là-bas—au soleil—aussi longtemps que possible.

P.M., he arrives in Paris about 8 A.M.

—I've changed my mind! Albert is right! Our vacation will begin December 23 and end January 2. If we take three days to go from Paris to Nice, we'll arrive there the 25th . . .

—Christmas Day!

—And if we left December 30, so as to be back in Paris January first, we would have only four days there.

—We talked about ten days or so in the sun!

—I have an appointment with my history professor for January 3. If we are back in Paris January 2, it's all the same to me if we come back by train or by plane. Let's stay down there—in the sun—as long as possible.

II. GRAMMATICAL USAGE

A. The Past Definite Tense

1. The past definite tense of regular verbs of the three conjugations has the following forms:

parler		finir		perdre	
I spoke, etc.		*I finished, etc.*		*I lost, etc.*	
parl **ai**	parl **âmes**	fin **is**	fin **îmes**	perd **is**	perd **îmes**
parl **as**	parl **âtes**	fin **is**	fin **îtes**	perd **is**	perd **îtes**
parl **a**	parl **èrent**	fin **it**	fin **irent**	perd **it**	perd **irent**

2. The past definite tense of **avoir** and of **être:**

avoir *I had, etc.*		être *I was, etc.*	
eus	eûmes	fus	fûmes
eus	eûtes	fus	fûtes
eut	eurent	fut	furent

3. The past definite of irregular verbs introduced in earlier lessons:

Like **parler:** aller (allai, etc.)
Like **finir:** dire (dis, etc.), faire (fis, etc.), prendre (pris, etc.), suivre (suivis, etc.), voir (vis, etc.)
Like **être:** pouvoir (pus, etc.), savoir (sus, etc.), vouloir (voulus, etc.)

B. Use of the Past Definite Tense

The past definite tense is used in literary narrative style to denote what happened (completed past action), either as a single event or as a succession of events. It is a formal, literary tense and must not be confused with the **passé composé** (informal or conversational) or the imperfect. The past definite is not used in conversation but is the regular tense for the expression of a definite past occurrence in literary writing, formal lectures, etc.

American students will rarely have a natural occasion to use a past definite tense but will have abundant opportunities, in reading French, to *recognize* its forms. (In the *Lecture* of this lesson, for example, there are numerous examples of the past definite tense of verbs used in narration.)

C. Dates

1. C'est aujourd'hui le premier janvier.   *Today is January first.*
   C'est le deux janvier.   *It's January 2nd.*

Days of the month are indicated in French by **premier** for *first* and by **deux, trois, quatre,** etc. for subsequent numbers. (Write either **deux, trois,** etc. or 2, 3, etc.)

2. (a) dix-neuf cent cinquante   *1950—nineteen hundred (and) fifty*
   (b) mil(le) neuf cent cinquante   *1950—one thousand nine hundred and fifty*
   (c) 1968   *dix-neuf cent soixante-huit*

Dates (for years above 1000) may be expressed in French in either of two ways, as illustrated in (a) and (b).

NOTES 1. In this book, to avoid confusion, the form (a) will be favored. Students should use it consistently.

2. A date may be pronounced in English as *nineteen sixty eight,* but **cent** cannot be omitted in French; e.g., **dix-neuf cent soixante-huit.**

3. In French as in English, it is regular practice to express dates in numerals. Written forms in this book are used primarily as a guide to pronunciation.

D. Titles of Rulers

François Ier (premier)	*Francis the First*
Louis XIV (quatorze)	*Louis XIV (fourteenth)*

Numerical titles of kings and emperors are indicated in French by **premier** for *first* and by **deux, trois, quatre,** etc. (regularly written in Roman numerals) for subsequent numbers.

E. PARTIR and SORTIR

These irregular verbs, which were first introduced in Lesson 14, have the following forms:

partir		sortir	
PRESENT			
pars	partons	sors	sortons
pars	partez	sors	sortez
part	partent	sort	sortent
IMPERFECT			
partais, etc.		sortais, etc.	
FUTURE			
partirai, etc.		sortirai, etc.	
CONDITIONAL			
partirais, etc.		sortirais, etc.	
IMPERATIVE			
pars, partons, partez		sors, sortons, sortez	
PASSÉ COMPOSÉ			
je suis parti, etc.		je suis sorti, etc.	
PAST DEFINITE			
partis, etc.		sortis, etc.	

NOTES 1. **Partir** = to leave, *go away.* **Sortir** = to leave, *come or go out.*

2. Both **partir** and **sortir** form their compound tenses with **être.**

F. DE and A before Infinitives Dependent upon Verbs

1. Marius allait voir ses amis.   *Marius used to go and see his friends.*
   Il n'osa pas parler à la jeune fille.   *He did not dare to speak to the girl.*

Some verbs require no preposition before a dependent infinitive.

2. Nos amis nous ont invités à   *Our friends invited us to spend a*
   passer une journée avec eux.   *day with them.*
   Marius aimait à discuter des   *Marius liked to discuss political and*
   questions politiques et sociales   *social questions with his friends.*
   avec ses amis.

Other verbs require **à** before a dependent infinitive.

NOTE In the case of **aimer,** the use of **à** is usually optional.

3. Un ami lui demanda de traduire   *A friend asked him to translate*
   des livres.   *some books.*
   J'ai essayé de condenser l'histoire   *I have tried to condense the history of*
   de France.   *France.*

Other verbs require **de** before a dependent infinitive.

As there are a great many verbs in each of these three categories, it is not practical to memorize them all.   Glance at the lists in the Appendix of this book.   Mastery of this point of grammar must come from observation, consultation of lists, and practice.

III. PATTERN PRACTICE

A. *Repeat:*
Quel jour du mois est-ce aujourd'hui? #
Est-ce le premier mars? #   Non, c'est aujourd'hui le 2 mars. #
Est-ce le 20 avril? #   Non, c'est aujourd'hui le 21 avril. #

Say in French that today is one day later than the date mentioned in the question:
   Est-ce le trois janvier? # Est-ce le cinq mars? # Est-ce le vingt mars? # Est-ce le dix avril? # Est-ce le douze mai? # Est-ce le vingt-deux juin? # Est-ce le trente et un juillet? # Est-ce le vingt août? #

B. *Repeat:*
Quel jour du mois est-ce aujourd'hui? #
Est-ce le trois février? #   Mais non! ce n'est que le deux
                                           février. #

Answer the following questions by saying that it is only one day earlier than the one in the question:

Est-ce le 28 février? # Est-ce le 24 avril? # Est-ce le 4 juillet? # Est-ce le 10 août? # Est-ce le 2 octobre? # Est-ce le 20 novembre? #

C. *Repeat the following dates, with careful attention to pronunciation:*

1789 # 1815 # 1917 # 1960 # 1965 # 1970 # 1975 # 1980 # 1981 #

Pronounce the year which is just 10 years later than the one given:

1482 # 1505 # 1600 # 1740 # 1776 # 1790 # 1890 # 1960 # 1965 #

D. *Repeat:*

Vous n'êtes pas encore parti? #	Non, je pars aujourd'hui. #
Jacques est déjà parti, n'est-ce pas? #	Non, il part aujourd'hui. #
Est-ce que vos amis sont partis? #	Non, ils partent aujourd'hui. #

Answer the following questions by saying: No, I am leaving, *or* he is leaving, *or* we are leaving, *etc.,* today:

Maurice est déjà parti, n'est-ce pas? # Roger et Albert sont déjà partis, n'est-ce pas? # Est-ce que Pauline est partie? # Est-ce que Jeanne et Pauline sont parties? # Quand partez-vous? Mercredi? # Vos amis ne sont pas encore partis? # Roger, Albert et Maurice sont déjà partis pour Nice, n'est-ce pas? #

E. *Repeat:*

Maurice part aujourd'hui, n'est-ce pas? #	Non, il partira demain. #
Vous partez aujourd'hui, n'est-ce pas? #	Non, je partirai demain. #

Say in the same way that the person mentioned will leave tomorrow:

Vous n'êtes pas encore parti? # Jacques est déjà parti, n'est-ce pas? # Vos amis sont partis? # Tout le monde part aujourd'hui! #

F. *Repeat:*

Dites à Jacques de sortir du laboratoire. #	Il est déjà sorti. #
Dites aux élèves de sortir de la salle de classe. #	Ils sont déjà sortis. #

Say that the persons mentioned have already come or gone out:

Dites à tous les élèves de sortir du laboratoire. # Dites aux enfants de Mme Laroche de sortir de leur chambre. # Dites à Richard Dumont de sortir du café. # Dites à Louise et à Marguerite de sortir du Monoprix. # Dites à Maurice de sortir de la librairie. # Dites à M. et à Mme Lepic de sortir de cette boutique. #

IV. LECTURE

UN JEUNE HOMME AMOUREUX[1]

[1]Suggested by a passage in *Cosette et Marius,* Book 3 Alternate of the Heath-Chicago Graded French Readers, which was adapted from Victor Hugo's *Les Misérables.*

Marius, un jeune homme pauvre, demeurait chez son grand-père, qui était riche.   Mais un jour il y eut une dispute terrible entre le jeune homme et le vieillard et Marius quitta la maison de son grand-père.

Marius n'avait pas d'argent; il chercha du travail mais n'en trouva pas tout de suite.   Il fut obligé de vendre ses meilleurs vêtements.   Enfin un ami lui demanda de traduire des livres anglais et Marius gagna un peu d'argent.   Mais la vie resta longtemps très difficile pour lui.   Il occupa une petite chambre dans le quartier le plus pauvre de Paris.   Il y eut un moment dans la vie du jeune homme où il n'achetait qu'un morceau de pain pour son dîner.

Marius avait deux plaisirs.   Tous les soirs, il allait retrouver ses amis dans leur café favori; il aimait discuter avec eux des questions politiques et sociales.   Tous les après-midi, il entrait dans le Jardin du Luxembourg, le jardin le plus beau et le plus tranquille de Paris.

Un jour d'été, Marius alla au Jardin du Luxembourg comme d'ordinaire.   Dans une partie du parc qui était presque déserte, il passa près d'un banc où il vit un vieillard et une jeune fille.   La jeune fille avait d'admirables cheveux blonds et des yeux bleus.   Quand Marius arriva près d'elle, elle le regarda avec un sourire charmant.   Marius était pauvre —mais il était beau!   Malheureusement il était timide!   Il n'osa pas parler.

Le lendemain, dans le Jardin, Marius passa devant la jeune fille.   Il marchait très lentement.   Il entendit la voix de la jeune fille, qui parlait au vieillard.   Marius ne savait pas si le vieillard était son père ou son grand-père.

Le jour suivant, Marius retourna au Luxembourg.   Plus d'une fois il regarda la jeune fille de loin.   Il pouvait, cependant, voir distinctement ses cheveux blonds et son sourire charmant.   Il pouvait même entendre sa voix quand elle parlait au vieillard.   Mais il était toujours trop timide pour lui parler.

Tout un long mois passa.   Marius allait tous les jours au Luxembourg pour regarder la jeune fille de loin.   Il était certainement amoureux d'elle.

Un jour, cependant, quand Marius arriva au Jardin du Luxembourg, le vieillard et la jeune fille n'étaient pas assis sur leur banc favori.   Marius chercha partout, il ne les trouva pas.   Il attendit jusqu'au soir, puis rentra chez lui.

Dix jours passèrent ainsi.   Tous les jours il retournait au Jardin, il cherchait, il attendait, enfin il rentrait chez lui.

L'été passa, puis l'automne.   L'hiver arriva.   Marius n'avait qu'un désir: revoir la jeune fille.   Il la chercha dans d'autres parties de la ville. Il ne la trouva pas.

Mais tout est bien qui finit bien.   Une petite fille qui aimait Marius trouva enfin la maison où le vieillard cachait la jeune fille.   Marius y alla, il y trouva Cosette—et cette fois il osa lui parler.

VOCABULARY FOR THE *LECTURE*

cacher *to hide*
banc *m. bench*
cheveu, -x *m. hair*
demeurer *to live, reside*
gagner *to earn, gain*

morceau, -x *m. piece*
suivant *following, next*
vieillard *m. old man*
voix *f. voice*
yeux *m.pl. of* œil *eye(s)*

V. EXERCISES for the classroom

A. *Pronounce carefully:*

Charlemagne [ʃarləmaɲ]
Charles le Chauve [ʃarlləʃoːv]
Philippe Auguste [filipogyst]
Louis IX [lwinœf]
Charles VII [ʃarl(ə)sɛt]

François Iᵉʳ [frɑ̃swaprəmje]
Henri IV [ɑ̃rikatr]
Louis XIV [lwikatɔrz]
Napoléon Bonaparte [napɔleɔ̃bɔnapart]
Le Président Charles de Gaulle
[ləprezidɑ̃ʃarl(ə)dəgol]

B. *Class Dictation:*
a. Students should write in numerals *the dates which the teacher dictates in French,* e.g.: *Teacher:* le dix-huit février, dix-neuf cent soixante-dix.   *Students write:* le 18 février 1970.   (*Suggestion: dictate twelve dates, in irregular order, including all twelve months of the year.*)
b. Teacher dictates: Louis VI devint (*became*) roi de France en 1108.   *Students write:* Louis VI, 1108.   *Students continue to write down name and number of king and date of his accession:*

1. Louis VII devint roi de France en 1137.   2. Philippe Auguste devint roi de France en 1180.   3. Louis IX devint roi de France en 1226.   4. Charles IV devint roi de France en 1322.   5. Charles V devint roi de France en 1364. 6. Louis XII devint roi de France en 1498.   7. François Iᵉʳ devint roi de France en 1515.   8. Henri IV devint roi de France en 1589.   9. Louis XIV devint roi

de France en 1643.   10. Louis XVI devint roi de France en 1774.   11. Napoléon Iᵉʳ devint empereur en 1804.   12. Napoléon III devint empereur en 1852.

C. *Translate orally into French the following sentences; when you are reasonably sure that you can do so correctly, write them in French:*
1. I shall leave Nice on June 21.   2. I shall be sorry (= *I shall regret*) to (**de**) leave Nice.   3. Will you leave your car in Nice?   4. No! I shall need my car when I am in Paris.   5. When will you arrive in Paris?   6. I shall arrive there (*on*) June 25, 26, or 27.   7. What is the best route to follow from Nice to Paris? 8. There are several excellent routes. I shall follow route 85, which passes through the Maritime Alps, as far as Grenoble; then I shall follow route 90 as far as Chambéry; next, route 201 as far as Geneva (**Genève**); and finally, route 5 from Geneva to Dijon and to Paris.

D. *Supplementary Reading*

L'HOMME QUI SAIT TOUT

Voici un petit conte amusant qu'on trouve dans les *Lettres persanes* de Montesquieu, qui était un grand écrivain français du dix-huitième siècle. C'est un Persan qui raconte son voyage en France:

«L'autre jour, dans un salon, je vis un homme qui était fort content de lui. En vingt minutes il décida trois questions de philosophie et quatre problèmes d'histoire. On laissa la philosophie et l'histoire, on parla des affaires du jour. Il décida toutes les questions politiques et sociales qu'on discuta. Je voulus l'attraper et je dis en moi-même: je vais parler de mon pays, où il n'a jamais été. Je parlai de la Perse et des relations entre mon pays et la France. Mais il m'interrompit tout de suite. Il comprenait ces relations, dit-il, mieux que moi, mieux que les ministres à Paris!

Ah, dis-je en moi-même, je n'ose pas parler de la ville où je demeure et où il n'a jamais été! On pensera que c'est moi qui n'y ai jamais été!

Je pris moi-même une décision: je sortis du salon, je quittai la maison, je rentrai chez moi. Je le laissai parler—et il décide encore!»

VOCABULARY FOR SUPPLEMENTARY READING

attraper *to catch*

comprenait *from* comprendre,
  to understand

conte *m. story*

content *satisfied*

fort *adv. very*

jamais *never*

Persan *m. Persian*

persan, -ne *adj. Persian*

Perse *f. Persia (now Iran)*

vis, *from* voir, *to see*

(This anecdote has been recorded, without pauses for repetition, in order to provide drill in listening comprehension.)

SUPPLEMENTARY EXERCISES for lessons 16-19

A. *Repeat:*
Voulez-vous voir les plus vieilles parties de Paris? #
Oui, montrez-moi les plus vieilles parties de Paris. #

Tell a friend to show you what he asks if you want to see:
Voulez-vous voir la plus belle ville du monde? # Voulez-vous voir une des rues les plus courtes de Paris? # Voulez-vous voir la rue la plus longue de Paris? # Voulez-vous voir la plus vieille partie de Paris? # Voulez-vous voir les plus vieilles parties de la ville? #

B. *Repeat:*
Est-ce que Daniel parle français avec François? #
Oui, il parle français avec lui. #

Answer the following questions in the affirmative, using personal pronouns as subjects of the verbs and after prepositions:
Est-ce que Maurice parle français avec Roger? # Est-ce que Maurice parle français avec Roger et Albert? # Est-ce que M. Lepic parle français avec Mme Lepic? # Est-ce que Mme Hubert parle français avec Jeanne et Pauline? # Est-ce que le professeur parle français avec vous? # Est-ce que vous parlez français avec le professeur? #

C. *Repeat:*

Il fait beau. #	Non, il fait mauvais! #
Il fait froid. #	Non, il fait chaud! #
Il pleut. #	Non, il fait beau! #
Vous avez froid. #	Non, j'ai chaud! #
Hier il faisait très froid. #	Non, il faisait très chaud hier! #

Contradict the following statements by stating the opposite:
Il fait beau. # Il fait chaud. # Hier il faisait mauvais. # Hier il faisait chaud. # Demain il fera beau, n'est-ce pas? # Demain il fera chaud, n'est-ce pas? #

Contradict the following statements by changing the verb from affirmative to negative:
Il fait très froid! # Hier il faisait très chaud. # Demain il pleuvra! # A Paris il neige souvent en hiver. # Il pleut plus souvent en hiver qu'au printemps. # Il pleut plus souvent en été qu'en automne. #

D. *Repeat:*
Est-ce que Shakespeare est né en 1554? # Non, il est né en 1564. #

Answer the following questions by saying that the person mentioned was born 10 years later than the date in the question:

Est-ce que Molière est né en 1612? # Est-ce que Voltaire est né en 1684? # Est-ce que Victor Hugo est né en 1792? # Est-ce que Louis Pasteur est né en 1812? # Est-ce que Charles de Gaulle est né en 1880? #

E. *Have a piece of paper and a pen or pencil ready. Write down the numbers you hear. (Numbers will be pronounced in French.)*
21 # 24 # 32 # 46 # 55 # 67 # 70 # 72 # 74 # 78 # 80 # 81 # 93 # 100 # 105 # 115 # 200 # 250 # 1000 # 2000 # 10.000 # 100.000 #

Now check your work. Have you written the following numbers? (Same numbers pronounced in English.)

If this exercise is used in a classroom (and it could very well be so used), the teacher should vary the numbers irregularly.

Quatrième dialogue culturel

LES GRANDES ÉPOQUES DE L'HISTOIRE DE FRANCE

Robert et Charlotte Cartier sont chez Philippe Lefort.

PHILIPPE. Charlotte, voudriez-vous bien nous lire[1] votre exposé[2] sur l'histoire de France? N'est-ce pas un résumé[3] de notre histoire nationale?

CHARLOTTE. Oui, c'est un devoir[4] que le professeur Michel nous a demandé de faire. J'ai essayé[5] de condenser en quelques pages l'histoire de votre pays. Mais j'ai peur[6]. . .

PHILIPPE. Votre frère et moi, nous ne vous jugerons[7] pas trop sévèrement!

CHARLOTTE. Alors, écoutez.

La première grande époque de l'histoire de France commença vers 500 avant Jésus-Christ[8] quand les Gaulois quittèrent peu à peu les plaines de l'Europe centrale pour occuper le territoire qui est aujourd'hui la France. Les Gaulois furent les premiers ancêtres véritables des Français. Le dernier chef[9] des Gaulois, Vercingétorix, est le premier héros national de la France. C'est lui qui réunit[10] les tribus gauloises et mena[11] la lutte contre les Romains. En 52 av. J.-C. il fut battu à Alésia par Jules César. Malgré[12] cette défaite, Vercingétorix représente pour les Français l'esprit[13] d'indépendance et de liberté.

Pendant la deuxième grande époque de l'histoire de France, les Romains transformèrent la Gaule. Ils bâtirent de magnifiques routes, construisirent des temples, des arènes, des théâtres, des arcs de triomphe et des aqueducs. Un des monuments les mieux conservés est un petit temple, la «Maison Carrée»[14] à Nîmes, qui fut bâti pendant le règne de l'empereur Auguste. Nîmes et Arles ont de splendides arènes et, du théâtre romain qui existait autrefois à Arles, il ne reste plus maintenant que des ruines, mais ces ruines sont belles. Un des vestiges les plus remarquables de l'occupation romaine est un aqueduc qui sert[15] aussi de pont: c'est le pont du Gard, situé près de Nîmes.

L'époque romaine dura à peu près cinq cents ans. Puis des tribus barbares envahirent la Gaule. Une de celles-ci, les Francs, occupa la plus grande partie du pays et lui donna son nom. Le seul roi célèbre des Francs est Clovis. Son règne (481–511) marque le commencement de la troisième grande époque de l'histoire de France. Cette époque, appelée[16] le haut moyen âge,[17] dura six cents ans et vit la disparition de la civilisation gallo-

---

[1]lire *to read*   [2]exposé *m. account, outline*   [3]résumé *m. summary*   [4]devoir *m. exercise, assignment*   [5]essayer (de) *to try*   [6]peur: avoir —, *to be afraid*   [7]juger *to judge*   [8]avant Jésus-Christ *B.C.*   [9]chef *m. chief, leader*   [10]réunir *to unite*   [11]mener *to lead*   [12]malgré *in spite of*

[13]esprit *m. spirit*   [14]carré *square*   [15]servir *to serve*   [16]appeler *to call*   [17]le haut moyen âge *the Dark Ages*

ARLES: LE THÉÂTRE ROMAIN (à gauche)

romaine. Charlemagne, qui fut couronné empereur en l'an 800, domine cette époque. Il fit beaucoup pour son empire, le Saint Empire romain, et pour le progrès de la civilisation. Il fonda des écoles et des bibliothèques, favorisa l'étude de la langue et de la littérature latines et promulgua des lois[18] justes.

Après la mort de Charlemagne, ses petits-fils[19] divisèrent son empire en trois parties. Un traité, signé à Verdun en 843, donna la France à l'aîné[20] de trois frères, Charles le Chauve. La date de ce traité marque le commencement d'une France vraiment indépendante et restée indépendante jusqu'à nos jours.

Les successeurs de Charles le

[18]loi *f. law* [19]petit-fils *m. grandson* [20]aîné *eldest*

Chauve, les rois carolingiens, étaient très faibles. En 911, Charles le Simple fut obligé de donner une partie du pays aux Normands. Heureusement, les Normands sont devenus de bons Français!

En 987, le dernier roi carolingien fut remplacé par le premier roi d'une nouvelle dynastie, Hugues Capet, qui fonda la dynastie capétienne. Alors commença la quatrième grande époque de l'histoire de France.

Les douzième et treizième siècles formèrent une période de prospérité et de progrès. Les plus grands événements de ces deux siècles furent les Croisades, qui confirment le prestige de l'Église au moyen âge. Les Français jouèrent des rôles importants dans toutes les Croisades. C'est par exemple Pierre l'Hermite qui prêcha la première Croisade et

SAINT-LOUIS S'EMBARQUE POUR LES CROISADES

JEANNE D'ARC

partit pour la Palestine en 1096. Le roi Philippe Auguste fut un des chefs de la troisième. L'écrivain Villehardouin fut à la fois[21] l'historien et un des chefs de la quatrième. Quant à Louis IX, connu aussi sous le nom de Saint-Louis, il organisa et mena les septième et huitième Croisades.

Les Croisades eurent des résultats de grande importance pour la France. Elles favorisèrent le commerce et donnèrent naissance[22] à une nouvelle classe sociale, la bourgeoisie, qui allait devenir peu à peu la classe la plus utile de la nation.

En 1328, année de la mort de Charles IV le Bel, le roi était le maître d'un grand domaine, de la Manche au Nord à la Méditerranée au Sud. (La Bretagne et la Bour-gogne, pourtant, restaient indépendantes.)

Bientôt après la mort de Charles IV, un grand désastre frappa[23] la France: le commencement de la guerre de Cent ans. Puisque Charles IV n'avait pas d'héritier[24] direct, les ministres d'Édouard III, roi d'Angleterre et neveu de Charles IV, voulurent mettre le jeune roi anglais sur le trône de France. Une armée anglaise envahit[25] la France. Au cours des quatorzième et quinzième siècles, les Anglais remportèrent[26] de grandes victoires, à Crécy (en 1346), à Poitiers (en 1356), et surtout à Azincourt (en 1415). Les Anglais et les Bourguignons occupèrent Paris. La France était sur

[21]à la fois *at the same time* [22]naissance *f. birth*

[23]frapper *to strike, hit* [24]héritier *m. heir* [25]envahir *to invade* [26]remporter *to win (a victory)*

HENRI IV ET LA FAMILLE ROYALE

le point de devenir un territoire anglais. Mais Jeanne d'Arc, à la tête[27] d'une petite troupe, obligea les Anglais de lever[28] le siège d'Orléans; puis, grâce à elle, Charles VII fut sacré[29] dans la cathédrale de Reims. Elle avait sauvé la France. Peu à peu les Français chassèrent[30] les Anglais de leur pays.

ROBERT. Tu ne vas pas raconter tous les exploits de Jeanne d'Arc et sa triste[31] mort à Rouen?

CHARLOTTE. Si je racontais la vie de Vercingétorix, de Clovis, de Charlemagne, de Saint-Louis, de Jeanne d'Arc et d'autres héros de l'histoire de France, ce résumé serait beaucoup trop long!

PHILIPPE. Charlotte a raison. Ce sera pour une autre fois. Continuez, Charlotte.

[27]tête *f. head* [28]lever *to raise* [29]sacré *crowned and anointed* [30]chasser *to chase, drive* [31]triste *sad*

CHARLOTTE. Charles VII était un roi faible mais son successeur, Louis XI, était un roi fort. Pendant son règne, qui commença en 1453, le pays retrouva sa prospérité économique. La cinquième grande époque de l'histoire de France, la Renaissance, pouvait commencer.

La Renaissance artistique en France était en grande partie une imitation ou une adaptation de l'art et de l'architecture de l'Italie. On le voit surtout au style des châteaux de Blois, de Chambord, de Chenonceaux et de Fontainebleau. Pourquoi les Français ont-ils imité les Italiens? C'est parce que Charles VIII, Louis XII et François Ier ont tous les trois fait campagne[32] en Italie pour y conquérir des territoires. Leurs campagnes militaires

[32]campagne *f. campaign (military)*

182

échouèrent[33] mais elles permirent[34] aux rois et aux nobles français de voir et d'apprécier la beauté de la Renaissance italienne.

Pendant la deuxième partie du seizième siècle, une guerre civile entre les catholiques et les Huguenots a presque ruiné la France. Heureusement, Henri IV, un des plus grands rois de France, proclama, par l'Édit de Nantes de 1598, la liberté religieuse et mit fin aux guerres de religion. Pendant son règne (1589–1610) commença l'âge classique, sixième grande époque de l'histoire de France.

Le dix-septième siècle est le siècle de la monarchie absolue, qui eut pour architectes Henri IV, le Cardinal de Richelieu, le Cardinal Mazarin et surtout Louis XIV. Henri IV fut assassiné en 1610; Louis XIII eut le bon sens de donner à Richelieu, son premier ministre, toute l'autorité qui lui était nécessaire pour affirmer la monarchie et pour faire de la France la nation la plus importante de l'Europe. Le Cardinal Mazarin continua son œuvre,[35] de sorte que Louis XIV, qui régna de 1643 à 1715, a pu dire: «L'État, c'est moi.»

De tous les rois de France, Louis XIV était le plus remarquable. Sous son règne la civilisation française eut son âge d'or,[36] autant par

[33]échouer *to fail* [34]permettre *to permit, allow* [35]œuvre *f. work* [36]or *m. gold*

LOUIS XIV:
«L'ÉTAT, C'EST MOI»

les splendeurs de la cour de Versailles que par les chefs-d'œuvre des écrivains et des artistes du dix-septième siècle.

Louis XIV eut pour successeurs Louis XV et Louis XVI. Louis XV régna mal pendant 59 ans. Le règne de Louis XVI finit au milieu de la Révolution. Les écrivains du dix-huitième siècle —surtout Montesquieu, Voltaire et Rousseau— critiquèrent les principes de la monarchie absolue et préparèrent ainsi cette révolution. C'est pendant ce même dix-huitième siècle que deux Français ont fait beaucoup pour l'Amérique. On parle souvent de Lafayette mais rarement du comte[37] de Rochambeau, commandant des troupes envoyées[38] au secours[39] des Américains.

ROBERT. N'est-ce pas lui qui, avec six mille soldats, aida le général Washington à gagner la bataille de Yorktown?

CHARLOTTE. Tu as raison, mais cela intéresse plus l'histoire des États-Unis que l'histoire de la France. La septième grande époque de l'histoire de France est la plus brève. Elle comprend la Révolution et l'Empire, de 1789 à 1815. Les événements de ces vingt-six années sont bien connus: la prise[40] de la Bastille, la proclamation des Droits de l'Homme, la fondation de la Première République et, enfin, la Terreur. Tout le monde a entendu parler de Mirabeau, de Danton, et de Robespierre.

NAPOLÉON AU PONT D'ARCOLE

En 1799 un jeune général, Napoléon Bonaparte, devint[41] Premier Consul, c'est-à-dire dictateur. La France avait besoin d'ordre et de paix:[42] Bonaparte lui donna l'ordre et, pour un moment, la paix. Quand il fut proclamé empereur, en 1804, les Français acceptèrent l'Empire avec enthousiasme. Mais Napoléon Ier aimait la guerre, les victoires, les conquêtes. Il remporta, en effet, des victoires éclatantes[43] —Austerlitz, Wagram, par exemple—mais la Russie et l'Angleterre demeurèrent invincibles. En 1814, les armées de ses ennemis entrèrent dans Paris; l'empereur abdiqua et partit pour l'île d'Elbe. En 1815, quand il revint[44] en France, il fut reçu[45] avec enthousiasme par l'armée et le peuple. Mais il perdit la bataille de Waterloo. Cette dé-

---

[37]comte *m. count* [38]envoyer *to send* [39]secours *m. aid, help* [40]prise *f. taking, capture*

[41]devint (devenir) *became* [42]paix *f.* peace [43]éclatant *brilliant* [44]revint (revenir) *came back* [45]reçu (recevoir) *received*

faite signala[46] la fin de sa carrière extraordinaire.

La huitième grande époque de l'histoire de France, qui va de 1815 à nos jours, peut s'appeler les temps modernes. Elle a été surtout une période de conflit entre deux principes: le principe d'autorité et le principe de liberté. La Restauration, qui mit[47] Louis XVIII sur le trône, fut d'abord une sorte de compromis; il y eut une monarchie libérale, une monarchie constitutionnelle. Mais Charles X, successeur de Louis XVIII, voulait être un roi absolu; il fut renversé[48] par la Révolution de 1830. Ce fut alors Louis-Philippe Ier (premier du nom mais dernier roi de France!) qui devint roi; mais ce n'était pas le roi, c'étaient les bourgeois qui gouvernaient la France. En 1848, les Républicains furent assez forts pour chasser le roi du trône et pour fonder la Deuxième République. On choisit comme président un homme très ambitieux: Louis-Napoléon Bonaparte, neveu de l'empereur, Napoléon Ier. En 1852 cet homme ambitieux établit le Second Empire et choisit le titre de Napoléon III. L'esprit d'autorité triompha. Le conflit, cependant, continua. Quand l'armée de Napoléon III perdit la bataille de Sedan pendant la guerre franco-prussienne de 1870 et 1871, les Républicains de Paris proclamèrent la Troisième République. Malgré les efforts des monarchistes, cette république dura soixante-dix ans. Le régime démontra sa stabilité pendant la première Guerre mondiale (1914–1918).

[46]signaler *to mark*   [47]mit (mettre) *put, placed*
[48]renverser *to overthrow*

LA RÉVOLUTION DE 1848

185

Puisque nous savons aujourd'hui qu'il y eut une seconde Guerre mondiale (1939–1945), nous pouvons appeler la période de 1918 à 1939 «l'entre-deux-guerres». Pendant cette période, les Français ont eu à résoudre[49] des problèmes financiers (comment payer les dettes de guerre?), des problèmes politiques (veut-on un gouvernement conservateur ou un gouvernement socialiste?), et des problèmes internationaux (est-ce que la Société des Nations serait une garantie de paix? quelles étaient les intentions du Chancelier Hitler?)

Hitler révéla enfin ses véritables intentions; il conquit la Pologne et attaqua la France et l'Angleterre. Tout le monde sait combien la France a souffert pendant la seconde Guerre mondiale et pendant l'Occupation allemande. Tout le monde sait aussi qu'avec l'aide des Américains, Paris fut libéré en 1944 et que, peu après, les Allemands furent chassés de France.

Après la guerre, l'organisation de la Quatrième République marqua le triomphe de la démocratie et de la liberté. Mais la fin de la guerre ne fut pas la fin des problèmes sérieux qu'on avait à résoudre, problèmes économiques, politiques, coloniaux, que nous ne pourrons ni exposer[50] ni expliquer dans ce court résumé. Disons seulement qu'après neuf ans de guerre la France perdit en 1954 ses colonies en Indo-Chine et qu'après sept ans de guerre, elle perdit l'Algérie en 1962.

Pendant la guerre avec l'Algérie,

[49]résoudre *to resolve*

[50]exposer *to set forth*

AVANT LE DÉFILÉ DU 14 JUILLET: DERNIÈRES PRÉPARATIONS

«ILS NE PASSERONT PAS»
(Général Pétain, 1916)

une partie de l'armée française se révolta. C'est le général de Gaulle, nommé premier ministre, qui empêcha[51] une guerre civile de ruiner la France. La Cinquième République remplaça la Quatrième. Le général de Gaulle fut élu[52] Président de la République, avec une autorité presque absolue. C'est le principe d'autorité qui triompha.

Les Français, cependant, n'aiment ni l'autorité trop absolue ni la liberté trop complète! Est-ce qu'ils aiment le juste-milieu?[53] Non! Aux élections de 1965 et de 1967, le Président de Gaulle triompha de nouveau mais à une majorité très réduite. Son autorité était déjà plus faible.

Est-ce que les Français aiment surtout le changement? Les changements nombreux que nous avons exposés dans ce résumé des grandes époques de l'histoire de France semblent donner une réponse affirmative à cette question.

Pourtant, en 1968, une révolte des étudiants de l'université de Paris fut accompagnée d'une grève,[54] à laquelle la plupart des ouvriers français participa. Encore une fois, la patrie était en danger! Est-ce que le gouvernement allait être renversé? Le Président de Gaulle fit faire de nouvelles élections, auxquelles il gagna la plus grande victoire politique de sa vie!

L'histoire de France semble indiquer que les Français aiment surtout le changement! On dit pourtant en France: «Plus ça change, plus c'est la même chose!» Les Français, d'ailleurs,[55] sont individualistes: «Autant de têtes, autant d'avis!» On ne peut être sûr que d'une chose: la France reste et restera toujours la France.

PHILIPPE. Bravo, Charlotte. Je suis heureux d'être un Français individualiste! Mais tous vos lecteurs[56] seront d'accord pour aimer votre histoire de notre patrie.

[51]empêcher *to prevent* [52]élire *to elect* [53]juste-milieu *m. golden mean, happy medium* [54]grève *f. strike* [55]d'ailleurs *moreover* [56]lecteur *m. reader*

LE 14 JUILLET
AUX CHAMPS-ÉLYSÉES

QUESTIONNAIRE

1. Quand la première grande époque de l'histoire de France a-t-elle commencé?   2. Qui sont les premiers ancêtres véritables des Français?   3. Qui est le premier héros national de la France?   4. Qu'a-t-il fait?   5. Où peut-on voir le temple romain le mieux conservé?   6. Où peut-on admirer des ruines d'arènes?   7. Où peut-on trouver des ruines de théâtres romains?   8. Qu'est-ce que c'est que le Pont du Gard?   9. Où est-il?   10. Quel est le nom du roi le plus célèbre des Francs?   11. En quelle année a-t-on proclamé Charlemagne empereur?   12. Qui a divisé l'empire de Charlemagne en trois parties?   13. Pourquoi le traité de Verdun est-il célèbre?   14. Qui a donné la Normandie aux Normands?

15. Quel roi a fondé la dynastie capétienne?   16. En quelle année?   17. Nommez trois Français qui ont joué des rôles importants dans les Croisades.   18. Quelle guerre a commencé en 1328?   19. Mentionnez trois grandes batailles que les Français ont perdues.   20. Qui a sauvé la France?

21. Pourquoi Charles VIII, Louis XII et François Ier sont-ils allés en Italie?   22. Qu'est-ce qu'ils y ont vu?   23. Quel palais est-ce que François Ier a transformé?   24. Où trouve-t-on les plus beaux châteaux de la Renaissance?

25. En quelle année est-ce que Henri IV est devenu roi de France?   26. Quel roi a suivi Henri IV?   27. A qui est-ce que ce roi a donné tout le pouvoir dont il avait besoin?   28. Est-ce que Louis XIV était un meilleur roi que Louis XIII?

29. Est-ce que Louis XV était un meilleur roi que Louis XIV? 30. En quel siècle est-ce que la France a eu son âge d'or? 31. Quels Français, au dix-huitième siècle, ont beaucoup fait pour l'Amérique?

32. En quelle année la Révolution a-t-elle commencé? 33. Savez-vous pourquoi le 14 juillet est la fête nationale française? 34. Avez-vous entendu parler de Mirabeau, de Danton et de Robespierre? 35. Est-ce que vous savez où on a guillotiné Louis XVI et Marie-Antoinette?

36. Quand est-ce que Napoléon Bonaparte est devenu empereur? 37. Quelle est la date de la bataille de Waterloo? 38. Est-ce que la France a eu un âge d'or entre 1799 et 1815?

39. Quels sont les deux principes qui ont été en conflit pendant le dix-neuvième siècle? 40. Quel roi a été le dernier roi de France? 41. En quelle année a-t-on fondé la Deuxième République? 42. Qui a établi le Second Empire? 43. Combien de temps la Troisième République a-t-elle duré?

44. Qu'est ce que c'est que «l'entre-deux-guerres»? 45. Pourquoi la France a-t-elle souffert pendant la seconde Guerre mondiale? 46. Quelles colonies est-ce que la France a perdues en 1954? 47. Quand est-ce que la France a perdu l'Algérie?

48. Est-ce que les Français aiment les changements politiques? 49. Est-ce que les Français sont des individualistes? 50. Que pensez-vous de l'histoire de France que Charlotte a composée?

Vingt et unième leçon

I. DIALOGUE

Cette scène se passe dans une gare à Paris. Robert Lambert et un ami français, Jacques Lemoine, se retrouvent dans la salle d'attente.

This scene takes place in a railroad station in Paris. Robert Lambert and a French friend, Jacques Lemoine, meet in the waiting room.

JACQUES. Te voilà enfin! Tu ne pouvais pas te dépêcher?

—There you are at last! You couldn't hurry?

ROBERT. Ce n'est pas de ma faute. D'abord je me suis levé tard. Et puis, pendant que je m'habillais, un de mes amis m'a téléphoné.

—It's not my fault. In the first place, I got up late. And then, while I was getting dressed, one of my friends phoned me.

JACQUES. Pourquoi ne lui as-tu pas dit que tu devais prendre un train de bonne heure?

—Why didn't you tell him that you had to take an early train?

ROBERT. J'ai essayé de lui dire cela, mais il ne s'arrêtait plus de parler.

—I tried to tell him that but he wouldn't stop talking.

JACQUES. L'essentiel est que tu sois à la gare. Courons maintenant jusqu'au quai. Le train est déjà annoncé.

—The main thing is that you are at the station. Let's run now to the platform. The train has already been announced.

ROBERT. Attends, nos billets! Je croyais les avoir mis dans la poche intérieure de ma veste.

—Wait, our tickets! I thought I had put them in the inside pocket of my coat.

JACQUES. Qu'est-ce qui se passe? Est-ce que tu t'es trompé de veste comme pendant notre dernier voyage?

—What's going on? Have you put on the wrong coat the same as during our last trip?

ROBERT. Non, ils sont dans mon sac de voyage. Les voilà. Mais où est donc René? Il voulait nous dire au revoir et nous devions nous retrouver devant le guichet numéro 3.

—No, they are in my bag. There they are. But where is René? He wanted to tell us good-bye and we were to meet in front of ticket-window number 3.

JACQUES. Tant pis pour lui. Il ne s'est sans doute pas réveillé. Il se couche toujours à des heures impossibles.

—So much the worse for him. He probably didn't wake up. He always goes to bed at impossible hours.

ROBERT. Tu as raison. Dépêchons nous de passer sur le quai. Regarde la foule des voyageurs.

—You're right. Let's hurry and get to the platform. Look at the crowd of travelers.

JACQUES. Ils ne prennent pas tous le même train. Certains se dirigent vers l'omnibus d'Orléans.

—They are not all taking the same train. Some are going towards the local for Orleans.

ROBERT. Notre train est heureusement un rapide. Je déteste les omnibus. Ils sont si lents et si peu confortables.

—Luckily our train is an express. I hate the locals. They are so slow and so uncomfortable.

NOTE Train omnibus: train de voyageurs qui s'arrête à toutes les gares.

Rapide: train qui va très vite. Express: train qui ne va pas aussi vite qu'un rapide mais ne s'arrête qu'aux gares importantes.

II. GRAMMATICAL USAGE

A. Present Tense of SE DÉPÊCHER, "to hurry"; S'ARRÊTER, "to stop"

je me dépêche	nous nous dépêchons
tu te dépêches	vous vous dépêchez
il (elle) se dépêche	ils (elles) se dépêchent
je m'arrête	nous nous arrêtons
tu t'arrêtes	vous vous arrêtez
il (elle) s'arrête	ils (elles) s'arrêtent

Many verbs are used with a pronoun object which refers to the subject. These are called "reflexive verbs". For the first and second persons singular and plural, the regular object pronouns (**me, te, nous, vous**) are used, but for the third person singular and plural there is a special reflexive pronoun, **se.**

B. PASSÉ COMPOSÉ of Reflexive Verbs

Je me suis levé tard.   *I got up late.*
Il ne s'est pas réveillé.   *He did not wake up.*

The auxiliary of reflexive verbs in all compound tenses is **être.**

C. Imperative of Reflexive Verbs

Arrêtez-vous.   *Stop.*
Levez-vous.   *Get up.*
Dépêchons-nous.   *Let's hurry.*

Ne vous arrêtez pas.   *Don't stop.*
Ne vous dépêchez pas.   *Don't hurry.*

Reflexive pronoun objects follow an imperative if it is affirmative, precede it if it is negative.

D. Verbs Which May or May Not Be Reflexive

1. Mon ami m'a retrouvé à la gare.   *My friend joined me at the station.*
   Les amis se sont retrouvés   *The friends met in the station.*
     à la gare.

As in English, many verbs may be freely used with either regular pronoun objects or with reflexive pronoun objects.

2. Je suis perdu! s'écrie-t-il.   *I am lost! he exclaims.*
   Jacques s'en est allé.   *Jacques went away.*

S'écrier and **s'en aller** (not the simple **aller**) are examples of French verbs which are always used with reflexive pronouns.

3. Vous m'avez trompé.   *You have deceived me.*
   Vous vous êtes trompé.   *You have been mistaken.*

Many verbs show changes of meaning when they are used with a reflexive pronoun. Additional examples:

battre	to beat	se battre	to fight
demander	to ask	se demander	to wonder
lever	to raise	se lever	to get up
mettre	to put	se mettre (à)	to begin (to)
passer	to pass	se passer	to take place
retourner	to go back	se retourner	to turn around
tromper	to deceive	se tromper	to be mistaken
trouver	to find	se trouver	to be (located)

E. METTRE, "to put"

This irregular verb has the following forms:

PRESENT		FUTURE	CONDITIONAL	IMPERFECT
mets	mettons	mettrai, etc.	mettrais, etc.	mettais, etc.
mets	mettez			
met	mettent			

IMPERATIVE: mets, mettons, mettez   PAST PART. mis

NOTE See idiomatic meaning of **se mettre à** *in* **D.,** 3.

F. Remarks on Written Reflexive Verbs

1. (a) Robert et Jacques se retrouvent   *Robert and Jacques meet in the*
dans la salle d'attente.   *waiting room.*
(b) Ils se parlent longtemps.   *They talk to each other a long time.*
(c) Robert s'est levé tard.   *Robert got up (lit., raised himself) late.*
(d) Jacques ne s'en est pas allé.   *Jacques did not go away.*

The reflexive pronoun may be direct as in examples (a) and (c), or indirect, as in examples (b) and (d).

2. (a) Robert et Jacques se sont   *Robert and Jacques met in the waiting*
retrouvés dans la salle d'attente.   *room.*
(b) Ils se sont parlé longtemps.   *They talked to each other a long time.*

As the subject of a reflexive verb and the reflexive pronoun object refer to the same person or persons, one may say that in a compound tense the past participle agrees with the subject or the direct object reflexive pronoun (**se . . . retrouvés**). However, if the reflexive pronoun is indirect (b), a past participle agrees only with a preceding direct object, if there is one. This point is not important in oral French but must be taken into consideration in writing the past participle of a reflexive verb.

3. (a) "Ils se sont regardés."

This sentence may mean: (1) *They looked at themselves,* (2) *They looked at each other,* (3) *They looked at one another.*

(b) "Ils se sont parlé."

This sentence may mean: (1) *They talked to themselves,* (2) *They talked to each other,* (3) *They talked to one another.*

(a) Ils se sont regardés l'un l'autre.	*They looked at each other.*
Ils se sont regardés les uns les autres.	*They looked at one another.*
(b) Ils se sont parlé l'un à l'autre.	*They talked to each other.*
Ils se sont parlé les uns aux autres.	*They talked to one another.*

These examples show how the use of **l'un l'autre** or **les uns les autres** may clarify the meaning of the reflexive pronoun **se,** which may be singular or plural, direct or indirect. The use of these phrases is always optional. They may clarify or reinforce **se,** never replace it.

III. PATTERN PRACTICE

A. *Repeat:*

Je me réveille toujours de bonne heure. #

Je m'habille vite. #

Nous nous réveillons toujours de bonne heure. #

Nous nous habillons vite. #

Change the following reflexive verbs from first person singular to first person plural:

Je me réveille. # Je m'approche de la fenêtre. # Je m'arrête à la fenêtre. # Je m'écrie: Il va faire beau! # Je me trompe souvent. # Je me dépêche de m'habiller. # Je m'habille aussi vite que possible. #

B. *Repeat:*

Je me réveille de bonne heure tous les jours. #

Je m'habille vite. #

Est-ce que vous vous réveillez de bonne heure tous les jours? #

Est-ce que vous vous habillez vite? #

Respond to the following statements by asking if you do the same thing:

Je me réveille à huit heures. # Je me dépêche de m'habiller. # Je m'habille très vite. # Je m'approche de la fenêtre. # Je m'arrête à la fenêtre. # Je me demande quel temps il fera. # Je me dis souvent: il va faire beau. # Je me trompe souvent. # Je vois souvent qu'il va pleuvoir. #

C. *Repeat:*

Je me couche de bonne heure. #

Robert se couche de bonne heure. #

Robert et Jacques se réveillent de
  bonne heure. #

Je me suis couché de bonne heure. #

Robert s'est couché de bonne heure. #

Robert et Jacques se sont réveillés de
  bonne heure. #

Change the following verbs from present tense to passé composé:

Je me couche à 10 heures. # Je me réveille à 8 heures. # Je m'habille tout de suite. # Je vais à la gare. # J'y entre. # Je m'arrête dans la salle d'attente. # Robert se couche à 11 heures. # Robert se réveille à 8 heures. # Il s'habille très vite. # Il va à la gare. # Il s'arrête dans la salle d'attente. # Robert et moi, nous nous retrouvons dans la salle d'attente. #

D. *Repeat:*

Dépêchez-vous! #

Habillez-vous! #

Je me dépêche! #

Je m'habille. #

Say that you are doing what someone tells you to do.

Réveillez-vous! # Habillez-vous! # Dépêchez-vous! # Allez à la gare! # Entrez dans la salle d'attente! # Cherchez vos billets! # Regardez les voyageurs! # Ne prenez pas cet omnibus! # Prenez ce rapide! #

E. *Repeat:*

L'enfant se met à courir. #

Nous nous mettons à courir. #

L'enfant s'est mis à courir. #

Nous nous sommes mis à courir. #

Change the tense of each verb from present to passé composé:

L'enfant se met à s'habiller. # Il s'habille lentement. # Je me mets à m'habiller. # Je m'habille très vite. # René se met à s'habiller. # Nous nous mettons à nous habiller. # Nous nous habillons plus vite que René. # A quelle heure vous mettez-vous à vous habiller? # Je me mets à m'habiller à 7 heures. #

F. *Change the verbs in the following sentences from present to* passé composé:

Un petit enfant voit un miroir. # Il s'approche du miroir. # Il s'arrête devant le miroir. # Il se regarde dans le miroir. # Puis il regarde derrière le miroir. # Il ne se trouve pas derrière le miroir. # Je suis perdu! s'écrie-t-il. #

IV. LECTURES

A. LES TAXIS

Un jour, à midi, George Bishop se trouve près de la Bibliothèque Nationale. Il veut aller à la Place du Panthéon, pour déjeuner avec un camarade dans leur restaurant favori.

—Je n'ai pas le temps, se dit-il, d'y aller par autobus ou même par le Métro. Mais voilà une station de taxis.

George s'approche du premier taxi.

—Bonjour, monsieur, dit-il au chauffeur. Êtes-vous libre?

—Oui, monsieur; où voulez-vous aller?

—A la Place du Panthéon.

—Impossible. Prenez un autre taxi.

A ce moment-là une dame s'approche du taxi.

—92, rue La Fayette, dit-elle au chauffeur.

—Montez, madame.

Le taxi s'en va.

—C'est curieux! s'écrie George. Pourquoi ce chauffeur-là a-t-il refusé de me conduire à la Place du Panthéon? Ce n'est pas trop loin!

George s'approche d'un deuxième taxi.

—A la Place du Panthéon, dit-il au chauffeur.

—Montez, monsieur.

George monte dans le taxi, qui se met en route et le transporte vite à la Place du Panthéon.

A table, pendant le déjeuner, George raconte son aventure à son camarade.

—La même chose m'arrive souvent, dit son camarade. Un jour que je rentrais de Dijon, je suis arrivé à la Gare de Lyon vers onze heures du soir. J'ai vu une station de taxis, je me suis approché d'un des chauffeurs, je lui ai dit où je voulais aller, il a refusé de me laisser monter. Mais le troisième ou le quatrième n'a pas hésité à me dire de monter. Je ne savais pas pourquoi. Mais un Parisien de mes amis m'a expliqué la psychologie des chauffeurs parisiens. Vers midi, qui est l'heure du déjeuner—un repas très important pour les Français—un chauffeur n'accepte que des clients qui veulent aller à un endroit, ou au moins près d'un endroit, où se trouve un de ses restaurants préférés. La même chose se passe vers sept heures ou huit heures du soir. Un bon dîner est plus important qu'un client! Après dix ou onze heures du soir, surtout à l'heure de la sortie des théâtres, un chauffeur ira seulement dans le quartier où il habite. Il ne veut pas rentrer trop tard! Tout cela n'est pas toujours agréable pour les clients—mais c'est raisonnable pour les chauffeurs de taxis!

B.   LES RAISINS

Les bourgeois aiment se moquer des paysans.   En voici un exemple:

Un paysan allait à cheval d'un village à un autre.   Il faisait chaud.   Le paysan avait faim et soif.   Tout à coup, au bord du chemin, il a vu de beaux raisins.   Il s'est arrêté.

—Ah! s'est-il écrié, ces raisins-là sont beaux.   Je voudrais en manger.

Malheureusement les raisins étaient au-dessus de sa tête.   Mais il a eu une bonne idée.   Il s'est mis debout sur son cheval.   Alors il s'est mis à manger les plus beaux raisins.

—Si mon cheval se mettait à marcher, s'est-il dit tout à coup, je tomberais!   Si un passant lui disait «hue!» je serais . . .

Le paysan a dit «hue!» à haute voix.   Le cheval s'est mis à marcher, le paysan est tombé et s'est trouvé dans la boue.

VOCABULARY FOR THE *LECTURES*

au-dessus de *above, over*
aventure *f. adventure, experience*
boue *f. mud*
bourgeois *m. man of middle-class*
cheval *m. horse;* à —, *on horseback*
client *m. customer*
coup: tout à —, *suddenly*
habiter *to live, reside*
hue! *giddap!*

libre *free*
Métro *m. Subway*
moquer: se — de, *to make fun of*
raisin *m. grape*
soif: avoir —, *to be thirsty*
sortie *f. coming out, going out, exit*
station *f. stand (taxi)*
tomber *to fall*
voix: à haute —, *out loud*

V. EXERCISES for the classroom

A. (1) *Give the first person singular of the future tense of the following verbs:*
se réveiller
s'habiller
se regarder dans un miroir
s'approcher de la porte

se trouver dans la rue
se mettre à marcher vite
se trouver devant un café
s'y arrêter

   (2) *Repeat the series, using the third person singular of the future tense.*
   (3) *Repeat the series, using the first person plural.*
   (4) *Repeat the series, using the second person plural.*
   (5) *Repeat the series, using* Robert et Richard *for the subject of the first verb*, ils *for the subjects of the other verbs.*

B. *Répondez en français aux questions suivantes:*
   1. Où est-ce que Robert et Jacques se sont retrouvés?   2. Pourquoi Robert est-il arrivé à la gare après Jacques?   3. Est-ce que Robert s'est levé de bonne heure?

4. Est-ce qu'il s'est habillé lentement? 5. Pourquoi? 6. Est-ce qu'il s'est trompé de veste?

7. Où a-t-il trouvé les billets? 8. Qui est René? 9. Est-ce que René s'est réveillé de bonne heure? 10. Est-ce que René s'est couché de bonne heure? 11. Est-ce que René se couche d'ordinaire de bonne heure? 12. Est-ce que Robert et René se sont retrouvés devant le guichet numéro 3? 13. Est-ce que Jacques s'est moqué de René?

14. Où est-ce que Robert et Jacques sont allés? 15. Est-ce que tous les voyageurs ont pris le même train? 16. Est-ce que Robert et Jacques se sont dirigés vers l'omnibus d'Orléans? 17. Savez-vous où ils allaient? 18. Savez-vous quel train ils ont pris?

19. Pourquoi un omnibus va-t-il moins vite qu'un express? 20. Pourquoi un express va-t-il moins vite qu'un rapide?

C. *Dites en français:*

1. I am going away now. 2. Why are you going away? 3. Because Jeanne has already gone away. 4. I wonder why she went away. 5. I know why she went away. 6. Tell me why she left. 7. When she was telling (**raconter**) a story (**une histoire**), you began to talk. 8. I? I began to talk? 9. Yes. You began to tell a ridiculous (**ridicule**) story; a peasant began to eat some grapes. . . 10. Where is Jeanne? Stop her! Don't let her go away! 11. I cannot stop her. She has already gone away.

D. *Dites en français:*

Hurry! The train has already been announced. Follow me! Here's the platform. Well, let's say *au revoir* to each other. Hurry! Stop! Don't take that train; it's an omnibus! There's the rapid! Hurry! No! I'm not mistaken! That's the rapid! Hurry!

Vingt-deuxième leçon

I. DIALOGUE

Richard Dumont cause avec M. Michel.

M. MICHEL. Eh bien, Richard, comment va votre français depuis notre dernière conversation? A cette époque vous parliez déjà très bien la langue.

—*Well, Richard, how has your French been coming along since our last conversation? At that time you already were speaking the language very well.*

RICHARD. Peut-être, mais après avoir passé trois mois en France, j'ai toujours beaucoup de mal à comprendre mes camarades.

—*Perhaps so, but after having spent three months in France, I still have a lot of trouble in understanding my friends.*

M. MICHEL. Vous avez cependant étudié le français pendant trois ans en Amérique. Que se passe-t-il donc?

—*Yet you studied French three years in America. What's the matter? (What is then going on?)*

RICHARD. Oh, pour m'exprimer, je n'ai pas de difficultés et je comprends l'essentiel d'une conversation; mais quand il s'agit de plai-

—*Oh, I have no difficulties in expressing myself and I understand the essential part of a conversation; but when it's a matter of jokes or witticisms, I'm lost!*

199

santeries ou de bons mots, je suis
perdu!

M. MICHEL. Rien d'étonnant. Les
bons mots sont des pièges pour les
étrangers.

RICHARD. J'arrive quand même à
tenir une conversation sérieuse
avec mes amis français. Je peux
alors leur poser des questions qui
se rapportent à mes cours.

M. MICHEL. Je suis sûr que leurs
opinions diffèrent de celles de vos
professeurs.

RICHARD. Oui, et j'ai remarqué qu'ils
ne s'intéressent qu'aux auteurs
qui écrivent depuis 1950.

M. MICHEL. Ils n'ont pas tout à fait
tort. Moi-même, voilà longtemps
que j'étudie la littérature française
et je me passionne surtout pour
les auteurs contemporains. Seuls
ceux-ci présentent vraiment de
l'intérêt.

RICHARD. Alors, vous aussi vous me
diriez que je ne suis pas à la page
si je vous parlais d'auteurs classiques comme Racine et Corneille.

M. MICHEL. Pas exactement. Mais
parmi les jeunes il y en a beaucoup qui n'apprennent plus les
pièces classiques. Interrogez-les:
celui-ci avouera qu'il ne lit plus
Corneille et celui-là qu'il a oublié
Racine!

RICHARD. Ce n'est pourtant pas juste.

M. MICHEL. D'accord. Tout ceci est
une question de mode un peu
comme les vêtements. La dernière
robe qu'une femme a achetée est
toujours celle qu'elle préfère. On

—*Nothing surprising (about that). Jokes are pitfalls (traps) for foreigners.*

—*I manage even so, to keep up a serious conversation with my French friends. I can then ask them questions which are related to my courses.*

—*I am sure that their opinions are different from those of your professors.*

—*Yes, and I've noticed that they are interested only in authors who have been writing since 1950.*

—*They are not entirely wrong. As for myself, I have been studying French literature for a long time and I am especially enthusiastic about contemporary writers. They are really the only ones who interest me.*

—*So, you too would tell me that I am not up to date if I talked to you about classical authors like Racine and Corneille.*

—*Not exactly. But among young people there are a great many who no longer learn (study) classic plays. Ask them! One will confess that he no longer reads Corneille and another one that he has forgotten Racine!*

—*However, that's not right!*

—*I agree. All this is a matter of style, somewhat like clothes. The latest dress a woman has bought is always the one that she prefers. So one reads the latest authors, the plays which are being per-*

lit donc les derniers auteurs, les pièces qui se jouent et les romans d'avant-garde. Vous ferez bien de vous mettre au courant de ce qui se passe en France actuellement!

formed, and the "advanced" novels. You'd do well to keep up to date with what's going on in France these days!!

II. GRAMMATICAL USAGE

A. The Demonstrative Pronoun

The demonstrative pronoun has the following forms:

	MASC.	FEM.	
SING.	celui	celle	*this (one), that (one)*
PLUR.	ceux	celles	*these, those*
	INVARIABLE		
	ceci	*this*	
	cela	*that*	

B. Uses of Demonstrative Pronouns

1. De ces jeunes gens, celui-ci avouera qu'il ne lit plus Corneille, celui-là qu'il a oublié Racine.
   Seuls ceux-ci présentent de l'intérêt.

   Of these young people, (this) one will confess that he no longer reads Corneille, (that) one that he has forgotten Racine. Only these offer any interest!

To distinguish *this (one)* from *that (one)* and *these* from *those,* **-ci** for *this* or *these,* **-là** for *that* or *those,* are added to the demonstrative pronouns.

2. La dernière robe achetée est celle qu'on préfère.
   Leurs opinions diffèrent de celles de vos professeurs.

   *The last dress bought is the one that one prefers.
   Their opinions are different from those of your professors.*

Neither **-ci** nor **-là** may be used, however, when the demonstrative pronoun is followed directly by a relative clause or a **de**-phrase.

3. celle qu'on préfère

   the one that one prefers

For the English *the one(s)* before a clause, a demonstrative pronoun (not **l'un,** etc.) must be used in French.

NOTE As the preceding examples show, a demonstrative pronoun may refer to a person or a thing.   The forms with **-ci** usually refer to someone or something nearby whereas those with **-là** refer to someone or something more remote. The demonstrative pronouns agree with the nouns to which they refer in gender and number.

C. CECI and CELA

Tout ceci est une question de mode.   *All this is a matter of style.*

Ceci, like **cela** (which has been frequently used in preceding lessons), never refers to a noun but to something, such as an idea, without gender or number.

D. Idiomatic Present and Imperfect Tenses

1. Comment va votre français depuis   *How has your French been coming along*
   notre dernière conversation?   *since our last conversation?*
   Ils ne s'intéressent qu'aux auteurs   *They are interested only in authors*
   qui écrivent depuis 1950.   *who have been writing since 1950.*
   Voilà (Il y a) longtemps que j'étudie   *I have been studying French literature*
   la littérature française.   *for a long time.*

An action or condition begun in the past and *continuing* up to or into the present is expressed in French by the present tense, accompanied by **depuis, voilà,** or **il y a.**   (Observe that **voilà** and **il y a** require **que** before the verb.)

2. Nos amis nous attendaient depuis
   une heure quand nous sommes
   arrivés chez eux.   *Our friends had been waiting for us*
   Il y avait une heure que nos amis   *an hour when we arrived at their*
   nous attendaient quand nous   *house.*
   sommes arrivés chez eux.

An action begun in the past and continuing at a later moment in the past is expressed by an imperfect tense.

NOTES 1. The construction with the imperfect tense is not illustrated in the Dialogue.
2. Depuis quand êtes-vous ici?   *How long have you been*
   Depuis combien de temps êtes-vous ici?   *here?*
Both **depuis quand** and **depuis combien de temps** are commonly used.

E. Use of Definite Article with Names of Languages

1. Depuis quand étudiez-vous le français?	*How long have you been studying French?*
Vous avez étudié le français pendant trois ans.	*You studied French for three years.*

The definite article is regularly used with the name of a language.

2. Dites cela en français.	*Say that in French.*
Est-ce que vous suivez un cours de français?	*Are you taking a French course?*

No article is used after **en,** or in adjective phrases.

3. Parlez-vous français?	*Do you speak French?*
Qui parle anglais ici?	*Who speaks English here?*
Autrefois il parlait très bien le français.	*Formerly he used to speak French very well.*

After **parler,** the definite article may be used or omitted.

There is no hard and fast rule.   When several words or a long adverb stand between **parler** and the name of a language, the article is commonly used.

F. ÉCRIRE, "to write;" LIRE, "to read"

These irregular verbs have the following forms:

	écrire			lire	
		PRESENT			
	écris	écrivons		lis	lisons
	écris	écrivez		lis	lisez
	écrit	écrivent		lit	lisent
		IMPERFECT			
	écrivais, etc.			lisais, etc.	
		FUTURE AND CONDITIONAL			
	écrirai	écrirais		lirai	lirais
	etc.	etc.		etc.	etc.
		IMPERATIVE			
	écris, écrivons, écrivez			lis, lisons, lisez	
		PAST PARTICIPLE			
	écrit			lu	

NOTES 1. **Apprendre,** *to learn,* and **comprendre,** *to understand* (both commonly used with names of languages) are conjugated like **prendre.** See Lesson 12.

2. **Apprendre** requires **à** before an infinitive: **Apprenez à parler français.**

III. PATTERN PRACTICE

A. *Repeat:*
Depuis quand êtes-vous ici? #

Ask how long you have been in the following places:
à Paris # en France # à ce café # à ce restaurant # à cet hôtel # dans votre chambre # dans le laboratoire #

B. *Repeat:*
Depuis combien de temps est-ce que
  Richard est en France? #   Il est en France depuis trois mois. #

Answer the following questions by saying that the person mentioned has been in the place mentioned three months:
Depuis combien de temps êtes-vous à Paris? # Depuis combien de temps est-ce que Roger, Albert et Maurice sont à Paris? # Depuis combien de temps Jeanne et Pauline sont-elles en France? #

C. *Repeat:*
Depuis quand étudiez-vous le français? # Depuis quand parlez-vous français avec vos camarades? #

Ask how long you have been doing the following things:
étudier le français # suivre un cours de français # causer en français avec vos camarades # comprendre bien le français # répondre en français aux questions qu'on vous pose # étudier la littérature française #

D. *Repeat:*
Je suis à Paris depuis trois mois. #   Il y a trois mois que je suis à Paris. #
Nous parlons français depuis quatre   Il y a quatre mois que nous parlons
  mois. #   français. #

Repeat the information given in statements with depuis *in statements which begin with* Il y a:
Richard cause avec M. Michel depuis une heure. # Richard étudie le français depuis trois ans. # Richard étudie la littérature française depuis deux ans. # M. Michel l'étudie depuis longtemps. # M. Michel et Richard parlent de la littérature depuis une heure. #

E. *Repeat:*

J'aime mieux ce livre-ci que celui-là. #

J'aime mieux cette leçon-ci que celle-là. #

J'aime mieux ces livres-ci que ceux-là. #

J'aime mieux ces leçons-ci que celles-là. #

Repeat the following sentences, changing the singular nouns and pronouns to plural:

J'aime mieux ce dialogue-ci que celui-là. # J'aime mieux cet écrivain-ci que celui-là. # J'aime mieux cet auteur-ci que celui-là. # J'aime mieux cette pièce-ci que celle-là. # J'aime mieux cette boutique-ci que celle-là. # J'aime mieux ce magasin-ci que celui-là. #

IV. LECTURES

A.   ICI ON PARLE FRANÇAIS

Un jour un Américain entre dans une boutique où il a vu l'écriteau: «English Spoken Here.» Il demande en anglais à voir des chemises. On lui répond en français. L'Américain se fâche et s'écrie en français: «Qui parle anglais ici? — Mais, monsieur, lui répond-on, les clients!»

B.   UN CALEMBOUR HISTORIQUE

Vers la fin du dix-huitième siècle, on entoura Paris d'une nouvelle enceinte, qui avait peu de portes. Quand on entrait dans la ville avec des choses à vendre, on était obligé de passer par ces portes et d'y payer un *octroi,* c'est-à-dire un impôt. Par conséquent, le prix des marchandises qu'on vendait aux Parisiens montait rapidement. Les Parisiens murmuraient contre les nouveaux impôts et les prix plus élevés. On disait donc:

«Le mur murant Paris rend Paris murmurant.»

C.   UN CALEMBOUR ROYAL

Louis XVIII, roi de France de 1814 à 1824, était très malade. (En 1824, il avait 69 ans.) Il savait que depuis longtemps son frère Charles attendait sa mort avec impatience parce que Charles serait roi à son tour. Le vieux roi avait peu de confiance en ses médecins. Il leur dit: «Allons, finissons-en, Charles attend (charlatans)!»

D.   UN BON MOT

Les Français sont le plus souvent pratiques mais de temps en temps ils ont des aspirations sublimes. Au cours de négociations diplomatiques entre le ministre anglais, Lloyd George, et le ministre des Affaires Étrangères, Aristide Briand, celui-là s'écria:

—Vous autres Français, vous êtes par-dessus tout sublimes: mais méfiez-vous! Du sublime au grotesque il n'y a qu'un pas!

—Oui, dit Briand, le Pas de Calais!

E.   L'ÉCOSSAIS

Un Écossais est à Londres depuis quinze jours. Un jour il se trouve malade et après une longue hésitation, il décide d'aller voir un médecin. Quand il entre dans la salle d'attente du médecin, il voit un écriteau: Première Consultation: 4 livres. Consultations suivantes: 2 livres. Si c'était sa deuxième consultation au lieu d'être la première, il payerait seulement 2 livres, pense-t-il. Il attend. Enfin on le laisse entrer chez le médecin. «Bonjour, docteur, dit-il, c'est encore moi!»

F.   C'EST LA CROIX-ROUGE

Trois Écossais, qui aiment chasser dans les montagnes de leur pays, s'y perdent. Il fait très mauvais temps. Ils se réfugient dans une cabane. Pendant trois jours l'orage les empêche de sortir. Vont-ils mourir de faim? Tout à coup on frappe à la porte et on crie: C'est la Croix-Rouge!

Malgré sa faiblesse un des Écossais s'écrie: «Allez-vous-en! Nous avons déjà donné!»

VOCABULARY FOR THE *LECTURES*

cabane *f. hut*
charlatan *m. quack*
chemise *f. shirt*
consultation *f. visit*
crier *to cry, shout*
croix *f. cross*
Écossais *m. Scot*
écriteau *m. notice, sign*
enceinte *f. wall*
fâcher: se —, *to get or become angry*
faiblesse *f. weakness*

finissons-en *let's put an end to it*
impôt *m. tax*
livre *f. pound*
Londres *London*
méfier: se—, *to beware*
murer *to wall in*
octroi *m. tax, toll*
orage *m. storm*
par-dessus *above*
porte *f. gate*
tour *m. turn*

V. EXERCISES for the classroom

A. *Repeat:*
1. Parlez-vous français et anglais?—Oui, je les parle bien.
2. Lisez-vous bien le français et l'anglais?—Oui, je les lis bien.
3. Est-ce que vous écrivez bien le français et l'anglais?—Oui, je les écris bien.
4. Comprenez-vous bien le français et l'anglais?—Oui, je les comprends bien.

(a) *Students designated by teacher ask these questions of other students, who may reply affirmatively or negatively.*

(b) *Other students ask these questions of other students who must reply:* Yes, we (speak, read, write, understand) them very well, *or negatively.*

B. *Repeat:*
1. Est-ce que Jeanne parle français et anglais? —Oui, elle les parle bien.
2. Est-ce qu'elle comprend bien le français et l'anglais?—Oui, elle les comprend bien.
3. Est-ce qu'elle lit facilement le français et l'anglais?—Oui, elle les lit facilement.
4. Est-ce qu'elle les écrit très bien?—Oui, elle les écrit très bien.

(a) *Students designated by teacher ask these questions of other students, who may reply affirmatively or negatively.*

(b) *Students ask these questions again, using* "Jeanne et Pauline" *as subjects; other students reply:* Oui, elles (speak, understand, read, or write them very well).

C. *Teacher or designated students ask the following questions; students one after the other make the given replies in French:*
1. Qui a écrit les phrases qui sont au tableau noir?
(a) The professor wrote them.   (b) The students wrote them.   (c) One of the students wrote them.
2. Avez-vous lu les phrases qui sont au tableau noir?
(a) Yes, I have read them.   (b) No, I have not yet read them.   (c) Yes, we have read them.   (d) No, we have not read them.
3. Avez-vous bien compris les phrases qui sont au tableau noir?
(a) I understood them easily.   (b) We understood them easily.   (c) We did not understand them.   (d) There are several words which we have not understood.

D. *Answer the following questions first affirmatively, then negatively:*
1. Si je vous parle en français, est-ce que vous me comprendrez?
2. Si je vous parlais en français, est-ce que vous me comprendriez?
3. Si le professeur parlait aux étudiants en français, est-ce qu'ils le comprendraient?

E. *Translate orally into French the following sentences; when you are reasonably sure that you can do so correctly, write them:*

1. How long have you been studying French?   2. I have been studying it three or four months.   3. Do you speak French very well?   4. I do not speak it very well yet but I understand it when one speaks to me slowly.   5. I shall learn to (à) understand it, to speak it, to read it, and to write it before the end of this year.

F. (*Same directions as for* **E.**)

1. When you went to Paris, how long had you been studying French? 2. When I went to France, I had been studying it for three years.   3. Did you speak French very well?   4. I understood it well, I read it easily, but I did not speak it like a Frenchman!

G. *Memorize and recite from memory two of the* Lectures.

Vingt-troisième leçon

I. DIALOGUE

Jeanne et Pauline Gagnon sont dans leur chambre.

PAULINE. Allons au cinéma ce soir.

JEANNE. A quoi penses-tu? J'ai plusieurs chapitres d'histoire à repasser pour l'examen de demain.

PAULINE. Tu es très forte en histoire! Tu sais les dates de la naissance et de la mort de tous les rois importants.

JEANNE. C'est une chose d'apprendre une date importante—par exemple, celle du couronnement de Charlemagne . . .

PAULINE. C'est le 25 décembre que Charlemagne a été couronné empereur à Rome par le pape en l'an 800.

—*Let's go to the movies tonight.*

—*What are you thinking of? I have several chapters of history to review for the examination tomorrow.*

—*You are very good in history. You know the dates of the birth and death of all the important kings.*

—*It's one thing to learn an important date—for example, that of the coronation of Charlemagne. . .*

—*It's on the 25th of December that Charlemagne was crowned emperor at Rome by the Pope in the year 800.*

JEANNE. Tu vois? Tu sais cela—même toi! Mais c'en est une autre de pouvoir citer des faits et des noms à propos des Mérovingiens et des Carolingiens, qui ont tous vécu il y a mille ans!

—*You see? You know that—even you! But it's another thing to be able to cite facts and names connected with the Merovingians and the Carolingians, all of whom lived a thousand years ago!*

PAULINE. Mais il n'y a eu qu'un seul roi mérovingien important!

—*But there was only one important Merovingian king!*

JEANNE. Oui, c'est Clovis, qui est né en 465, qui a été converti au christianisme et baptisé par Saint Remi en 496, et qui est mort en 511.

—*Yes, it's Clovis, who was born in 465, who was converted to Christianity and baptized by Saint Remy in 496, and who died in 511.*

PAULINE. Quels sont les rois carolingiens les plus importants?

—*Who are the most important Carolingian kings?*

JEANNE. Charlemagne, bien entendu, et son petit-fils, Charles le Chauve, peut-être aussi Charles le Simple, qui a donné la Normandie aux Normands . . . J'ai oublié les autres.

—*Charlemagne, of course, and his grandson, Charles the Bald, perhaps also Charles the Simple, who gave Normandy to the Normans . . . I've forgotten the others.*

PAULINE. Ça ne fait rien. Le professeur ne te demandera pas de détails. Il te proposera des sujets —par exemple, les Gaulois, les Carolingiens, les Croisades—et ce sera à toi d'écrire un devoir bien composé. . .

—*That doesn't matter. The professor will not ask for details. He will propose subjects—for example, the Gauls, the Carolingians, the Crusades —and it will be up to you to write a well organized essay.*

JEANNE. Et bien rempli de faits historiques!

—*And well filled with historical facts!*

PAULINE. Tu en sais assez pour réussir à ton examen. Je suis sûre que le professeur te donnera une bonne note.

—*You know enough to pass your exam. I am sure that the professor will give you a good grade.*

II. GRAMMATICAL USAGE

A. Passive Voice

1. Charlemagne a été couronné empereur en l'an 800.

Charlemagne was crowned emperor in the year 800.

| La Normandie fut donnée aux Normands par Charles le Simple. | *Normandy was given to the Normans by Charles the Simple.* |

The passive voice is formed from the auxiliary **être** and a past participle. The past participle agrees in gender and number with the subject of the verb.

| 2. Clovis a été baptisé par Saint Remi. | *Clovis was baptized by St. Remy.* |
| Saint-Louis était aimé de tous ses sujets. | *Saint Louis was loved by all his subjects.* |

The agent or cause of an action after a passive is introduced by **par** *(by)* to express a specific, physical act, or by **de** *(by)*, to express a mental or emotional relationship.

| 3. INFORMAL STYLE: | Cette cathédrale a été bâtie au moyen âge. |
| FORMAL STYLE: | Cette cathédrale fut bâtie au moyen âge. |

It is the auxiliary which indicates the tense and style in the passive.

B. Substitutes for the Passive

The passive is less frequent in French than in English because of the following possible substitutes:

| 1. On a bâti cette cathédrale au moyen âge. | *This cathedral was built in the Middle Ages.* |
| De quoi parle-t-on dans le quatrième Dialogue? | *What is talked about in the fourth Dialogue?* |

An active verb with the indefinite pronoun subject **on** is often equivalent to a passive in English.

| 2. Les livres se vendent dans une librairie. | *Books are sold in a bookstore.* |
| Je m'intéresse aux pièces qui se jouent en ce moment. | *I am interested in plays which are being performed right now.* |

A reflexive construction in French often has passive force.

C. Interrogative Pronouns (continued)

1. Certain interrogative pronouns were presented in Lesson 7:

qui—subject of a verb = *who*	**que**—object of a verb = *what*
qui—object of a verb = *whom*	**qu'est-ce que**—object of a
qui—object of a preposition = *whom*	verb = *what*

| 2. Qu'est-ce que c'est que cela? | *What is that?* |

This locution was included among Useful Classroom Expressions in the Introduction.

3. Qu'est-ce qui vous intéresse?	*What interests you?*
A quoi penses-tu?	*What are you thinking of?*
De quoi parlez-vous?	*What are you talking about?*

Qu'est-ce qui—subject of a verb = *what?* (There is no short form.) **Quoi** = *what,* is used as the object of a preposition.

4. Lequel de vos cours aimez-vous le mieux?	*Which of your courses do you like best?*
Laquelle des jeunes filles avez-vous vue dans la librairie?	*Which of the girls did you see in the bookstore?*
Lesquels des châteaux que vous avez visités aimez-vous le mieux?	*Which of the châteaux you have visited do you like best?*
On vous a montré beaucoup de cathédrales. Lesquelles vous ont intéressé le plus?	*You have been shown many cathedrals. Which ones have interested you most?*

Lequel (laquelle, lesquels, lesquelles) = *which one(s)* or *what one(s).* This interrogative pronoun agrees in gender and number with the noun to which it refers.

5. J'ai quelque chose qui vous intéres-sera.—Qu'est-ce que c'est?	*I have something that will interest you.* *—What is it?*

Qu'est-ce que c'est? asks for an explanation, like **Qu'est-ce que c'est que cela?.**

D. MOURIR, "to die;" VIVRE, "to live;" NAITRE, "to be born"

The present, imperfect, future, conditional, and imperative of these verbs are not used in this Lesson. These forms are included in the list of Irregular Verbs in the Appendix. Only the following tenses are used in this Lesson.

PAST DEFINITE					
mourir		**vivre**		**naître**	
mourus	mourûmes	vécus	vécûmes	naquis	naquîmes
mourus	mourûtes	vécus	vécûtes	naquis	naquîtes
mourut	moururent	vécut	vécurent	naquit	naquirent

NOTE Only the third person forms are commonly used.

PAST PARTICIPLE		
mort	vécu	né

1. Charlemagne est né (naquit) en 742.   *Charlemagne was born in 742.*
Il est mort (mourut) en 814.   *He died in 814.*
Il a vécu (vécut) 72 ans.   *He lived 72 years.*

Mourir and **naître** (but not **vivre**) form their compound tenses with **être.**

2. L'homme est mort.   *The man died.*
    The man is dead.

Only the context shows which meaning—a happening or a condition—is meant.

3. Il a vécu 72 ans.   *He lived (existed) 72 years.*
Il a demeuré à Aix-la-Chapelle.   *He lived (resided) in Aix-la-Chapelle.*

Vivre = *to live,* in the sense of *to be alive, to exist;* **demeurer** = *to live,* in the sense of *to dwell, to reside.*

III. PATTERN PRACTICE

A. *Repeat:*
Quand est-ce que Charlemagne a été couronné empereur?   En l'an 800? #
Oui, il a été couronné empereur en l'an 800. #

Continue to agree that the information is correct:
Où est-ce que Charlemagne a été couronné empereur?   A Rome? # Par qui est-ce qu'il a été couronné empereur?   Par le pape? # Quand est-ce que Clovis a été baptisé?   En 496? # Par qui a-t-il été baptisé?   Par Saint Remi? # Où a-t-il été baptisé?   A Reims? #

B. *Repeat:*
Par qui la Normandie a-t-elle été donnée aux Normands?   Par Charles le Simple? #
Oui, elle a été donnée aux Normands par Charles le Simple. #

Continue to agree that the information is correct:
Par qui la France a-t-elle été occupée vers 500?   Par les Gaulois? # Par qui Vercingétorix a-t-il été battu?   Par Jules César? # Par qui est-ce que des routes magnifiques ont été construites?   Par les Romains? # Par qui la Gaule a-t-elle été envahie?   Par les Francs? # Par qui l'empire de Charlemagne a-t-il été divisé en trois parties?   Par ses petits-fils? # Par quelle dynastie celle des Carolingiens a-t-elle été remplacée?   Par celle des Capétiens? #

C. *Repeat:*
En quelle année est-ce que Charlemagne est né?   En 742? #
Oui, il est né en 742. #

Continue to agree that the information is correct:

En quelle année est-ce que Clovis est né? En 465? # En quelle année est-ce que Clovis est mort? En 511? # Combien d'années est-ce que Clovis a vécu? 46 ans? # En quelle année est-ce que Charlemagne est né? En 742? # En quelle année est-il mort? En 814? # Combien d'années a-t-il vécu? 72 ans? # En quelle année est-ce que Saint-Louis est né? En 1214? # En quelle année est-il mort? En 1270? # Combien d'années a-t-il vécu? 56 ans? #

D. *Repeat:*

Quand a-t-on bâti cette église? #   Cette église a été bâtie au moyen âge. #

Say that the buildings mentioned were built in the Middle Ages:

Quand a-t-on bâti cette cathédrale? # Quand a-t-on bâti Notre-Dame de Paris? # Quand a-t-on bâti la Sainte-Chapelle? # Quand a-t-on bâti ce château fort? #

E. *Repeat:*

Vous avez passé plusieurs heures dans ce musée. #
Qu'est-ce qui vous y a intéressé le plus? #

Ask a friend what interested him most in the places or things mentioned:

Vous avez passé plusieurs heures au Louvre. # Vous avez passé plusieurs heures dans l'Île de la Cité. # Vous avez passé toute une journée à Versailles. # Vous êtes allé plusieurs fois à Fontainebleau. # Vous avez lu le *Deuxième dialogue culturel*, n'est-ce pas? # Vous avez lu le *Troisième dialogue culturel*, n'est-ce pas? #

F. *Repeat:*

Vous avez visité plusieurs châteaux. #   Lequel des châteaux aimez-vous le mieux? #

Vous avez vu trois ou quatre parcs à Paris. #   Lequel aimez-vous le mieux? #

Voilà Jeanne et Pauline Gagnon. #   Laquelle aimez-vous le mieux? #

Il y a beaucoup de jeunes Américaines à Paris. #   Laquelle aimez-vous le mieux? #

Ask which one you like best:

J'ai lu les Dialogues de vingt-trois leçons. # Nous avons visité plusieurs musées. # Nous avons vu plusieurs villes sur la Côte d'Azur. # Nous avons vu des châteaux en Normandie. # Nous avons vu quatre cathédrales. # Nous avons visité les palais de Versailles et de Fontainebleau. # Nous avons vu des rues pittoresques à Paris. #

IV. LECTURES

A.   VERCINGÉTORIX

Les Gaulois étaient courageux mais ils étaient divisés en tribus hostiles, qui furent battues l'une après l'autre par Jules César.   Après six ans de guerre on fit une coalition de tribus gauloises et Vercingétorix, qui n'avait que vingt ans mais qui était hardi et éloquent, fut nommé chef de cette coalition.

Malheureusement, l'armée de Vercingétorix fut enfermée par César dans la ville d'Alésia.   Chaque fois que les Gaulois essayaient de sortir de la ville, ils étaient repoussés par les soldats romains.   Enfin les habitants de la petite ville étaient sur le point de mourir de faim.   Pour mettre fin à leurs souffrances, Vercingétorix décida de se rendre à César, qui promit d'épargner les Gaulois.

Le jeune héros sortit de la ville à cheval, alla à l'endroit où César l'attendait, sauta de son cheval, jeta ses armes à terre et se mit fièrement à la merci du général romain.

Le cruel Jules César ordonna à ses soldats de saisir Vercingétorix.   Il fut envoyé à Rome, où il fut mis en prison.   Il passa six ans dans un cachot.

Enfin César finit la conquête de la Gaule et rentra à Rome.   On lui donna un grand triomphe.   Vercingétorix fut tiré de sa prison et forcé à marcher derrière le char du général victorieux.   Quelques jours après, il fut brutalement exécuté.

B.   CLOVIS

De tous les rois mérovingiens, Clovis était à la fois le plus fort et le plus cruel.

En 481 Clovis fut proclamé chef des Francs.   C'est pendant son règne que la Gaule fut nommée la France.   Clovis épousa Clotilde, qui était chrétienne et qui contribua à la conversion de son mari.

Clovis se battit contre des Allemands, qui envahissaient la France.   Une grande bataille eut lieu à Tolbiac.   L'armée de Clovis fut sur le point d'être battue.   Clovis promit de se faire chrétien si le Dieu de Clotilde lui donnait la victoire.   L'armée de Clovis, en effet, gagna la bataille.

Clovis fut baptisé par Saint Remi à Reims, le 25 décembre 496. «Courbe la tête, lui dit Saint Remi; brûle ce que tu as adoré et adore ce que tu as brûlé.»[1]

Trois mille guerriers francs imitèrent leur chef et furent baptisés le même jour.

[1]«Ce que tu as adoré» = *pagan things;* «Ce que tu as brûlé» = *Christian things.*

Dans une autre bataille Clovis prit la ville de Soissons.   Après la bataille, il voulut donner à Saint Remi un vase précieux, qui faisait partie du butin. Mais un de ses soldats protesta.   «Tu n'auras, comme les autres, que les choses que le sort te donnera.»   Le soldat brisa le vase d'un coup de sa hache.   Clovis cacha sa colère.

L'année suivante, Clovis passait ses guerriers en revue.   Arrivé devant le même soldat, il lui dit: «Montre-moi ton arme. . . Elle est en mauvais état.» Clovis la jeta à terre.   Le soldat se baissa pour la ramasser.   «Souviens-toi du vase de Soissons!» s'écria Clovis, et d'un coup de hache il brisa la tête du soldat.

C.   LES CROISADES

Les Croisades ne furent pas entreprises seulement par des Français mais la France y joua un rôle très important.   La première des huit Croisades fut prêchée par Pierre l'Hermite en Bourgogne et en Auvergne.   La ville de Jérusalem fut conquise par les Croisés en 1096 et un royaume chrétien y fut établi.   Mais en 1187 les Chrétiens furent chassés de la Terre Sainte par les Arabes.

La deuxième Croisade fut prêchée par Saint-Bernard, abbé de Clairvaux. La troisième fut menée par Philippe Auguste, roi de France, par Richard Cœur-de-lion, roi d'Angleterre, et par Frédéric Barberousse.   Un Français, Villehardouin, fut un des chefs de la quatrième Croisade.   L'histoire de cette expédition, *la Conquête de Constantinople,* fut écrite par lui.

Les cinquième et sixième croisades ne furent pas menées par des Français.

La septième Croisade, pourtant, fut organisée et dirigée par Louis IX; son armée fut battue en Égypte.   La huitième et dernière Croisade fut menée aussi par Louis IX, qui mourut près de Tunis en 1270.   Après sa mort on a donné à Louis IX le nom de Saint-Louis.

VOCABULARY FOR THE *LECTURES*

abbé *m. abbot*

baisser: se —, *to bend down, stoop*

briser *to break, smash*

brûler *to burn*

butin *m. booty*

cachot *m. dungeon*

char *m. chariot*

colère *f. anger*

courber *to bend, bow*

Dieu *m. God*

enfermer *to shut up, confine*

entreprendre *to undertake*

épargner *to spare*

épouser *to marry*

fièrement *proudly*

fois: à la —, *at the same time*

hache *f. battle-axe*

hardi *bold*

jeter *to throw*

lieu: avoir —, *to take place*

ordonner *to order, command*
ramasser *to pick up*
rendre: se —, *to surrender*
repousser *to push back, repel*
revue *f. review;* passer en —, *to review*
royaume *m. kingdom*
sauter *to jump, leap*

soldat *m. soldier*
sort *m. chance, luck*
souffrance *f. suffering*
souviens-toi (*from* se souvenir) *remember*
terre: à —, *to the ground*
Terre Sainte *f. Holy Land*
tirer *to pull, drag, take out*

V. EXERCISES for the classroom

A. *Substitute for the following sentences, which contain* on *and an active verb in the* passé composé, *sentences with a passive verb in the past definite tense: Example:* On a battu les Gaulois à Alésia.—Les Gaulois furent battus à Alésia.

1. On a mis Vercingétorix en prison à Rome. 2. On a exécuté le jeune héros à Rome. 3. On a proclamé Clovis roi des Francs. 4. On a baptisé Clovis après la bataille de Tolbiac, le 25 décembre, en l'an 496. 5. On a baptisé trois mille guerriers francs. 6. On a couronné Charlemagne empereur à Rome le 25 décembre en l'an 800. 7. On a prêché la première Croisade en 1096. 8. On a proclamé Philippe Auguste roi en 1180. 9. On a proclamé Louis IX roi en 1226. 10. On a bâti la cathédrale de Notre-Dame de Paris pendant le règne de Philippe Auguste. 11. On a bâti la Sainte-Chapelle pendant le règne de Saint-Louis.

B. *Invent 3 replies to the question:* A quoi pensez-vous? *and 3 replies to the question:* De quoi parlez-vous? *Invent 4 replies to the question:* Si vous alliez en France, qu'est-ce qui vous y intéresserait beaucoup?

C. *Translate the following sentences orally into French; when you are reasonably sure that you can do so correctly, write them:*

1. We were told (= *One told us*) to **(de)** speak French all the time. 2. Yesterday I spoke French with Jeanne and Pauline. 3. What were you talking about? 4. We were asking each other questions. 5. What questions? 6. I cannot tell you all the questions which we asked one another. 7. We talked about the Gauls, the Romans, the Franks, and the Middle Ages. 8. You talked about all that in **(en)** one hour? 9. You know that girls can talk very fast. 10. But we did not talk about *all* the Gauls. 11. Which one of the Gauls is the most famous? 12. It's Vercingétorix. 13. I'm interested in a man who had such a name! 14. Do you know why Julius Caesar is famous? 15. Yes. He wrote a book which begins: Gaul **(La Gaule)** has three parts. 16. Do you know that Caesar was cruel? 17. Yes. Vercingétorix was executed by him. 18. What happened in Rome in 44 B.C. **(44 avant Jésus-Christ)**? 19. I don't know. What happened? 20. Julius Caesar was killed by Brutus!

Vingt-quatrième leçon

I. DIALOGUE

Richard Dumont écrit une lettre à ses parents. En voici une partie:

Chers Parents,

     J'ai un drôle de camarade de chambre. Voici une scène qui se répète presque tous les matins!

LUI. Réveillez-vous! Il est déjà 8 heures!

MOI. Regardez à votre montre! Il est déjà 9 heures!

LUI. Je vais manquer mon premier cours! Si nous nous étions couchés avant une heure du matin, nous nous serions réveillés il y a longtemps!

MOI. Je vais vous aider à vous habiller aussi vite que possible.

Dear Parents,

     I have a funny roommate. Here's a scene which is repeated almost every morning!

—Wake up! It is already 8 o'clock!

—Look at your watch! It is already 9 o'clock!

—I'm going to miss my first course! If we had gone to bed before 1 A.M., we would have waked up a long time ago!

—I'm going to help you get dressed as fast as possible.

LUI. (Au lavabo) Où avez-vous mis le savon? Donnez-le-moi!

—(At the wash-stand) Where did you put the soap? Give it to me.

MOI. Je ne peux pas vous le donner parce que je ne sais pas où vous l'avez mis.

—I can't give it to you because I don't know where you put it.

LUI. Je l'ai trouvé. Une serviette! Donnez-m'en une propre.

—I've found it. A towel! Give me a clean one.

MOI. Il n'y en a pas de propres . . . Ah, en voilà une, sous une de vos chemises.

—There aren't any clean ones . . . Oh, there's one, under one of your shirts.

LUI. Passez-la-moi . . . Brrr! J'ai froid! Pourquoi avez-vous ouvert la fenêtre?

—Hand it to me . . . Brrr! I'm cold! Why did you open the window?

MOI. Si je ne l'avais pas ouverte, nous n'aurions pas pu dormir. Il aurait fait trop chaud.

—If I hadn't opened it, we wouldn't have been able to sleep. It would have been too hot.

LUI. Mes souliers! Où sont-ils? Trouvez-les-moi!

—My shoes! Where are they? Find them for me.

MOI. Les voilà, dans la corbeille à papier. Pourquoi les y avez-vous mis?

—There they are, in the wastebasket. Why did you put them there?

LUI. J'étais pressé, je les y ai laissés tomber au moment de me coucher. Voulez-vous bien me les passer? . . . Ne me les lancez pas!

—I was in a hurry. I let them fall in it when I was going to bed. Will you please hand them to me? . . . Don't throw them at me!

MOI. Les voilà. Et voilà la femme de chambre qui apporte notre petit déjeuner!

—There they are! And there's the maid who is bringing our breakfast!

LUI. Si vous m'aviez réveillé à 8 heures et demie, j'aurais eu le temps de déjeuner! Je suis déjà en retard . . . Au revoir! A plus tard! (Exit Louis.)

—If you had waked me up at half past eight, I would have had time to have breakfast. I'm already late . . . Good-bye! See you later!

RIDEAU

CURTAIN

II. GRAMMATICAL USAGE

A. Compound Tenses

1. The pluperfect, future perfect, and conditional perfect tenses are

formed, like the **passé composé,** by the use of an auxiliary **(avoir** or **être)** and a past participle.

PLUPERFECT	j'avais parlé, etc.	*I had spoken*
	j'étais sorti, etc.	*I had gone out*
	je m'étais couché, etc.	*I had gone to bed*
FUTURE PERFECT	j'aurai fini, etc.	*I shall have finished*
	je serai arrivé, etc.	*I shall have arrived*
	je me serai habillé, etc.	*I shall have got dressed*
CONDITIONAL PERFECT	Il aurait fait trop chaud.	*It would have been too hot.*
	Je me serais réveillé.	*I would have waked up.*
	Nous nous serions réveillés.	*We would have waked up.*

2. Si nous nous étions couchés. . .   *If we had gone to bed. . .*
    Si je ne l'avais pas ouverte. . .   *If I had not opened it. . .*
    C'était le Comte qui avait écrit   *It was the Count who had written*
        cette lettre.   *that letter.*

The pluperfect in French is used like the pluperfect in English.

3. Aussitôt que j'aurai fini de   *As soon as I finish getting dressed,*
        m'habiller, nous pourrons sortir.   *we can go out.*

The future perfect in French, in addition to being used like the same tense in English, will be found, like a simple future, in a subordinate clause of implied futurity. (See Lesson 12, II, C, 2.)

4. Si je n'avais pas ouvert la fenêtre,   *If I had not opened the window, we*
        nous n'aurions pas pu dormir.   *would not have been able to sleep.*
    Si vous m'aviez réveillé, j'aurais eu   *If you had waked me up, I would*
        le temps de déjeuner.   *have had time to have breakfast.*

The pluperfect tense is commonly used in the if-clause, the conditional perfect in the main clause or conclusion, of a conditional sentence.

B. Two Pronoun Objects with Verbs

1. When two pronoun objects or pronominal adverbs come before a verb, they stand in the following relation to each other:

me			
te	le	lui	
nous } before	la } before	} before y } before en	
vous	les	leur	
se			

Je ne peux pas vous le donner.	*I cannot give it to you.*
Pourquoi les y avez-vous mis?	*Why did you put them there?*
Je les y ai laissés tomber.	*I let them fall in it.*

2. | Donnez-le-moi. | *Give it to me.* |
Passez-la-moi.	*Hand it to me.*
Trouvez-les-moi.	*Find them for me.*
Donnez-m'en.	*Give me some.*

When two pronoun objects or pronominal adverbs follow the affirmative imperative of a verb, a direct object precedes an indirect object: **en,** however, always stands last.   (Observe the use of hyphens.)

3. Ne me les lancez pas.   *Do not throw them at me.*

If the imperative is negative, the order of pronoun objects is the same as in section 1.

C. Titles with Names

| Le comte Mortier | *Count Mortier* |
| La comtesse de Boignes | *Countess Boignes* |

When a title of rank or profession precedes a proper name, it is itself preceded by a definite article.

D. OUVRIR, "to open"

1. This irregular verb has the following forms:

PRESENT		IMPERFECT	FUTURE	CONDITIONAL	IMPERATIVE
ouvre	ouvrons	ouvrais	ouvrirai	ouvrirais	ouvre
ouvres	ouvrez	etc.	etc.	etc.	ouvrons
ouvre	ouvrent				ouvrez

PAST PARTICIPLE: ouvert   PAST DEFINITE: ouvris, etc.

2. Like **ouvrir** are **couvrir,** *to cover* and **découvrir,** *to discover.*

3. | Pourquoi avez-vous ouvert la fenêtre? | *Why did you open the window?* |
| La porte n'est pas ouverte. | *The door is not open.* |

Ouvert may be used either as a past participle or as an adjective.

NOTE **Ouvrir** has some forms which would be regular if it were a verb of the first conjugation, (i.e., present tense, imperative), and some forms which are regular for verbs of the second conjugation (i.e., future and conditional).   But note the peculiar past participle: **ouvert.**

III. PATTERN PRACTICE

A. *Repeat:*

Pourquoi est-ce que Robert a ouvert
la fenêtre? #

Pourquoi son camarade a-t-il manqué
son premier cours? #

Pourquoi avait-il ouvert la fenêtre? #

Pourquoi avait-il manqué son premier
cours? #

Repeat the following questions, changing the tense of the verbs from passé composé *to plu-perfect and using pronoun subjects, as in the models:*
Pourquoi Richard a-t-il ouvert la fenêtre? # Pourquoi Richard n'a-t-il
pas ouvert la porte? # Pourquoi son camarade n'a-t-il pas ouvert la fenêtre? #
Pourquoi son camarade a-t-il manqué son premier cours? # Pourquoi son ca-marade n'a-t-il pas manqué son deuxième cours? #

B. *Repeat:*

Nous n'aurions pas ouvert la fenêtre.
Et vous? #

Je n'aurais pas ouvert la fenêtre. #

Agree that you would not have done what is mentioned:
Nous n'aurions pas fermé la fenêtre. Et vous? # Nous n'aurions pas bien
dormi. Et vous? # Nous n'aurions pas eu trop chaud. Et vous? # Nous
n'aurions pas perdu le savon. Et vous? # Nous n'aurions pas mis les serviettes
sous les chemises. Et vous? # Nous n'aurions pas mis nos souliers dans la cor-beille. Et vous? #

C. *Repeat:*

J'aurais ouvert la fenêtre. #

Nous n'aurions pas ouvert la fenêtre. #

Say that we *would not have done what is stated:*
J'aurais fermé la fenêtre. # J'aurais eu froid. # J'aurais bien dormi. #
J'aurais manqué mon premier cours. #

Continue same procedure, but with reflexive verbs:

Je me serais couché à onze heures. #

Nous ne nous serions pas couchés à
onze heures. #

After you have spoken, you will hear the correct response. Repeat the correct response:
Je me serais réveillé à 7 heures. # Je me serais levé tout de suite. # Je me serais
dépêché. # Je me serais habillé. # Je me serais regardé dans un miroir. # Je
me serais dit: Très bien! #

D. *Repeat:*

Où est le savon? #

Où est ma montre? #

Où sont les serviettes? #

Donnez-le-moi. #

Donnez-la-moi. #

Donnez-les-moi. #

Respond to the following questions by saying in French: Give it to me, Give them to me, *etc.:*

Où est le savon? # Où est ma serviette? # Où sont mes chemises? # Où sont mes souliers? # Où est la corbeille? # Où est mon petit déjeuner? #

E. *Repeat:*

Donnez-moi le savon. #   Je ne vais pas vous le donner. #

Respond to the following imperatives by saying: I am not going to give you (it or them):

Donnez-moi cette lettre-là! # Donnez-moi cette montre! # Donnez-moi cette chemise. # Donnez-moi mes souliers. # Donnez-moi mon petit déjeuner. # Donnez-moi le jus d'orange. # Donnez-moi les croissants. #

Using the same procedure, say: Je ne vais pas vous en donner:

Donnez-moi du beurre. # Donnez-moi de la confiture. # Donnez-moi des petits pains. # Donnez-moi du café au lait. #

IV. LECTURE

LE COMTE MORTIER

(*The following story is fact, not fiction. It is related by Victor Hugo in* Choses Vues.)

Hier matin, un peu avant midi, M. Pasquier alla voir son amie, madame la comtesse de Boignes. Il la trouva très agitée.

—Qu'avez-vous, madame la comtesse?

—Mon Dieu! Lisez cette lettre qu'on m'a remise il y a seulement dix minutes.

M. Pasquier prit la lettre et la lut. Elle était signée *Mortier* et disait en substance: «Madame, quand vous lirez cette lettre, mes deux enfants et moi, nous serons morts.»

C'était le comte Mortier qui l'avait écrite. On savait qu'il était devenu fou. Il y a quatre ans, un rasoir à la main, il avait menacé de tuer sa femme. Il y a un mois, il avait fait la même chose. La comtesse l'avait quitté mais M. Mortier avait gardé les enfants, un petit garçon de sept ans et une petite fille de cinq.

M. Pasquier alla aussi vite que possible chez le comte Mortier. Il y trouva des agents de police. On avait déjà ordonné à M. Mortier d'ouvrir sa porte, il avait refusé. Les agents voulaient enfoncer la porte.

—Ne faites pas cela, dit M. Pasquier. Si vous enfonciez sa porte, le comte serait tellement en colère que s'il n'a pas encore tué ses enfants, il les tuerait.

Depuis quelque temps, d'ailleurs, M. Mortier ne répondait plus aux questions et aux menaces des agents. Derrière la porte fermée il y avait un silence profond. On aurait dit que c'était la porte d'un tombeau.

—Monsieur le comte Mortier, c'est moi, monsieur Pasquier, votre ami. Vous entendez ma voix, n'est-ce pas?

Ici une voix répond:—Oui.

C'était la voix de M. Mortier.

—Eh bien, je vous prie d'ouvrir votre porte.

—Non, répond la même voix.

Pendant une heure M. Pasquier parla à son ami, qui répondait seulement «oui» ou «non» et qui n'ouvrait pas la porte.

Le préfet de police arriva. Il parla au comte.

—C'est moi, Delessert, votre camarade. (Ils avaient été camarades de collège.) Laissez-moi entrer.

—Non!

Il y avait deux heures que M. Pasquier et M. Delessert parlaient au comte quand enfin il ouvrit la porte.

M. Mortier était dans le vestibule, un rasoir à la main. Derrière lui la porte de son appartement était fermée. Les enfants étaient-ils morts ou vivants? Quand le préfet de police lui avait posé cette question, le comte avait répondu: «Cela ne vous regarde pas.»

Les agents saisirent le comte. Ils ont trouvé des rasoirs dans toutes ses poches.

Les agents enfoncent la porte de l'appartement. Que trouvent-ils dans une chambre? Les deux enfants cachés sous un lit!

Qu'est-ce qui s'était passé?

Le matin, de bonne heure, M. Mortier avait dit à ses enfants:—Je suis très malheureux, vous m'aimez bien et je vous aime bien, je vais mourir. Voulez-vous mourir avec moi?

Le petit garçon avait dit tout de suite:—Non, papa.

La petite fille avait hésité. Le père avait passé le dos du rasoir sur le cou de sa fille et lui avait dit:—Chère enfant, cela ne te fera pas plus de mal que cela.

—Eh bien, papa, avait dit l'enfant, je veux bien mourir.

Le père était sorti, on ne sait pas pourquoi. Peut-être pour envoyer à la comtesse de Boignes la lettre qu'elle avait montrée à M. Pasquier. Pendant son absence, le petit garçon avait caché sa petite sœur sous un lit dans une des chambres, avait fermé la porte de la chambre à clef, et s'était caché sous le même lit.

Les médecins déclarèrent que le comte Mortier était devenu fou furieux. On l'enferma dans une maison de santé.

VOCABULARY FOR THE *LECTURE*

agent *(m.)* de police *policeman*
agité *agitated, excited*
cou *m. neck*
devenu *(pp. of* devenir) *become*
dos *m. back*
enfoncer *to break in, smash in*
fou, folle *crazy, insane;* fou
   furieux *raving mad*
garder *to keep*
maison de santé *f. insane asylum*
mal: faire (du) mal à *to hurt*

malheureu-x, -se *unhappy, unfortunate*
menace *f. threat*
menacer *to threaten*
préfet *(m.)* de police *chief of police*
prier (de) *to beg*
rasoir *m. razor*
regarder: cela ne vous regarde pas
   that's none of your business
remettre *to deliver*
tuer *to kill*

V. EXERCISES for the classroom

A. *Repeat the following sentences, changing the tense of verbs after* aussitôt que *from future to future perfect:*
1. Aussitôt que vous ouvrirez la fenêtre, j'aurai froid. 2. Aussitôt que nous finirons notre petit déjeuner, nous sortirons. 3. Aussitôt que nous sortirons, nous irons à l'université. 4. Aussitôt que nous sortirons de l'hôtel, nous chercherons un taxi. 5. Aussitôt que nous trouverons un taxi, nous irons aux Galeries Lafayette. 6. Aussitôt que nous y arriverons, nous y entrerons. 7. Aussitôt que nous y entrerons, nous chercherons un sac à main. 8. Aussitôt que nous trouverons un sac que vous aimez, nous rentrerons à notre hôtel.
9. Aussitôt que M. et Mme Lepic finiront leur petit déjeuner, ils sortiront de leur hôtel. 10. Aussitôt qu'ils trouveront un taxi, ils iront à la rue Saint-Honoré. 11. Aussitôt qu'ils arriveront à la rue Saint-Honoré, ils chercheront un tailleur pour Mme Lepic. 12. Aussitôt qu'ils trouveront un tailleur qu'elle aime, ils rentreront à leur hôtel.

B. *There are 94 possible combinations of two personal pronouns used as direct or indirect objects of verbs and standing before or (with affirmative imperatives) after verbs. Invent 10 questions and 10 answers which will use a total of 20 of these combinations. E.g.,* Donnez-m'en.—Je ne vous en donnerai pas. Dites-le-moi.—Je ne vous le dirai pas.

C. *Répondez en français aux questions suivantes. (Cherchez vos réponses dans la Lecture.)*
1. Quand M. Pasquier est-il allé voir la comtesse de Boignes? 2. Qu'est-ce qu'il lui a demandé? 3. Qui lui avait envoyé une lettre? 4. Qu'est-ce que le comte Mortier avait dit à la comtesse de Boignes? 5. Qui est-ce que le Comte avait menacé de tuer? 6. Quand M. Pasquier est arrivé chez le Comte, qu'est-ce que

les agents avaient ordonné au comte de faire?   7. Qu'est-ce que les agents voulaient faire?   8. Pourquoi n'ont-ils pas enfoncé la porte?

9. Quand le Comte ouvre sa porte, où se trouve-t-il?   Dans le salon de son appartement?   10. Est-ce qu'il avait tué ses enfants?

D. *Translate orally the following sentences into French; when you are reasonably sure that
you can do so correctly, write them:*
1. If you had introduced your friends to me, I would have spoken to them in
French.   2. If you had spoken to them in French, they would have answered in
French.   They would have spoken French with a good accent.   3. If M. Michel
had spoken to you in French, would you have answered him in French?   4. Yes,
I would have said to him: I don't understand what you say!

5. As soon as you go to France, will you speak French all the time?   6. As soon
as you arrive in France, will you speak French every day?

7. If you had gone to bed at 1 A.M., would you have waked up at 7 o'clock?
8. If your roommate had opened the window, would you have been cold?   9. If
you had not been able to sleep, would you have closed the window?   10. If you
had closed the window, would it have been too warm in the room?

SUPPLEMENTARY EXERCISES for lessons 21–24

A. *One is more likely to mispronounce cognates than other French words.   Pronounce carefully the following words and phrases selected from Lessons 21–24:*

Je vais téléphoner. [ʒəvɛ/telefɔne]
un train [œ̃trɛ̃]
C'est impossible. [sɛtɛ̃pɔsibl]
La Place du Panthéon [laplasdypɑ̃teɔ̃]
mon restaurant préféré
    [mɔ̃rɛstɔrɑ̃prefere]
son aventure [sɔ̃navɑ̃ty:r]
la psychologie [lapsikɔlɔʒi]
C'est important. [sɛtɛ̃pɔrtɑ̃]
les théâtres [leteɑ:tr]
les raisins [lerɛzɛ̃]
notre conversation [nɔtrkɔ̃vɛrsasjɔ̃]
en Amérique [ɑ̃namerik]
la littérature [laliteraty:r]
avec impatience [avɛkɛ̃pasjɑ̃s]
des négociations [denegɔsjasjɔ̃]
    diplomatiques [diplɔmatik]

Clovis [klɔvi:s]
Charlemagne [ʃarləmaɲ]
Jules César [ʒylseza:r]
Richard Cœur-de-lion [riʃarkœ:rdəljɔ̃]
des faits historiques [defɛistɔrik]
des détails [dedeta:j]
le héros [ləero]
un grand triomphe [œ̃grɑ̃triɔ̃:f]
une grande bataille [yngrɑ̃dbatɑ:j]
le général victorieux
    [ləʒeneralviktɔrjø]
un vase précieux [œ̃vɑ:zpresjø]
le comte et la comtesse [ləkɔ̃:telakɔ̃tɛs]
les questions [lekɛstjɔ̃]
des agents de police [dezaʒɑ̃dəpɔlis]
un silence profond [œ̃silɑ̃:sprɔfɔ̃]

B. *Repeat, with attention to correct pronunciation and intonation:*

1. Pourquoi êtes-vous en retard?—Parce que je me suis levé tard.   2. Pourquoi vous êtes-vous levé tard?—Parce que je me suis couché à minuit.   3. Qu'est-ce que Robert a fait quand il s'est levé?—Il s'est mis tout de suite à s'habiller. 4. A-t-il trouvé ses camarades à la gare?—Non, monsieur, Robert était en retard et ses camarades s'en étaient allés sans lui.   Le rapide qu'il allait prendre avec ses amis était déjà parti.

C. *Repeat the following sentences, changing the tense of the verbs from present to* passé composé:

PAULINE. Ma sœur s'en va déjà!

MAURICE. Pourquoi s'en va-t-elle?

PAULINE. Parce que vous n'êtes pas poli![1]

MAURICE. Moi, je ne suis pas poli?

PAULINE. Non!   Quand Jeanne se met à raconter une plaisanterie, vous vous mettez à rire!

MAURICE. Oui, je me mets à rire parce que les plaisanteries de votre sœur sont toujours amusantes!

PAULINE. Mais vous vous mettez à rire trop tôt![2]

MAURICE. Je me mets à rire trop tôt?

PAULINE. Oui!   Vous ne lui donnez pas le temps de finir sa plaisanterie!   Elle se met en colère!

MAURICE. Je veux la flatter!   J'en suis désolé![3]

[1]poli *polite*   [2]tôt *soon*   [3]désolé *terribly sorry*

D. *A Tense Match:*

The class should be divided into teams of 4 students each.   The teacher gives to the captain of a team a simple phrase; the captain repeats it in the future *tense, the second member repeats it in the* conditional, *the third in the* pluperfect, *the fourth in the* conditional perfect.   *Not more than 3 seconds are allowed for answering.   The teacher scores errors (silence counts as an error!)   The team with the fewest errors wins.*

Example.—Teacher: Vous êtes en retard.   *Captain:* Vous serez en retard. *Team member:* Vous seriez en retard.   *Team member:* Vous aviez été en retard.   *Team member:* Vous auriez été en retard.

Suggestions for phrases: Je pose des questions à Jacques.   J'écris une lettre à mes parents.   Je prends le train à midi.   Je ne vous comprends pas.   Je vais au cinéma.   Vous me comprenez, n'est-ce pas?   Lequel choisissez-vous? etc.

Cinquième dialogue culturel

CHÂTEAUX ET PALAIS

Robert et Charlotte Cartier sont chez Philippe Lefort.

ROBERT. Vous avez déjà mis en place votre projecteur et votre écran! Quelles diapositives allez-vous nous montrer ce soir?

PHILIPPE. Je vais vous montrer des vues de châteaux et de palais pour préparer les voyages que nous ferons en voiture aux environs de Paris et que vous ferez, Charlotte et vous, en Normandie, en Bretagne, et dans la vallée de la Loire. Grâce à mes diapositives, vous saurez quels châteaux vous voudrez voir.

CHARLOTTE. Mais nous voudrons voir tous les châteaux!

ROBERT. Surtout ceux qui ont un intérêt historique.

PHILIPPE. Impossible! Il y en a trop! Je vous aiderai à faire un choix.[1] Les châteaux féodaux,[2] qu'on appelle souvent des châteaux forts, sont les plus anciens.[3] Ils ressemblent à des forteresses. Celui de Falaise, en Normandie, fut bâti pendant les onzième et douzième siècles. C'est là que, d'après la légende, Guillaume[4] le Conquérant naquit en 1035. En 1944, pendant la seconde Guerre mondiale, le château a beaucoup souffert, mais on peut toujours voir ses murs épais[5] et quelques-unes de ses salles.

Le Château-Gaillard, aussi en Normandie, fut construit en 1197 par Richard Cœur-de-lion pour défendre la vallée de la Seine contre le roi de France.

ROBERT. En effet, la Normandie était à ce moment-là une province anglaise. On dirait, d'après les ruines, que ce château était imprenable.

PHILIPPE. C'est vrai. Philippe Auguste, pourtant, réussit à le prendre en 1204. Allons voir Pierrefonds au nord de Paris. Ce château fut bâti en 1862 sur les ruines d'un château féodal. L'architecte a fidèlement[6] copié les châteaux du moyen âge.

CHARLOTTE. Je me demandais si Pierrefonds avait été bien conservé!

PHILIPPE. Vous savez déjà qu'il y a beaucoup de châteaux dans la vallée de la Loire et dans les vallées de ses affluents, la Vienne, l'Indre et le Cher. La ville de Chinon, sur la Vienne, offre les ruines de trois châteaux...

CHARLOTTE. Je veux voir Chinon! N'est-ce pas dans un de ces châteaux-là que Jeanne d'Arc vit pour la première fois le Dauphin, le futur Charles VII?

PHILIPPE. C'est exact! La «salle du Trône»—la voilà!—est un lieu vraiment historique.

Le château fort de Loches est dans la vallée de l'Indre. Si vous y allez, vous pourrez y voir des cachots. Un prisonnier italien, dit-on, occupa un de ces cachots

---

[1]choix *m. choice* [2]féodal, -aux *feudal* [3]ancien, -ne *ancient, old* [4]Guillaume *William* [5]épais, -se *thick*

[6]fidèlement *faithfully, accurately*

(à gauche) LES TRÈS RICHES HEURES: LE MOIS DE JUIN (Musée Condé, Chantilly)

CHINON

pendant neuf ans. On lui dit qu'il allait être mis en liberté. Cette bonne nouvelle[7] le tua.

CHARLOTTE. Je n'aime pas les prisons! Montrez-nous autre chose![8]

PHILIPPE. Allons donc à Luynes, qui n'est pas loin de la ville de Tours. Le château que vous voyez sur l'écran n'est pas le château original, détruit[9] à la fin du onzième siècle. Au douzième siècle on en bâtit un deuxième, lui aussi détruit plus tard. Enfin au quinzième siècle, le comte de Maillé en construisit un troisième, que le duc de Luynes acheta et agrandit au dix-septième siècle. C'est ce château que vous regardez. Ses murs solides,[10] ses tours rondes et ses petites fenêtres montrent que le comte de Maillé imita la construction d'un château féodal.

Langeais, à quelques kilomètres de Luynes, est lui aussi un château fort. L'intérieur est aujourd'hui transformé en musée: on peut y voir un grand nombre de meubles du quinzième siècle. Si vous suivez la Loire, vous verrez, à Saumur, un château typique du moyen âge avec sa grande bâtisse[11] centrale flanquée de quatre fortes tours. A Angers, où se trouvent les ruines d'un très grand château, on peut compter dix-sept tours imposantes; ce château fut commencé sous Philippe Auguste et achevé sous Saint-Louis.

Voyons maintenant plusieurs des beaux châteaux bâtis pour les rois du quinzième et du seizième siècles,

[7]nouvelle f. (piece of) news [8]autre chose something else [9]détruire to destroy [10]solide strong

[11]bâtisse f. building, structure

dans la vallée de la Loire.

CHARLOTTE. Nous voilà enfin à l'époque de la Renaissance!

ROBERT. Pourquoi a-t-on bâti tant de châteaux dans la vallée de la Loire?

PHILIPPE. Toute cette vallée, composée des provinces de l'Orléanais, de la Touraine et de l'Anjou, a un climat agréable et de beaux paysages. Les rois, les seigneurs[12] et les dames aimaient à y vivre!

D'abord je vous montrerai quelques aspects différents du château de Blois. Un château n'est pas toujours un seul édifice: il se compose parfois[13] de plusieurs bâtisses de styles différents. La plus vieille partie du château de Blois date du treizième siècle. La chapelle est du quinzième siècle. L'aile[14] bâtie au seizième siècle par François Ier montre l'influence italienne, qui était si forte pendant la Renaissance. Voilà un autre bâtiment qui est du seizième siècle et un autre du dix-septième. Tout cela fait de Blois «une vivante leçon d'architecture,» tant de styles différents y sont représentés. N'admirez-vous pas cet escalier célèbre que François Ier a bâti?

[12]seigneur *m. lord, noble*

[13]parfois *sometimes*   [14]aile *f. wing*

LUYNES

BLOIS

Allons au plus grand des châteaux de la Touraine, celui de Chambord, bel exemple de l'architecture de la Renaissance.   Il donne une impression de grandeur royale.   On peut avoir accès au toit[15] et faire une promenade parmi des tours et des cheminées[16] remarquables!   Les dames y montaient autrefois pour regarder passer au loin[17] le roi et les seigneurs quand ceux-ci étaient à la chasse.

Voilà Chaumont: c'était, au moins en apparence, une puissante forteresse.   Voyez ses grosses[18] tours! Le château fut transformé par Catherine de Médicis, qui l'occupa neuf ans avant de le donner à Diane de Poitiers, en échange de Chenonceaux.

ROBERT. Vous allez nous montrer Chenonceaux?

PHILIPPE. Dans quelques instants. Voyons d'abord Amboise.   Dans cette tour ronde, on peut monter des rues de la ville jusqu'à un plateau. Montons! . . . Bon! . . . Sur ce plateau, nous voyons les beaux édifices qui furent souvent les résidences de Louis XI, de Charles VIII, de Louis XII et de François Ier.

Villandry est un château du seizième siècle, entouré de jardins à la française. . . Le château d'Ussé ressemble à une forteresse féodale, mais l'intérieur fut transformé aux seizième et dix-septième siècles. . . Azayle-Rideau, caché derrière son rideau d'arbres, est un joli petit édifice du seizième siècle.   Regardons maintenant Chenonceaux, qui est peut-être le plus charmant des châteaux de la vallée de la Loire.   La rivière tranquille qui coule sous le château n'est

[15]toit *m. roof*   [16]cheminée *f. chimney*   [17]au loin *in the distance*   [18]gros, -se *big, thick*

pas la Loire, mais le Cher, un des affluents que j'ai mentionnés. Commencé par un riche bourgeois pour sa femme, continué par celle-ci après la mort de son mari, agrandi par une deuxième femme, Diane de Poitiers, il fut achevé par une troisième femme, Catherine de Médicis. Et la femme de Henri III, Louise de Lorraine, y passa les dernières années de sa vie.

CHARLOTTE. Les femmes ont bon goût!

ROBERT. Parmi les milliers de touristes qui visitent la vallée de la Loire il y a probablement autant d'hommes que de femmes!

PHILIPPE. Tous les châteaux de la Renaissance ne se trouvent pas au bord de la Loire. Par exemple, le château de Châteaudun est situé entre Vendôme et Paris; il date du quinzième siècle mais il fut recon-struit plusieurs fois. Quand je l'ai visité, j'ai compris l'énorme différence qui existait, avant la Révolution, entre la puissance[19] des seigneurs et la faiblesse du peuple.

Un des meilleurs châteaux de la Renaissance se trouve non loin de Paris. Nous voici devant le château ou le palais de Fontainebleau. Plusieurs rois—Louis VII, Louis IX, Charles V, par exemple—bâtirent, agrandirent ou transformèrent les bâtiments qui composent ce château, mais ce sont François Ier et Napoléon Bonaparte qui y laissèrent les souvenirs les plus vivants. Voici la grande cour et l'escalier où, le 20 avril 1814, Napoléon, après sa première abdication, dit adieu[20] à ses soldats. Dans le palais les belles salles sont nombreuses. On admire la richesse de l'ornementation des

[19]puissance *f. power*   [20]adieu *m. farewell*

CHAMBORD

grandes galeries[21] et la beauté des meubles de plusieurs salons.

J'aime beaucoup les jardins du château: dessinés[22] par Le Nôtre, du temps de Louis XIV, ils ont une beauté classique.

Le château de Saint-Germain-en-Laye n'est pas si célèbre que Fontainebleau. C'est sur les ordres de François Ier qu'il fut construit au seizième siècle. Vaste édifice de brique et de pierre, il fut en 1638 le lieu de naissance de Louis XIV. Le Nôtre y construisit pour le grand roi une belle et longue terrasse où, de nos jours, les Parisiens aiment à se promener le dimanche et d'où ils peuvent voir la Seine et admirer le panorama de leur ville.

[21]galerie *f. gallery, hall* [22]dessiner *to design, lay out*

CHARLOTTE. Est-ce que vous allez nous inviter à y aller dans votre voiture?

PHILIPPE. Aussitôt que possible! Mais regardons maintenant plusieurs châteaux du dix-septième siècle, c'est-à-dire des châteaux classiques. Le premier, bien entendu, sera Versailles. . . Nous voici déjà dans «la cour d'honneur», où nous voyons une statue de Louis XIV. Je n'ai pas besoin de vous montrer beaucoup de vues de Versailles parce que vous ne manquerez pas d'y aller. Vous verrez la grande façade et, à l'intérieur, la Galerie des Glaces, la chambre du Roi, le Salon de Vénus, la chàmbre de la Reine, l'escalier de la Reine, la Chapelle, le Cabinet du Conseil,[23]

[23]Conseil *m. Council*

AMBOISE

et ainsi de suite. De temps en temps on ouvre au public des pièces récemment restaurées.[24]

ROBERT. Pourquoi les pièces avaient-elles besoin d'être restaurées?

PHILIPPE. Le palais de Versailles, comme la plupart des palais et des châteaux dont nous avons parlé, a beaucoup souffert pendant la Révolution. Même aujourd'hui, dans beaucoup de pièces il n'y a pas de meubles du tout! On a remis[25] en bon état un grand nombre de salons, mais ce travail n'est pas encore achevé.

ROBERT. Est-ce que Versailles est un château ou un palais?

PHILIPPE. On peut faire une distinction entre châteaux et palais: un château est à la campagne, un palais est dans une ville. On a bâti des châteaux forts au moyen âge, des palais depuis la Renaissance. Si

VERSAILLES: LA CHAPELLE

c'est un roi ou un duc[26] qui habite un édifice, on peut l'appeler un palais. On peut dire aussi qu'un palais est plus élégant qu'un château. Quant à Versailles, on dit tantôt[27]

[24] restaurer *to restore* [25] remettre (*pp.* remis) *to put again, to restore*

[26] duc *m. duke* [27] tantôt . . . tantôt *now . . . now*

château, tantôt palais. Mon explication n'est pas très précise!

ROBERT. Merci quand même.

PHILIPPE. Le parc de Versailles a une forme classique: tout est régulier, presque géométrique. C'est peut-être le chef-d'œuvre de Le Nôtre. Ne manquez pas d'aller voir dans le parc le Grand Trianon et le Petit Trianon, celui-là bâti sous Louis XIV, celui-ci sous Louis XV. Ils sont tous les deux très beaux. On a restauré merveilleusement bien l'intérieur du Grand Trianon.

CHARLOTTE. A Versailles tout est grand et tout est beau, n'est-ce pas?

PHILIPPE. Versailles est un symbole de la grandeur et de la gloire de la France au dix-septième siècle, l'Age d'or de la civilisation française.

Après Versailles, la plupart[28] des autres châteaux classiques vous sembleront sans doute petits. Mais Vaux-le-Vicomte est un château magnifique décoré par les grands artistes Le Brun et Mignard et dont le parc fut dessiné par Le Nôtre.

Vous avez déjà visité la Malmaison, qui est pleine de souvenirs de Napoléon et de Joséphine.

Non loin de Paris se trouve aussi le château de Chantilly, qui date du moyen âge. Il fut transformé pen-

[28]plupart *f. most*

LE PALAIS DE CHAILLOT

CHENONCEAUX

dant la Renaissance. Le prince de Condé, l'un des plus grands généraux du règne de Louis XIV, y invitait le roi lui-même, aussi bien que les grands écrivains du siècle. Pendant la Révolution, le château fut presque complètement détruit; de 1876 à 1882, on a construit le château actuel,[29] qui abrite[30] le très riche Musée Condé.

Finissons notre long tour des châteaux et des palais à Paris! Voici un palais vraiment moderne, bâti au bord de la Seine pour remplacer le Trocadéro, édifice qui n'existe plus. Vous l'avez vu du sommet de la Tour Eiffel.

CHARLOTTE ET ROBERT. Vous parlez du Palais de Chaillot!

CHARLOTTE. Nous n'y sommes pas encore allés. Qu'est-ce qu'il y a à l'intérieur?

PHILIPPE. Trois musées et une salle de théâtre.

ROBERT. Quel est votre château préféré, Philippe?

PHILIPPE. Blois, à cause de ses souvenirs historiques et de la variété de son architecture.

CHARLOTTE. Pour moi, c'est Chenonceaux, à cause de son charme féminin!

ROBERT. Je choisis Versailles, à cause de sa grandeur!

[29]actuel, -le *present (not actual)* [30]abriter *to shelter, house*

FONTAINEBLEAU

EXERCISES for the classroom

A. *Répondez en français aux questions suivantes:*

1. A quoi les châteaux féodaux ressemblent-ils? 2. Quel personnage célèbre est né dans le château de Falaise? 3. Par qui le Château-Gaillard a-t-il été construit? 4. En quelle année le château de Pierrefonds a-t-il été bâti? 5. Quels personnages historiques se sont vus pour la première fois dans le château de Chinon? 6. Pourquoi a-t-on bâti tant de châteaux dans la vallée de la Loire? 7. De quelles provinces cette vallée se compose-t-elle? 8. En quel siècle la plus vieille partie du château de Blois a-t-elle été construite? 9. A quel roi pense-t-on surtout quand on est à Blois? 10. Quelle impression le château de Chambord fait-il sur le visiteur?

11. Quels rois ont demeuré à Amboise? 12. Quelle rivière coule sous le château de Chenonceaux? 13. Est-ce que Fontainebleau se trouve dans la vallée de la Loire? 14. Qui a laissé les souvenirs les plus vivants à Fontainebleau? 15. Quel personnage célèbre est né à Saint-Germain-en-Laye? 16. Quels sont les deux palais que l'on peut voir dans le parc de Versailles? 17. Pourquoi peut-on dire que la Malmaison a joué un rôle dans l'histoire de France? 18. Quand a-t-on construit le château qu'on voit à Chantilly? 19. Quel palais moderne se trouve à Paris? 20. Nommez cinq (ou bien six, sept, huit . . .) châteaux que vous voudriez voir si vous étiez en France.

B. *Reading*

SON ET LUMIÈRE

On a inventé en France les spectacles appelés «Son[1] et Lumière.»[2] Le «Son» est une voix qui, au moyen[3] d'un haut-parleur,[4] raconte l'histoire d'un château, d'un palais ou d'un autre monument historique. En même temps la «Lumière» éclaire[5] l'une après l'autre les parties de l'édifice dont on parle. Devant les yeux du spectateur le château vit d'une vie surnaturelle,[6] au cours de laquelle passent des siècles.

Cette heureuse combinaison de *son* et de *lumière* fait une impression inoubliable.[7] On comprend facilement la grande popularité que ces spectacles ont eue un peu partout en France.

Même quand il n'y a pas de «son», l'illumination d'un château ou d'une cathédrale peut être un spectacle merveilleusement beau.

[1]son *m. sound* [2]lumière *f. light* [3]au moyen *by means* [4]haut-parleur *m. loudspeaker* [5]éclairer *to light up, illuminate* [6]surnaturel, -le *supernatural* [7]inoubliable *unforgettable*

CHÂTEAUX *et Palais*

Vingt-sixième leçon

I. DIALOGUE

ALBERT. Je viens de lire la quatrième scène du deuxième acte du *Bourgeois gentilhomme* de Molière. Elle est très amusante.

ROGER. C'est la comédie dont le professeur Dubois a parlé cet après-midi dans sa conférence, n'est-ce pas?

ALBERT. Oui, c'est la pièce dans laquelle Molière nous montre la folie d'un certain M. Jourdain qui, mécontent de son état de bourgeois, voulait imiter les gentilshommes de son époque.

ROGER. Montre-moi la scène que tu viens de lire. . . Ah, c'est la scène où M. Jourdain cause avec le Maître de Philosophie. Lisons cette scène à haute voix. Moi, je serai M. Jourdain et toi, tu seras le Maître de Philosophie.

—*I have just read the fourth scene of the second act of Molière's* Le Bourgeois gentilhomme. *It is very amusing.*

—*That's the comedy which Professor Dubois talked about this afternoon in his lecture, isn't it?*

—*Yes, it's the play in which Molière shows us the folly of a certain M. Jourdain who, dissatisfied with his middle-class rank, wanted to imitate the noblemen of his time.*

—*Show me the scene which you have just read. . . Oh, it's the scene in which M. Jourdain is talking with the Philosophy teacher. Let's read this scene out loud. I'll be M. Jourdain and you will be the Philosophy teacher.*

M. JOURDAIN. Je suis amoureux d'une personne de grande qualité, et je souhaiterais que vous m'aidassiez à lui écrire quelque chose dans un petit billet que je veux laisser tomber à ses pieds.

—I am in love with a person of high rank (nobility), and I wish you would help me write her something in a little note which I want to drop at her feet.

MAÎTRE DE PHILOSOPHIE. Fort bien.

—Very well.

M. JOURDAIN. Cela sera galant, oui?

—It will be gallant, won't it?

MAÎTRE DE PHILOSOPHIE. Sans doute. Sont-ce des vers que vous voulez lui écrire?

—Of course. Is it poetry (verse) that you want to write to her?

M. JOURDAIN. Non, non, point de vers.

—No, no, not any poetry.

MAÎTRE DE PHILOSOPHIE. Vous ne voulez que de la prose?

—You want only prose?

M. JOURDAIN. Non, je ne veux ni prose ni vers.

—No, I want neither prose nor poetry.

MAÎTRE DE PHILOSOPHIE. Il n'y a pour s'exprimer que la prose ou les vers. . . Tout ce qui n'est point prose est vers; et tout ce qui n'est point vers est prose.

—There exists, to express oneself, only prose or poetry. . . Everything that isn't prose is poetry and everything that isn't poetry is prose.

M. JOURDAIN. Et comme l'on parle, qu'est-ce que c'est donc que cela?

—And the way one talks, what then is that?

MAÎTRE DE PHILOSOPHIE. De la prose.

—Prose.

M. JOURDAIN. Quoi? Quand je dis: «Nicole, apportez-moi mes pantoufles, et me donnez mon bonnet de nuit,» c'est de la prose?

—What? When I say: "Nicole, bring me my slippers and give me my nightcap," that's prose?

MAÎTRE DE PHILOSOPHIE. Oui, monsieur.

—Yes, sir.

M. JOURDAIN. Par ma foi! Il y a plus de quarante ans que je dis de la prose et je vous suis le plus obligé du monde de m'avoir appris cela.

—Upon my word! For more than forty years I've been talking prose, and I am under the greatest obligation to you for having taught me that.

II. GRAMMATICAL USAGE

A. The Relative Pronouns

The two relative pronouns of most frequent use were given in Lesson 8:

qui = *who, which, that,* used as subject of a verb ⎫
que = *whom, which, that,* used as object of a verb ⎬ in a relative clause.
⎭

Qui était cet homme avec qui (avec lequel) M. Jourdain causait?	*Who was that man with whom M. Jourdain was talking?*
Quelle est la pièce dans laquelle on trouve cette scène amusante?	*What is the play in which one finds that amusing scene?*
Voilà les étudiants avec qui (avec lesquels) je suis allé au théâtre.	*There are the students with whom I went to the theater.*
Molière écrivit des comédies dans lesquelles il montre les aspects ridicules des mœurs de son époque.	*Molière wrote some comedies in which he shows the ridiculous aspects of the manners of his time.*

When the relative pronoun is the object of a preposition, one uses **qui** or **lequel (laquelle, lesquels, lesquelles)** when the antecedent is a person, **lequel,** etc., when the antecedent is a thing.

Qui est le professeur auquel vous parliez?	*Who is the professor* ⎧ *to whom you were speaking?* ⎨ *you were speaking to?* ⎩

A and **de** + **lequel, lesquels,** and **lesquelles** make the regular contractions:

auquel	auxquels	auxquelles
duquel	desquels	desquelles

B. DONT and OÙ

1. C'est la comédie dont le professeur Dubois a parlé.	*It's the comedy which Professor Dubois talked about (= about which Professor Dubois talked).*
Tout le monde admire les pièces dont Molière est l'auteur.	*Everyone admires the plays of which Molière is the author.*

De + a relative pronoun is commonly replaced by **dont.**

2. C'est la scène où M. Jourdain cause avec le Maître de Philosophie.	*It's the scene in which M. Jourdain talks with the Philosophy teacher.*

Dans (or some other preposition denoting position) + a relative pronoun may be replaced by **où.**

NOTE Usually, when English *in which* may be replaced by *where,* French **dans lequel (laquelle, etc.)** may be replaced by **où.**

C. Compound Relatives

1. Savez-vous ce qui m'amuse?   *Do you know what amuses me?*
  L'idéal de Molière est ce qui   *Molière's ideal is that which (what)*
    est naturel.   *is natural.*
  Je ne sais pas ce que je vais faire.   *I don't know what I am going to do.*
  Je ne comprends pas ce que vous   *I don't understand what you mean.*
    voulez dire.

What or *which* when equivalent to *that which,* as subject is **ce qui,** as object is **ce que.**

2. Tout ce qui n'est point prose est vers.   *Everything that isn't prose is poetry.*
  Tout ce que Molière a écrit est   *Everything which Molière wrote is amusing.*
    amusant.

Ce qui and **ce que** may be preceded by **tout.**

D. Word Order in Relative Clauses

Le professeur avec qui je causais.   { *The professor with whom I was talking...*
                                       The professor I was talking with...

La pièce dont le professeur Dubois   { *The play about which Professor Dubois*
  a parlé...   *talked...*
                                       The play Professor Dubois talked about...

A preposition governing a relative pronoun in French must precede it, as in the French examples. Therefore such English constructions as are illustrated by the second translations in each case are impossible in French.

E. Table of Relative Pronouns

FUNCTION	ANTECEDENT		COMPOUND RELATIVES
	PERSON	THING	
Subject of verb	**qui**	**qui**	**ce qui**
Object of verb	**que**	**que**	**ce que**
Object of preposition	**qui** or **lequel,** etc.	**lequel,** etc.	**ce ... quoi (ce dont)**
	de + relative pronoun = **dont**		
	dans + relative pronoun = **où**		

F. VENIR, "to come"

This irregular verb has the following forms:

PRESENT		IMPERFECT	FUTURE	CONDITIONAL
viens	venons	venais, etc.	viendrai, etc.	viendrais, etc.
viens	venez			
vient	viennent			

IMPERATIVE: viens, venons, venez   PAST PARTICIPLE: venu

1. Est-ce que Jeanne est venue? — *Has Jeanne come?*
   Est-ce que Jeanne et Pauline sont revenues? — *Have Jeanne and Pauline come back?*

The compound tenses of **venir** are formed with **être.** The past participle agrees in gender and number with the subject.

Like **venir** are its compounds: **devenir,** *to become;* **revenir,** *to come back, to return.*

2. Je viens de lire la quatrième scène. — *I have just read the fourth scene.*
   Montre-moi la scène que tu viens de lire. — *Show me the scene which you have just read.*
   Mon ami venait de partir. — *My friend had just left.*

Venir de + an infinitive is a common idiom meaning *to have just (done something).* This idiom is commonly used only with the present or imperfect tense of **venir.**

III. PATTERN PRACTICE

A. *Repeat:*

Comment s'appelle l'écrivain de qui vous m'avez parlé? #

Molière est l'écrivain de qui je vous ai parlé. #

Voilà le professeur duquel je vous ai parlé. #

Comment s'appelle l'écrivain dont vous m'avez parlé? #

Molière est l'écrivain dont je vous ai parlé. #

Voilà le professeur dont je vous ai parlé. #

Repeat the following sentences, substituting dont *for* de qui, duquel, de laquelle, desquels, *or* desquelles:

Qui est l'écrivain de qui le professeur Dubois a parlé? # Molière est l'écrivain duquel il a parlé. # Quelle est la pièce de laquelle Albert et Roger ont parlé? # Qui est l'auteur des comédies desquelles M. Dubois a parlé? # Voilà le professeur de qui je vous ai parlé. # Voilà les étudiants desquels je vous ai parlé. #

B. *Repeat:*

Savez-vous ce qui m'amuse beaucoup? #

Je ne sais pas ce qui vous amuse beaucoup. #

Comprenez-vous toujours ce qui est
difficile? #

Je ne comprends pas toujours ce qui
est difficile. #

Say that you do not know or do not understand what is asked about:

Savez-vous ce qui amuse tous mes amis? # Ne comprenez-vous pas ce qui est
difficile? # Comprenez-vous toujours ce qui est amusant dans les comédies
de Molière? # Comprenez-vous toujours ce qui est écrit en français? #

C. *Repeat:*

Savez-vous ce que je veux faire? #

Je ne sais pas ce que vous voulez
faire. #

Say that you do not know or do not understand what is asked about:

Savez-vous ce que Roger et Albert vont faire? # Comprenez-vous ce que
le Maître de Philosophie a expliqué à M. Jourdain? # Comprenez-vous
toujours ce qu'on vous dit? # Savez-vous ce que vous allez faire demain? #

D. *Repeat:*

Est-ce que Robert vient avec nous? #

Oui, il vient avec nous. #

Est-ce que Richard et Robert viennent
avec nous? #

Oui, ils viennent avec nous. #

Answer the following questions affirmatively.

Est-ce que Maurice vient avec vous? # Est-ce que Roger et Albert viennent
avec vous? # Est-ce que Pauline viendra avec vous? # Est-ce que Pauline
et Jeanne viendront avec vous? #

E. *Repeat:*

Venez-vous? #

Ne venez-vous pas? #

Pauline vient. #

Pauline ne vient pas. #

Change the following sentences from affirmative to negative:

Maurice vient. # Maurice viendra. # Le professeur vient. # Les élèves
viennent. # Venez-vous? # Maurice revient. # Roger et Albert reviennent. #

F. *Repeat:*

Où est Roger? #

Il n'est pas encore venu. #

Est-ce que Jeanne est venue? #

Elle n'est pas encore venue. #

Say that the persons mentioned have not yet come:

Où est Albert? # Où sont Roger et Albert? # Où est le professeur Dubois? #
Où sont Jeanne et Pauline? # Où sont M. Jourdain et le Maître de Philosophie? #

G. *Repeat:*

Avez-vous lu cette comédie? #   Oui, je viens de la lire. #

Avez-vous vu au théâtre *le Bourgeois*

   gentilhomme? #   Oui, je viens de le voir. #

Say that you have just done what is asked about:

   Avez-vous étudié la vingt-sixième leçon? # Avez-vous lu le Dialogue? # Avez-vous lu la scène amusante? # L'avez-vous lue à haute voix? # Avez-vous appris ce que c'est que la prose? # Avez-vous appris ce que c'est que les vers? #

H. *Repeat:*

Est-ce que Roger est revenu? #   Il vient de revenir. #

Say that the persons asked about have just returned:

   Est-ce que Maurice est revenu? # Est-ce que Jeanne est revenue? # Est-ce que les garçons sont revenus? # Est-ce que les jeunes filles sont revenues? #

IV. LECTURES

A.   EXTRAIT DU TROISIÈME ACTE DU *BOURGEOIS GENTILHOMME*

(Monsieur Jourdain veut apprendre à madame Jourdain ce que le Maître de Philosophie vient de lui enseigner.)

MONSIEUR JOURDAIN. Savez-vous ce que c'est que vous dites à cette heure?

MADAME JOURDAIN. Oui, je sais que ce que je dis est fort bien dit, et que vous devriez songer à vivre d'autre sorte.

MONSIEUR JOURDAIN. Je ne parle pas de cela. Je vous demande ce que c'est que les paroles que vous dites ici?

MADAME JOURDAIN. Ce sont des paroles bien sensées, et votre conduite ne l'est guère.

MONSIEUR JOURDAIN. Je ne parle pas de cela, vous dis-je. Je vous demande: ce que je parle avec vous, ce que je vous dis à cette heure, qu'est-ce que c'est?

MADAME JOURDAIN. Des chansons.

MONSIEUR JOURDAIN. Hé non! ce n'est pas cela. Ce que nous disons tous deux, le langage que nous parlons à cette heure.

MADAME JOURDAIN. Hé bien?

MONSIEUR JOURDAIN. Comment est-ce que cela s'appelle?

MADAME JOURDAIN. Cela s'appelle comme on veut l'appeler.

MONSIEUR JOURDAIN. C'est de la prose, ignorante.

MADAME JOURDAIN. De la prose?

MONSIEUR JOURDAIN. Oui, de la prose. Tout ce qui est prose, n'est point vers; et tout ce qui n'est point vers, n'est point prose. Heu, voilà ce que c'est d'étudier.

B.   MOLIÈRE

Jean-Baptiste Poquelin, né en 1622, était le fils d'un bourgeois de Paris. Il suivit des cours dans une bonne école, le Collège de Clermont. A vingt ans, il créa une compagnie d'acteurs, qui s'appelait *l'Illustre Théâtre.* Quand il devint acteur, il prit le nom de Molière.

Malheureusement la compagnie n'était pas assez illustre pour réussir à Paris. Elle perdit beaucoup d'argent et Molière fut mis en prison. Son père paya ses dettes.

Mis en liberté, Molière quitta Paris avec les acteurs et les actrices de sa troupe et passa douze ans en province. Dans les villes et les villages où la troupe donna des représentations, Molière vit les hommes et les femmes dont il allait faire les personnages de ses farces et de ses comédies. Naturellement il représente aussi dans ses pièces des personnages dont il pouvait voir les modèles à Paris.

Molière devint le chef de sa troupe et enfin l'auteur de quelques pièces que la troupe joua en province.

Après son retour à Paris, Molière mena une vie très active. Il fut en même temps acteur, directeur et auteur. Il écrivit les comédies qui l'ont rendu célèbre et dans lesquelles il créa des personnages qui vivront tant qu'il y aura des théâtres en France: un avare, un bourgeois gentilhomme, un hypocrite, un misanthrope, une coquette, une femme savante, un malade imaginaire. Il montra les aspects ridicules des mœurs de son temps. Son idéal, c'est ce qui est naturel et raisonnable. Ses chefs-d'œuvre nombreux font de lui un des plus grands écrivains français.

VOCABULARY FOR THE *LECTURES*

avare *m. miser*
chansons *f.pl. nonsense*
conduite *f. conduct*
coquette *f. flirt*
créer *to create*
devriez (*from* devoir) *ought, should*
guère: ne . . . —, *hardly, scarcely*
heure: à cette —, *right now*

malade *m. invalid*
parole *f. word*
personnage *m. character*
représentation *f. performance*
savant *adj. learned*
sensé *sensible*
sorte: d'autre —, *differently*

V. EXERCISES for the classroom

A. *Répondez en français aux questions suivantes:*
Questions sur le Dialogue:
   1. Qu'est-ce qu'Albert vient de lire?   2. Qui avait parlé de la pièce qu'il vient de lire?   3. Qu'est-ce que Molière montre dans cette pièce?   4. Quelle scène est-ce que Roger et Albert vont lire à haute voix?
   5. De qui M. Jourdain est-il amoureux?   6. Qu'est-ce que M. Jourdain veut écrire?   7. Est-ce que M. Jourdain veut écrire des vers ou de la prose?   8. Depuis combien de temps est-ce que M. Jourdain dit de la prose?   9. Qui lui a appris ce que c'est que la prose?

Questions sur la Lecture A:
   1. Qu'est-ce que M. Jourdain veut apprendre à sa femme?   2. Qu'est-ce que Mme Jourdain sait déjà?   3. Qu'est-ce que Mme Jourdain pense de ce qu'elle dit?   4. Qu'est-ce qu'elle pense de la conduite de son mari?   5. Qu'est-ce que c'est que la prose?

B. *Fill the blanks in the following sentences with* ce qui *or* ce que, *whichever is correct:*
   1. Quelle est la différence entre —— un homme veut et —— une femme veut?
2. Un homme veut avoir tout —— il peut avoir.   3. Une femme veut avoir tout —— elle ne peut pas avoir.
   4. —— un mari veut faire n'est pas toujours —— sa femme veut faire.   5. Est-ce qu'ils font —— le mari veut faire ou —— la femme veut faire?   6. On peut dire que d'ordinaire en Amérique ils font —— la femme veut faire mais qu'en France ils font —— le mari veut faire.   7. —— vous venez de me dire, est-ce toujours vrai?
   8. ——m'amuse n'amuse pas toujours mon père et ma mère.   9. Souvent ils me disent qu'ils n'aiment pas —— je viens de faire. 10. Est-ce que vous leur dites souvent que vous n'aimez pas —— ils viennent de faire?

C. *Fill the blanks in the following sentences with* qui, que, lequel, laquelle, lesquels, lesquelles, ce qui, ce que, dont, où, *as may be correct:*
   1. Le stylo avec — j'écris cette lettre n'est pas très bon.   2. C'est Jacques — me l'a donné.   Jacques est l'ami — je vous ai parlé plusieurs fois.   3. C'est l'ami avec —je suis allé au théâtre hier soir pour voir *Le Bourgeois gentilhomme.*   4. C'est une comédie dans — il y a un bourgeois — veut imiter les gentilshommes de son temps.   5. C'est une pièce — le professeur Dubois a expliqué l'importance dans la littérature française.   6. Je l'ai trouvée très amusante, surtout les scènes dans — M. Jourdain apprend ce que c'est que la prose et veut expliquer à Mme Jourdain —— il vient d'apprendre.   7. J'ai des camarades français — n'aiment pas les pièces classiques; ils n'aiment que les pièces — on a écrites depuis 1950. 8. Ils aiment seulement les pièces dans — on trouve des idées «modernes.»   9. Le

professeur Dubois s'intéresse plus aux ouvrages — on a écrits au dix-septième siècle qu'à ceux — on a écrits au vingtième siècle.   10. Mais —— intéresse les professeurs n'intéresse pas toujours les étudiants!

D. *Translate the following sentences orally; when you are reasonably sure that you can do so correctly, write them:*

1. What are you going to do tomorrow?   2. I don't know what I am going to do.   3. Why don't you go to the theater?   You would be able to see *Le Bourgeois gentilhomme* at the Comédie Française.   I have just seen it.   The play has many amusing scenes.   4. What amuses you does not always amuse me.   5. The play I'm talking about has been amusing everyone since the seventeenth century. 6. I have just read it.   7. You have just read it?   Then go to the Comédie Française as soon as possible!   I should like to see it again.   I would understand it better.   8. Let's go there together.

Vingt-septième leçon

I. DIALOGUE

Il est midi. Maurice est assis à la table d'un café du Boul' Mich'. Il écrit des cartes postales. Roger arrive.

MAURICE. Te voilà enfin! Mon stylo n'a plus d'encre. Veux-tu me prêter le tien?

ROGER. Volontiers. Je suis en retard parce qu'Albert est malade.

MAURICE. Albert? Qu'est-ce qu'il a?

ROGER. Hier soir il toussait, il avait mal à la tête et à la gorge. Il avait sans doute pris froid.

MAURICE. Qu'est-ce que tu as fait pour lui?

ROGER. Je lui ai donné deux comprimés d'aspirine.

—*There you are at last! My pen is out of ink. Will you lend me yours?*

—*Sure (Willingly)! I'm late because Albert is sick.*

—*Albert? What's the matter with him?*

—*Last night he coughed, he had a headache and a sore throat. He must have caught cold.*

—*What did you do for him?*

—*I gave him two aspirin tablets.*

MAURICE. C'est tout? Comment va-t-il aujourd'hui?

—*That's all? How is he today?*

ROGER. Il va mieux. Il guérira. Mais je·lui ai dit de garder la chambre aujourd'hui.

—*He's better. He'll get well. But I told him to stay in the room today.*

MAURICE. Mais s'il a faim ou soif, qu'est-ce qu'il fera?

—*But if he's hungry or thirsty, what will he do?*

ROGER. Albert a à ses côtés un véritable ange gardien. C'est Yolande, la nièce du propriétaire de l'hôtel. Elle lui donnera tout ce dont il aura besoin.

—*Albert has at his side a real guardian angel. It's Yolande, the niece of the owner of the hotel. She will give him everything he needs.*

MAURICE. Yolande! Je l'ai vue. Elle a les cheveux bruns et les yeux noirs.

—*Yolande! I've seen her! She has brown hair and black eyes.*

ROGER. Non! Elle a les cheveux noirs et les yeux bruns!

—*No! She has black hair and brown eyes!*

MAURICE. Toi, tu as l'air fatigué!

—*You look tired!*

ROGER. J'ai passé une nuit blanche ou à peu près. Je n'ai dormi que trois ou quatre heures. Albert a toussé toute la nuit.

—*I did not sleep last night—or very little. I slept only two or three hours. Albert coughed all night long.*

MAURICE. Veux-tu du café noir—ou de l'aspirine?

—*Do you want some black coffee—or some aspirin?*

ROGER. Je vais déjeuner, puis je vais rentrer à l'hôtel. Je dormirai toute l'après-midi!

—*I'm going to have lunch, then I'll go back to the hotel. I'll sleep all afternoon.*

MAURICE. Je t'accompagnerai à l'hôtel. Je veux voir Albert—et son ange gardien!

—*I'll go to the hotel with you. I want to see Albert—and his guardian angel!*

II. GRAMMATICAL USAGE

A. Expressions of Health and Sickness

1. Ça va? Comment ça va?
   Comment allez-vous?
   Je vais bien, je vais mieux.

How goes it? How are you?

I'm well, I'm better.

   aller = *to be* (*of health*)

2. Qu'avez-vous? (Qu'est-ce que vous   *What's the matter with you?*
    avez?)
Qu'est-ce qu'il a?   *What's the matter with him?*
Il avait mal à la tête et à la gorge.   *He had a headache and a sore throat.*

avoir = *to be the matter with;* **avoir mal à** + *part of body* = *to have an ache, pain,* etc. *in that part*

3. Albert est malade.   *Albert is sick.*

être malade = *to be sick (in general)*

4. Le bras droit me fait mal.   *My right arm hurts me.*
Vous me faites mal!   *You hurt me!*
Je me suis fait mal au front.   *I hurt my forehead.*

faire mal (à) = *to hurt*

5. Le médecin vous guérira.   *The doctor will cure you.*
Albert guérira.   *Albert will get well.*

guérir = *to cure, to get well*

B. Definite Article with Possessive Force

J'ai mal au bras droit.   *My right arm hurts me.*
Il a fermé les yeux.   *He closed his eyes.*
Elle a les cheveux bruns et les   *She has brown hair and black eyes.*
    yeux noirs.
Robert s'est brossé les dents.   *Robert brushed his teeth.*

Instead of a possessive adjective denoting a part of one's body or an article of clothing, a definite article is frequently used. Meaning may be made clear, when necessary, by the use of a reflexive pronoun, as in the last example.

C. Two Idioms with AVOIR

Il a faim et soif.   *He is hungry and thirsty.*

Avoir is used in the idioms **avoir faim,** *to be hungry,* **avoir soif,** *to be thirsty,* just as in similar idioms previously used; for example, **avoir besoin.**

D. The Possessive Pronouns

SINGULAR		PLURAL		MEANINGS
MASC.	FEM.	MASC.	FEM.	
le mien	la mienne	les miens	les miennes	*mine*
le tien	la tienne	les tiens	les tiennes	*yours*
le sien	la sienne	les siens	les siennes	*his, hers, its*
le nôtre	la nôtre	les nôtres		*ours*
le vôtre	la vôtre	les vôtres		*yours*
le leur	la leur	les leurs		*theirs*

Mon stylo n'a plus d'encre; veux-tu me prêter le tien?	*My pen is out of ink; will you lend me yours?*
Vos cheveux sont plus noirs que les siens.	*Your hair is darker than hers.*
Mon frère est plus grand que le vôtre.	*My brother is taller than yours.*

Possessive pronouns, like the possessive adjectives, agree in *person* with the possessor but in gender and number with the thing possessed. They may denote relationship as well as actual possession.

E. DORMIR, "to sleep"

This irregular verb has the following forms:

PRESENT		IMPERFECT	FUTURE	CONDITIONAL
dors	dormons	dormais, etc.	dormirai, etc.	dormirais, etc.
dors	dormez			
dort	dorment			
IMPERATIVE: dors, dormons, dormez			PAST PARTICIPLE: dormi	

Like **dormir** is **s'endormir,** *to go to sleep.* (The auxiliary in compound tenses is **être.**)

Je me suis endormi à minuit.	*I went to sleep at midnight.*

F. Reference List of Parts of the Body—LES PARTIES DU CORPS

la bouche *mouth*	le front *forehead*	l'œil (les yeux) *eye*
le bras *arm*	le genou (-x) *knee*	l'oreille *(f.)* *ear*
les cheveux *(m.pl.)* *hair*	la gorge *throat*	la peau *skin*
le cœur *heart*	la jambe *leg*	le pied *foot*
le cou *neck*	la joue *cheek*	le poignet *wrist*
la dent *tooth*	la langue *tongue*	le poing *fist*
le doigt *finger*	la lèvre *lip*	la poitrine *chest*
le dos *back*	la main *hand*	le pouce *thumb*
l'épaule *(f.)* *shoulder*	le menton *chin*	la tête *head*
la figure *face*	le nez *nose*	le visage *face*

NOTES 1. There is no essential difference between **la figure** and **le visage**.
2. **Droit,** *right,* and **gauche,** *left.* These adjectives follow the noun modified.
    le bras droit *the right arm*   le bras gauche *the left arm*

III. PATTERN PRACTICE

A. *Repeat:*

Albert est malade. #   Qu'est-ce qu'il a? #
Je suis malade. #   Qu'est-ce que vous avez? #
Marguerite est malade. #   Qu'est-ce qu'elle a? #

After each statement, ask what is the matter with the person or persons mentioned:

Je suis malade. # Le professeur est malade aujourd'hui. # Deux élèves sont malades. # Marguerite est malade. # Son père et sa mère sont malades. # Nous sommes malades. #

B. *Repeat:*

Avez-vous mal à la tête ou à la
    gorge?   J'ai mal à la gorge. #
Est-ce que Marguerite a mal à la
    gorge ou à la tête? #   Elle a mal à la tête. #

Answer the questions by saying that the person mentioned is ill in the second of the two parts of the body mentioned:

Est-ce que tu as mal à la gorge ou à la poitrine? # Est-ce que vous avez mal au bras droit ou au bras gauche? # Avez-vous mal au bras ou à l'épaule? # Est-ce que Marguerite a mal aux yeux ou aux oreilles? # Est-ce qu'elle a mal à la tête ou à la gorge? #

    Est-ce que vous vous êtes fait mal au bras ou à la main? # Est-ce que la jeune fille s'est fait mal au poignet ou à la main? # Est-ce que vous vous êtes fait mal au pied ou au genou? # Est-ce que vous vous êtes fait mal à la main droite ou à la main gauche? #

C. *Repeat:*

Avez-vous bien dormi? #	Je dors toujours bien. #
Avez-vous bien dormi? #	Nous dormons toujours bien. #
Est-ce que Daniel a bien dormi? #	Il dort toujours bien. #

Say that the persons asked about always sleep well:

Est-ce que Maurice a bien dormi? # Est-ce que Jeanne a bien dormi? # Est-ce que Jeanne et Pauline ont bien dormi? # Toi, Maurice, as-tu bien dormi? # Vous, Pauline, et vous, Jeanne, avez-vous bien dormi? #

D. *Repeat:*

Je n'ai dormi que trois heures. #	Je dormirai toute l'après-midi. #
Roger n'a dormi que trois ou quatre heures. #	Il dormira toute l'après-midi. #

Say that the persons mentioned will sleep all afternoon:

Albert n'a pas bien dormi. # Roger a passé une nuit blanche. # Nous avons passé une nuit blanche. # Roger et Albert ont passé une nuit blanche. #

E. *Repeat:*

Je me suis endormi de bonne heure. #	Maurice s'est endormi de bonne heure. #

Say that the persons mentioned went to sleep early:

Richard Dumont # Madame Hubert # Les étudiants # Les élèves # Moi # Vous # Vous et moi #

F. *Repeat:*

Vos cheveux sont plus longs que les miens. #	Les miens ne sont pas si longs que les vôtres. #

Complete the following sentences with the correct possessive pronoun for either mine *or* yours:

Mon bras est plus long que # Vos mains sont plus petites que # Vos cheveux sont plus courts que # Mes cheveux sont plus longs que #

G. *Listen to the following anecdote:*

LES SOULIERS

Madame Deluse a donné une paire de souliers à sa petite fille, Lisette. L'enfant veut aller tout de suite au Parc Monceau pour les montrer à ses petites amies. Quand sa mère l'habille, Lisette est très impatiente. Sa mère met tant de temps à lui laver[1] les mains et la figure, à lui peigner[2] les cheveux, à lui mettre sa robe, ses bas[3] et enfin ses beaux souliers! Puis c'est le tour de la mère à se laver les mains et la figure, à se brosser les cheveux, à mettre un chapeau[4] et des gants,[5] et à trouver son sac à main.

—Dépêche-toi, maman, s'écrie Lisette, les larmes[6] aux yeux, ou bien quand nous arriverons au parc, mes souliers neufs seront déjà vieux!

[1]laver *to wash*   [3]bas *stockings*   [5]gant *glove*
[2]peigner *to comb*   [4]chapeau *hat*   [6]les larmes *tears*

IV. LECTURE

HISTOIRE DE LA MÉDECINE

Dans les époques primitives, il n'y avait pas de médecins: quand on était malade, on demandait le secours d'un sorcier. Le premier «médecin» célèbre était un dieu, Esculape, fils d'Apollon. Ce dieu guérissait les malades et même, de temps en temps, ressuscitait les morts. Pluton, dieu des Enfers, voyait si peu d'âmes descendre dans son royaume qu'il pria Zeus de tuer Esculape, ce que Zeus fit d'un coup de foudre.

Hippocrate, né vers 460 av.-J.C., était le plus grand médecin véritable de l'Antiquité. Hippocrate reste célèbre aujourd'hui à cause du serment auquel on a donné son nom, serment que prêtent les étudiants en médecine au moment où ils deviennent docteurs, en France aussi bien qu'aux États-Unis.

Au moyen âge on fit peu de progrès en médecine.

Un des noms les plus importants de l'histoire de la médecine est celui d'Ambroise Paré, qui fut au XVIe siècle le chirurgien de Henri II, de François Ier, de Charles IX et de Henri III. C'est lui qui inventa la ligature des artères dans les amputations. Malgré sa renommée, Ambroise Paré était modeste; il disait d'un blessé: «Je le pansai, Dieu le guérit.»

En général, les médecins de la Renaissance se contentaient de suivre aveuglément les textes des Grecs et des Romains.

Au XVIIe siècle, un médecin anglais, Harvey, découvrit la circulation du sang. En France on employait la saignée et la purgation pour guérir toutes les maladies. Les médecins français étaient si ignorants que Molière se moqua d'eux dans deux comédies célèbres: *Le Médecin malgré lui* (1666) et *Le Malade imaginaire* (1673).

Cinquante ans après la mort de Molière, des écrivains français, tels que Lesage et Montesquieu, faisaient les mêmes reproches aux médecins: leur ignorance, leur vanité, leur opposition à tout ce qui est nouveau.

Vers la fin du XVIIIᵉ siècle, un grand médecin français, Laënnec, découvrit l'auscultation, c'est-à-dire la méthode qui consiste à écouter les bruits normaux et anormaux qui viennent des poumons et du cœur. Laënnec inventa le stéthoscope, au moyen duquel on écoute ces bruits.

Deux savants français du XIXᵉ siècle ont joué un grand rôle dans le développement des sciences médicales. Claude Bernard (1813–1878) fut, en physiologie, un des plus grands expérimentateurs. Il découvrit les procédés de la digestion, la formation du sang, la fonction du foie, et l'organisation du système nerveux. Louis Pasteur (1822–1895) étudia la fermentation de la bière et découvrit l'existence des microbes; il trouva aussi que le chauffage pouvait détruire les microbes qui étaient la cause de mauvaises fermentations dans la bière, le vin et le lait. A ce procédé on a donné le nom de pasteurisation. Un médecin anglais, Jenner, avait découvert la valeur de plusieurs espèces de vaccins. Pasteur continua les recherches de Jenner et trouva d'autres vaccins efficaces. Son plus grand triomphe fut de sauver par un vaccin la vie d'un enfant qui avait été mordu par un chien enragé.

Les découvertes de Claude Bernard et de Louis Pasteur furent la cause d'une véritable révolution dans l'art de guérir.

Depuis Pasteur, la médecine est devenue une science internationale. Il serait impossible de mentionner tous les savants et tous les médecins qui l'ont aidée à faire des progrès incalculables.

Grâce à ces progrès, on vit aujourd'hui plus longtemps qu'autrefois—ce qui, comme au temps d'Esculape, met en colère Pluton et ses compagnons.

VOCABULARY FOR THE *LECTURE*

âme *f. soul*
aveuglément *blindly*
blessé *m. wounded man*
chauffage *m. heating*
chirurgien *m. surgeon*
compagnon *m. companion*
se contenter (de) *to be satisfied (with)*
Enfer *m. Hell;* les Enfers *Hades*
  (the underworld)
Esculape *Aesculapius*
espèce *f. species, kind*
foie *m. liver*
foudre *f. thunderbolt*

maladie *f. illness, sickness*
mordre *to bite*
panser *to tend*
poumon *m. lung*
prêter (un serment) *to take (an oath)*
procédé *m. process*
recherche *f. research*
saignée *f. bleeding*
sang *m. blood*
savant *m. scientist*
serment *m. oath*
sorcier *m. sorcerer*
valeur *f. value*

V. EXERCISES for the classroom

A. *Répondez en français aux questions suivantes:*

1. Quelle heure est-il quand Roger arrive au café où Maurice est assis?
2. Maurice veut emprunter un stylo.—Pourquoi?   3. Si vous y aviez été, est-ce que vous lui auriez prêté le vôtre?   4. Est-ce que Roger lui prête le sien?

5. Quand vous êtes malade, est-ce qu'on vous donne de l'aspirine?   6. Est-ce que vous prenez souvent de l'aspirine?   7. Combien de comprimés prenez-vous d'ordinaire?   8. Est-ce que l'aspirine guérit toutes les maladies?

9. Est-ce que vous avez un ange gardien?   10. Avez-vous une amie qui a les cheveux noirs et les yeux noirs?   11. Avez-vous une amie qui a les cheveux blonds et les yeux bleus?   12. Quand vous êtes malade, qui vous donne tout ce dont vous avez besoin?

13. Pourquoi Roger a-t-il l'air fatigué?   14. Pourquoi a-t-il passé une nuit blanche?   15. Qu'est-ce qu'il va faire?   16. Pourquoi Maurice va-t-il l'accompagner à son hôtel?

B. *Inventez des réponses aux questions suivantes:*

1. Comment ça va?   2. Albert ne va pas bien; qu'est-ce qu'il a?   3. Est-ce que vous vous êtes fait mal au bras?   4. Est-ce que quelqu'un vous a fait mal?
5. Est-ce que vous vous êtes lavé le visage ce matin?   6. Est-ce que vous vous êtes lavé les mains?   7. Est-ce que vous vous êtes brossé les dents?   8. Est-ce que vous vous êtes brossé les cheveux?

C. *Translate the following sentences into French:*

When Jeanne arrived at the hotel, Pauline had been waiting a long time for her sister.   Jeanne told Pauline that she had gone to see her friend Marie.   She had found that Marie had been very sick.   Marie had caught cold.   She had had a headache and a sore throat, she had coughed all night, she had slept only a few hours.

Now she was a little better, but a doctor had told her that if she remained in her room two or three days, she would get well more quickly.

Pauline asked who would give her her meals—her breakfasts, her lunches, her dinners.   There was no restaurant in the little hotel where Marie had a room.

—The owner of the hotel is very kind (= good), answered Jeanne.   She will give her everything she needs.

—We'll go and see her tomorrow, exclaimed Pauline.   We'll give her some flowers!

—That's a wonderful idea! exclaimed Jeanne.   The Parisians love flowers! They are sold almost everywhere in Paris!

Vingt-huitième leçon

I. DIALOGUE

Maurice Landry et Pauline Gagnon sont assis à une table dans un salon de thé. Sur la table il y a un pot de thé, des tasses, et des pâtisseries.

MAURICE. On m'a dit que vous êtes allée hier après-midi chez le doyen de la Faculté des Lettres. Il donnait une réception pour les étudiants américains. Racontez-moi ce qui s'est passé.

—I've been told that yesterday afternoon you went to the home of the Dean of the Faculty of Letters. He was giving a reception for American students. Tell me what happened.

PAULINE. C'est vrai. J'y suis allée avec plusieurs amis. La réception avait lieu dans l'appartement du doyen, avenue Montaigne.

—It's true. I went there with several friends. The reception took place in the Dean's apartment, Avenue Montaigne.

MAURICE. Vous avez de la chance. Je n'ai jamais eu l'occasion de faire la connaissance d'un person-

—You're lucky. I have never had an opportunity to meet (become acquainted with) so important a personage of the

nage du monde universitaire si important. En France, ce sont parfois des petits dieux! Vous n'avez sans doute pas tous été présentés à «sa Majesté»?

PAULINE. Si. Quelqu'un faisait les présentations et le doyen avait pour chacun d'entre nous quelques mots bienveillants.

MAURICE. Et vous, qu'est-ce qu'il vous a dit? Et qu'est-ce que vous lui avez répondu?

PAULINE. Moi, vous me connaissez; vous savez que je suis fort timide. J'ai rougi et j'ai balbutié quelques paroles de remerciement.

MAURICE. J'espère que vous l'avez bien remercié de vous recevoir. Ne lui avez-vous pas dit que vous étiez heureuse de le connaître personnellement au lieu de ne savoir que son nom?

PAULINE. C'est exactement ce que j'ai dit. Rien de bien original. La plupart de mes amis étaient très enthousiasmés et quelques-uns ont même eu une véritable conversation avec notre hôte!

MAURICE. Il était sans doute heureux d'avoir tout ce groupe d'étudiants chez lui. J'ai entendu dire que c'est un homme charmant, d'humeur toujours égale et pas si féroce qu'on veut bien le dire!

PAULINE. Oh, féroce! Il ne l'est pas du tout. Il avait un mot gentil pour chacun, passait lui-même l'assiette de gâteaux et racontait des histoires amusantes.

MAURICE. Vous n'avez rien fait d'autre?

university world. In France, they are sometimes little gods! All of you of course were not introduced to "His Majesty"?

—*Yes we were! Someone did the introductions and the Dean had a few kind words for each one of us.*

—*And what did he say to you? And how did you answer him?*

—*You know me; you know that I am very timid. I blushed and I stammered a few words of thanks.*

—*I hope that you thanked him properly for receiving you. Didn't you tell him that you were glad to know him personally instead of knowing only his name?*

—*That's exactly what I said. Nothing very original. Most of my friends were very excited and some even had a real conversation with our host.*

—*He was undoubtedly glad to have that whole group of students in his home. I have heard that he is a charming man, always in good humor, and not as ferocious as some people want to make out!*

—*Oh, ferocious! He isn't like that at all! He had a nice word for each of us, he himself passed the plate of cakes, and he kept telling amusing stories.*

—*You didn't do anything else?*

PAULINE. Si. On nous a montré une collection de manuscrits du dix-huitième siècle.

—*Yes we did. We were shown a collection of eighteenth century manuscripts.*

MAURICE. J'aurais bien voulu assister à cette réception!

—*I would have liked to attend that reception!*

II. GRAMMATICAL USAGE

A. Indefinite Adjectives and Pronouns

1. Le doyen avait pour chacun d'entre nous quelques mots bienveillants.
Il avait un mot gentil pour chacune des jeunes filles.
Chaque après-midi je vais chez moi.

The Dean had a few kind words for each one of us.
He had a kind (nice) word for each one of the girls.
Each (Every) afternoon I go home.

Chacun(e) *each one,* is a pronoun; **chaque** *(invar.) each, every,* is an adjective.

2. Personne ne m'a parlé. Je n'ai parlé à personne.
Je n'ai presque rien dit.
Vous n'avez rien fait d'autre?

No one (Nobody) spoke to me. I spoke to no one (I did not speak to anyone).
I said almost nothing.
You didn't do anything else?

Personne = *no one, nobody, not anyone.* **Rien** = *nothing, not anything.* (a) When used as the object of a verb in a compound tense, **personne** follows, **rien** precedes, a past participle. (b) **Rien** requires **de** before an adjective (which is always masculine), as in **Je n'ai rien dit d'original.**

3. Qui avez-vous vu?—Personne.
Qu'avez-vous dit?—Rien.

Whom did you see?—No one.
What did you say?—Nothing.

Personne and **rien,** standing alone, have negative force.

4. J'y suis allée avec plusieurs amis.
Y êtes-vous allé plusieurs fois?
Plusieurs garçons et plusieurs jeunes filles y sont allés avec moi.
Plusieurs des garçons et plusieurs des jeunes filles parlaient très bien le français.

I went there with several friends.
Did you go there several times?
Several boys and several girls went there with me.
Several of the boys and several of the girls spoke French very well.

Plusieurs, *several,* is both adjective and pronoun. It is always plural and does not vary to show gender.

5. Il nous a dit quelques mots
   bienveillants.

He said a few kind words to us.

J'ai balbutié quelques mots de
remerciement.

I stammered a few words of thanks.

Quelqu'un faisait les présentations.

Someone did the introductions.

Quelques-uns des étudiants ont eu
une véritable conversation avec
notre hôte.

*Some (A few) of the students had a real
conversation with our host.*

Quelques-unes des jeunes filles
parlent très bien le français.

*Some (A few) of the girls speak
French very well.*

Quelque, *some, (pl.) a few,* is an adjective; **quelqu'un, quelqu'une, quelques-uns, quelques-unes,** *someone, some, a few,* are pronouns.

NOTE **Quelque,** adjective, is not commonly used in the singular. The equivalent of *some* before a singular noun is in French the partitive sign; e.g., *some money* = **de l'argent.**

6. J'ai vu quelque chose d'obscur.

I saw something dark.

Avez-vous besoin de quelque chose?

Do you need anything?

Quelque chose = *something, anything.* Although **chose,** meaning *thing,* is feminine, **quelque chose** is masculine. **Quelque chose** requires **de** before an adjective, which is always masculine.

7. Je n'ai plus rien à vous dire.

I have nothing more to say to you.

Two negative words, such as **plus** and **rien,** may stand together in French without making a double negative.

B. LA PLUPART

La plupart du temps

Most of the time

La plupart de mes amis étaient
très enthousiasmés.

*Most of my friends were very
excited.*

La plupart, an indefinite noun of quantity, is followed by **de** and a definite article (unlike other expressions of quantity, which are followed by **de** and no article.) If the sense is plural, **la plupart** is followed by a plural verb.

NOTE **La plupart** + a singular noun is rare. For most students, **la plupart du temps** is the only phrase of this sort which they are likely to come across. **La plupart du temps** is common.

C. Negative Adverbs

1. ne . . . pas *not*
   ne . . . pas du tout *not at all*
   ne . . . guère *hardly, scarcely*

   ne . . . jamais *never*
   ne . . . plus *no longer, no more*
   ne . . . ni . . . ni . . . *neither . . . nor . . .*

These expressions are of frequent occurrence.

2. Je n'ai ni argent ni amis. ‎ ‎ ‎ ‎ ‎ *I have neither money nor friends.*

After **ni . . . ni . . .,** the entire partitive sign is omitted before nouns.

3. Je n'ai jamais eu l'occasion de   *I have never had the opportunity*
   faire la connaissance d'un doyen.   *to make the acquaintance of a Dean.*
   Avez-vous jamais fait la connais-   *Did you ever meet a famous Frenchman?*
   sance d'un Français célèbre?
   Jamais!   *Never!*

Ne . . . jamais = *never;* **jamais** with a verb but without **ne** = *ever*, without a verb = *never*.

D. OUI and SI

Vous n'avez pas été présentée à «sa   *You were not introduced to "His*
Majesté»?—Si!   *Majesty"?—Yes (I was)!*
Vous n'avez rien fait d'autre?—   *You didn't do anything else?—*
Si!   *Yes (we did)!*

Oui is used after an affirmative question and implies agreement (it has been thus used many times in previous lessons); **si** is used to answer a negative question or to contradict a statement.

E. CONNAÎTRE, "to know," "to be acquainted with"

This irregular verb has the following forms:

PRESENT		IMPERFECT	FUTURE	CONDITIONAL
connais	connaissons	connaissais, etc.	connaîtrai, etc.	connaîtrais, etc.
connais	connaissez			
connaît	connaissent			
IMPERATIVE: connais, connaissons, connaissez			PAST PARTICIPLE: connu	

Similarly conjugated is **reconnaître,** *to recognize.*

NOTE **Connaître** has a circumflex accent over **i** whenever **i** precedes **t.**

F. Distinction between CONNAÎTRE and SAVOIR

1. J'étais heureuse de le connaître   *I was glad to know him personally instead*
   personnellement au lieu de ne   *of knowing only his name.*
   savoir que son nom.

   Maurice connaît Pauline depuis   *Maurice has known Pauline for several*
   plusieurs années.   *years.*

   Il sait que Pauline est une   *He knows that Pauline is an American*
   étudiante américaine.   *student.*

Whereas **savoir** means *to know a fact, know of the existence of, know how to,* **connaître** means *to be acquainted with, be able to recognize a person, place, or thing.* **Savoir,** basically, refers to knowledge gained by learning, **connaître** to knowledge gained by perception (seeing, hearing, etc.).

2. Vous savez très bien le français.   *You know French very well.*
   Est-ce que vous connaissez le latin   *Do you know Latin well enough to read the*
   assez bien pour lire le livre que   *book which Julius Caesar wrote?*
   Jules César a écrit?

Used with languages, **savoir** usually means to have a good command, **connaître,** only a fair knowledge, of the language.

III. PATTERN PRACTICE

A. *Repeat:*
Le doyen a parlé à chacun de nous. #
Il a parlé à chacune des jeunes filles. #

Say in French that the Dean spoke to each one of the persons mentioned:
   les garçons # les jeunes filles # les étudiants # les étudiantes # les Américains # les Américaines #

B. *Repeat:*
Quand allez-vous chez vous? Chaque   Oui, je vais chez moi chaque après-
   après-midi? #   midi. #

Agree with what is asked about and the times mentioned:
   Quand allez-vous chez vous? A la fin de chaque semaine? # Quand avez-vous besoin d'argent? A la fin de chaque mois? # Quand faites-vous des fautes de français? Chaque fois que vous parlez français? # Quand est-ce que Pauline est timide? Chaque fois qu'on lui parle? # Quand voudriez-vous aller en France? Chaque année? #

C. *Repeat:*

Qu'est-ce que vous avez dit
  d'original? #   Je n'ai rien dit d'original. #
Hier, qu'est-ce que vous avez fait
  d'intéressant? #   Hier je n'ai rien fait d'intéressant. #
Qu'est-ce qu'on vous a dit
  d'intéressant? #   On ne m'a rien dit d'intéressant. #

Answer the following questions in the negative, using ne . . . rien; *be sure to have* rien *precede a past participle:*

Qu'est-ce que vous avez dit d'original au doyen? # Qu'est-ce que vous avez vu d'intéressant chez lui? # Qu'est-ce qu'on vous a montré d'intéressant? # Qu'est-ce que vos camarades vous ont dit d'original? # Qu'est-ce que vous avez dit d'original à vos camarades? #

D. *Repeat:*

Avez-vous quelques amis français? #   J'ai plusieurs amis français. #

Answer the following questions, which contain the word quelques, *using the word* plusieurs *in your replies:*

Avez-vous passé quelques semaines à Paris? # Avez-vous visité quelques châteaux aux environs de Paris? # Avez-vous visité quelques provinces? # Avez-vous fait la connaissance de quelques Français? # Avez-vous fait la connaissance de quelques jeunes filles françaises? # Avez-vous passé quelques jours dans le musée du Louvre? #

E. *Repeat:*

Est-ce que quelques étudiants sont   Oui, quelques-uns des étudiants sont
  riches? #   riches. #

Answer the following questions, changing quelques *to* quelques-uns *or* quelques-unes:

Est-ce que quelques étudiants sont pauvres? # Chez le doyen, est-ce que quelques jeunes filles parlaient très bien le français? # Est-ce que quelques garçons le parlaient très bien? # Est-ce que le doyen a parlé longtemps à quelques jeunes filles? # A-t-il parlé longtemps aussi à quelques garçons? # Est-ce que quelques jeunes filles ont rougi quand les garçons leur ont parlé? #

F. *Repeat:*

Connaissez-vous Maurice et Pauline? # Je ne connais pas Maurice et Pauline. #

Say that you do not know the following persons:

le doyen de la Faculté des Lettres # des personnages importants du monde universitaire # des petits dieux # la plupart de vos amis #

Say that we *do not know* (nous ne connaissons pas) *the following persons:*

les deux sœurs, Jeanne et Pauline # le doyen personnellement # la plupart des professeurs #

G. *Repeat:*

Je ne connais pas Maurice. #   Si, vous le connaissez! #

Say Yes, you do know the persons mentioned, substituting pronouns for proper names:

Je ne connais pas Roger et Albert. # Je ne connais pas Louise et Marguerite. # Je ne connais pas Mme Hubert. # Je ne connais pas M. Michel. # Je ne connais pas le doyen. # Je ne connais pas «sa Majesté»! #

IV. LECTURE

UN RÊVE

Cette nuit, j'ai fait un rêve . . .—On avait parlé d'émeutes toute la soirée à cause des troubles de la Place de la République.—Je rêvais donc. J'entrais dans un passage où il faisait si noir que je ne pouvais rien voir. Plusieurs hommes passèrent près de moi dans l'ombre. La plupart de ces hommes marchaient très vite. Je sortis du passage. J'étais dans une grande place, plus longue que large, entourée d'une espèce de vaste muraille ou de haut édifice qui ressemblait à une muraille et qui fermait la place des quatre côtés. Il n'y avait ni portes ni fenêtres, seulement quelques trous. A l'extrémité de la place, je vis quelque chose d'obscur qui ressemblait à un canon. Je vis une lumière près du canon.

Tout à coup quelqu'un me cria à l'oreille:—Sauvez-vous!

—Où sommes-nous donc? demandai-je. Qu'est-ce que c'est que cet endroit-ci?

—Vous n'êtes pas de Paris? répondit une voix. Vous n'avez jamais été ici? C'est le Palais-Royal.

Je regardai alors et malgré l'obscurité je reconnus en effet, dans cette place affreuse qui ressemblait à la cour d'une prison, le Jardin du Palais-Royal, où j'avais été bien des fois. J'entendis encore une fois quelqu'un crier:—Sauvez-vous! On va tirer!

Je ne voyais personne. La place était déserte.

Une femme passa près de moi. Elle portait un enfant sur le dos. Elle était jeune, pâle, froide, et avait l'air terrible.

Elle me dit:—C'est bien malheureux! Le pain coûte trente-quatre sous et les boulangers nous trompent sur le poids. Vous allez entendre quelque chose d'effroyable.

Je vis un éclair à l'extrémité de la place et j'entendis le canon.

Je me réveillai. Quelqu'un venait de fermer la porte de la maison avec un grand bruit.

(Adapted from Victor Hugo: *Choses Vues.*)

VOCABULARY FOR THE *LECTURE*

affreu-x, -se *frightful*

boulanger *m. baker*

éclair *m. flash*

effroyable *dreadful, frightful*

émeute *f. riot*

muraille *f. wall*

ombre *f. shadow, darkness*

poids *m. weight*

rêve *m. dream*

rêver *to dream*

sauver: se —, *to run away*

soirée *f. evening*

sou *m. cent*

tirer *to shoot*

tromper *to cheat*

trou *m. hole*

trouble *m. trouble, disorder*

V. EXERCISES for the classroom

A. *Répondez en français aux questions suivantes:*

1. Pourquoi Victor Hugo ne pouvait-il rien voir dans le passage où il était entré? 2. Qui a passé près de lui? 3. Qu'est-ce que la plupart de ces hommes faisaient? 4. Quand Victor Hugo est sorti du passage, où s'est-il trouvé? 5. Est-ce qu'il y avait quelques portes et quelques fenêtres dans la muraille? 6. Qu'est-ce que Victor Hugo a vu à l'extrémité de la place? 7. Quelqu'un a crié: «Sauvez-vous!» Pourquoi Victor Hugo ne savait-il pas qui avait crié? 8. Qui lui a dit qu'il allait entendre quelque chose d'effroyable? 9. Qu'est-ce qu'il a entendu? 10. Qu'est-ce qui a causé le bruit qu'il avait entendu?

B. *Invent answers in French to the following questions. Use your imagination! Try to use indefinite adjectives and pronouns and negative adverbs in your responses:*

1. Est-ce qu'il y a quelqu'un à la porte? 2. Qui est venu vous voir ce matin? —Personne? 3. Vous n'avez pas de paquets; pourquoi n'avez-vous rien acheté? 4. Avec qui êtes-vous allé au cinéma hier après-midi? 5. Connaissez-vous quelques-unes des comédies de Molière? 6. Avez-vous jamais vu une de ses comédies au théâtre? 7. Connaissez-vous des étudiants français? 8. Si vous étiez en France, est-ce que vous voudriez faire la connaissance d'un doyen?

C. *Translate the following sentences orally into French; when you are reasonably sure that you can do so correctly, write them in French:*

1. Tell me about your visit to the home of the Dean. 2. I went there with several American students, whom he had invited to a reception. 3. You have

never been to the home of a dean, have you?   4. Yes I have!   Last year a dean invited several students to his home to see a collection of manuscripts.   5. Did you meet any professors at the Dean's?   6. Yes, the Dean introduced me to several professors.   7. Did the professors ask you any questions?   8. Yes, they asked a few questions about **(sur)** America.   9. Could you answer their questions?   10. I answered a few of their questions; some of my friends answered other questions. 11. Were the professors old or young?   12. Most of them were old.   13. Did the Dean give you something to **(à)** eat and to drink?   14. Of course!   A few friends (**amies** *f. pl.*) of the Dean's wife passed some plates of cakes and gave us some punch **(du punch).**   15. You're lucky!   I have never had a chance to meet some of the famous professors of the Sorbonne!

Vingt-neuvième leçon

I. DIALOGUE

Maurice et Pauline sont dans un salon de thé de la rue Saint-Jacques.

MAURICE. Pourquoi êtes-vous à Paris?

PAULINE. Pour perfectionner mon français afin de l'enseigner convenablement.

MAURICE. Vous voulez donc faire apprendre cette belle langue aux Américains. Excellente idée. Alors vous serez professeur comme votre sœur Jeanne.

PAULINE. Oh, Jeanne, elle a beaucoup d'ambition! Elle veut être professeur d'histoire dans une université. Moi, je ne veux être qu'institutrice au niveau primaire.

MAURICE. Quelle différence faites-vous? Le secret du bon professeur

—*Why are you in Paris?*

—*To improve my French so as to teach it properly.*

—*So you want to make Americans learn this fine language. Excellent idea! Then you'll be a professor like your sister Jeanne.*

—*Oh, Jeanne, she's very ambitious! She wants to be a professor of history in a university. As for me, I only want to be a teacher in an elementary school (on the primary level).*

—*What's the difference? The secret of being a good professor or a good teacher*

ou de la bonne institutrice n'est-il pas de savoir faire travailler ses élèves?

PAULINE. C'est vrai. Prenez, par exemple, M. Louis, notre excellent professeur de littérature à la Sorbonne. Il nous fait lire les œuvres de plusieurs écrivains chaque mois et nous fait faire des quantités de devoirs. Ça nous fait penser par nous-mêmes.

MAURICE. Je suis certain que Jeanne et vous saurez en faire autant et que vous ferez travailler même les élèves les plus paresseux.

PAULINE. Mais, vous, l'enseignement ne vous attire pas?

MAURICE. Moi, je n'ai pas encore pris de décision. J'aimerais devenir avocat, mais le droit m'ennuie et puis je déteste les disputes!

PAULINE. Alors, suivez l'exemple de votre camarade Albert qui veut se faire architecte.

MAURICE. Vous n'y pensez pas! On m'a fait faire du dessin quand j'étais jeune. Mes lignes n'étaient jamais droites et toutes mes maisons s'écroulaient sur le papier!

PAULINE. Eh bien, si j'étais à votre place, je deviendrais homme d'affaires et je ferais importer des produits français en Amérique.

MAURICE. Me lancer dans les affaires! C'est une idée! Je serais vite riche et peut-être même un jour millionnaire!

—isn't it to know how to make one's pupils work?

—That's right. Take, for example, M. Louis, our excellent professor of literature at the Sorbonne. He has us read several writers' works each month and has us write lots of themes. That makes us think for ourselves.

—I'm sure that Jeanne and you will be able (will know how) to do the same thing and that you will make even the laziest pupils work.

—But you yourself, teaching doesn't appeal to you?

—I haven't made up my mind yet. I'd like to be a lawyer, but law bores me and moreover I hate quarrels!

—Well then, follow the example of your friend Albert, who wants to become an architect.

—You're not serious! (You don't really mean that!) They made me draw things when I was young. My lines were never straight and all my houses collapsed on paper!

—Well, if I were in your place, I'd become a businessman and I'd have French products imported into America.

—Go into business! That's an idea! I'd get rich quick and perhaps even some day be a millionaire!

II. GRAMMATICAL USAGE

A. Omission of Indefinite Article with Predicate Nouns

1. Alors vous serez professeur?   *Then you'll be a professor?*
   Je ne veux être qu'institutrice.   *I only want to be a teacher.*
   J'aimerais devenir avocat.   *I'd like to become a lawyer.*
   Albert veut se faire architecte.   *Albert wants to be (become) an architect.*
   Albert est Américain.   *Albert is an American.*

When an *unmodified* noun denoting occupation, profession, nationality, or religion stands after **être, devenir, se faire** and similar verbs, an indefinite article is not used. (This is contrary to English usage.) The predicate noun in this case indicates that the subject of the sentence belongs to a general class or group of persons of the same occupation, profession, etc.

2. **M.** Louis est un excellent professeur   *M. Louis is an excellent professor of litera-*
   de littérature.   *ture.*
   M. Louis ct M. Michel sont des pro-   *M. Louis and M. Michel are excellent pro-*
   fesseurs excellents.   *fessors.*

If the predicate noun of this type is modified so as to indicate that the subject of the sentence has a distinguishing characteristic, an indefinite article (in the singular) or a partitive sign (in the plural) is used.

3. Elle veut être professeur d'histoire.   *She wants to be a history professor.*
   Je deviendrais homme d'affaires.   *I would become a businessman.*

Combinations like **professeur d'histoire** or **homme d'affaires** may be considered to describe a class or group of persons. Thus no article is necessary.

B. Use of CE before ÊTRE

1. Qui est cet homme?—Il est profes-   *Who is that man?—He is a professor.*
   seur.
   Est-il professeur de français?—Oui,   *Is he a French teacher?—Yes,*
   { il est professeur de français.   { *he's a French teacher.*
   { c'est un professeur de français.
   Est-ce que votre amie est Fran-   *Is your friend a French girl?—*
   çaise?—
   { Oui, elle est Française.   { *Yes, she's a French girl. —*
   { Oui, c'est une Française.

In sentences consisting of a pronoun subject, **être,** and predicate noun, a speaker may stress either the subject or the predicate noun. In English, for example, one may wish to say: *That man?* **He** *is a professor*—or—*He is* **a professor.** Or again, **she** *is French*—or—*She's* **a French girl.**

If the subject is stressed, one uses in French **il, ils, elle, elles** and no article with the predicate noun.   If the predicate noun is stressed, one uses **ce** as subject and an indefinite article with the predicate noun.   (If there is no difference in stress, one may choose either alternative.)

2. M. Louis est professeur. C'est un   *M. Louis is a professor.   He's an excellent*
     excellent professeur.   *professor.*
   M. Louis et M. Michel sont profes-   *M. Louis and M. Michel are professors.*
     seurs. Ce sont des professeurs ex-   *They are excellent professors.*
     cellents.

These examples illustrate the use of **ce (c')** before a singular verb and **ce** before a plural verb in the conditions described in **A, 2** and **B, 1.**

3. C'est une idée!   *That's an idea!*
   Vous voulez leur faire apprendre le   *You want to make them learn French?*
     français? C'est une excellente idée. *That's an excellent idea.*

Ce, in place of **il, elle, ils, elles,** is used before **être** when the subject refers to a fact or an idea or to something which does not have a grammatical gender and number.

NOTE This use of **ce (c')** has been used in Lesson 1 (**C'est votre chambre, c'est vrai**) and in subsequent lessons.   It is restated here so as to be kept in mind in connection with the constructions described in sections 1 and 2 above.)

C. FAIRE Causal

1. Vous voulez donc faire apprendre   *So you want to make Americans learn*
     cette belle langue aux Américains?   *this beautiful language?*
   Le professeur nous fait lire   *The professor has us read several works*
     plusieurs œuvres chaque mois.   *each month.*

Faire followed by an infinitive = *make, have, cause to.*

2. Vous ferez travailler les élèves les   *You'll make the laziest students work.*
     plus paresseux.
   Vous les ferez travailler.   *You'll make them work.*

Noun objects follow the dependent infinitive while pronoun objects precede **faire.**

3. Le professeur les a fait étudier.   *The professor made them work.*

In this construction, the past participle of **faire** does *not* agree with a preceding direct object.

4. Vous voulez faire apprendre cette
   langue aux Américains?—Oui, je
   veux leur faire apprendre le
   français.

   You want to make Americans learn this
   language?—Yes, I want to make them
   learn French.

   Il nous fait faire des quantités
   de devoirs.

   He makes us write (lit., do) lots of themes.

When there are two objects, one of **faire,** the other of the dependent infinitive, the object of **faire** is indirect, the object of the dependent infinitive is direct.   (In the third example, **nous** is an indirect object.)

III. PATTERN PRACTICE

A. *Repeat:*

Est-ce que votre frère est
   étudiant? #

   Oui, il est étudiant. #

Est-ce que votre sœur est étudiante? #

   Oui, elle est étudiante. //

Est-ce que votre frère et votre sœur
   sont étudiants? #

   Oui, ils sont étudiants. #

Est-ce que votre camarade est
   Français? #

   Oui, il est Français. #

Est-ce que vos meilleurs camarades
   sont Américains? #

   Oui, ils sont Américains. #

Agree that the persons mentioned are of the occupation or nationality mentioned, beginning your answers with "Oui" and a pronoun subject:

Est-ce que M. Michel est professeur? # Est-ce que M. Louis est professeur? # Est-ce que Maurice est étudiant? # Est-ce que M. Michel et M. Louis sont professeurs? # Est-ce que Maurice, Roger et Albert sont étudiants? # Est-ce que Jeanne et Pauline sont étudiantes? # Est-ce que Philippe est Français? # Est-ce que Mme Hubert est Française? # Est-ce que Roger et Albert sont Américains? #

B. *Repeat:*

Cet homme-là est Français, n'est-ce
   pas? #

   Oui, c'est un Français. #

Est-il professeur de français? #

   Oui, c'est un professeur de français. #

Ces deux hommes sont professeurs à la
   Sorbonne, n'est-ce pas? #

   Oui, ce sont des professeurs à la
   Sorbonne. #

Agree that the persons mentioned are what is mentioned, beginning your answers with Oui, c'est *or* Oui, ce sont:

Est-ce que M. Michel est professeur d'histoire? # Est-ce que M. Louis est professeur de littérature? # Est-ce que Roger, Albert et Maurice sont étudiants? # Est-ce que Jeanne et Pauline sont étudiantes? # Est-ce que Richard Dumont est Américain? # Est-ce que Louise et Marguerite sont Américaines? #

C. *Repeat:*

Est-ce que Jeanne est professeur d'histoire? #	Jeanne n'est pas encore professeur d'histoire. #

Answer the following questions by saying that the person mentioned is not yet what is mentioned:

Est-ce que Maurice est homme d'affaires? # Est-ce qu'Albert est architecte? # Est-ce que Pauline est institutrice? # Est-ce que Maurice est avocat? # Est-ce que Maurice est millionnaire? # Est-ce que vous êtes millionnaire? #

D. *Repeat:*

Est-ce que M. Louis est professeur de littérature? #	Oui, c'est un excellent professeur de littérature. #
Est-ce que M. Louis et M. Michel sont professeurs? #	Oui, ce sont des professeurs excellents. #

Say that the persons asked about are excellent, beginning your answers with Oui, c'est *or* Oui, ce sont:

Est-ce que Roger est un bon étudiant? # Est-ce que Roger et Albert sont étudiants? # Est-ce que Jeanne et Pauline sont étudiantes? # Est-ce que cet homme-là est architecte? # Est-ce que cet homme-là est avocat? # Est-ce que ces hommes-là sont hommes d'affaires? # Est-ce que ces femmes-là sont professeurs de français? # Est-ce que cette jeune fille-là est institutrice? #

E. *Repeat:*

Est-ce que votre professeur vous fait lire des quantités de livres? #
Oui, il nous fait lire des quantités de livres. #

Agree that the professor (use il) *makes us do what is suggested:*

Est-ce qu'il vous fait étudier beaucoup? # Est-ce qu'il vous fait apprendre le français? # Est-ce qu'il vous fait lire des comédies de Molière? # Est-ce qu'il vous fait écrire des devoirs? # Est-ce qu'il vous fait écrire des quantités de devoirs? # Est-ce qu'il vous fait dessiner des maisons? # Est-ce qu'il vous fait dessiner des maisons qui s'écroulent sur le papier? #

F. *Repeat:*

Qu'est-ce que le professeur fait faire aux Américains? # Apprendre le français? # Oui, il leur fait apprendre le français. #

Say that he makes them *do the following things:*

lire l'histoire de France # faire des quantités de devoirs # suivre l'exemple de leurs camarades français # étudier l'histoire de la médecine # faire des voyages un peu partout # regarder des diapositives # lire des dialogues culturels #

IV. LECTURE

HISTOIRE DE PARIS

Il y a bien des siècles, des hommes qui s'appelaient des «Parisii» bâtirent des maisons sur une petite île au milieu de la Seine. Au petit village qu'ils avaient fondé ils donnèrent le nom de Lutèce. En 52 av.-J.C., les Romains détruisirent ce village, mais Jules César le fit reconstruire.

Sur l'île et sur les rives de la Seine les Romains bâtirent des arènes et d'autres édifices, dont on a découvert les ruines. Au troisième siècle, ou peut-être au quatrième, les habitants de Lutèce, qui n'avaient pas oublié le nom des fondateurs de la ville, commencèrent à l'appeler Paris.

Quand Attila et ses Huns s'approchèrent de la petite ville, les Parisiens voulurent s'enfuir. Mais une jeune fille les y fit rester et la leur fit défendre. Cette jeune fille courageuse est devenue Sainte-Geneviève, la Patronne de Paris.

Clovis fit de Paris sa capitale mais pendant des siècles la ville ne s'étendit que très lentement.

Pendant le règne de Philippe-Auguste (1180–1223), cependant, la ville devint plus grande et plus belle. Le roi fit paver les rues principales. Il donna une charte à l'Université, qui attira des étudiants de tous les pays d'Europe. Philippe-Auguste fit construire Notre-Dame de Paris et une partie du palais du Louvre.

En 1200 Paris avait environ cent mille habitants; en 1600, la ville en avait plus de cinq cent mille.

Pendant la Renaissance les rois ne s'occupaient guère de la capitale. François Premier, par exemple, préféra faire embellir son palais de Fontainebleau.

Au XVIIᵉ siècle Henri IV fit reconstruire et achever le Pont-Neuf. Ce roi fit construire deux places célèbres, la Place Dauphine (sur l'Île de la Cité) et la Place Royale. Son successeur, Louis XIII, fit ajouter à la ville des quartiers neufs, tels que le Marais, où se trouve maintenant la Place des Vosges.

Louis XIV abandonna Paris pour Versailles mais Louis XV, au XVIIIᵉ siècle, fit ajouter à la capitale la grande place qui s'appelle aujourd'hui la Place de la Concorde.

Après la Révolution il y eut peut-être un million de Parisiens dans une ville qui était restée une ville ancienne. C'est Napoléon III qui, au milieu du XIX⁰ siècle, fit transformer la capitale par le Baron Haussmann.

Haussmann fit détruire beaucoup de vieilles maisons, beaucoup de rues étroites, qu'il remplaça par de longues et larges avenues. Ces avenues font ressortir la beauté des édifices, de sorte que Paris est la ville aux perspectives magnifiques. Aidé par Napoléon III, Haussmann fit construire de grands parcs, surtout le Bois de Boulogne, à l'ouest de la ville, et le Bois de Vincennes, à l'est.

Au XX⁰ siècle, Paris continue à attirer des Français de toutes les régions de la France et des étrangers de tous les pays du monde. Malgré la construction continuelle de rues, de places, et de quartiers, de plus en plus loin de l'Île de la Cité, il y a une crise perpétuelle de logement pour les Parisiens. Et parce que Paris reste le centre d'une nation très centralisée, il y a dans la ville des crises de circulation constantes. Avec les crises politiques et internationales, la vie parisienne est de nos jours très agitée, très mouvementée. Pourtant, au cours d'une promenade, on trouve souvent des coins bien tranquilles. Paris est un mélange du moyen âge et des temps modernes.

VOCABULARY FOR THE *LECTURE*

ajouter *to add*
charte *f. charter*
coin *m. corner, nook, spot*
crise *f. crisis*
embellir *to make beautiful*
enfuir: s'—, *to flee*
environ *adv. about*
s'étendre *to expand*
fondateur *m. founder*

logement *m. lodging, housing*
mélange *m. mixture*
mouvementé *agitated, eventful*
occuper:s' — de, *to be busy with, be concerned about*
patronne *f. patron saint*
perspective *f. view, vista*
ressortir *to stand out*

V. EXERCISES for the classroom

A. *Répondez en français aux questions suivantes:*

1. Si vous étiez professeur de langues, quelles langues voudriez-vous enseigner?
2. Aimeriez-vous mieux enseigner l'anglais ou le français? 3. Si vous étiez architecte, quelles sortes d'édifices voudriez-vous faire construire? 4. Si vous étiez homme d'affaires, quelles sortes de marchandises voudriez-vous acheter et vendre? 5. Si vous étiez libraire, qu'est-ce que vous vendriez?

6. Si vous n'étiez pas Américain, voudriez-vous être Français? 7. Si vous n'étiez pas vous, qui voudriez-vous être?

B. *Translate orally the following sentences into French; when you are reasonably sure that you can do so correctly, write them in French:*

1. If I wrote books, I would be a writer. 2. If I sold books, I would be a bookseller. 3. If you taught French in (à) a university, you would be a French professor. 4. If you taught French in a primary school, you would be a teacher. 5. If you taught history, you would be a history professor.

6. If M. Jourdain knew the difference between prose and verse, would he be a teacher of philosophy? 7. If M. Jourdain did not know the difference between prose and verse, could you explain it to him? 8. What is the difference between prose and verse?

9. If you were in Paris, would a Dean or a professor have you come to his home? 10. If you went to his home, would he have you talk with his friends? 11. If you talked with his friends, would they know that you are an American? 12. If you talked French, would they know what you were saying to them?

C. *Invent answers in French to questions 6–12 of Section B.*

D. *Complete the following partial sentences with original ideas:*

1. Pour enseigner le français convenablement, je . . . 2. Pour faire apprendre cette belle langue aux Américains, je . . . 3. J'ai un camarade qui a beaucoup d'ambition; il veut . . . 4. J'ai un professeur qui fait lire à ses élèves . . . 5. Ce professeur leur fait écrire . . . 6. Le professeur veut nous faire . . . 7. Vous auriez tort de vous faire avocat si vous . . . 8. Vous auriez tort de vous faire architecte si . . . 9. Si j'étais millionnaire, . . . 10. Si vous étiez millionnaire, . . .

SUPPLEMENTARY EXERCISES for lessons 26–29

A. *Repeat:*
Qui est l'auteur de qui le professeur a parlé? #
Qui est l'auteur dont le professeur a parlé? #

Repeat the following sentences, replacing de *and relative pronoun by* dont:
Quelle est la comédie de laquelle le professeur a parlé? # Qui a écrit la comédie de laquelle vous avez parlé? # Qui est l'ange gardien duquel Roger a parlé? # Comment s'appelle le doyen duquel Maurice et Pauline ont parlé? # Quelles sont les professions desquelles Maurice et Pauline ont parlé? #

B. *Repeat:*
Êtes-vous malade? # Oui, je suis malade. #
Avez-vous mal dormi? # Oui, j'ai mal dormi. #

Answer the following questions affirmatively:
Avez-vous mal à la tête? # Avez-vous mal à la gorge? # Est-ce que vous toussez souvent? # Avez-vous pris froid? # Est-ce que vous vous êtes endormi à minuit? # Est-ce que vous vous êtes réveillé de bonne heure? # Allez-vous prendre de l'aspirine? # Est-ce que l'aspirine vous guérira? #

C. *Repeat:*
Mme Deluse lave les mains de sa fille. #
Elle a lavé les mains de sa fille. #

Repeat the following sentences, changing the tense of the verbs from present to passé composé:
Mme Deluse lui lave la figure. # Elle lui peigne les cheveux. # Elle lui met une belle robe. # Elle lui met ses bas. # Elle lui met ses beaux souliers. # Mme Deluse se lave les mains. # Elle se lave la figure. # Elle se brosse les cheveux. # Elle met un chapeau et des gants. # Mme Deluse et sa fille vont au Parc Monceau. #

CHARTRES: TROIS STATUES DU PORTAIL ROYAL (à droite)

Sixième dialogue culturel

L'ARCHITECTURE ET LA SCULPTURE

Robert et Charlotte Cartier se re-trouvent chez Philippe Lefort.

ROBERT. De quoi allez-vous nous parler ce soir, monsieur le professeur?

PHILIPPE. Je ne suis pas professeur et je ne fais pas de conférences. Je ne veux vous faire qu'une causerie[1] à l'aide de diapositives. J'aimerais vous faire voir des vues de quelques-unes de nos plus belles églises et de nos cathédrales.

CHARLOTTE. Pourquoi seulement quelques-unes? Y en a-t-il tant?

PHILIPPE. Il y a environ soixante cathédrales gothiques, mais les églises sont, bien entendu, beaucoup plus nombreuses. En France, chaque village a sa petite église, parfois très pittoresque. Mais je vais vous parler de grandes églises et de cathédrales. Pour commencer ma causerie, regardons cette église qui se trouve à Paris. Vous la reconnaissez,[2] n'est-ce pas?

CHARLOTTE. C'est Saint-Germain des Prés!

ROBERT. Elle se trouve en face[3] du Café des Deux Magots!

[1] causerie f. *informal talk*

[2] reconnaître *to recognize* [3] en face de *across from, opposite*

SAINT-GERMAIN DES PRÉS:
LE CARREFOUR ET L'ÉGLISE

AUTUN: «ÈVE», FRAGMENT DU PORTAIL NORD DE LA CATHÉDRALE SAINT-LAZARE

PHILIPPE. Oui, et c'est la plus vieille église de Paris. Elle a été construite au onzième siècle. Saint-Germain des Prés est un exemple d'architecture romane[4] avec sa tour au style très simple, ses fenêtres étroites et ses voûtes[5] rondes, comme les monuments romains. De plus, ses murs sont faits d'énormes blocs de pierre, ce qui donne une impression de lourdeur.[6]

N'a-t-on pas la même impression devant l'église Notre-Dame-du-Port, à Clermont-Ferrand en Auvergne? Construite au XIe siècle, c'est aussi une église romane.

Quant à la Basilique de Saint-Bernin à Toulouse, c'est le plus grand édifice roman du monde!

Passons maintenant à la Cathédrale Saint-Pierre d'Angoulême, qui date de la première moitié[7] du XIIe siècle. La façade est remarquable à cause de ses statues, œuvre des sculpteurs du moyen âge. Ces statues, souvent raides[8] et sans grâce, représentent l'art du sculpteur au moyen âge, trois cents ans avant la découverte de l'art classique de la Grèce.

Notre-Dame-la-Grande, à Poitiers, malgré son nom, est plus petite que Saint-Pierre d'Angoulême! Mais si on regarde de près la façade, on y voit les plus riches sculptures de l'art roman!

Je n'ai pas le temps de vous raconter en détail l'histoire de Sainte-Foy de Conques. Sachez[9] seulement que cette sainte fut martyrisée à l'âge de treize ans et que son martyre est à l'origine de nombreux miracles. Des milliers de pèlerins[10] allaient chaque année à

[4] roman *adj. Romanesque* [5] voûte *f. vault*
[6] lourdeur *f. heaviness* [7] moitié *f. half*

[8] raide *stiff* [9] sachez: *imperative of* savoir, *to know* [10] pèlerin *m. pilgrim*

Conques, petit village situé dans une vallée du Massif Central, où on a bâti une des églises romanes les plus célèbres. Au-dessus du portail principal les sculpteurs ont représenté le Jugement du Christ, qui bénit[11] les bons Chrétiens et condamne les autres aux tourments de l'Enfer. A l'intérieur de l'église, les pèlerins pouvaient voir et adorer une petite statue d'or de la jeune Sainte.

A Vézelay, en Bourgogne, l'Église de Sainte-Madeleine est une des merveilles de l'art roman du XIIe siècle, à cause surtout de ses sculptures admirables. Enfin, un portail de l'Église Saint-Pierre, à Moissac, dans le Midi, représente le Jugement dernier.

Savez-vous ce qu'on a inventé, au douzième siècle, pour permettre aux architectes de remplacer les blocs de pierre des murs des édifices romans par des piliers[12] ou des colonnes d'une hauteur[13] extraordinaire?

ROBERT. L'art gothique, mieux connu en anglais sous le nom de «Gothic architecture.»

PHILIPPE. Comment! Vous savez ce qu'est l'art gothique?

ROBERT. Je ne peux pas vous l'expliquer en français.

PHILIPPE. Les termes techniques sont difficiles à comprendre. Tout

[11]bénir *to bless*

[12]pilier *m. pillar, column*   [13]hauteur *f. height*

L'ASSAUT
DE NOTRE-DAME DE PARIS

(Musée Victor Hugo)

NOTRE-DAME DE CHARTRES

simplement, dans l'art gothique, les arcs qui supportent les voûtes ou le toit s'entrecroisent,[14] de sorte que le poids du toit n'est plus soutenu[15] entièrement par les murs mais en grande partie par des piliers et des arcs-boutants.[16] On peut donc avoir de grandes fenêtres dans les murs . . .

CHARLOTTE. Et dans les fenêtres on peut avoir de beaux vitraux.[17]

PHILIPPE. Oui, nos cathédrales gothiques ont des vitraux magnifiques. La fenêtre ronde à la façade d'une cathédrale est «une rose».

ROBERT. Dans quelle partie de la France a-t-on inventé l'art gothique?

PHILIPPE. Dans l'Île-de-France, c'est-à-dire autour de Paris. C'est dans la construction de la Basilique de Saint-Denis, vers le milieu du XIIᵉ siècle, qu'on a employé le nouveau procédé pour la première fois.

CHARLOTTE. Mais cet art gothique, qui lui a donné son nom?

PHILIPPE. Les Goths formaient la plus barbare des tribus allemandes qui envahirent l'Empire romain à peu près en même temps que les Francs. C'est pourquoi, environ mille ans plus tard, les artistes de la Renaissance ont donné par dérision ce nom de goth à un art qu'ils méprisaient, à un art «barbare».

A l'intérieur de Notre-Dame de Paris, on peut voir d'après ces ro-

14 s'entrecroiser *to cross one another*   15 soutenir *to hold up*   16 arc-boutant *m. flying-buttress*   17 vitrail (*pl.* vitraux) *m. stained glass window*

283

bustes piliers comment les architectes ont commencé à construire un édifice de style roman avant d'imiter le gothique pour le reste de la cathédrale. Regardons maintenant l'extérieur: la façade géométrique de notre cathédrale est unique. Sur les côtés, notez non seulement l'utilité des arcs-boutants mais aussi leur élégance. Ne manquez pas de voir Notre-Dame de Paris quand on l'illumine le soir: des détails d'architecture, souvent difficiles à remarquer le jour, se révèlent alors d'une grande beauté.

CHARLOTTE. Mais est-ce que toutes les cathédrales gothiques se ressemblent?

PHILIPPE. Pas vraiment, chaque cathédrale a son individualité. Faisons, avec mes diapositives, un voyage imaginaire par avion d'une ville à l'autre. Mais avant de quitter Paris, visitons encore une fois la Sainte-Chapelle, édifice du plus pur gothique, dont les vitraux enchanteront Charlotte.

La façade de Notre-Dame de Chartres, comme l'intérieur de Notre-Dame de Paris, n'est pas du gothique pur. L'une des tours est romane, l'autre gothique. N'aimezvous pas la simplicité, la sobriété de cette façade? Les portails Nord et Sud sont gothiques. Les statues innombrables de tous ces portails—ou de ces porches, comme on les appelle souvent—sont très intéressantes. Aux portails de la façade on trouve des figures aussi raides que celles de l'art roman mais les statues des

CHARTRES: DÉTAIL DE SCULPTURE

deux autres portails, ajoutés à la cathédrale au XIIIe siècle, montrent les grands progrès faits par les sculpteurs. Elles ressemblent à des êtres[18] humains, n'est-ce pas? Et en ce qui concerne les vitraux, lesquels préférez-vous? Ceux de la Sainte-Chapelle à Paris ou ceux de Chartres?

CHARLOTTE. C'est vraiment difficile à dire.

PHILIPPE. Allons maintenant à Amiens. Ici vous voyez l'œuvre d'un

[18] être m. being

architecte audacieux. De toutes les cathédrales françaises, Notre-Dame d'Amiens est la plus vaste. Comme à Chartres, nous voyons des statues d'une vérité[19] frappante.[20] On admire surtout le «Beau Dieu» et, comme à Conques, un «Jugement dernier».

La cathédrale de Reims vous étonnera sans doute par sa façade aux 530 statues. Son portail Nord en a beaucoup lui aussi.

CHARLOTTE. Notre-Dame de Reims a une grande importance historique. N'y couronnait-on pas les rois de France et Jeanne d'Arc n'y fit-elle pas sacrer le Dauphin en 1429 sous le nom de Charles VII?

PHILIPPE. Comme vous êtes forte en histoire! La cathédrale fut fort endommagée[21] au cours de la première Guerre mondiale. On a pu la restaurer avec l'aide de millions de dollars américains.

La cathédrale Saint-Pierre de Beauvais mérite une visite. Elle a un chœur[22] magnifique du XIIIᵉ siècle. Saint-Étienne de Bourges a deux traits remarquables: d'abord, sa grandeur. Sa masse énorme domine non seulement la ville de Bourges mais aussi la plaine qui entoure la ville. Ensuite, les cinq porches de sa façade. On y trouve beaucoup de chefs-d'œuvre de la sculpture du XIIIᵉ siècle.

Voilà maintenant Rouen et ses trois édifices gothiques: la cathédrale Notre-Dame, l'église Saint-Ouen et celle de Saint-Maclou. En général,

NOTRE-DAME DE REIMS

on préfère l'église Saint-Ouen à la cathédrale. Celle-ci, endommagée pendant la seconde Guerre mondiale, est aujourd'hui complètement réparée. Et une des raisons pour lesquelles elle attire chaque année des milliers de touristes est qu'un artiste célèbre en a représenté la façade dans une série de chefs-d'œuvre.

ROBERT. Vous voulez sans doute parler de Claude Monet.

PHILIPPE. C'est exact. Mais de Rouen passons à Tours, à Strasbourg

---

[19] vérité *f. truth* [20] frappant *striking* [21] endommagée *damaged* [22] chœur *m. choir*

et à Dijon dont les cathédrales gothiques sont toutes très belles. La ville de Dijon, en outre,[23] nous offre dans son musée des chefs-d'œuvre de sculpture des XIVe et XVe siècles: les tombeaux des ducs de Bourgogne.

Je voudrais vous montrer une cathédrale d'un style tout à fait différent, celle d'Albi. Sa masse formidable ressemble à une forteresse et nous fait penser à la Croisade des Albigeois,[24] du XIIIe siècle, quand les armées de Philippe Auguste et de Louis VIII, sous le cruel Simon de Montfort, conquirent le Languedoc. . . .

Nous arrivons maintenant au XIVe siècle, pendant lequel on n'a plus bâti de cathédrales.

CHARLOTTE. C'est à cause de la guerre de Cent Ans, n'est-ce pas?

PHILIPPE. Oui, Charlotte. Pourquoi n'a-t-on pas bâti de grandes églises pendant la Renaissance?

ROBERT. Vous nous avez déjà dit que les artistes de la Renaissance méprisaient l'art gothique.

PHILIPPE. C'est vrai. De plus, l'art de la Renaissance n'est pas religieux, il est païen.[25] On voulait imiter l'art et l'architecture de la Grèce et de Rome. Qu'est-ce que les architectes de la Renaissance ont construit?

ROBERT. Des châteaux et des palais.

PHILIPPE. Les sculpteurs n'ont pas voulu représenter le Christ, la Vierge[26] et les saints. Qui donc ont-ils représenté?

[23] en outre *besides, moreover*   [24] les Albigeois *the Albigenses*

[25] païen, -ne *pagan*   [26] la Vierge *f. the Virgin Mary*

L'ÉGLISE DE LA MADELEINE:

COLONNES DE LA FAÇADE

LE CORBUSIER: L'ÉGLISE A RONCHAMP

ROBERT. Les dieux et les déesses[27] de la Grèce et de Rome: Apollon, Vénus, par exemple.

PHILIPPE. Oui, l'art religieux s'arrête, l'art néo-classique commence. Cet art domine le dix-septième siècle, comme nous l'avons vu à Versailles. Il domine l'architecture du XVIIIe siècle. (La peinture, cependant, a été plus indépendante.) Il domine aussi la première moitié du XIXe siècle; regardez l'Arc de Triomphe de l'Étoile, qui imite un monument romain, l'Église de la Madeleine, qui imite un temple grec ou romain. Vers la fin du XIXe siécle, les architectes adaptent la forme d'un édifice à sa fonction. Au XXe siècle, d'ailleurs, on a fait en France des bâtiments vraiment modernes, comme ceux de l'architecte Le Corbusier: voyez son église à Ronchamp, son immeuble à Marseille. L'architecture moderne n'est pas vraiment française, elle est internationale—voyez le Palais de l'UNESCO à Paris.

CHARLOTTE. Qu'est-ce que les sculpteurs ont fait depuis la Renaissance?

PHILIPPE. Sous Louis XIV, les sculpteurs ont fait des statues néoclassiques pour les jardins de Versailles. Au XVIIIe siècle, un sculp-

[27] déesse *f. goddess*

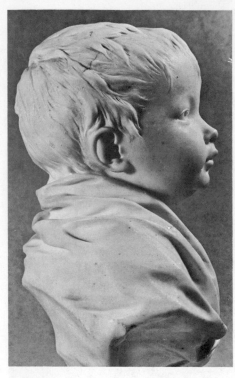

HOUDON: SA FILLE CLAUDINE

teur de génie, Houdon, a fait des portraits-bustes de plusieurs grands hommes de son temps: par exemple, de Franklin, de Diderot, du vieux Voltaire. Le plus grand sculpteur du XIXe siècle est sans doute Rodin, qui a fait des œuvres d'une vigueur et d'une vitalité remarquables: les *Bourgeois de Calais*, le *Baiser*,[28] le *Penseur*, et une statue très originale de Balzac. On peut admirer quelques-unes de ses meilleures sculptures au Musée Rodin, ici à Paris.

Si je ne m'arrête pas maintenant, ma causerie deviendra une conférence! La prochaine fois que vous viendrez chez moi, nous parlerons de la peinture française si vous le voulez bien.

[28]Baiser *m. Kiss*

EXERCISES for the classroom

A. *Each of the following questions is followed by two answers. Choose the correct answer. Students' answers may be given orally or in writing, or first orally (one student at a time) and then in writing (all students at the same time), always with books closed.*

1. Est-ce que Philippe veut faire une conférence? (a) Oui, il veut en faire une. (b) Non, il n'en fait pas. 2. Qu'est-ce qu'il va faire voir à ses amis? (a) Il va leur montrer des diapositives. (b) Il va leur faire voir soixante cathédrales. 3. Est-ce qu'il y a plus de cathédrales que d'églises en France? (a) Il y a plus d'églises que de cathédrales. (b) Il y a moins d'églises que de cathédrales. 4. Quelle est la première église que Philippe montre à ses amis? (a) C'est la Sainte-Chapelle. (b) C'est Saint-Germain des Prés. 5. L'église que Philippe leur montre, est-ce une église romane ou une église romaine? (a) C'est une église romane. (b) C'est une église romaine. 6. Où peut-on voir les plus riches sculptures de l'art roman? (a) On peut les voir à la façade de Notre-Dame-du-Port. (b) On peut les voir à la façade de Notre-Dame-la-Grande. 7. Qu'est-ce qu'on pouvait voir à l'intérieur de Sainte-Foy de Conques? (a) On pouvait y voir une statue de la sainte. (b) On pouvait y voir une statue de Notre-Dame.

8. En quel siècle a-t-on inventé l'art gothique? (a) On l'a inventé au dixième siècle. (b) On l'a inventé au douzième siècle. 9. Qu'est-ce que c'est qu'une rose? (a) C'est une fenêtre dans le mur d'une cathédrale. (b) C'est un vitrail rond à la façade d'une cathédrale. 10. Qu'est-ce qu'on admire surtout à Chartres? (a) On y admire la façade de la cathédrale et les statues des porches. (b) On y admire la façade géométrique de la cathédrale. 11. Pourquoi est-ce que Notre-Dame de Reims est une des cathédrales les plus historiques de la France? (a) Cette cathédrale fut sévèrement endommagée pendant la première Guerre mondiale. (b) C'est là qu'on couronnait les rois de France. 12. Laquelle des cathédrales est-ce que Claude Monet a représentée souvent dans ses peintures? (a) C'est Notre-Dame de Rouen. (b) C'est Notre-Dame de Reims.

13. Quels chefs-d'œuvre peut-on voir à Dijon? (a) On peut y voir les tombeaux des ducs de Bourgogne. (b) On peut y voir des tableaux de Claude Monet. 14. A quoi la cathédrale d'Albi ressemble-t-elle? (a) Elle ressemble à un temple grec. (b) Elle ressemble à un château fort du moyen âge. 15. A quoi l'Église de la Madeleine ressemble-t-elle? (a) Elle ressemble à un temple grec. (b) Elle ressemble à un château fort du moyen âge.

B. *Complete the following sentences in French:*

1. Les sculpteurs du moyen âge ont fait des statues surtout pour orner (*to adorn, ornament*) . . . 2. Les sculpteurs de la Renaissance ont représenté surtout . . . 3. Les sculpteurs du dix-septième siècle ont fait des statues pour orner . . . 4. Houdon est célèbre à cause de. . . . 5. Parmi les chefs-d'œuvre de Rodin sont. . . .

6. Le Corbusier est un architecte du . . . siècle. 7. On peut voir des édifices de cet architecte à . . . et à . . .

C. *Translate orally the following sentences. When you are reasonably sure that you can do so correctly, write them:*

1. I would like to show you a few views of French cathedrals. 2. How many cathedrals are there? 3. There are so many that you could not see all of them (= see them all). 4. I am going to show you a church which dates from the first half of the twelfth century. 5. Read the story of Sainte-Foy; it is very interesting. 6. Then go and see the golden statue of the young saint. 7. Today the statue is not in a church; it is in a museum near a church.

8. Where was Gothic art invented?—In the Île-de-France. 9. Was Gothic art invented by the Goths? 10. Not at all! The name of the Goths was given to Gothic art derisively.

11. If we went to Chartres, what would we see? 12. We would see one of the most famous cathedrals in France. 13. We would see some of the most beautiful stained glass windows. 14. If we went to Reims, what would we see? 15. We would see a cathedral which was very much damaged during the First World War, and which has been marvelously well restored. 16. If we had gone to Bourges, what would we have seen? 17. We would have seen an enormous cathedral which has five portals. 18. Are there three cathedrals in Rouen?—No! There is only one!

19. Paris is a very old city, isn't it? Are there any modern buildings in Paris? 20. Why yes! There are, for example, the Palace of Chaillot and the Palace of UNESCO.

Trente et unième leçon

I. DIALOGUE

Richard Dumont et Robert Lambert sont dans leur chambre.

RICHARD. Allons, Robert, il est déjà 8 heures. Il faut que vous vous leviez tout de suite.

—*Come on, Robert, it is already 8 o'clock. You must get up at once.*

ROBERT. Pourquoi donc? Quand on est malade, il faut qu'on dorme aussi longtemps que possible.

—*Why so? When one's sick, one must sleep as long as possible.*

RICHARD. C'est vrai, mais il faut que vous soyez chez le docteur Giroud à 9 heures, n'est-ce pas?

—*That's right, but you have to be at Dr. Giroud's at 9 o'clock, don't you?*

ROBERT. Non! Mon rendez-vous n'est qu'à 10 heures!

—*No! My appointment is not until 10 o'clock!*

RICHARD. Croyez-vous que le docteur vous trouve assez malade pour vous envoyer à l'infirmerie?

—*Do you think that the doctor will find you sick enough to send you to the infirmary?*

ROBERT. Probablement pas: je vais mieux ce matin.

—*Probably not. I'm better this morning.*

RICHARD. Je suis heureux que vous

—*I'm glad you're better. Just the same*

291

alliez mieux. Il faut quand même que vous voyiez le docteur. Vous voulez que j'aille chez lui avec vous?

you must see the doctor. Do you want me to go to his office with you?

ROBERT. Vous êtes malade, vous?

—*Are* you *sick?*

RICHARD. Non, mais si vous voulez que quelqu'un vous accompagne . . .

—*No, but if you want someone to go with you . . .*

ROBERT. Je ne crois pas que je sois sérieusement malade. En tout cas, j'ai faim!

—*I don't think I'm seriously sick. In any case, I'm hungry!*

RICHARD. Il ne faut pas trop manger si vous êtes malade.

—*You mustn't eat too much if you are sick.*

ROBERT. N'a-t-on pas dit qu'il fallait manger pour vivre?

—*Didn't someone say that it was necessary to eat in order to live?*

RICHARD. C'est Valère qui l'a dit dans *l'Avare* de Molière. Mais quand Harpagon, l'avare, veut le répéter, il se trompe: il faut vivre pour manger, dit-il, et non pas manger pour vivre!

—*It's Valère who said so in Molière's* The Miser. *But when Harpagon, the miser, wants to repeat it, he makes a mistake: one must live to eat, he says, and not eat to live!*

ROBERT. Mes félicitations, Richard! Vous connaissez bien les comédies de Molière. Voilà ce que c'est que de faire de bonnes études!

—*My congratulations, Richard! You know Molière's comedies very well. That's what comes from studying well!*

II. GRAMMATICAL USAGE

A. The Subjunctive Mood

1. INTRODUCTORY NOTE In previous lessons, all verb forms have been of the various tenses of the indicative mood (present, imperfect, etc.) or of the imperative mood. The indicative mood, in general, is used to express fact, certainty or probability. The imperative mood is used to express a command. The subjunctive mood, which includes the present, imperfect, perfect and pluperfect tenses, is used to denote (1) something whose existence or truth is open to doubt, or (2) something which does not have an independent existence but is subordinate to an idea or feeling. The use of the subjunctive sometimes cannot be explained by any grammatical rule

but only by the degree of certainty or uncertainty which one wishes to express. Students must, however, depend at first upon rules. Some rules are given in this lesson, others will be given in Lessons 32 and 33.

2. PRESENT SUBJUNCTIVE FORMS Verbs of the three regular conjugations, **avoir** and **être** have the following forms in the present tense of the subjunctive mood (frequently called for convenience the *present subjunctive*):

parler	**finir**	**perdre**	**avoir**	**être**
parle	finisse	perde	aie	sois
parles	finisses	perdes	aies	sois
parle	finisse	perde	ait	soit
parlions	finissions	perdions	ayons	soyons
parliez	finissiez	perdiez	ayez	soyez
parlent	finissent	perdent	aient	soient

B. Uses of the Subjunctive

Among the commoner uses of the subjunctive are the following:

1. Il faut que vous vous leviez   *You must get up at once.*
   tout de suite.
   Il faut qu'on dorme longtemps.   *One must sleep a long time.*
   Il faut que vous soyez chez le   *You must be (You have to be) at the*
   docteur à 9 heures.   *doctor's at 9 o'clock.*
   Il est possible que j'aille au   *It is possible that I'll go (I may go)*
   Louvre cet après-midi.   *to the Louvre this afternoon.*
   Il est impossible que Suzanne   *It's impossible for Suzanne to be*
   soit au Louvre aujourd'hui.   *in the Louvre today.*

The subjunctive is used in clauses dependent upon expressions of necessity, possibility and impossibility.

2. Voulez-vous que j'y aille avec vous?   *Do you want me to go there with you?*
   Je voudrais que vous m'accompa-   *I would like you to go with me to my*
   gniez chez mon amie.   *friend's home.*

The subjunctive is used in a subordinate clause introduced by **que** after expressions of desiring and willing.

NOTE It is impossible to use in French the English construction, *"Do you want me to go . . ."* or *"I would like you to do . . ."*. In such cases French must have a subordinate clause with the subjunctive.

3. Je suis heureux que vous alliez   *I am glad that you are better.*
   mieux.

   C'est dommage que je ne puisse   *It's a pity (It's too bad) that I cannot go*
   pas vous accompagner.   *with you.*

Similarly, after expressions of emotion, such as happiness, joy, pleasure, sorrow, and surprise.

4. Je ne crois pas que vous soyez   *I don't think that you are seriously sick.*
   sérieusement malade.

   Croyez-vous que le docteur vous   *Do you think that the doctor will think you*
   trouve assez malade pour vous   *are sick enough to send you to the*
   envoyer à l'infirmerie?   *infirmary?*

Similarly, after expressions of believing and thinking, when uncertainty is implied by negation or interrogation.

NOTES 1. **Que** must be used in French to introduce subordinate clauses with the subjunctive even though *that* may be used or omitted in English.

2. As there is no future tense in the subjunctive mood, the present tense serves both for the present and the future.

C. FALLOIR, "to be necessary," "have to," "must"

This irregular, impersonal verb has the following forms:

PRESENT: il faut   IMPERF.: il fallait   FUT.: il faudra   COND'L.: il faudrait
PASSÉ COMPOSÉ: il a fallu   PAST DEF.: il fallut

1. Il faut que vous voyiez le docteur.   *You must see the doctor.*
   Il nous faut partir maintenant.   *We must leave now.*
   Il nous faudra partir bientôt.   *We'll have to leave soon.*

If **falloir** is followed by a **que**-clause, the subjunctive must be used in such a clause, without exception. **Falloir** may be followed by an infinitive; in this case, it may have in French an indirect object pronoun.

NOTE Only a pronoun can be an indirect object of **falloir**, not a noun.

Il lui faut partir.   *He must leave.*
Il faut que le professeur parte   *The professor must leave soon.*
bientôt.

2. Il faut manger pour vivre.   *One must eat in order to live.*
   Il ne faut pas trop manger.   *One must not eat too much.*
   Il ne faut pas vivre pour manger.   *One must not live in order to eat.*

The affirmative **il faut** denotes necessity, the negative **il ne faut pas** denotes a moral prohibition.

D. ÊTRE + Adjective + Dependent Clause

Il est certain que j'ai raison.   *It is certain that I am right.*
Il est possible que vous ayez tort.   *It is possible that you are wrong.*

The use of the indicative or subjunctive in a dependent clause after **être** + adjective is determined by the degree of certainty or uncertainty expressed by the adjective. After **certain, probable, vrai,** use the indicative; after **nécessaire, possible, impossible,** use the subjunctive.

E. CROIRE, "to believe"

This irregular verb has the following forms:

PRESENT		IMPERFECT	FUTURE	CONDITIONAL	SUBJUNCTIVE	
crois	croyons	croyais	croirai	croirais	croie	croyions
crois	croyez	etc.	etc.	etc.	croies	croyiez
croit	croient				croie	croient

IMPERATIVE: crois, croyons, croyez   PAST PARTICIPLE: cru

NOTE After **croire** used negatively or interrogatively, the subjunctive is regularly used. (See **B,** 4.)

F. Present Subjunctive Forms of Certain Irregular Verbs

Forms of all irregular verbs used in this book may be found in the *Table of Irregular Verbs* in the *Appendix*. The following table presents for ready reference the present subjunctive of irregular verbs used in this lesson.

aller	comprendre	connaître	dormir
aille	comprenne	connaisse	dorme
ailles	comprennes	connaisses	dormes
aille	comprenne	connaisse	dorme
allions	comprenions	connaissions	dormions
alliez	compreniez	connaissiez	dormiez
aillent	comprennent	connaissent	dorment

faire	pouvoir	partir	voir
fasse	puisse	parte	voie
fasses	puisses	partes	voies
fasse	puisse	parte	voie
fassions	puissions	partions	voyions
fassiez	puissiez	partiez	voyiez
fassent	puissent	partent	voient

III. PATTERN PRACTICE

A. *Répétez:*
Parlez français dans cette classe! #   Il faut que nous parlions français dans cette classe. #

Say that it is necessary for us to do what is ordered:
Parlez français tout le temps! # Finissez chaque leçon! # Comprenez ce qu'on nous dit! # Allez chez le docteur! # Voyez le docteur! # Faites ce que le docteur nous dit de faire! #

B. *Répétez:*
Allez chez le docteur à 9 heures. #   Il faut que vous alliez chez le docteur à 9 heures. #

Say that you must do what is ordered:
Parlez français avec vos amis. # Présentez-moi à vos amis. # Présentez-moi à toutes vos amies. # Dormez longtemps. # Levez-vous à 9 heures. # Allez chez le docteur à 10 heures. #

C. *Répétez:*
Il est impossible que Robert soit chez le docteur à 9 heures. #

Say that it is impossible for him to do what is mentioned:
être chez vous à 8 heures et demie # être chez le docteur à 8 heures # dormir jusqu'à 11 heures # finir ses devoirs avant midi #

D. *Répétez:*
Voulez-vous que j'aille chez le docteur avec vous? #

Ask if you want me to do the following things:
aller chez le dentiste avec vous # être chez vous à 10 heures # parler français avec le dentiste # perdre deux ou trois de mes dents chez le dentiste #

E. *Répétez:*
Voulez-vous que nous vous accompagnions au cinéma? #

Ask if you want us to do the following things:
vous accompagner chez Mme Laroche? # vous présenter à Mme Laroche? # faire une promenade avec vous? # aller au Louvre avec vous? # voir les peintures et les statues avec vous? #

F. *Répétez:*
Je suis heureux que vous alliez mieux. #

Say that you are glad that the following things are true:
Robert va mieux. # Richard n'est pas sérieusement malade. # Vous n'êtes pas malade du tout. # Il fait beau aujourd'hui. # Il ne fait pas trop froid pour un pique-nique. #

G. *Répétez:*
C'est dommage que je ne puisse pas vous accompagner. #

Say that it is too bad that the following things are so:
Nous ne pouvons pas vous accompagner. # Vous ne pouvez pas nous accompagner. # Vos amis ne peuvent pas nous accompagner. # On ne peut pas manger tout le temps. # On ne peut pas vivre pour manger. # Vous ne pouvez pas dormir jusqu'à midi. # Vous ne pouvez pas lire toutes les comédies de Molière. # Vous ne pouvez pas les voir au théâtre. # Vous ne pouvez pas comprendre tout ce qu'on vous dit. #

H. *Répétez:*
Croyez-vous que le docteur vous trouve sérieusement malade? #

Ask if you believe what is stated:
Le docteur Marchand parle anglais. # Le docteur est malade. # Robert comprend tout ce qu'on lui dit. # Robert connaît des jeunes filles que vous ne connaissez pas. # Je peux aller à Paris l'été prochain. # Nous pouvons aller à Paris l'été prochain. # Robert fait de bonnes études. # Tous les élèves font de bonnes études. #

IV. LECTURE

UNE VISITE

Il est dix heures du matin. Madame Pierre sonne à la porte de l'appartement de Madame Laroche.

—Bonjour, madame, dit Mme Laroche à son amie.   Entrez, je vous prie.

—Bonjour, madame, répond Mme Pierre.   Je suis enchantée de vous trouver chez vous.   Il y a longtemps que je ne vous ai pas vue.

—Nous ne nous sommes pas vues depuis que je vous ai montré mon appartement.   Entrons dans le salon.   Pardon si je ne suis pas bien habillée. Je ne m'attendais pas à avoir une visite ce matin.

—Je passais, je n'ai pas pu résister à la tentation de monter vous voir.   Je suis sortie de bonne heure pour faire des courses.

—Où allez-vous, madame?

—Il faut que je sois chez la couturière avant onze heures.   Elle veut que j'essaye encore une fois la robe que je vais porter à l'Opéra vendredi soir. Ensuite j'irai au marché aux fleurs.   Je veux porter des fleurs à une amie qui est un peu souffrante.   Je voudrais que vous m'accompagniez chez elle. Il faut que vous fassiez la connaissance de mon amie, Madame Giroud, elle est charmante.   C'est la femme d'un médecin.   Elle a peu d'amies à Paris. Je ne crois pas que vous la connaissiez et elle désire que je lui présente toutes mes amies.   C'est assez loin mais nous pourrons prendre un autobus qui passe devant sa porte.   Si vous pouvez m'y accompagner, je reviendrai vous prendre ici à deux heures et demie.

—C'est dommage que je ne puisse pas vous accompagner chez votre amie, chère madame, je voudrais faire sa connaissance, mais j'ai mal aux dents depuis hier.   Il faut que j'aille chez le dentiste, j'ai rendez-vous pour deux heures.   Il va peut-être m'arracher une dent.   Je voudrais bien aussi aller avec vous chez votre couturière parce que moi aussi, j'ai besoin d'une robe.   Je m'étonne que mon mari ne comprenne pas cela, mais quand on parle de robes, je ne crois pas qu'il y ait un homme qui . . . sauf les grands couturiers, bien entendu . . . un homme qui . . .

—Je suis d'accord avec vous, chère madame.   Mon mari . . . mais il ne faut pas dire ce que je pense . . . Je ne vais pas chez les grands couturiers de la rue Saint-Honoré pour commander mes robes parce que pour moi, le bon goût est plus important que la grande renommée . . . Mais il faut que je me sauve, je ne veux pas être en retard.

—Vous avez tout à fait raison, madame, le bon goût avant tout! Je regrette que vous soyez obligée de partir et que je ne puisse pas vous accompagner cet après-midi.   Merci de votre bonne visite.

—C'est dommage que vous alliez chez le dentiste.   Comme je le disais à mon pauvre mari hier soir, il ne faut pas négliger les dents.   Il a perdu presque toutes les siennes.   Au revoir, madame.

—Au revoir, madame.

VOCABULAIRE POUR LA LECTURE

arracher *to extract, pull out*

attendre: s' — à *to expect*

couturière *f. dressmaker*

essayer *to try on (clothes)*

étonner: s' —, *to be astonished, be surprised*

marché *m. market;* —aux fleurs *flower-market*

négliger *to neglect*

prendre *to take, get*

renommée *f. renown, fame*

sauf *except*

souffrant *adj. indisposed, not well*

tentation *f. temptation*

V. EXERCICES pour la salle de classe

A. *Lisez à haute voix:*

Il faut que je finisse mon petit déjeuner tout de suite.

Il faut que vous finissiez votre déjeuner tout de suite.

Il faut que M. et Mme Lepic finissent leur dîner tout de suite.

Say in French that the following persons must finish a meal immediately:

Robert. Robert et Richard. Nous. Vous. Les étudiants.

B. *Lisez à haute voix:*

J'ai mal aux dents!—Je regrette que vous ayez mal aux dents.

François a mal à la tête. Je regrette qu'il ait mal à la tête.

Je suis malade!—Je regrette que vous soyez malade.

Say in French that you are sorry about the following things:

Roger a mal aux dents. Albert a mal à la gorge. Vous toussez beaucoup. Marguerite a mal au bras droit. Louise a mal au bras gauche. Tous nos amis sont malades! Nous n'avons pas assez d'aspirine!

C. *Lisez à haute voix:*

C'est dommage que vous ayez mal à la tête.

Say in French that it's a pity that the following things are so:

Vous n'allez pas bien ce matin. Vous êtes sérieusement malade. Vous êtes malade parce que vous avez mangé trop de bonbons! Louise est malade parce qu'elle a mangé trop de bonbons! Vous ne m'écoutez jamais quand je vous parle. Louise n'écoute jamais quand Marguerite lui parle. Vous ne pouvez pas aller au restaurant avec moi. Vous ne pouvez pas aller au théâtre avec moi ce soir. Nous ne pouvons pas voir ensemble *Le Bourgeois gentilhomme* de Molière.

D. *Traduisez en français:*

1. Where is Jeanne? I must see her. 2. She is ill; it's impossible for you to see her now. 3. I must speak to her immediately. 4. You mustn't go into her room. I do not believe that you have something important to (**à**) say to her. Jeanne must sleep. 5. It's too bad that Jeanne is ill. Must she go to the doctor's? 6. No, but she must stay in her room. 7. I'm glad that she is not seriously ill.

E. *Traduisez en français:*

1. What do you want Pierre to do? 2. I want him to study French. I want him to be able to speak French and understand French when he goes (*fut.*) to France. 3. Don't you want me to speak French and understand French when I go to Paris? 4. You already speak French so well that I would like you to go with me when I go to France. 5. It's too bad that we cannot go there together! 6. Do you believe that we can see each other in Paris? 7. Of course! It is probable that we shall be there at the same time. 8. It is possible that we shall take (**que nous suivions**) the same courses at the Sorbonne! 9. We must take the same courses! 10. Well then, good-bye and see you later—in Paris!

Trente-deuxième leçon

I. DIALOGUE

Marguerite, une jeune Américaine, cause avec une amie française, Hélène Surgères. Elles sont à Paris.

MARGUERITE. Aujourd'hui il faut que je trouve quelque chose que je puisse envoyer à ma mère pour son anniversaire.

—*Today I must find something which I can send to my mother for her birthday.*

HÉLÈNE. Vous voulez sans doute quelque chose d'exceptionnel.

—*Of course you want something out of the ordinary.*

MARGUERITE. Certainement, mais bien que j'aie cherché dans plusieurs grands magasins, je n'ai encore rien trouvé qui soit assez bon marché.

—*Certainly, but although I have looked in several department stores, I haven't found anything yet which is inexpensive enough.*

HÉLÈNE. C'est vrai. Les belles choses sont d'habitude assez chères. On peut quand même trouver des cadeaux à la fois intéressants et bon marché.

—*That's true. Beautiful things are usually rather expensive. Just the same, one can find gifts (which are) at the same time interesting and inexpensive.*

MARGUERITE. Je ne sais pas comment, à moins que vous ne connaissiez certains magasins où . . .

—I don't know how, unless you know of some stores where . . .

HÉLÈNE. J'en connais en effet, mais ce ne sont pas les grands magasins. N'êtes-vous jamais allée chez les antiquaires?

—Indeed I do know some, but they are not the department stores. Haven't you ever gone to the antique dealers' shops?

MARGUERITE. Voilà une idée merveilleuse! Ma mère aime beaucoup les antiquités! Je m'étonne que je n'aie pas pensé à ça avant. J'ai vu des centaines de magasins d'antiquités à Paris.

—That's a wonderful idea! My mother is very fond of antiques! I'm surprised that I didn't think of that before. I've seen hundreds of antique shops in Paris.

HÉLÈNE. Nous ferons tous les antiquaires jusqu'à ce que nous trouvions—pardon! jusqu'à ce que vous trouviez ce que vous voulez.

—We'll do all the antique dealers until we find—pardon! until you find what you want.

MARGUERITE. Il faudra envoyer mon cadeau à ma mère cet après-midi pour qu'elle l'ait pour le jour de son anniversaire.

—It will be necessary to send my gift to my mother this afternoon so that she will have it for the day of her birthday.

HÉLÈNE. Excellente idée. Alors, mettons-nous en route tout de suite!

—Fine idea! Well then, let's set out at once!

EXTRAIT D'UNE LETTRE DE MARGUERITE A SA MÈRE

Chère Maman,
            Je viens de mettre à la poste un colis qui contient un cadeau pour ton anniversaire. Hélène Surgères, qui est la meilleure amie que j'aie à Paris, m'a aidée à le trouver dans un magasin d'antiquités de la rue du Bac. Je ne vais pas te dire ce que c'est avant que tu le voies. Il faut que ce soit une surprise!

Dear Mother,
            I have just mailed a package which contains a gift for your birthday. Hélène Surgères, who is the best friend I have in Paris, helped me find it in an antique shop on the rue du Bac. I am not going to tell you what it is before you see it. It must be a surprise!

Le marchand m'a dit que cet objet date du dix-huitième siècle. Bien qu'il m'ait dit cela, je ne suis pas absolument certaine que c'est vrai.

The dealer told me that this object dates from the eighteenth century. Although he told me that, I am not absolutely sure that it is true.

Tu verras que cet objet est vieux, intéressant, et peut-être utile. Je te dirai seulement une chose: il faudra que tu cherches un tiroir secret à l'intérieur de cet objet . . .

You will see that the object is old, interesting, and perhaps useful. I'll tell you only one thing: you will have to look for a secret drawer inside the object . . .

Je te souhaite un anniversaire bien heureux . . .

I wish you a very happy birthday . . .

II. GRAMMATICAL USAGE

A. Further Uses of the Subjunctive

1. Il faut que je trouve quelque chose que je puisse envoyer à ma mère.

   I must find something which I can send to my mother.

   Je n'ai rien trouvé qui soit assez bon marché.

   I have found nothing which is inexpensive enough.

   Hélène est la meilleure amie que Marguerite ait à Paris.

   Hélène is the best friend Marguerite has in Paris.

   The subjunctive is used in a relative clause whose antecedent is uncertain, nonexistent, or a superlative.

2. Bien que j'aie cherché dans plusieurs grands magasins, je n'ai encore rien trouvé.

   Although I have looked in several department stores, I haven't found anything yet.

   Je ne sais pas comment, à moins que vous ne connaissiez certains magasins où . . .

   I don't know how, unless you know certain stores where . . .

   Nous ferons tous les antiquaires jusqu'à ce que nous trouvions ce que nous voulons.

   We'll do all the antique dealers until we find what we want.

   Il faudra envoyer mon cadeau à ma mère cet après-midi pour qu'elle (afin qu'elle) l'ait pour son anniversaire.

   It will be necessary to send my gift to my mother this afternoon so that she will have it for her birthday.

   Je ne vais pas te dire ce que c'est avant que tu le voies.

   I'm not going to tell you what it is before you see it.

   The subjunctive is used in adverbial clauses introduced by certain conjunctions:

(of concession)	**bien que,** *although;* **quoique,** *although*
(of condition)	**à moins que,** *unless*
(of time)	**avant que,** *before;* **jusqu'à ce que,** *until*
(of purpose)	**pour que,** *in order that, so that;* **afin que,** *in order that, so that*

NOTES 1. Do not confuse **quoique,** *although,* and **quoi que,** *whatever.*

2. A so-called "pleonastic" **ne** (i.e., superfluous) is used with verbs in clauses introduced by **à moins que,** *unless.* (See the second example above.)

B. The Perfect Subjunctive

This tense, which corresponds to the **passé composé** of the indicative mood, is formed from the present subjunctive of **avoir** or **être** and a past participle.

(que) j'aie parlé	(que) je sois parti
tu aies parlé	tu sois parti
il ait parlé	il soit parti
nous ayons parlé	nous soyons partis
vous ayez parlé	vous soyez parti(s)
ils aient parlé	ils soient partis

C. Tense Sequence in the Subjunctive

Je ne le verrai pas avant qu'il vienne ici.	*I shall not see him before he comes here.*
Je m'étonne que je n'aie pas pensé à ça avant.	*I'm surprised that I didn't think of that before.*
Bien qu'il m'ait dit cela, je ne suis pas certaine que c'est vrai.	*Although he told me that, I am not sure that it is true.*

A present or future tense of the main verb of a sentence may be accompanied in a **que**-clause by either a present or perfect subjunctive. The present subjunctive denotes *incomplete* action or condition with reference to the main verb; the perfect subjunctive denotes *completed* action or condition.

D. SERVIR "to serve," and SE SERVIR DE "to use," "make use of"

PRESENT		IMPERFECT	FUTURE	CONDITIONAL	PRESENT SUBJUNCTIVE	
sers	servons	servais	servirai	servirais	serve	servions
sers	servez	etc.	etc.	etc.	serves	serviez
sert	servent				serve	servent
IMPERATIVE: sers, servons, servez				PAST PARTICIPLE: servi		

Je vais me servir du français
  que j'ai appris.

A quoi bon avoir appris le français
  si on ne s'en sert pas souvent?

J'ai besoin d'un nouveau stylo;
  je me sers de ce stylo-ci depuis un an.

I am going to use the French which
  I have learned.

What's the use of having learned
  French if one does not use it often?

I need a new pen; I have been using
  this pen for a year.

E. Subjunctive Forms of Irregular Verbs (cont.)

The irregular verbs which are used in the subjunctive in this lesson for the first time have the following forms:

revenir		vouloir	
revienne	revenions	veuille	voulions
reviennes	reveniez	veuilles	vouliez
revienne	reviennent	veuille	veuillent

III. PATTERN PRACTICE

A. *Répétez:*

J'ai trouvé quelque chose qui n'est pas
trop cher. #

J'ai trouvé quelque chose que je peux
envoyer à ma mère. #

Je cherche quelque chose qui ne soit
pas trop cher. #

Je cherche quelque chose que je puisse
envoyer à ma mère. #

Change "J'ai trouvé" to "Je cherche" and the verbs in the relative clauses from indicative to subjunctive:

J'ai trouvé un objet qui est très intéressant. # J'ai trouvé quelque chose qui est vraiment exceptionnel. # J'ai trouvé un cadeau qui est bon marché. # J'ai trouvé quelque chose que je peux acheter! #

Following the same procedure use "Nous cherchons":

Nous avons trouvé des antiquités que nous pouvons acheter. # Nous avons trouvé un magasin d'antiquités où l'on vend des objets intéressants. # Nous avons trouvé un magasin qui a des antiquités du dix-huitième siècle. #

B. *Répétez:*

Nous avons cherché longtemps # mais nous n'avons rien trouvé. #

Bien que nous ayons cherché longtemps, # nous n'avons rien trouvé. #

Change the first part of each sentence into a clause beginning with Bien que, *and put the first verb in the perfect subjunctive:*

Le marchand nous a dit cela mais je ne le crois pas. # Vous m'avez dit cela, mais je ne le crois pas. # Roger et Albert m'ont dit cela, mais je ne le crois pas. # Nous avons fait tous les magasins d'antiquités, mais nous n'avons rien trouvé. # Nous avons trouvé de belles choses, mais nous n'avons rien acheté. #

Use the same procedure, but introduce each sentence with Quoique:

Vous lui avez dit cela, mais M. Michel ne le croit pas. # Vous avez assez d'argent, mais vous n'avez rien acheté. # Nous n'avons rien acheté mais nous nous sommes bien amusés. #

C. *Répétez:*

Marguerite va chercher # jusqu'à ce qu'elle trouve ce qu'elle veut. #
Vous allez chercher # jusqu'à ce que vous trouviez ce que vous voulez. #

Say that the following persons are going to keep on looking until *they find what they want:*

Hélène et Marguerite # Nous # Les garçons # Les jeunes filles #

D. *Répétez:*

Je ne vais pas te dire ce que c'est # avant que tu le voies. #

The following sentences will have two parts. (*If you are using the book, read each sentence, then cover up the second part; read the first part again and give the second part from memory.*) *In the laboratory you will hear the whole sentence, then the first part; speak the second part.*

Je ne vais pas vous dire ce que c'est # avant que vous le voyiez. # Ne parlez pas à ce garçon-là # avant qu'on vous le présente. # Ne parlez pas à cette jeune fille # avant qu'on vous la présente. # Ne vous en allez pas # avant que nos amis reviennent. # N'allez pas chez les antiquaires # avant que je puisse vous y accompagner. # N'achetez rien # avant que nous trouvions ce que vous voulez. # Ne vous en allez pas # avant que je trouve ce que vous voulez. #

E. *Répétez:*

Je vais me servir du français que j'ai   Je me suis servi du français que j'avais
  appris. #   appris. #

Change the first verb-phrase to passé composé *and the second one to pluperfect, as in the example:*

Je me sers souvent du français que j'ai appris à l'école. # Marguerite se sert souvent des verbes qu'elle a appris. # En Europe nous nous servons souvent de toutes les langues étrangères que nous avons apprises. # Les étudiants se servent souvent des langues qu'ils ont apprises. #

IV. LECTURE

TOURISTES ET ÉTUDIANTS

Le nombre d'Américains qui envahissent la France augmente sans cesse. Quoique cette invasion ait lieu surtout en été, on voit arriver des Américains en automne, en hiver, et au printemps.

A moins qu'on ne connaisse personnellement un jeune Américain, on ne peut jamais dire à première vue s'il va être un touriste ou un étudiant. Quelle est la différence essentielle entre un touriste et un étudiant? Le touriste veut *voir* ce qui est célèbre, l'étudiant veut *savoir* pourquoi une telle chose est célèbre.

Il ne faut pas mépriser les touristes, même s'ils ne passent que quelques jours à Paris. Il y a tant de choses à voir en Europe en 21 jours! Le seul reproche qu'on puisse leur faire avec raison, c'est d'avoir mal préparé leur voyage. Le touriste typique ne sait presque rien de l'histoire culturelle des pays européens. Il est donc obligé de se contenter de ce que lui disent les guides, dont les discours, bien qu'ils soient souvent amusants, sont la plupart du temps superficiels.

Avant qu'on aille en France—si l'on veut profiter de l'été ou de l'année qu'on a l'intention d'y passer—il faut qu'on ait appris à parler français et à lire le français. Il faut qu'on ait étudié la culture française—c'est-à-dire la littérature, les beaux-arts, la vie française, et surtout l'histoire de France— pour qu'on voie avec plaisir le lieu de naissance d'un grand écrivain ou le chef-d'œuvre d'un grand artiste français. A moins qu'on n'ait étudié l'his toire de France, comment peut on comprendre l'importance de la ca thédrale de Reims, des châteaux forts, du palais de Fontainebleau, ou bien du château de Blois?

Bien qu'un jeune Américain puisse aller seul à Paris, un étudiant pour- rait s'associer avec un des nombreux groupes scolaires qui passent l'été en France. Les membres du groupe font ensemble le voyage de New York à Paris, ils passent un mois dans une petite ville typique où il y a peu d'A- méricains, telle que Belfort, Épinay, Pau ou Tarbes; les jeunes gens habi- tent chez des Français qui ont des enfants de leur âge; bientôt tous ces jeunes gens deviennent amis; à la fin du mois les Américains et les Français font ensemble un voyage en autocar ou à bicyclette. Enfin les membres du groupe passent quinze jours à Paris. Pendant tout leur séjour en France, les étudiants américains se servent du français qu'ils ont appris et ils se rendent compte de la valeur de leurs études culturelles.

Les jeunes Américains qui ont passé une année scolaire à une université française sont devenus des liens vivants entre deux pays.

Il ne faut pas croire que les Américains soient toujours sérieux quand ils sont en France! Bien qu'ils veuillent profiter autant que possible des semaines ou des mois qu'ils y passent, ils trouvent le temps de passer quel- ques soirées au Moulin Rouge, aux Folies Bergères, ou dans les cabarets du «gai Paris.» A moins qu'ils ne voient comment s'amusent les Français, comment pourront-ils faire comprendre à leurs compatriotes *tous* les aspects du caractère français?

VOCABULAIRE POUR LA LECTURE

amitié *f. friendship*

amuser: s'—, *to enjoy oneself,*
   have a good time

compatriote *m. fellow-countryman*

compte: se rendre — de *to understand,*
   realize

discours *m. speech*

lien *m. bond*

séjour *m. sojourn, stay*

V. EXERCICES pour la salle de classe

A. *Fill in the blanks with the correct form of the present subjunctive of* avoir:

1. Maurice est le meilleur ami que Roger et Albert — à Paris. 2. Hélène Surgères est la meilleure amie que Marguerite — à Paris. 3. Vous êtes le meilleur ami que j' — à Paris. 4. Est-ce que je suis le meilleur ami que vous — à Paris?

B. *Example:* Vous ne parlez pas français.—Je regrette que vous ne parliez pas français. *Place* Je regrette que *before each of the following sentences, making necessary changes:*

1. Vous ne m'aimez pas. 2. Vous ne m'avez jamais aimé. 3. Vous ne répondez pas en français quand on vous parle. 4. Vous n'avez pas répondu en français. 5. Vous ne venez jamais me voir. 6. Vous n'êtes jamais venu me voir. 7. Vous êtes allé aux grands magasins sans moi. 8. Vous n'y avez rien trouvé d'intéressant. 9. Vous n'êtes pas allé chez des antiquaires. 10. Vous n'êtes pas allé au magasin d'antiquités de la rue du Bac.

C. *Change the tense of the dependent verbs from present to perfect subjunctive:*

1. Je m'étonne que vous *suiviez* le cours du Professeur Noir. 2. Je m'étonne que vous *n'alliez* pas plus souvent au théâtre. 3. Je m'étonne que vous ne *compreniez* pas tous les bons mots du professeur. 4. Je m'étonne que vous *vouliez* acheter ce cadeau-là pour votre mère. 5. Je m'étonne que vous ne *croyiez* pas ce que le marchand vous a dit.

D. *Change the infinitives into the first person singular of the present subjunctive:*

1. Ne vous en allez pas avant que *(revenir)*. 2. Restez ici jusqu'à ce que *(revenir)*. 3. Je ne vais pas à ce restaurant-là, bien que *(avoir faim)*. 4. Je ne vais pas à ce café-là, quoique *(avoir soif)*.

E. *Translate the following sentences orally into French; when you are reasonably sure that you can do so correctly, write them:*

1. Will you please introduce me to your friends before they go away? 2. I shall be glad to introduce them to you in order that they may introduce you to some

of their friends.   3. Thank you very much; one cannot be happy, even in France, unless one has some friends there.   4. You are right; and one cannot learn to speak French, even in Paris, unless one has friends with whom one can talk. 5. Unfortunately there are young people **(des jeunes gens)** who, although they have friends, are unhappy.   6. Yes, and they will be unhappy until they are married **(mariés)**!   7. There are many boys and girls who are unhappy until they are married!   8. Alas! **(Hélas!)**   There are many men and women who are unhappy although they are married!

F. *Translate:*

1. Today you must find a gift which you can send to your mother for her birthday.   2. How can I buy a good gift unless I know what she wants? 3. I am sure that she would like to have some perfume, especially if you send it to her from Paris.   4. What good ideas you have!   I'm surprised that I didn't think of that!   5. We'll have to go to a department store to buy some perfume. 6. Yes, and we'll have to mail it this afternoon in order that my mother may have it for her birthday.   7. You'll have to send it to her air mail *(by plane)* !

G. *Invent original sentences in French to illustrate the use of the subjunctive after the following conjunctions:*

(1) avant que   (2) jusqu'à ce que   (3) pour que   (4) à moins que   (5) bien que

Trente-troisième leçon

I. DIALOGUE

MARGUERITE. Un jeune homme a invité une de mes amies à faire une promenade en voiture avec lui.

HÉLÈNE. C'est dommage que ce ne soit pas vous qu'il a invitée.

MARGUERITE. Mon amie Alice comprend ce qu'on lui dit en français mais elle ne parle pas très bien la langue, et elle craint que le jeune homme ne la trouve un peu bête!

HÉLÈNE. Dites-lui de lui répondre sans faire de phrases compliquées et d'apprendre par cœur quelques réponses très simples.

MARGUERITE. Vous avez des exemples de telles réponses?

HÉLÈNE. Quoi que le jeune homme lui dise, elle pourra s'écrier: «Oh! Ah! C'est merveilleux! C'est

—A young man has invited one of my girl friends to take an automobile ride with him.

—It's too bad that it isn't you he invited.

—My friend Alice understands what one says to her in French but she does not speak the language very well, and she's afraid that the young man may think she's rather stupid!

—Tell her to answer him without using any complicated sentences and to learn by heart a few very simple responses.

—Do you have some examples of such responses?

—Whatever the young man may say to her, she can exclaim: "Oh! Ah! That's marvelous! That's wonderful!" to indi-

épatant!» pour exprimer l'admiration et pour traduire l'étonnement: «Oh! Ah! Tiens! Par exemple!»

cate admiration and to express astonishment: "Oh! Ah! My! Really!"

MARGUERITE. Tout ça c'est bien, mais en cas de discussion, que lui conseillez-vous de dire?

—All that is fine, but in case of a discussion, what do you advise her to say?

HÉLÈNE. Votre amie pourrait dire, avec un sourire, «Vous croyez?» ou encore «Vraiment?»

—Your friend could say, with a smile, "You think so?" or else "Really?"

MARGUERITE. De temps en temps il lui faudra changer de sujet et parler de ce qu'elle voit sur la route.

—From time to time she will have to change the subject and say something about what she sees along the way.

HÉLÈNE. Alors elle s'écriera: «Quel beau paysage! Que ce paysage est beau! Que ce village est pittoresque!» Et pour faire plaisir à son chauffeur: «Que vous conduisez bien!»

—Then she'll exclaim: "What beautiful country! How beautiful this country is! How picturesque that village is!" And to please her driver: "How well you drive!"

MARGUERITE. Je ne le connais pas mais j'ai peur qu'il ne conduise trop vite. Comment peut-elle lui dire cela sans le mettre en colère?

—I don't know him but I'm afraid that he drives too fast. How can she tell him that without making him angry?

HÉLÈNE. Il n'y a rien qu'on puisse dire à un Français pour le faire conduire moins vite!

—There's nothing that one can say to a Frenchman to make him drive more slowly (less fast)!

MARGUERITE. Ni à un Américain non plus!

—Nor to an American either!

II. GRAMMATICAL USAGE

A. Further Uses of the Subjunctive

1. Elle craint que le jeune homme ne la trouve un peu bête.
J'ai peur qu'il ne conduise trop vite.

She is afraid that the young man may think she is rather stupid.
I'm afraid that he drives too fast.

The subjunctive is used in a subordinate clause depending upon verbs and expressions denoting fear.

NOTES 1. **craindre** *(to fear, be afraid)* is an irregular verb. See B.

2. A so-called pleonastic **ne** (which is a survival from Latin and is not to be translated into English) precedes a verb in the subjunctive mood after affirmative verbs of fearing. This **ne** is regularly found in classic or formal French but is frequently omitted in modern oral French.

2. quoi que le jeune homme lui dise ...   *whatever the young man may say to her ...*
quoi que vous fassiez ...   *whatever you may do ...*

The subjunctive is used in a clause introduced by **quoi que,** *whatever.*

NOTE Do not confuse **quoi que,** *whatever,* and **quoique,** *although.*

B. CRAINDRE, "to fear"

This irregular verb has the following forms:

	PRESENT	IMPERFECT	FUTURE	CONDITIONAL
crains	craignons	craignais	craindrai	craindrais
crains	craignez	etc.	etc.	etc.
craint	craignent			
IMPERATIVE: crains, craignons, craignez			PAST PARTICIPLE: craint	

La vieille dame craint de traverser   *The old lady is afraid to cross*
la rue.   *the street.*

Craindre requires **de** before an infinitive.

C. Exclamations

1. Quel beau paysage!   { *What a beautiful landscape!*
                            { *What beautiful country (scenery)!*

Quel village pittoresque!   *What a picturesque village!*
Quels livres intéressants!   *What interesting books!*

Quel (quelle, quels, quelles) is frequently used in exclamations. Observe that in the singular an indefinite article is *not* used in French.

2. Que ce paysage est beau!   *How beautiful this country is!*
Que ce village est pittoresque!   *How picturesque that village is!*
Que vous conduisez bien!   *How well you drive!*

The regular order in exclamatory sentences is: (1) **Que,** (2) subject and verb, (3) adjective or adverb.

D. Infinitives after Certain Prepositions

1. sans faire de phrases compliquées   *without using any complicated sentences*
   sans le mettre en colère   *without making him angry*
   au lieu de sortir pour prendre du thé   *instead of going out to get tea*

All prepositions except **en** are followed by the infinitive of a verb. (**En** is followed by a present participle. The use of infinitives after **à, de,** and **pour** has been frequently illustrated in preceding lessons.)

2. Pensez avant de parler.   *Think before speaking.*

Before, preceding an infinitive, is **avant de.**

3. Après avoir fait cela . . .   *After having done (After doing) that . . .*

Après, *after,* is regularly followed by a perfect infinitive.

E. CONDUIRE, "to conduct," "to drive"

This irregular verb has the following forms:

PRESENT		IMPERFECT	FUTURE	CONDITIONAL
conduis	conduisons	conduisais	conduirai	conduirais
conduis	conduisez	etc.	etc.	etc.
conduit	conduisent			

IMPERATIVE: conduis, conduisons, conduisez   PAST PARTICIPLE: conduit

PRESENT SUBJUNCTIVE

conduise	conduisions
conduises	conduisiez
conduise	conduisent

Among verbs conjugated like **conduire** are: **construire** *to construct;* **produire** *to produce;* **détruire** *to destroy;* **reconstruire** *to reconstruct, rebuild;* **traduire** *to translate.*

F. SAVOIR, "to know," "to know how (to)"

Most of the forms of this irregular verb were presented in Lesson 16 (II,E). For distinction between **savoir** and **connaître,** see Lesson 28, II, F. The present subjunctive forms of **savoir** are as follows:

    sache, saches, sache, sachions, sachiez, sachent

III. PATTERN PRACTICE

A. *Répétez:*

Le jeune homme parle trop vite. #

Je crains que le jeune homme ne parle trop vite. #

Mon amie ne le comprend pas assez bien. #

Je crains que mon amie ne le comprenne pas assez bien. #

Say Je crains *that the following things may happen, using a present subjunctive:*

Le jeune homme vous trouvera un peu bête. #   Il vous trouvera plus bête que moi! # Vous ne parlez pas assez bien le français. # Vous ne répondrez pas assez bien au jeune homme. # Vous ne comprendrez pas ce qu'il vous dira. # Vous mettrez le jeune homme en colère. #

B. *Répétez:*

J'ai peur que le jeune homme conduise trop vite. # J'ai peur que vous conduisiez trop vite. # J'ai peur que vous ayez un accident. #

Say J'ai peur *that the following things may happen:*

Vous ne conduisez pas assez bien. # Vous aurez un accident. # Votre voiture accrochera une poubelle au bord du trottoir. # La poubelle fera un bruit épouvantable. # La poubelle laissera une bosse sur l'aile-avant de votre voiture. # Vos parents ne vous laisseront plus conduire leur voiture. #

C. *Répétez:*

Vous me trouverez un peu bête, # quoi que je dise. #
Vous me trouverez un peu bête, # quoi que je fasse. #

In classroom, or with book, read the entire sentence, cover up the second half, read the first half and recite the second half from memory.   In the laboratory, you will hear the entire sentence, then the first half; give the second half from memory.

Vous nous trouverez un peu bêtes, # quoi que nous vous disions. # Vous nous trouverez un peu bêtes, # quoi que nous fassions. # Vous trouverez Alice un peu bête, # quoi qu'elle vous dise. # Vous trouverez le jeune homme un peu bête, # quoi qu'il fasse. # Alice s'écriera: «Oh! Ah!» # quoi qu'elle voie sur la route. # Elle s'écriera: «C'est épatant!», # quoi que le jeune homme lui fasse voir. # Elle dira, avec un sourire, «Vous croyez?», # quoi que le jeune homme lui dise. # Le jeune homme conduira trop vite, # quoi que votre amie puisse lui dire. #

D. *Répétez:*

Ce paysage-là est très beau, n'est-ce pas? #

Cette maison-là est très pittoresque, n'est-ce pas? #

Oui, quel beau paysage! #

Oui, quelle maison pittoresque! #

After each sentence, make the appropriate exclamation:

Ce village est très pittoresque, n'est-ce pas? # Cette église-là est pittoresque, n'est-ce pas? # Ma voiture est très bonne, n'est-ce pas? # Cette route est très bonne, n'est-ce pas? # Ce jeune homme-là est très beau, n'est-ce pas? # Cette jeune fille-là est très jolie, n'est-ce pas? #

E. *Répétez:*

Voilà un village pittoresque! #   Que ce village est pittoresque! #
Voilà une belle maison! #   Que cette maison est belle! #

After each sentence, make the appropriate exclamation:

Voilà un jeune homme intelligent! # Voilà une jeune fille intelligente! # Voilà un beau paysage! # Voilà un grand château! # Voilà une belle église! # Voilà une cathédrale magnifique! #

F. *Repeat the following sentences, with careful attention to pronunciation and intonation:*

1. Quelle belle maison! Qui l'a construite? # 2. Des Français l'ont construite il y a deux siècles. # 3. Quelles ruines pittoresques! Qui a détruit ce château? # 4. Hélas! Le château fut détruit pendant une guerre! # 5. Va-t-on le reconstruire? # 6. Oui, on a l'intention de le faire reconstruire. #

7. Quelle phrase compliquée! Pouvez-vous la traduire? # 8. Quel élève peut la traduire? # 9. Comment! On l'a déjà traduite? # 10. Quelle traduction excellente! #

IV. LECTURES

TROIS HISTOIRES DE BÊTES

A.

Dans le Jardin du Luxembourg il y a un bassin où les enfants jouent avec leurs petits bateaux. Un jour, un homme, suivi d'un chien, s'approcha du bassin. Il jeta un bâton au milieu du bassin et dit au chien de le lui rapporter.

Le chien courut tout de suite sur la surface de l'eau jusqu'au bâton, qu'il prit entre les dents et rapporta à son maître.

Un spectateur s'écria:—Quel chien remarquable! Au lieu de nager il court sur la surface de l'eau! Comment expliquez-vous cela?

Sans hésiter, le maître du chien lui répondit, du ton le plus naturel: — Que voulez-vous? . . . Sait pas nager.

B.

Un jour je suis entré dans un café. Un homme était assis à une table.

En face de lui j'ai vu un chien qui était assis sur une chaise. Sur la table il y avait un échiquier. De temps en temps l'homme poussait de la main une pièce sur l'échiquier. Peu après, le chien faisait la même chose du bout de sa patte.

—Mais il joue vraiment, votre chien! Quel chien extraordinaire! Qu'il est intelligent! C'est le chien le plus intelligent que j'aie jamais vu!

—Non, tout de même, répond l'homme, n'exagérez pas: il vient de perdre les deux dernières parties!

C.

PAUL. Je ne crois pas que vous connaissiez l'histoire de l'âne et du petit chien.

CHARLES. J'ai peur que cette histoire soit ridicule, comme la plupart de vos histoires, mais racontez-la-moi quand même.

PAUL. Un homme avait un âne et un petit chien. Cet homme faisait tout le temps travailler son âne, mais il ne faisait jamais travailler le chien. Quand le chien, qui était un caniche, donnait la patte à son maître, celui-ci lui donnait du sucre.

Un jour l'âne s'écrie: Que ce petit chien est heureux! Que je suis malheureux! Le chien ne fait jamais rien d'utile et on lui donne du sucre. Moi, je travaille dur et je ne reçois que des coups! A cause des coups, j'ai peur de refuser de travailler. Oh! que je suis misérable!

Tout à coup l'âne a une idée. —Oh! se dit-il, que je suis bête! Il est évident que le travail et les coups vont ensemble! Le chien qui ne travaille jamais ne reçoit jamais de coups! Pour avoir du sucre, il ne faut pas travailler, il faut seulement donner la patte au maître!

L'âne entre dans la salle à manger de la maison. Il veut donner la patte à son maître mais il frappe la table d'un coup formidable. Le maître craint que son âne ne soit devenu fou!—Que cet animal est bête! s'écrie-t-il, et il chasse à coups de pied le pauvre âne de la salle à manger.

CHARLES. A cause des coups qu'il a reçus, le pauvre âne a manqué son coup!

PAUL. Oh! Quel calembour affreux!

VOCABULAIRE POUR LES LECTURES

âne *m. donkey*
bâton *m. stick*
coup *m. blow:* manquer son coup,
   to miss one's aim, to be
   unsuccessful, to fail; à coups
   de pied *with kicks*
échiquier *m. chessboard*

même: tout de—, *even so, just the*
   same
nager *to swim*
partie *f. game, match*
patte *f. paw, (of animals) foot*
ton *m. tone*

V. EXERCICES pour la salle de classe

A. *Exemples:* (1) Quel beau paysage!—Que ce paysage est beau!
(2) Quels beaux paysages!—Que ces paysages sont beaux!

Change the following exclamations into exclamatory sentences beginning with Que:
1. Quel beau jeune homme!   2. Quelle belle jeune fille!   3. Quelle longue
phrase!   4. Quelle phrase compliquée!   5. Quelle bonne idée!   6. Quels villages
pittoresques!   7. Quel chien remarquable!   8. Quels chiens extraordinaires!
9. Quelle promenade agréable!   10. Quel film intéressant!   11. Quelles histoires
amusantes!

B. *Exemples:* (1) La jeune fille est timide.   —J'ai peur que la jeune fille soit timide.
(2) Le jeune homme conduit trop vite.   —J'ai peur que le jeune homme conduise trop vite.

Place J'ai peur que *before each of the following statements:*
1. Ce n'est pas moi que ce jeune homme va inviter.   2. Ce n'est pas vous qu'il
va inviter.   3. Votre amie ne comprend pas bien le français.   4. Elle répondra
mal aux questions qu'on lui posera.   5. Vous n'êtes pas très intelligent   6. Vous
ne connaissez pas Alice.   7. Vous ne connaissez pas beaucoup de Français.
8. Vous n'aurez pas de bonnes idées.   9. Vous ne savez pas nager.   10. Le chien
ne sait pas nager.   11. Le chien perdra la dernière partie.   12. Vous perdrez
les deux dernières parties.   13. Vous conduisez trop vite.   14. Vous conduisez
mal.   15. La plupart des Français conduisent trop vite.   16. Il n'y a rien qu'on
puisse leur dire pour les faire conduire moins vite.

C. *Exemple:* Votre ami n'a pas bien compris ce que je lui ai dit.—
          Je crains que votre ami n'ait pas bien compris ce que je lui ai dit.

Place Je crains que *before each of the following statements:*
1. Votre amie n'a pas admiré les paysages que son ami français lui a montrés.
2. Votre amie n'a pas bien répondu aux questions qu'on lui a posées.   3. Vous
n'avez pas bien travaillé.   4. Vous n'avez pas appris à bien parler anglais.

Place Je ne crois pas que *before each of the following statements:*
1. Vous avez vu le chien remarquable dont vous avez parlé.   2. Le chien a
rapporté un bâton à son maître.

D. *Exemples:* (1) (*sans*) Parlez-lui.   Ne le mettez pas en colère.
              Parlez-lui sans le mettre en colère.
          (2) (*avant*) Donnez-moi de l'argent.   Vous vous en allez.
              Donnez-moi de l'argent avant de vous en aller.
          (3) (*après*) Revenez ici.   Visitez le Luxembourg.
              Revenez ici après avoir visité le Luxembourg.

Connect the pairs of sentences, using the prepositions given, and making necessary changes:

1. (*sans*) Répondez-lui tout de suite. Ne faites pas de longues phrases compliquées. 2. (*sans*) Parlez-lui. N'employez pas toujours les mêmes expressions. 3. (*sans*) Répondez-lui. Ne vous servez pas de mots rares. 4. (*avant*) Demandez beaucoup d'argent à vos parents. Partez pour un long voyage. 5. (*avant*) Apprenez à parler français. N'acceptez pas son invitation à faire une promenade. 6. (*avant*) Apprenez à conduire une voiture française. Allez en France! 7. (*après*) Racontez-moi tout ce qui s'est passé. Faites une promenade avec un Français ou une Française. 8. (*après*) Rapportez le bâton vous-même. Vous l'avez jeté au milieu du bassin. 9. (*après*) Rapportez le bâton. Apprenez à nager!

(*Nos. 10–17. Use whatever preposition makes good sense.*)

10. Allez là-bas. N'hésitez pas! 11. Acceptez son invitation. N'hésitez pas! 12. Parlez à vos parents. Acceptez son invitation. 13. Apprenez à nager. Allez au bord de la mer. 14. Lisez des romans. Finissez ce cours de français. 15. Pensez! Parlez! 16. Ne parlez pas! Pensez! 17. Parlez! Pensez!

E. *Translate orally into French the following sentences; when you are reasonably sure that you can do so correctly, write them:*

—One of my friends has just told[1] me an amusing story.

—Tell[1] it to me.

—My friend told[1] it to me in French.

—Translate it into English.

—Listen! One day I went to the movies[2] to see an American film.[3] When I arrived at the theater, I was late. Inside[4] the theater it was dark.[5] An usher[6] showed me a good seat.[7] Soon I was able to see the persons who were sitting near me. In front of me there was a lady, and seated beside her, there was a dog!

—A French poodle?

—Of course! The dog was watching the film intently.[8] I said in a low voice[9] to the lady: "Does your dog like movies?"[2]—"Not always, but he thinks that this film is wonderful!"—"You think so? Why does he like this film?"—"Because, when I read to him the novel which is the source[10] of the film, he thought that the novel was marvelous!"

[1]*Use* raconter   [2]*Use* le cinéma   [3]un film   [4]à l'intérieur de   [5]noir   [6]une ouvreuse   [7]une place   [8]fixement   [9]à voix basse   [10]la source

Trente-quatrième leçon

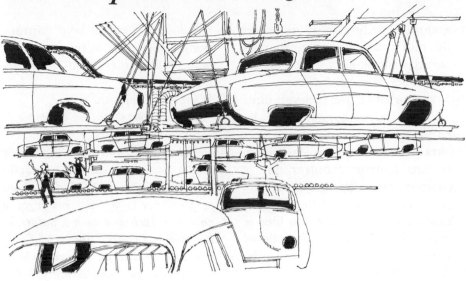

I. DIALOGUE

DANIEL. Ce que vous m'avez dit sur ce que je devrais faire en France me sera très utile. En vous écoutant, je me suis promis de suivre vos excellents conseils à la lettre.

—*What you have told me about what I ought to do in France will be very useful to me. While listening to you, I promised myself to follow your excellent advice exactly.*

FRANÇOIS. En vous proposant un itinéraire et en vous parlant des rues pittoresques de Paris, je ne voulais pas du tout vous dire ce que vous devriez faire.

—*When (I was) proposing an itinerary for you and when (I was) talking to you about the picturesque streets of Paris, I did not at all mean to tell you what you ought to do.*

DANIEL. Mais je devrais voir les palais et les curiosités dont nous avons parlé, n'est-ce pas?

—*But I should see the palaces and the sights we talked about, shouldn't I?*

FRANÇOIS. C'est exact—mais ce n'est pas assez! Si, en quittant la France, vous n'en avez vu que quelques aspects pittoresques ou touristiques, on vous dira qu'il y a beaucoup d'autres choses que vous auriez dû voir.

—*That's right—but it isn't enough! If, on leaving France, you have seen only a few (of the) picturesque or touristic aspects (of the country), some one will tell you that there are a lot of other things you ought to have seen.*

319

DANIEL. Vous voulez dire qu'il y a d'autres attractions touristiques . . .

—*You mean that there are other attractions for tourists . . .*

FRANÇOIS. D'ordinaire on ne se sert du mot «attractions» qu'en parlant des lois de la physique ou des spectacles de *music-hall!*

—*Usually one uses the word "attractions" only when talking about the laws of physics or about vaudeville-shows!*

DANIEL. Qu'est-ce que je devais dire?

—*What was I supposed to say?*

FRANÇOIS. «Les monuments» ou «les curiosités»!

—*"Les monuments" or "les curiosités"!*

DANIEL. En rentrant en Amérique, je dois pouvoir montrer que je connais votre pays et je ne veux pas qu'on me dise: Oh, vous auriez dû voir tel palais, ou bien le spectacle «Son-et-Lumière» de tel château, ou vous auriez dû aller à tel endroit!

—*On returning to America, I ought to be able to show that I am well acquainted with your country and I don't want people to say to me: Oh, you ought to have seen such and such a palace, or the "Son-et-Lumière" spectacle of such and such a château, or you ought to have gone to such and such a place!*

FRANÇOIS. Si vous aviez vu tous les monuments et toutes les curiosités qu'un touriste devrait voir, savez-vous ce que je vous dirais?

—*If you had seen all the historical and other sights that a tourist ought to see, do you know what I would tell you?*

DANIEL. Qu'est-ce que vous me diriez?

—*What would you tell me?*

FRANÇOIS. La plupart des touristes ne voient pas tous les aspects de la France qu'ils devraient voir, en particulier ceux dont les Français sont si fiers . . .

—*Most tourists do not see all the aspects of France which they ought to see, especially those of which the French are so proud . . .*

DANIEL. Sans doute ceux que je devrais voir en faisant mon tour de France, n'est-ce pas?

—*Probably (you mean) those that I ought to see while traveling around France?*

FRANÇOIS. Oui, mais je me réfère surtout ici à la vie économique du pays et je veux parler des progrès remarquables de l'agriculture et de l'industrie de «la France actuelle.»

—*Yes, but I refer especially here to the economic life of the country and I mean to speak of the remarkable progress in agriculture and in industry of "France today."*

II. GRAMMATICAL USAGE

A. DEVOIR, "to owe, ought, must"

This irregular verb has the following forms:

PRESENT		IMPERFECT	FUTURE	CONDITIONAL	PAST PART.
dois	devons	devais	devrai	devrais	dû
dois	devez	etc.	etc.	etc.	
doit	doivent				

B. Uses of DEVOIR

1. Present Tense

Je dois pouvoir montrer que
je connais votre pays.

*I ought to be able to show that
I know your country.*

Les professeurs de province doivent
être inférieurs à ceux de Paris.

*Professors in the provinces must
be inferior to those in Paris.*

Qu'est ce qu'on doit trouver dans
une Maison de la culture?

*What can one expect to find in a
House of Culture?*

Vous me devez cent francs.

You owe me a hundred francs.

The present tense of **devoir** has varied meanings: *ought, must (of probability), to expect, to owe (literally).*

2. Imperfect Tense

Qu'est-ce que je devais dire?

What was I supposed to say?

Enfin il m'a donné ce qu'il me
devait depuis longtemps.

*Finally he gave me what he had owed me
for a long time.*

The imperfect tense of **devoir** may mean *ought, to be supposed to,* or *to owe.*

3. Future Tense

Pauline devra venir demain.

Pauline will have to come tomorrow.

The future tense of **devoir** usually indicates obligation or necessity.

4. Conditional Tense

Vous m'avez dit ce que je devrais
faire en France.

*You have told me what I ought to (should)
do in France.*

Je ne voulais pas vous dire ce que
vous devriez faire.

*I did not mean to tell you what you
ought to do.*

The conditional tense of **devoir** expresses a general, usually moral, obligation.

5. *Passé Composé*

Nous avons dû fermer les fenêtres parce qu'il faisait très froid.	*We had to close the windows because it was very cold.*
Daniel a dû s'intéresser plus à la culture qu'aux affaires.	*Daniel must have been more interested in culture than in business.*

The **Passé Composé** has two distinct uses: (1) to express obligation or necessity (like **falloir**); (2) to express inference or conjecture based upon circumstances.

6. *Conditional Perfect*

Il y a beaucoup d'autres choses que vous auriez dû voir.	*There are many other things that you ought to have seen.*
Vous auriez dû voir le Palais des Papes.	*You ought to have seen the Palace of the Popes (implication: but you did not do so).*

The conditional perfect expresses an idea contrary to fact.

NOTE Pay particular attention to four tenses of **devoir**: (1) *Present,* "must," "ought" (general obligation); (2) *Passé Composé,* to express inference or conjecture; (3) *Conditional,* "ought," "should;" (4) *Conditional Perfect,* "ought to have," "should have".

C. Present Participles of Verbs

1. The present participles of French verbs are formed by adding **-ant** (= English *-ing*) to a stem. (Second conjugation verbs contain the syllable **iss,** as in the plural of the present tense.)

INFINITIVE	PRESENT PARTICIPLE	
parl-er	parlant	*speaking*
fin-ir	finissant	*finishing*
perd-re	perdant	*losing*

2. Certain irregular verbs have the same stem in the present participle as in the infinitive while others have a special stem in the present participle:

REGULAR		IRREGULAR	
aller	allant	conduire	conduisant
dormir	dormant	connaître	connaissant
mettre	mettant	croire	croyant
mourir	mourant	dire	disant
ouvrir	ouvrant	écrire	écrivant
pouvoir	pouvant	faire	faisant
servir	servant	lire	lisant
vouloir	voulant	prendre	prenant
suivre	suivant	voir	voyant
		savoir	sachant

3. The present participle, in French, has two principal uses:

(a) un roman intéressant   *an interesting novel*
    une scène amusante   *an amusing scene*

Used as an adjective, it is often indistinguishable from an adjective.

(b) en vous écoutant . . .   *while listening to you* . . .
    en quittant la France . . .   *on leaving France* . . .
    en parlant des lois de la physique *when talking about the laws of physics*

Used as a real participle (i.e., with verbal force), it denotes manner, motive, cause, or an accompanying action with reference to the main verb of a sentence.

NOTES 1. The present participle after **en** must refer to the *subject* of the sentence of which it is a part. (See the second sentence of Daniel's first speech and the second sentence of François' second speech in the Dialogue.)
2. All prepositions *except* **en** must be followed by the infinitive of a verb: e.g., **avant de partir; après être parti,** etc.

III. PATTERN PRACTICE

A. *Répétez:*

Qu'est-ce que je devrais faire en France? #   Qu'est-ce que j'aurais dû faire en France? #

Je ne vous dis pas ce que vous devriez faire. #   Je ne vous dis pas ce que vous auriez dû faire. #

Repeat the following sentences, changing the tense of devoir *from conditional to conditional perfect:*

Est-ce que François dit ce que Daniel devrait faire? # François ne dit pas ce que Daniel devrait faire. # Voulez-vous me dire ce que je devrais faire? # Ne me dites pas ce que je devrais faire! # Je devrais suivre vos excellents conseils, n'est-ce pas? # Vous ne devriez pas dire cela! # Vous ne devriez pas faire cela! # Nous ne devrions pas quitter la France sans aller à Versailles! # Nous ne devrions pas quitter Paris sans aller à un music-hall! # Les touristes devraient aller plus d'une fois au Louvre. # Tous les étudiants devraient faire un tour de France. #

B. *Répétez:*

Daniel a dû s'intéresser beaucoup à la culture française. #

Say in French that the following persons must have been very much interested in French culture:

Maurice # Roger et Albert # Les étudiants américains # Vous #

C. *Répétez:*

Je me suis promis de suivre vos conseils # pendant que je vous écoutais.

Je me suis promis de suivre vos conseils, # en vous écoutant.

You will hear an entire sentence, then the first part repeated. Complete the sentence by adding a phrase introduced by en *and using a present participle, in place of the original concluding phrase:*

Je ne voulais pas vous dire ce que vous devriez faire # quand je vous proposais un itinéraire. Je saurai ce que je devrai faire, # si je vous écoute. Vous saurez ce que vous devriez faire, # si vous m'écoutez. Vous regretterez qu'il y a beaucoup de choses que vous n'avez pas vues, # quand vous quitterez la France. Pourquoi vous êtes-vous servi du mot «attractions» # quand vous parliez des curiosités? Vous devriez voir toutes sortes de curiosités # quand vous ferez votre tour de France. Vous verrez des progrès remarquables # quand vous étudierez l'agriculture et l'industrie de la France actuelle.

IV. LECTURE

LES MAISONS DE LA CULTURE

En France, «la province» est tout ce qui est en dehors de Paris. Pour les Parisiens, les mots «province» et «provincial» ont un sens péjoratif, c'est-à-dire qu'ils ajoutent une idée défavorable à tout ce dont on parle. Par exemple, si l'on en croit les Parisiens, tous les professeurs des universités de province doivent être inférieurs à ceux de l'université de Paris; les vêtements qu'on porte «en province» doivent être inférieurs à ceux que les Parisiennes aiment porter; quant au goût, il n'y a pas de comparaison possible entre le mauvais goût qu'on montre «en province» et le bon goût des Parisiens. Bref, hors de Paris, il n'y a pas de culture à proprement parler.

En 1961, on a commencé à faire ce qu'on aurait dû faire il y a longtemps: répandre la culture «en province.» Cette année, on a ouvert, au Havre, la première «Maison de la Culture.» Celle d'Amiens fut ouverte en 1966. On prévoit déjà que, dans toute la France, seront construites plus de quarante de ces Maisons.

En ouvrant ces centres de culture, le Ministre des Affaires Culturelles voulait offrir aux habitants de quelques villes de province des formes de récréation autres que le cinéma, la radio, la télévision et ... le café, lesquels étaient, jusqu'à présent, pour les provinciaux, les seules sources de culture et de distractions.

Quelles sont donc les nouvelles formes de récréation qu'on doit trouver dans une Maison de la Culture?

Il y aura des expositions de tableaux.   La ville d'Amiens, par exemple, avait déjà un petit musée où on pouvait admirer cinq tableaux de Fragonard.   Au cours de la première exposition artistique qui eut lieu dans la nouvelle Maison, il y eut une dizaine de tableaux prêtés par le Louvre— des chefs-d'œuvre de Delacroix, de Cézanne, de Renoir, de Van Gogh, et ainsi de suite.

De plus, dans un théâtre qui a plus de mille places, ou bien dans une petite salle qui n'en a que 300, on va pouvoir assister à des opéras, à des concerts, à des films ou bien à des pièces de théâtre, telles que *Macbeth* ou un des chefs-d'œuvre de Molière.   Les «rats de bibliothèque» trouveront dans la salle de lecture d'une Maison tout un choix de livres et de revues artistiques, tandis que les amateurs de musique auront à leur disposition une collection de disques qu'ils pourront écouter pendant leurs loisirs.

Ajoutons que la Maison de la Culture d'Amiens est un bel exemple d'architecture et de sculpture modernes comme en témoignent les six grandes statues qui se trouvent devant sa façade.

On peut croire que les cinq millions que coûtent en moyenne ces nouveaux «temples» de la Culture doivent représenter une somme énorme surtout pour les bourgeois français, économes par nature.   En réalité, l'État et la ville se partagent également les frais de construction.   Quant à ceux qui veulent fréquenter la Maison de la Culture, ils peuvent obtenir pour 6 francs une carte d'abonnement.   Celle-ci leur donne droit à assister gratuitement aux conférences et aux expositions et à se procurer à prix réduit des billets pour certaines représentations ou concerts importants. Actuellement, à Amiens, plusieurs milliers de personnes—dont la moitié sont étudiants—profitent de ces rabais.

Depuis longtemps la France exporte sa culture à l'étranger.   C'est ainsi qu'à New York, les services de l'Ambassade de France ont un Conseiller Culturel dont les fonctions sont à la fois nombreuses et variées.   En exportant la culture de Paris dans les villes de province, on fait enfin en France ce qu'on fait déjà si bien hors de ses frontières.

VOCABULAIRE POUR LA LECTURE

abonnement *m. subscription*
actuellement *at the present time*
Ambassade *f. Embassy*
conseiller *m. counsellor*
économe *thrifty*
également *equally*
étranger: à l'—, *abroad*

exposition *f. exhibition*
frais *m.pl. expenses*
fréquenter *to attend, visit frequently*
gratuitement *free of charge*
hors de *outside of*
loisir *m. leisure*
moyenne: en —, *on the average*

partager *to share*
péjorati-f, -ve *disparaging, unfavorable*
prévoir *to foresee, expect*
rabais *m. reduction (in price)*
répandre *to spread*

«rat de bibliothèque»: *a person who spends much time in a library, usually in a reading room; often used contemptuously to designate readers who are more interested in comfort and shelter than in reading!*

V. EXERCICES pour la salle de classe

A. 1. *Fill the blanks with the correct forms of the verb* devoir:
Un monsieur rencontre dans la rue une dame qu'il connaît. Le monsieur — -il parler à la dame ou la dame — -elle parler la première au monsieur? En Amérique c'est la dame qui — parler la première, en France c'est le monsieur qui — parler le premier.

2. *Use the indicated tense of the verb* devoir:
M. et Mme Moutarde *(passé composé)* se marier quand ils étaient très jeunes. Mme Moutarde *(passé composé)* être très riche ou M. Moutarde *(passé composé)* être fou! M. Moutarde *(cond'l perf.)* prévoir que sa femme serait toujours désagréable. Ses amis *(cond'l perf.)* lui dire qu'il serait toujours malheureux.
Un divorce *(pres.)* être possible, n'est-ce pas? Pour qu'il y ait un divorce, le juge *(pres.)* penser qu'il y a des raisons sérieuses. Eh bien, Mme Moutarde n'a jamais été sérieuse!

3. *Same directions:*
Vos amis *(imperf.)* venir me voir hier soir mais ils ne sont pas venus! — Ils *(cond'l perf.)* vous téléphoner. Mais pourquoi ne leur avez-vous pas téléphoné? — Je ne voulais pas faire ce qu'ils *(cond'l perf.)* faire.

B. *Translate orally the following sentences into French; when you are reasonably sure that you can do so correctly, write them:*
When you arrive in a French city, you ought to see the cathedral, if there is one, or a beautiful church. Next you should see, near the cathedral or the church, the old part of the city, where there must be some picturesque houses.
Before going to the city, you ought to have read a description of the city in a guidebook. If there is a good museum, you ought to go there. If there is a new *Maison de la Culture,* you ought to enter it. If there are famous statues in the city, you ought to look *for* them, and on arriving where they are, look *at* them.
In order to know France well, you should see at least a part of the industrial life of the city.

EXERCICES SUPPLÉMENTAIRES (leçons 31–34)

A. *Traduisez à haute voix, puis écrivez:*
1. You must be at the Louvre at 10 o'clock.   2. I'm glad that you woke me up! I don't want to be late!   3. Late?   Why do you have to be at the Louvre at 10 o'clock?   4. Jeanne and Pauline Gagnon will be there at that time.   5. Are you going to the Louvre to see some of the most famous pictures in the world? 6. No!   I'm going there to see two of the prettiest girls (whom) I know!

B. *Traduisez à haute voix, puis écrivez:*
1. It's too bad that Mr. and Mrs. Hubert did not invite you to have a picnic with them.   2. You are right.   I don't know them very well but two of my girl friends had a picnic with them in the Forest of Fontainebleau.   3. Do your friends speak French very well?   4. No!   When Mr. and Mrs. Hubert spoke rather fast, the girls did not understand what they were saying.   But my friends said many times: "Oh!" "Ah!" "That's wonderful!"   5. What a good idea!   If an American says "Oh!" "Ah!" often enough, his French friends believe that he understands everything that is said (one says) to him.   6. You think so?

C. *Traduisez à haute voix, puis écrivez:*
1. Well, here I am in Paris!   What ought I to do in France?   I don't speak French, but . . .   2. Before coming to France, you ought to have studied French!   3. I have been studying the history of France for a long time— but I have studied it in English!   4. It's a pity that you have not studied it in French!   You ought to have learned to speak French!   5. I intend to take some courses at the Sorbonne!   6. Good!   What do you want to see in Paris?— the museums, the parks, or the *Folies Bergères?*   7. I am interested in everything which interests the French: their historical monuments, their "sights" of all kinds, —in short, their culture!

Septième dialogue culturel

LA PEINTURE

PHILIPPE. J'aimerais vous présenter Mlle Hélène Vivonne . . . Hélène, voici mes amis américains, Charlotte et Robert Cartier.

CHARLOTTE. Je suis enchantée de faire votre connaissance, mademoiselle.

ROBERT. Enchanté, mademoiselle.

HÉLÈNE. Très heureuse, mademoiselle, monsieur.

PHILIPPE. Hélène étudie depuis plusieurs années l'histoire de l'art français. Elle peut en parler mieux que moi. Je vous montrerai des diapositives, elle vous dira l'importance des artistes dont vous verrez les œuvres.

CHARLOTTE. Allez-vous suivre l'ordre chronologique, comme Philippe l'a fait pour l'architecture et la sculpture, du moyen âge jusqu'au vingtième siècle?

HÉLÈNE. Oui, mais nous allons commencer longtemps avant le moyen âge. L'histoire de l'art français commence il y a vingt-cinq ou trente mille ans.

CHARLOTTE. Comment! Il y a trente mille ans! Vous vous moquez de nous? A cette époque-là, la France n'avait pas été découverte!

PHILIPPE. Il y a trente mille ans, c'était l'âge de pierre; les hommes— et les femmes—vivaient dans des cavernes.

HÉLÈNE. Oui, dans des cavernes ou dans des grottes. C'est sur les murs de leurs cavernes qu'on peut voir aujourd'hui les premiers dessins et les premières peintures exécutés en France. Avec l'aide des diapositives de Philippe, allons à la grotte de Lascaux, qui se trouve près de Montignac, dans la vallée d'un affluent de la Dordogne. C'est une des plus belles régions de la France. Les hommes primitifs ont laissé, à Lascaux et dans d'autres grottes, un grand nombre de peintures qui représentent des chevaux, des bisons, des vaches et des rennes.[1]

CHARLOTTE. Pourquoi a-t-on fait ces peintures dans une grotte, où il n'y avait pas de lumière?

HÉLÈNE. Voilà un vrai mystère! Rien ne semble en effet expliquer pourquoi les artistes ont choisi une grotte sombre pour exercer leur talent. . . . Sautons maintenant bien des siècles et arrivons au moyen âge. On peut découvrir des vestiges de peintures religieuses dans des églises romanes du XIIe siècle; ce sont des fresques[2] ou des peintures murales. Malheureusement Philippe ne peut pas vous en montrer. Dans les tableaux du XIIe et du XIIIe siècles, on trouve presque toujours des sujets religieux. Rien de vraiment important ne nous reste du XIVe siècle.

CHARLOTTE. Encore une fois—la guerre de Cent Ans!

HÉLÈNE. Au XVe siècle nous trouvons le premier grand artiste

[1]des vaches et des rennes *cows and reindeer*
[2]fresque *f. fresco*

JEAN CLOUET: «PORTRAIT DE FRANÇOIS PREMIER» (à gauche)

français, Jean Fouquet, auteur de miniatures, de portraits et de tableaux dans lesquels il représente la Vierge avec l'Enfant Jésus. On l'a appelé «un des plus grands créateurs de l'art français.» Malheureusement, le moyen âge, l'âge des cathédrales, n'était pas l'âge d'or de la peinture! Passons tout de suite à l'époque de la Renaissance. Les portraits continuent à être très à la mode. Les bourgeois riches, aussi bien que les nobles et les rois, veulent se voir dans des portraits. Les deux meilleurs portraitistes du XVIe siècle ont été un père et son fils, Jean et François Clouet. Tout le monde admire le portrait du roi François Ier, fait par Jean Clouet, et celui d'Élisabeth d'Autriche, femme de Charles IX, fait par François Clouet. Du XVIe siècle il reste aussi des portraits de Rabelais et de Montaigne.

PHILIPPE. Puis-je vous interrompre un instant pour dire que François Ier a fait venir d'Italie de bons artistes italiens tels que Le Rosso et Le Primatice, pour décorer ses châteaux de Fontainebleau et de Chambord?

HÉLÈNE. C'est vrai. Et nos amis américains savent sans doute que c'est François Ier qui a attiré Benvenuto Cellini à sa cour.

PHILIPPE. Et c'est François Ier qui a acheté en Italie pour le rapporter en France le tableau le plus célèbre

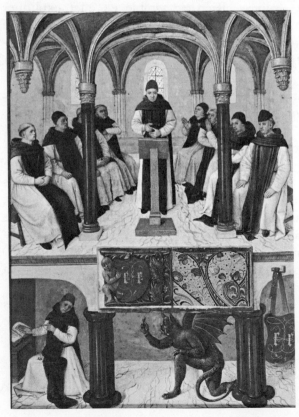

JEAN FOUQUET:
«SAINT-BERNARD,
ABBÉ DE CLAIRVAUX»

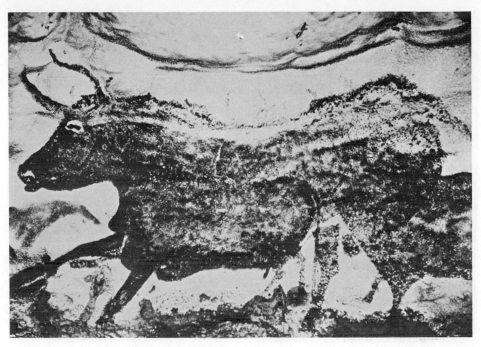

BISON NOIR DES GROTTES DE LASCAUX

du monde!

CHARLOTTE. Vous parlez du chef-d'œuvre de Léonard de Vinci, n'est-ce pas?

PHILIPPE. Oui, c'est *la Joconde,* qui est, dit-on, un portrait de Mona Lisa.

HÉLÈNE. Avouons-le, au XVIe siècle les artistes italiens étaient supérieurs aux artistes français. Mais cela n'est pas vrai des artistes du XVIIe siècle. On peut diviser les grands artistes français de ce siècle en trois groupes: ceux qui s'intéressent à la nature, ceux qui ont peint la vie aristocratique et ceux qui ont représenté la vie du peuple. Dans le premier groupe se trouve Nicolas Poussin, dont les tableaux—*Les Bergers d'Arcadie, Saint-Jean à Patmos,* par

exemple—ont des qualités classiques: pour lui, la nature est noble et tranquille. Il aimait à peindre des personnages de l'Antiquité. Claude Lorrain a réussi à reproduire dans ses tableaux l'éclat[3] du soleil; voyez son *Port de Mer.* Dans le deuxième groupe se trouve Philippe de Champaigne, pour ainsi dire le portraitiste officiel du XVIIe siècle. Que son portrait de Richelieu évoque bien la volonté[4] du Cardinal! Cet artiste a peint aussi d'émouvantes[5] scènes religieuses. Le portrait de Louis XIV, par Rigaud, nous aide à voir la majesté magnifique de ce roi. N'oublions pas Le Brun, le grand décorateur du palais de Versailles. Dans le troisième groupe se trouvent les frères Le

[3]éclat *m. brilliance* [4]volonté *f. will, willpower*
[5]émouvant *moving, stirring, touching*

POUSSIN: «LES BERGERS D'ARCADIE»

Nain—Antoine, Louis, et Mathieu. Ils aimaient tous les trois à peindre la vie des paysans. J'admire surtout *le Repas des Paysans* de Louis Le Nain. Il faut mettre à part un grand artiste, Georges de La Tour, au génie longtemps méconnu.[6] Très frappants sont ses effets de lumière.

ROBERT. J'aime beaucoup les tableaux des frères Le Nain qui sont au Louvre.

HÉLÈNE. Vous aimez donc le réalisme.

CHARLOTTE. Moi aussi; mais j'aime bien aussi la représentation de la vie aristocratique.

HÉLÈNE. La vie aristocratique, élégante, idéalisée, voilà ce qu'on

[6]méconnu *unrecognized*

GEORGES DE LA TOUR: «FIGURE DE FEMME»

trouve dans les tableaux du premier, du plus original, et peut-être du plus grand des artistes du XVIIIᵉ siècle, Antoine Watteau, qui combine des personnages et des paysages pour en faire des scènes admirables. Quelle grâce délicate! Quel goût exquis! Watteau nous invite à regarder des dames belles et élégantes qui dansent avec des cavaliers[7] élégants et beaux ou bien à accompagner des amoureux et des amoureuses qui quittent ce monde prosaïque pour se réfugier dans une île[8] de rêves et d'amour: c'est *l'Embarquement pour Cythère*.[9]

[7]cavalier *m. partner* [8]île *f. island* [9]«Embarquement pour Cythère»: *"Embarkment for Cythera" (island in the Aegean Sea, where Aphrodite had a magnificent temple)*

François Boucher s'intéresse à la vie aristocratique et lui aussi, il l'idéalise. Dans les portraits de Boucher, est-ce des femmes ou des déesses qu'on voit? Cette dame-là! Est-ce madame de Pompadour ou Vénus? Boucher a peint des scènes pastorales ou mythologiques qui sont vraiment charmantes! Son élève Fragonard a, lui aussi, peint de belles dames, qui portent de très belles robes, et qui passent leur temps dans des jardins exquis! Ah, le dix-huitième siècle, si on peut croire les artistes, était une époque charmante pour les nobles et leurs dames!

CHARLOTTE. Est-ce que les frères Le Nain ont eu des successeurs au XVIIIᵉ siècle?

FRAGONARD: «LA LEÇON DE MUSIQUE»

HÉLÈNE. Oui, la bourgeoisie et la classe paysanne ont eu leurs artistes. Que les sujets de Chardin sont différents de ceux de Watteau, de Boucher et de Fragonard! Chardin a vu dans la vie réelle une beauté sentimentale. Il a représenté une femme qui revient du marché ou bien une table de cuisine, couverte d'objets ordinaires. Il y a plus de sentiment dans son *Bénédicité.*

ROBERT. Que veut dire ce mot-là?

PHILIPPE. C'est le premier mot de la prière latine qu'on fait avant un repas. Alors, Chardin représente des paysans autour de leur table au commencement d'un repas.

CHARLOTTE. En Amérique, on aime beaucoup le tableau dans lequel Chardin nous montre un jeune homme qui s'amuse à faire des bulles de savon.[10] Il y a trois copies authentiques de ce tableau aux États-Unis—dans des musées de New York, de Washington, et de Kansas City.

HÉLÈNE. Je suis bien aise[11] de savoir que les Américains aiment les œuvres des artistes français.

ROBERT. Il y a déjà aux États-Unis un très grand nombre de chefs-d'œuvre de l'art français. Mais continuez, s'il vous plaît.

HÉLÈNE. L'artiste Greuze a voulu peindre[12] la vie simple et naturelle, mais il n'a pas pu s'empêcher de donner des leçons de vertu[13] bourgeoise. Pour être heureux, dit-il, il faut qu'on soit sincère, modeste, honnête

et ainsi de suite. Je crois que son *Accordée de Village*[14] est son chef-d'œuvre.

A la fin du XVIIIe siècle, il y eut un mouvement néo-classique. Jacques-Louis David s'est distingué avant et après la Révolution. Avant, par le choix de sujets qui viennent de l'histoire de la Grèce et de Rome; par exemple, *la Mort de Socrate, le Serment des Horaces.* On y retrouve les qualités classiques: l'ordre, la proportion, la symétrie, un souci[15] de composition raisonnable. Après la Révolution, c'est David qui a peint le grand tableau qui représente *le Sacre*[16] de Napoléon et de Joséphine.

Dans la première moitié du dix-neuvième siècle, nous trouvons surtout le romantisme, qui est en grande partie l'antithèse du classicisme. Le premier grand peintre romantique est Géricault. Dans ses tableaux les passions violentes remplacent la froideur raisonnable. Un navire,[17] *La Méduse,* fait naufrage;[18] les survivants flottent longtemps sur un radeau;[19] enfin ils commencent à mourir de faim. Quel sujet pour un Romantique! Quand Géricault a peint *le Radeau de la Méduse,* en 1819, il a fait sensation! Jamais on n'avait vu, dans la peinture française, une si grande intensité d'émotion.

ROBERT. Géricault est-il donc le chef de l'école romantique?

HÉLÈNE. Non, Robert. Demandez à un Français de vous dire les titres

---

[10]bulle de savon *soap bubble*   [11]bien aise *very glad*   [12]peindre *to paint*   [13]vertu *f. virtue*

[14]«Accordée de Village»: *"Village Bride"*   [15]souci *m. care, concern*   [16]Sacre *m. Coronation*   [17]navire *m. ship*   [18]faire naufrage *to be shipwrecked*   [19]radeau *m. raft*

GÉRICAULT: «LE RADEAU DE LA MÉDUSE»

d'autres tableaux de Géricault; il vous dira que *le Radeau* est le seul qu'il connaisse! Le chef de l'école a été Eugène Delacroix, qui a cherché ses sujets dans les littératures étrangères, dans les pays pittoresques, dans les scènes historiques. Delacroix aimait les couleurs riches aussi bien que les sujets frappants. De ses œuvres je mentionnerai seulement *la Barque du Dante* (1822), *les Massacres de Scio, la Liberté guidant le peuple, Femmes d'Alger,*[20] et *la Prise de Constantinople par les Croisés.*[21]

Plusieurs grands artistes, contemporains de Delacroix, sont plus réalistes que romantiques. Au lieu de composer des scènes artificielles, ils ont peint ce qu'ils ont vu. Ils ont travaillé en plein air,[22] surtout à Barbizon, près de la forêt de Fontainebleau.

CHARLOTTE. Je sais que vous parlez de Corot et de Millet, et peut-être aussi de Daubigny, de Dupré et de Théodore Rousseau. Ces artistes sont bien connus aux États-Unis. Leurs paysages sont très agréables à voir.

HÉLÈNE. Ils forment le groupe de «l'École de Barbizon.» Ils aimaient la nature. Millet s'intéressait un peu plus que les autres aux paysans et aux paysannes. Aujourd'hui les critiques préfèrent les paysages lumineux et les portraits que le jeune Corot avait faits en Italie aux pay-

[20]Alger *Algiers (capital of Algeria)* [21]Croisés *Crusaders*

[22]en plein air *in the open air*

sages brumeux[23] qu'il a peints en France.

Entre 1850 et 1870, l'école réaliste a eu pour chef Gustave Courbet. La photographie, inventée par un Français, Niepce, et mise au point[24] par Niepce et Daguerre, l'a peut-être influencé. Gustave Courbet n'était pas photographe, il était artiste! Mais il voulait peindre ce qu'il voyait, tout ce qu'il voyait, seulement ce qu'il voyait. Les artistes avaient, en général, voulu représenter ce qui est beau. Courbet et les autres réalistes ont voulu se libérer de «la tyrannie du beau» pour montrer la vie comme elle est, sans en cacher ni le laid ni le vulgaire. Dans son *Enterrement*[25] *à Ornans,* Courbet nous fait voir avec une vérité extraordinaire des gens du petit village où il est né.

Honoré Daumier, lui aussi réaliste, aimait mieux peindre le peuple que la bourgeoisie. Quelle sympathie pour les femmes du peuple dans son *Wagon de troisième classe!*[26] Daumier est célèbre aussi par ses caricatures politiques et sociales.

Édouard Manet était réaliste avant de devenir Impressionniste. Quelques-uns de ses tableaux réalistes, tels que *Olympia, le Déjeuner sur l'herbe,* ont scandalisé ses contempo-

[23]brumeu-x, se *misty*   [24]mise au point *perfected*

[25]«Enterrement»: *"Burial"*   [26]*"Third Class Railway Car"*

CÉZANNE: «MONT SAINTE-VICTOIRE»

MATISSE: «LE VASE A FLEURS»

rains. Mais il a vite apprécié l'importance de la théorie fondamentale de
l'impressionnisme: l'artiste doit peindre ce qu'il voit—ce qu'il voit, c'est
l'apparence des choses, et comme la
lumière change tout le temps, l'apparence des objets change tout le
temps. Les Impressionnistes s'intéressent donc surtout aux effets de
lumière. Vous savez déjà comment
cette théorie a influencé Claude Monet dans les œuvres qu'il a exécutées
à Rouen.

CHARLOTTE. Je dois vous dire, Hélène, qu'il y a dans les musées des
États-Unis des centaines de tableaux
de Monet et de Renoir. On dirait,
avec un peu de malice, que ces artistes ont travaillé pour l'exportation!

ROBERT. Il est plus juste de dire
que les Américains aiment à la folie
les œuvres des Impressionnistes et des
Post-Impressionnistes. On a payé
un seul tableau de Monet plus d'un
million de dollars!

HÉLÈNE. Moi, je dirais avec un peu
de malice que l'art des Impressionnistes est facile à comprendre! Mais
je comprends bien qu'il n'est pas nécessaire de vous expliquer l'art de
Monet, de Renoir, de Degas—le
peintre des danseuses—de Van
Gogh, dont les tableaux ont des cou-

ROBERT. Nous avons vu au Musée
du Jeu de Paume quelques-uns des
dix-sept tableaux dans lesquels Monet représente la cathédrale de
Rouen.

leurs si brillantes—de Gauguin, de Seurat, de Sisley, de Pissarro, dont vous connaissez les œuvres aussi bien que moi. Aux États-Unis, est-ce qu'on aime les tableaux de Cézanne?

ROBERT. Oui, les Américains riches n'hésitent pas à payer des sommes énormes pour avoir des tableaux de Cézanne.

HÉLÈNE. Vous savez donc que Cézanne voulait que l'art soit solide[27] et durable, que les artistes découvrent des formes géométriques dans la nature, qu'on ajoute la profondeur à la longueur et à la largeur dans la représentation des objets. Ses théories ont fortement influencé les artistes qui l'ont suivi, les «Fauves.»[28] Henri Matisse a été un disciple de Cézanne, mais ses tableaux sont tellement différents de ceux de Cézanne! On y voit des formes géométriques, mais

[27]solide *strong* [28]«Fauves»: *"Wild Beasts"*

les couleurs dont Matisse se sert sont beaucoup plus brillantes que celles de Cézanne.

D'autres successeurs de Cézanne ont inventé le Cubisme, surtout Georges Braque et Picasso.

CHARLOTTE. Qu'est-ce que c'est que le Cubisme?

HÉLÈNE. Tout simplement, c'est la théorie d'après laquelle on devrait représenter les objets sous des formes géométriques, des cubes. L'application de la théorie varie d'un artiste à l'autre. Il y a donc plusieurs variétés de cubisme comme il y a plusieurs variétés d'art moderne.

ROBERT. Quels sont les principes essentiels de l'art moderne?

HÉLÈNE. Si vous vous contentez d'une réponse simple, je vous donnerai une explication élémentaire de l'art moderne. Autrefois les tableaux se composaient de trois élé-

BRAQUE: «L'ORDRE DES OISEAUX»

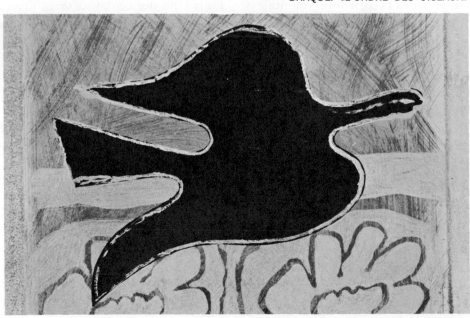

338

ments: les lignes (ou la forme), les couleurs et le sujet. Les tableaux des artistes modernes ont des lignes et des couleurs mais très souvent ils n'ont pas de sujets matériels ou même pas de sujets du tout. Aujourd'hui les artistes sont complètement libres. Ils peuvent représenter, s'ils veulent, ce qui n'existe pas ou ce qu'ils croient trouver dans l'inconscient.[29] Quelquefois ils mettent ensemble des objets qu'on ne trouverait jamais ensemble dans le monde réel. Si vous voulez toujours comprendre ce que vous voyez, vous n'aimerez pas les œuvres de tous les artistes modernes. Mais je ne veux pas dire que tous les tableaux modernes sont

[29]inconscient *m. subconscious*

impossibles à comprendre. Allez au Musée des Arts Modernes, faites un choix personnel de ce que vous aimez et de ce que vous n'aimez pas. Ne faites pas de jugement avant de voir les tableaux de Rouault, d'Utrillo, de Dufy, de Bernard Buffet,—et ceux des Expressionnistes, dont les œuvres sont souvent brutales, pessimistes. Les artistes modernes sont difficiles à classer.

Pour finir ma causerie, je ferai deux remarques: si on parle de l'art en général, on peut dire que la peinture, comme l'architecture, est devenue internationale. Si on ne parle que des artistes français de notre temps, on peut dire qu'ils sont, comme leurs prédécesseurs et

ROUAULT: «LE VIEUX ROI»

PICASSO: «L'ARTISTE DANS SON ATELIER»

comme les Français de tous les temps, des individualistes.

CHARLOTTE. Merci beaucoup, Hélène, de votre causerie, et vous, Philippe, de cette occasion de voir vos diapositives.

ROBERT. Merci beaucoup! Nous allons passer des heures et des heures au Louvre et au Musée des Arts Modernes.

EXERCICES

A. *Répondez en français aux questions suivantes:*

1. Quand est-ce que l'histoire de l'art français commence? 2. Où se trouvent les premières peintures qui ont été faites en France? 3. Qu'est-ce que ces peintures représentent?

4. Quel portrait fait par Jean Clouet admire-t-on beaucoup? 5. Quel portrait exécuté par François Clouet admire-t-on? 6. Pourquoi François Ier a-t-il invité des artistes italiens à venir en France? 7. Nommez deux de ces artistes italiens.

8. Où est-ce que Nicolas Poussin trouvait ses sujets?   9. Qu'est-ce que Claude Lorrain aimait à représenter?   10. Qu'est-ce que les frères Le Nain ont représenté?

11. Quels artistes du dix-huitième siècle s'intéressaient surtout à la société aristocratique?   12. Quels artistes s'intéressaient à la vie des bourgeois et du peuple?

13. Nommez deux sujets classiques que Jacques-Louis David a représentés.

14. Quelle est la peinture la plus célèbre de Géricault?   15. Mentionnez quelques sujets de peintures exécutées par Delacroix.

16. Quels artistes formaient l'École de Barbizon?

17. Qu'est-ce que Gustave Courbet aimait à peindre?   18. Quelle différence importante y a-t-il entre Courbet et Daumier?

19. Quelle est la théorie fondamentale de l'impressionnisme?   20. Quelles sont les idées principales de Cézanne?   21. Mentionnez un des traits caractéristiques des tableaux de Matisse.   22. Par qui le Cubisme a-t-il été inventé?   23. Savez-vous ce que c'est que le Cubisme?   24. Est-il possible de représenter ce qui n'existe pas?

25. Si vous alliez à Paris, quel musée vous intéresserait le plus—le Louvre ou le Musée des Arts Modernes?

B. *Placez* Il faut que *avant chacune des phrases suivantes, en faisant tous les changements nécessaires:*

1. Vous étudiez l'histoire de l'art français.   2. Vous suivez un cours de l'histoire de l'art.   3. Vous voyez ce que les hommes primitifs ont peint dans des cavernes. 4. Vous comprenez l'importance de Jean Fouquet.   5. Vous allez voir *la Joconde* au Louvre.   6. Vous me direz ce que vous pensez des tableaux des frères Le Nain.   7. Vous savez en quel siècle Fragonard a vécu.   8. Vous pouvez me dire quelle grande cérémonie David a représentée.   9. Vous connaissez le chef-d'œuvre de Géricault.   10. Vous comprenez l'importance de Delacroix. 11. Vous allez au village de Barbizon.   12. Vous savez par qui la photographie a été inventée et mise au point.   13. Vous me direz lequel des Impressionnistes vous aimez mieux.   14. Vous connaissez les chefs-d'œuvre des meilleurs artistes français du vingtième siècle.

Trente-sixième leçon

I. DIALOGUE

M. MICHEL. A quoi pensez-vous, Richard?

RICHARD. A un roman[1] que je viens de lire. Je me demandais si les jeunes gens se marient en France de la même façon qu'aux États-Unis. Autrefois les parents s'occupaient de marier leurs filles, n'est-ce pas?

M. MICHEL. De nos jours, cela ne se fait pour ainsi dire[2] plus. En France comme aux États-Unis une jeune fille peut épouser le jeune homme qu'elle aime.

RICHARD. Mais si elle n'a pas de dot,[3] peut-elle espérer[4] se marier?

M. MICHEL. Certainement. Je pense que la dot n'a jamais été absolument nécessaire pour faire ce qu'on appelait[5] un bon mariage! Il y avait aussi la coutume du contrat de mariage, qui protégeait[6] les intérêts pécuniaires du mari et de la femme. Cette coutume n'a pas été abandonnée.

RICHARD. Et le mariage civil, en quoi consiste-t-il?

M. MICHEL. C'est ce qui, d'après la loi,[7] doit précéder le mariage religieux. Il a lieu[8] dans une mairie[9] ou un hôtel de ville.[10] Le maire lit aux jeunes gens quelques articles du Code Civil; il demande s'ils veulent se prendre pour mari et femme; les réponses sont naturellement affirma-

---

[1] un roman *a novel* [2] pour ainsi dire *so to speak, generally speaking* [3] une dot *a dowry* [4] espérer *to hope* [5] appeler *to call* [6] protéger *to protect* [7] la loi *the law* [8] avoir lieu *to take place* [9] une mairie *a town hall* [10] un hôtel de ville *a city hall*

tives; enfin il les déclare mariés.

RICHARD. C'est très facile de se marier en France!

M. MICHEL. Naturellement il y a des témoins[11] qui signent l'acte de mariage. Celui-ci est la preuve du mariage.   De la mairie on se rend à l'église,[12] au temple[12] ou à la synagogue pour le mariage religieux.

RICHARD. Après cette cérémonie, y a-t-il une fête semblable à ce qu'on appelle «reception» aux États-Unis?

M. MICHEL. Oui, il y a une réception beaucoup plus longue que chez vous. On y mange et on y boit[13] pendant des heures!

RICHARD. Comment dit-on «honeymoon» en français?

M. MICHEL. On dit «la lune de miel.»

RICHARD. Les petits-enfants de nos astronautes passeront leurs lunes de miel sur la lune véritable!

M. MICHEL. J'espère qu'ils seront sur la lune et non pas dans la lune![14]

[11] des témoins *some witnesses*   [12] l'église *the church (Catholic);* le temple *the church (Protestant)*
[13] boire *to drink*   [14] être dans la lune *to be absent-minded, to be lost in daydreams*

II. GRAMMATICAL USAGE

A. Orthographical Changes in Verbs

Certain verbs require changes in spelling in various forms, because of changes of sound.   Such changes include accents, doubling of consonants, use of a cedilla, or insertion of a mute e after a consonant.

1. **lever,** *to raise* (**se lever,** *to get up*)

PRESENT		FUTURE	
je lève [lɛv]	nous levons [ləvɔ̃]	lèverai [lɛvre]	lèverons [lɛvrɔ̃]
tu lèves [lɛv]	vous levez [ləve]	lèveras [lɛvra]	lèverez [lɛvre]
il lève [lɛv]	ils lèvent [lɛv]	lèvera [lɛvra]	lèveront [lɛvrɔ̃]

Verbs containing an unaccented e in the final syllable of the stem change this e to è when followed by a mute e.

NOTES 1. When the e of the stem has the grave accent, it is a sign that it bears the stress in utterance.

2. The second e (originally the -er of the infinitive) is silent in the future tense.

3. The conditional tense resembles the future with appropriate endings.

2. **espérer,** *to hope*

PRESENT		FUTURE	
espère [ɛspɛr]	espérons [ɛsperɔ̃]	espérerai [ɛsperəre]	espérerons [ɛsperərɔ̃]
espères [ɛspɛr]	espérez [ɛspere]	espéreras [ɛsperəra]	espérerez [ɛsperəre]
espère [ɛspɛr]	espèrent [ɛspɛr]	espérera [ɛsperəra]	espéreront [ɛsperərɔ̃]

Verbs containing an **é** in the final syllable of the stem change the **é** to **è** in the present indicative when the ending contains a mute **e.**

NOTE There is no change in the sound of the **e** of the stem and therefore no change of accent in the future or conditional.   Verbs of this type include among others: **exagérer** *to exaggerate;* **précéder** *to precede;* **protéger** *to protect.*

3. **appeler,** *to call;* **jeter,** *to throw*

Comment vous appelez-vous?—Je m'appelle Jacques.	*What is your name?—My name is Jacques.*
Qui se rappelle le nom de ce roi?	*Who remembers (recalls) the name of that king?*
Ce roi qui s'appelait Louis IX—le plus souvent, on l'appelle Saint-Louis.	*That king who was named Louis IX—most often, he is called Saint Louis.*

PRESENT		PRESENT	
appelle [apɛl]	appelons [aplɔ̃]	jette [ʒɛt]	jetons [ʒǝtɔ̃]
appelles [apɛl]	appelez [aple]	jettes [ʒɛt]	jetez [ʒǝte]
appelle [apɛl]	appellent [apɛl]	jette [ʒɛt]	jettent [ʒɛt]

FUTURE AND CONDITIONAL		FUTURE AND CONDITIONAL	
appellerai [apɛlre]	appellerais [apɛlrɛ]	jetterai [ʒɛtre]	jetterais [ʒɛtrɛ]
appelleras [apɛlra]	appellerais [apɛlrɛ]	jetteras [ʒɛtra]	jetterais [ʒɛtrɛ]
etc.	etc.	etc.	etc.

These two verbs are special cases in that, instead of having a grave accent on the **e** of the stem when stressed, they double the consonant before the mute **e.**

4. **commencer,** *to begin*

PRESENT		IMPERFECT	PRESENT PARTICIPLE
commence	commençons	commençais	commençant
commences	commencez	etc.	
commence	commencent		

Verbs whose stem ends in **c** add a cedilla to keep the **c** "soft" (i.e., with sound of **s**) whenever the **c** comes before **a** or **o** of an ending.   (Without the cedilla, the sound would change from [s] to [k].

5. **manger,** *to eat*

PRESENT	PRES. PARTICIPLE	IMPERFECT	
nous mangeons [mãʒɔ̃]	mangeant [mãʒã]	mangeais [-ʒɛ]	mangions [-ʒjɔ̃]
		mangeais [-ʒɛ]	mangiez [-ʒje]
		mangeait [-ʒɛ]	mangeaient [-ʒɛ]

Verbs whose stems end in **g** insert an **e** after the **g** to keep the same sound whenever the **g** comes before **a** or **o** of an ending.   (Without the **e,**

the sound of **g** would change from [ʒ] to [g].)
Like **manger** is **changer,** *to change.*

B. PENSER A and PENSER DE

A qui pensez-vous?	*Whom are you thinking of (about)?*
A quoi pensez-vous?	*What are you thinking of (about)?*
Que pensez-vous de cette leçon?	*What do you think of (What is your opinion about) this lesson?*
Qu'en pensez-vous?	*What do you think of it?*

Penser, *to think,* takes **à** in French when used in the sense of *to have someone or something in mind,* it takes **de** in French when it means *to have an opinion concerning something.*

C. ÉPOUSER, SE MARIER (A, AVEC), "to marry"

En France une jeune fille est libre d'épouser le jeune homme qu'elle aime.	*In France a girl is free to marry the young man she loves.*
Cette jeune fille-là, peut-elle espérer se marier?	*Can that girl hope to get married?*
Les jeunes filles changeront de nom quand elles se marieront.	*Girls will change their names when they get married.*
Joséphine a épousé le vicomte de Beauharnais; plus tard elle s'est mariée avec le général Bonaparte.	*Joséphine married the Viscount of Beauharnais; later she married General Bonaparte.*

Épouser and **se marier** both mean *to marry.* **Épouser** takes a direct object while **se marier** requires either **avec** or **à** before a noun or pronoun.

D. BOIRE, "to drink;" RECEVOIR, "to receive"

These irregular verbs have the following forms:

boire		recevoir	
	PRESENT		
bois	buvons	reçois	recevons
bois	buvez	reçois	recevez
boit	boivent	reçoit	reçoivent
	IMPERFECT		
buvais		recevais	
etc.		etc.	
	FUTURE AND CONDITIONAL		
boirai	boirais	recevrai	recevrais
etc.	etc.	etc.	etc.

IMPERATIVE

bois, buvons, buvez   reçois, recevons, recevez

PAST PARTICIPLE

bu   reçu

PRESENT SUBJUNCTIVE

boive	buvions	reçoive	recevions
boives	buviez	reçoives	receviez
boive	boivent	reçoive	reçoivent

III. PATTERN PRACTICE

A. *Répétez:*

Une jeune fille est libre d'épouser le jeune homme qu'elle aime. #
Une jeune fille est libre de se marier avec le jeune homme qu'elle aime. #

Repeat the following sentences, replacing épouser *by the correct form of* se marier avec:

Si une jeune fille n'a pas de dot, peut-elle épouser un jeune homme? # Si vous n'aviez pas de dot, pourriez-vous épouser un jeune homme? # Autrefois, si Juliette n'avait pas eu de dot, aurait-elle pu épouser Roméo? # De nos jours, si Juliette n'avait pas de dot, pourrait-elle épouser Roméo? #

B. *Répétez:*

Que buvez-vous d'ordinaire le matin?
  Du café? #   Oui, je bois du café. #
Si vous étiez à Paris, qu'est-ce que vous
  boiriez le matin? Du café au lait? # Oui, je boirais du café au lait. #

Give answers to the following questions, substituting pronoun subjects for noun subjects:

Qu'est-ce que Roger et Albert boivent le matin? Du café au lait? # Qu'est-ce que Maurice boit le matin? Du jus d'orange? # Si Richard Dumont était dans un café, qu'est-ce qu'il boirait? Du café? # Est-ce que les Français boivent souvent de la bière? # Si un repas sans vin est une journée sans soleil, qu'est-ce que vous boirez avec vos repas quand vous serez en France? # Qu'est-ce qu'on boit en France et en Amérique après un mariage? Du champagne? #

IV. LECTURE

LES NOMS PROPRES

(Un professeur parle à ses élèves.)
Mes chers élèves:
En étudiant l'histoire et la littérature de la France, nous trouverons souvent que les noms propres des personnages fameux offrent d'assez grandes

difficultés.   Par exemple, savez-vous quel roi est devenu Saint-Louis?   De son vivant ce roi s'appelait Louis IX.

Au dix-septième siècle il y avait un homme qui s'appelait Armand-Jean du Plessis.   Vous ne savez pas de qui je parle, n'est-ce pas?   Eh bien, on n'exagère pas quand on dit que cet homme est devenu un des hommes les plus importants du siècle.   Quand on parle de lui aujourd'hui, on l'appelle le cardinal de Richelieu.

Quand on pense au théâtre du dix-septième siècle, à quel homme doit-on penser tout de suite?   A Jean-Baptiste Poquelin.   Vous demandez pourquoi?   Parce que c'est le nom véritable de Molière!

Une femme célèbre de la seconde moitié du dix-septième siècle a écrit à ses amis et à sa fille des lettres qu'on lit encore.   Avant son mariage, cette femme s'appelait Marie de Rabutin-Chantal; après son mariage elle s'appelait madame de Sévigné.

Si vous avez vu ou lu *Cyrano de Bergerac,* d'Edmond Rostand, vous savez qu'un des ennemis principaux de Cyrano était un seigneur qui s'appelait le comte de Guiche; au cinquième acte de la pièce, ce monsieur s'appelle le maréchal de Grammont.

Autrefois les membres d'une même famille aristocratique n'avaient pas toujours le même nom.   Par exemple, pensez à madame la marquise de Rambouillet.   Sa fille aînée s'appelait Julie d'Angennes—après son mariage, madame de Montausier.   Le fils aîné de madame de Rambouillet s'appelait le marquis de Pisani.

Au dix-huitième siècle une belle jeune femme qui s'appelait Antoinette Poisson—quel nom bourgeois!—est devenue une femme très célèbre, madame de Pompadour.

Un des grands écrivains du même siècle s'appelait vraiment François-Marie Arouet.   Quand on pense à lui aujourd'hui, on l'appelle, comme il s'appelait lui-même, Voltaire.

Vous savez, mes chers élèves, que Napoléon Ier, avant de devenir empereur, s'appelait Napoléon Bonaparte.   Qui se rappelle le nom de sa première femme, avec qui il vivait à la Malmaison? . . . Oui, c'est Joséphine. Joséphine de la Pagerie est née à la Martinique; elle a épousé le vicomte de Beauharnais.   Après la mort de son premier mari, Joséphine de Beauharnais s'est mariée avec le général Bonaparte.   Quand le général est devenu empereur, madame Bonaparte a reçu le titre d'Impératrice—l'impératrice Joséphine . . . Qui se rappelle le nom de la seconde femme de Napoléon?   C'est Marie-Louise, qui donna naissance au roi de Rome. Après la mort de Napoléon à Sainte-Hélène, elle s'est mariée avec le comte de Neipperg; plus tard la comtesse de Neipperg est devenue la comtesse de Bombelles.

Croyez-vous que Napoléon III ait été le fils ou le petit-fils de Napoléon Iᵉʳ? Ni l'un ni l'autre. Charles-Louis-Napoléon Bonaparte, qui a été élu président de la Deuxième République et qui s'est fait empereur du Second Empire, était le neveu de Napoléon Iᵉʳ. Son père était Louis Bonaparte, frère de Napoléon; sa mère était Hortense de Beauharnais, fille du vicomte et de Joséphine de Beauharnais. Si, en étudiant l'histoire de la France ou en lisant des romans historiques, vous vous intéressez à la famille Bonaparte, vous aurez de la difficulté à vous rappeler les noms de tous les membres de cette famille extraordinaire.

Maintenant je pense à une femme qui a vécu au dix-neuvième siècle, qui a écrit beaucoup de romans, et qui s'appelait Aurore Dupin. Aurore: quel joli nom! Elle s'est mariée, elle est devenue Aurore Dudevant, femme d'un baron. En commençant à écrire des romans, elle a pris le nom de George Sand.

Un dernier exemple: Jacques-Anatole Thibault a écrit des livres charmants. J'espère que vous en lirez quelques-uns. Sous le titre de chaque livre vous trouverez le nom de l'auteur: Anatole France.

Les jeunes filles me diront peut-être que tout ce que je viens de dire n'est pas extraordinaire. Elles changeront de nom, n'est-ce pas? quand elles se marieront!

Espérez-vous vous marier, mesdemoiselles? Vous l'espérez, n'est-ce pas? Et moi aussi, je l'espère. Je suis sûr que les jeunes hommes l'espèrent, eux aussi.

Au revoir, mes chers élèves.

VOCABULAIRE POUR LA LECTURE

impératrice *f. empress*
maréchal *m. marshal (military title)*

poisson *m. fish*
vivant: de son —, *in his lifetime*

V. EXERCICES pour la salle de classe

A. *Exemples:* (a) J'espère vous revoir demain matin. Nous espérons vous revoir demain matin.

(b) Demain matin je me lèverai de bonne heure. Demain matin nous nous lèverons de bonne heure.

In the following sentences, change as many words as sense permits from singular to plural:
1. Je me lève toujours de bonne heure. 2. Je me lève quand le soleil se lève.
3. Demain matin je me lèverai quand le soleil se lèvera. 4. Notre ami se réveille et se lève tard. 5. Notre ami se réveillera et se lèvera tard.

6. Voilà un enfant et un chien près du bassin.   7. Si l'enfant jette un bâton dans l'eau, est-ce que le chien le lui rapportera?   8. Le chien sait nager, n'est-ce pas?   9. Quand j'ai vu le chien, il nageait très bien.   10. Si tu voyais un chien qui ne savait pas nager, qu'en penserais-tu?   11. Je croirais que je rêvais!

12. Qu'est-ce que tu bois?—Je bois du vin.   13. Qu'est-ce que tu manges?—Je mange un petit poisson.   14. Si je mange trop de gâteaux, je serai malade.   15. J'ai trouvé un moyen d'en manger beaucoup sans être malade.   16. Comment ça?— Je les mange des yeux!

B. *Traduisez à haute voix, puis écrivez:*

—What are you thinking about?

—I am thinking about a story (**un conte**) in which two young people got married.   The girl was the daughter of a king, the man was a little tailor who had killed seven flies at one blow.

—I know that story!   The tailor exaggerated the importance of everything that he had done.   Did he kill two giants?

—Well, he went up into a tree, under which two giants were sleeping.   He threw stones on the giants.   Each giant thought that the other giant had hurt him!   They began to fight and they killed each other!   Of course, the tailor told the king that he had killed the giants.

—Then the tailor married the princess.   But the princess did not love him at all!   Before giving his daughter to a little tailor, the king ought to have asked her if she wanted to marry him.

—You are thinking of modern girls, who want to choose the men they marry!   A modern girl does not want her parents to choose a husband for her.

—But most modern girls want to have at the same time a good marriage and a delightful marriage!

—That's right!   Do you know what makes a good and delightful marriage?   It's love!

Trente-septième leçon

VICTOR HUGO/RODIN

I. DIALOGUE

Jeanne et Pauline Gagnon causent avec Mme Hubert.

JEANNE. M. Jourdain ne voulait ni prose ni vers, n'est-ce pas? Nous savons, ma sœur et moi, ce qu'est la prose, mais personne ne nous a expliqué les règles[1] de la poésie.

MME HUBERT. Je ferai de mon mieux[2] pour vous en expliquer les principes fondamentaux. D'abord on parle toujours de «vers» et non de «poésie» en français. Ensuite, chaque vers se compose d'un certain nombre de syllabes, qu'il faut savoir compter.

PAULINE. Mais nous savons compter en français!

MME HUBERT. Naturellement! En comptant les syllabes d'un vers, on doit faire attention à la voyelle *e,* souvent muette en prose. On la compte quand elle se trouve devant une consonne à l'intérieur du vers mais jamais à la fin.

PAULINE. Pourriez-vous nous en donner un exemple?

MME HUBERT. «J'étais seul près des flots, par une nuit d'étoiles.»
«J'é/tais/seul, 3 syllabes; près/des/flots, 3; par/u/ne/nuit, 4; d'é/toiles, 2» Un vers de douze syllabes s'appelle un alexandrin.

JEANNE. Pourquoi?

[1] les règles *the rules*   [2] Je ferai de mon mieux *I'll do my best*

MME HUBERT. Parce qu'un poème du moyen âge, qui raconte les aventures d'Alexandre le Grand, est écrit en vers de douze syllabes.   Le vers que je viens de réciter est un vers féminin parce qu'il se termine en *e* muet: «*es*».

PAULINE. Il doit y avoir des vers masculins.   Pourriez-vous nous en donner un exemple?

MME HUBERT. «Mes yeux plongeaient plus loin que le monde réel.» Le plus souvent, il y a, dans un poème, une alternance de vers masculins et de vers féminins.

JEANNE. «Mes/ yeux/ plon/ geaient/ plus/ loin/ que/ le/ mon/ de/ ré/ el.» Ça fait douze syllabes.   Est-ce que tous les vers français ont douze syllabes?

MME HUBERT. Les vers peuvent être de longueur différente.   Je vous en montrerai des exemples dans des poèmes de Victor Hugo.   Mais remarquez[3] qu'il y a une pause ou un repos, qu'on appelle une césure,[4] et qui divise les vers alexandrins en deux moitiés:

J'étais seul près des flots /// par une nuit d'étoiles.
Mes yeux plongeaient plus loin /// que le monde réel.

JEANNE. Est-ce que les rimes sont importantes dans les vers français?

MME HUBERT. Très importantes!   Elles unissent les vers entre eux.   Écoutez:

J'étais seul près des flots par une nuit d'étoiles,
Pas un nuage[5] aux cieux, sur les mers pas de voiles . . .[6]

Et encore:

—Je pense
Aux roses que je semai.[7]
Le mois de mai sans la France,
Ce n'est pas le mois de mai.

PAULINE. Quel poète a écrit les vers que vous venez de citer?

MME HUBERT. Victor Hugo.   Jeanne, voudriez-vous aller chercher[8] une anthologie de vers français qui se trouve sur une table de la pièce voisine?[9]   Je vous lirai à haute voix quelques poèmes de Victor Hugo pour que vous puissiez en entendre la musique.

[3] remarquez *notice, observe*   [4] une césure *a caesura*   [5] un nuage *a cloud*   [6] voiles *sails*   [7] je semai: semer *to sow, plant*   [8] aller chercher *to go and get*   [9] la pièce voisine *the next room*

II. GRAMMATICAL USAGE

A. Verbs with Orthographical Changes (cont.)

Verbs with **y** in their stems make certain changes when written.

1. **payer,** *to pay for*

PRESENT	FUTURE	CONDITIONAL
paie *or* paye	paierai *or* payerai	paierais *or* payerais
paies *or* payes	etc. etc.	etc. etc.
paie *or* paye		
payons		
payez		
paient *or* payent		

Verbs whose stems end in **-ay** may or may not change the **y** to **i** before mute **e**.

NOTE **payer** frequently has a direct object:

> Combien avez-vous payé cette anthologie? — *How much did you pay for this anthology?*

2. **employer,** *to use;* **ennuyer,** *to bore* (**s'ennuyer,** *to be bored*)

PRESENT		FUTURE	CONDITIONAL
emploie	employons	emploierai	emploierais
emploies	employez	etc.	etc.
emploie	emploient		
ennuie	ennuyons	ennuierai	ennuierais
ennuies	ennuyez	etc.	etc.
ennuie	ennuient		

Verbs whose stems end in **-oy** or **-uy** must change the **y** to **i** before mute **e**.

NOTE Examples of use of **ennuyer** and **s'ennuyer:**

> Est-ce que les vers vous ennuient? — *Does poetry bore you?*
> Je ne m'ennuie jamais dans cette classe. — *I am never bored in this class.*

B. ENVOYER, "to send"

This irregular verb has the following forms:

PRESENT		FUTURE		CONDITIONAL	
envoie	envoyons	enverrai	enverrons	enverrais	enverrions
envoies	envoyez	enverras	enverrez	enverrais	enverriez
envoie	envoient	enverra	enverront	enverrait	enverraient

C. Idioms with CHERCHER, "to seek, look for"

1. With **aller:**

Allez chercher une anthologie. *Go and get an anthology.*

Allez la chercher. *Go and get it.*

2. With **envoyer:**

Mme Hubert a envoyé chercher *Mme Hubert sent for an anthology.*
une anthologie.

Envoyez-la chercher. *Send for it.*

3. With **venir:**

Venez chercher l'argent que *Come and get the money I owe you.*
je vous dois.

Venez le chercher. *Come and get it.*

With **aller chercher** and **venir chercher,** pronoun objects go with **cher-cher,** but with **envoyer,** a single pronoun object goes with **envoyer.**

In all three cases **chercher** does not have its regular meaning of "to seek," "to look for."

D. Imperative of AVOIR and ÊTRE:

Ayez la bonté de m'attendre ici. *Have the kindness to (Please)*
wait for me here.

Soyez ici à trois heures. *Be here at three o'clock.*

The present subjunctive forms of **avoir** and **être** are frequently used as the imperatives of these verbs.

NOTE As most of the grammatical phenomena presented in Section II pertain to written rather than oral French, no Pattern Practice drills are provided at this point. Laboratory practice will be based upon the Dialogue which is longer than usual, and upon the following poems by Victor Hugo.

III. LECTURES

QUATRE POÈMES DE VICTOR HUGO

LA SOURCE TOMBAIT DU ROCHER...

La source tombait du rocher
Goutte à goutte à la mer affreuse.
L'océan, fatal au nocher,
Lui dit:—Que me veux-tu, pleureuse?

Je suis la tempête et l'effroi;
Je finis où le ciel commence.
Est-ce que j'ai besoin de toi,
Petite, moi qui suis immense?

La source dit au gouffre amer:
—Je te donne, sans bruit ni gloire,
Ce qui te manque, ô vaste mer!
Une goutte d'eau qu'on peut boire.

CHANSON [1]

Proscrit, regarde les roses;
Mai joyeux, de l'aube en pleurs
Les reçoit toutes écloses;
Proscrit, regarde les fleurs.

                    —Je pense
Aux roses que je semai.
Le mois de mai sans la France,
Ce n'est pas le mois de mai.

Proscrit, regarde les tombes;
Mai, qui rit aux cieux si beaux,
Sous les baisers des colombes
Fait palpiter les tombeaux.

                    —Je pense
Aux yeux chers que je fermai.
Le mois de mai sans la France,
Ce n'est pas le mois de mai.

Proscrit, regarde les branches,
Les branches où sont les nids;
Mai les remplit d'ailes blanches
Et de soupirs infinis.

                    —Je pense
Aux nids charmants où j'aimai.
Le mois de mai sans la France,
Ce n'est pas le mois de mai.

---

[1] Cette chanson fut écrite par Victor Hugo pendant son exil. Obligé de quitter la France parce qu'il s'était opposé à Louis-Napoléon Bonaparte quand celui-ci se fit l'empereur Napoléon III, Victor Hugo passa dix-huit ans dans l'île de Guernesey. Le «proscrit,» c'est le poète lui-même.

SAISON DES SEMAILLES: LE SOIR

C'est le moment crépusculaire.
J'admire, assis sous un portail,
Ce reste du jour dont s'éclaire
La dernière heure du travail.

Dans les terres, de nuit baignées,
Je contemple, ému, les haillons
D'un vieillard qui jette à poignées
La moisson future aux sillons.

Sa haute silhouette noire
Domine les profonds labours.
On sent à quel point il doit croire
A la fuite utile des jours.

Il marche dans la plaine immense,
Va, vient, lance la graine au loin,
Rouvre sa main, et recommence,
Et je médite, obscur témoin,

Pendant que, déployant ses voiles,
L'ombre, où se mêle une rumeur,
Semble élargir jusqu'aux étoiles
Le geste auguste du semeur.

EXTASE

J'étais seul, près des flots, par une nuit d'étoiles,
Pas un nuage aux cieux, sur les mers pas de voiles.
Mes yeux plongeaient plus loin que le monde réel.
Et les bois, et les monts, et toute la nature
Semblaient interroger dans un confus murmure
     Les flots des mers, les feux du ciel.

Et les étoiles d'or, légions infinies,
A voix haute, à voix basse, avec mille harmonies,
Disaient, en inclinant leurs couronnes de feu:
Et les flots bleus, que rien ne gouverne ni n'arrête,
Disaient, en recourbant l'écume de leur crête:
     —C'est le Seigneur, le Seigneur Dieu.

VOCABULAIRE POUR LES LECTURES

amer, amère *bitter*
aube *f. dawn*
auguste *majestic*
baigner *to bathe*
bois *m.pl. woods*
colombe *f. dove*
couronne *f. crown*
crépusculaire *adj. twilight*
crête *f. crest*
déployer *to unfold*
écloses (*pp.* of éclore) *unfolded, open;*
  (*of flowers*) *in bloom*
écume *f. foam*
ému (*pp.* of émouvoir)
  moved, stirred
feu *m. fire*
fuite *f. flight, passing*
gouffre *m. gulf, abyss*
goutte *f. drop*
haillons *m.pl. ragged clothes*
incliner *to bow*
labours *m.pl. ploughed fields*
manquer *to lack*
mêler: se —, *to be mingled, blended*

mont *m. mount, mountain*
nid *m. nest*
nocher *m. boatman*
ombre *f. darkness*
or *m. gold*
palpiter *to throb*
pleureuse *f. weeping one*
pleurs *f. pl. tears*
poignées: à —, *in handfuls*
proscrit *m. outlaw, exile*
recourber *to bend, curve down*
rire *to laugh*
rocher *m. rock*
rumeur *f. faint sound*
semailles *f.pl. sowing*
sembler *to seem*
semer *to sow, plant*
semeur *m. sower*
sillon *m. furrow*
soupir *m. sigh*
source *f. spring (of water)*
terres *f. pl. fields*
tombe *f. tomb, grave*
voile *f. sail; m. veil*

IV. EXERCICES

A. 1. Combien de syllabes y a-t-il dans chacun des vers suivants?
   (1) Proscrit, regarde les roses.
   (2) Proscrit, regarde les fleurs.
   (3) Les branches où sont les nids:
   (4) J'admire, assis sous un portail,
   (5) Ce reste du jour dont s'éclaire
   (6) La dernière heure du travail.
   (7) A la fuite utile des jours
   (8) Il marche dans la plaine immense.
   (9) Et les étoiles d'or, légions infinies,
  (10) A voix haute, à voix basse, avec mille harmonies.
  2. Lesquels des vers du quatrième poème sont masculins, lesquels sont féminins?
  3. Où sont les césures dans ces vers?

B. *Traduisez à haute voix, puis écrivez:*

If you are sick, I'll send for a doctor.   I'm not really sick; I have a headache.
Go and get some aspirin at a drugstore.   I don't want to leave you.   Well then,
send for it.   I'll send the son of the owner of the hotel; he'll be glad to earn a few
francs.

C. *Traduisez à haute voix, puis écrivez:*

1. What did M. Jourdain want?   2. He wanted to write something in a little
note which he could drop at the feet of a lady.   But he wanted neither prose nor
poetry.   3. And you?   What do you want?   4. I want to explain to a young lady
the principles of French poetry.   Please explain them to me!   5. Are you going to
write some French poetry?   6. I?   Never!   But I want to understand what I read
and I want to make my friend understand what she will read.   7. You are right!
The poems which she reads in French will bore her if she does not understand
them.   8. What are the fundamental principles of French verse?   9. First, you
must be able to count the number of syllables in a line.   10. Next, you must know
the difference between masculine lines and feminine lines.   11. Please tell me
what the difference is.   12. Go and get an anthology of French poetry.   I'll show
you some masculine lines and some feminine lines and you will see the difference.
13. Please read some lines out loud.   14. I'll read to you some lines by **(de)** Victor
Hugo, one of the greatest French poets.   15. Victor Hugo uses lines of all kinds.
16. Usually, however, the lines which he uses are of four, six, eight, ten, or twelve
syllables.   17. But sometimes Victor Hugo uses lines of seven syllables!   18. That's
right.   A poet is coming to see me this afternoon.   Be here at three o'clock.   19. You
will be able to make his acquaintance and he will talk to us about **(de)** French
poetry.   20. That's wonderful!   When I return to America, I'll be able to say to
my friends: In the course of a conversation with that great French poet . . .! ! !

D. *Suggested out-of-class assignment.   Students should look up in any available* French en-
cyclopaedia, history of literature, etc., the name of a French poet.   In the Petit Larousse,
*for example, there are 31 lines on Victor Hugo.   Students should be encouraged to use French
reference books; they will find that they can understand what is written in French even if they
have not previously encountered every word.*

Trente-huitième leçon

I. DIALOGUE

JEANNE. On dit que Victor Hugo a dominé le mouvement romantique. Les poètes romantiques ont surtout exprimé leur amour-propre, n'est-ce pas?

MME HUBERT, en riant. Jeanne, vous vous trompez sur le sens du mot amour-propre.[1] Il se réfère au sentiment exagéré qu'on peut avoir de sa propre valeur. Les poètes romantiques révèlent leurs propres sentiments mais ils parlent plus de l'amour que de la fierté.[2]

PAULINE. Quels poètes ont suivi les poètes romantiques?

MME HUBERT. Les Parnassiens, après 1850. Ils insistaient sur la parfaite harmonie du vers. L'un d'eux, Baudelaire, a exercé une grande influence sur les poètes contemporains.

JEANNE. Quels poèmes de Baudelaire doit-on lire?

MME HUBERT. Tous ceux que vous trouverez dans une bonne anthologie. Mais je vous conseille de lire aussi plusieurs poèmes de Paul Verlaine; c'est lui qui a dit: «De la musique avant toute chose.» Nul poète n'a mis plus de vague tristesse dans des vers simples et touchants.

[1] amour-propre, propre *see II, C, 8 of this lesson*   [2] la fierté *pride*

PAULINE. A certains moments de ma vie j'aime lire des poèmes tristes mais la plupart du temps je préfère en lire de gais!

MME HUBERT. Il est, paraît-il, plus naturel aux poètes d'exprimer la tristesse que la gaieté. Guillaume Apollinaire, par exemple, a dit que la joie venait toujours après la peine—il regrette, cependant, que l'amour s'en aille, comme l'eau de la Seine sous le Pont Mirabeau.

PAULINE. Ne pouvez-vous pas nommer au moins un poète du vingtième siècle qui a été ou est heureux?

MME HUBERT. Quelques-uns des poèmes de Jacques Prévert, tels que sa *Chanson de la Seine,* sont plus optimistes que pessimistes.

II. GRAMMATICAL USAGE

A. Expressions of Measurement

La ville de Paris a 11 kilomètres de longueur et 9 kilomètres de largeur.	*The city of Paris is 11 kilometers long and 9 kilometers wide.*
La Tour Eiffel a trois cents mètres de haut (ou de hauteur).	*The Eiffel Tower is three hundred meters high.*
La Tour Eiffel est haute de trois cents mètres.	
Le lac a 400 mètres de large (ou de largeur).	*The lake is 400 meters wide.*
Le lac est large de 400 mètres.	
Le fleuve a dix mètres de profondeur.	*The river is ten meters deep.*
Le fleuve est profond de dix mètres.	

The above examples illustrate the idiomatic constructions used for length, width, height, and depth.

NOTE 1 mètre = *about 39 inches or 1.09 yards*
1 centimètre = *about 2/5 of an inch or .39 inch*
1 kilomètre = *about 5/8 of a mile or .62 mile*
100 kilomètres = *about 62 miles.*

B. VALOIR, "to be worth"

This irregular verb has the following forms:

PRESENT		IMPERFECT	FUTURE	CONDITIONAL	PAST PART.
vaux	valons	valais	vaudrai	vaudrais	valu
vaux	valez	etc.	etc.	etc.	
vaut	valent				

1. **Valoir** may be used as an impersonal verb.

> M:eux vaut tard que jamais.   *Better late than never.*

2. **Valoir** is commonly used with **mieux** as an impersonal verb, with the meaning *to be better.* In this case it may be followed by either an infinitive or a **que**-clause. A verb in such **que**-clause must be in the subjunctive.

Il vaut mieux être bon élève que
  mauvais élève.
Il vaut mieux qu'on soit bon élève
  que mauvais élève.
}   *It is better to be a good pupil
    than a poor pupil.*

Il vaudrait mieux ne pas faire cela.
Il vaudrait mieux qu'on ne fasse pas
  cela.
}   *It would be better not to do
    that.*

C. Review of Position of Adjectives

The position of adjectives before or after a noun is a difficult point of French grammar because the choice of position often depends more upon rhetorical or stylistic considerations than upon rules. Students should observe French usage and try to understand the relative positions of nouns and adjectives as they find them in their reading. The following principles may be helpful.

1. A number of common adjectives regularly *precede* a noun; the following are important:

autre	grand	long, longue	petit
beau, belle	gros, grosse	mauvais	tel, telle
bon, bonne	jeune	meilleur	vieux, vieille
court	joli	nouveau, nouvelle	

2. Adjectives denoting a physical quality (color, shape, etc.) or nationality regularly *follow* a noun. Such adjectives are very numerous. Examples:

un stylo bleu	nos amis américains
du café noir	un poète français
une robe rouge	un temple grec

3. Present and past participles used as adjectives regularly follow a noun:

l'eau courante	des vers touchants
un sentiment exagéré	une voiture chauffée

4. When two adjectives modify a noun, one may precede, the other follow, in accordance with the category to which each belongs:

une jeune fille française

une grande ville américaine

un joli chapeau jaune

une belle robe rouge

de nouveaux bâtiments élégants

nos meilleurs amis français

5. When two adjectives of the same category precede or follow a noun, the one which is the more closely allied to the noun stands next to it.

une bonne petite fille   un poème français intéressant

6. Sometimes the position of an adjective depends upon usage:

à haute voix *in a loud voice, out loud*

à voix basse *in a low voice*

l'année prochaine *next year*

la prochaine fois *the next time*

7. Frequently the position of an adjective depends upon *style,* so that writers, especially poets, have much freedom.

à voix haute, à voix basse—Victor Hugo

Au vent mauvais—Paul Verlaine

Des éternels regards—Guillaume Apollinaire

8. Certain adjectives vary in meaning as they precede or follow a noun; their position depends therefore upon their meaning in each case. (When such adjectives are used not with nouns but after verbs, their meaning depends upon the context.) Examples:

	BEFORE NOUN	AFTER NOUN
ancien, -ne	une ancienne demeure: *former*	une église ancienne: *old*
brave	un brave homme: *good*	un homme brave: *brave*
cher	ma chère amie: *dear*	une robe chère: *expensive*
derni-er, -ère	la dernière semaine du mois: *last (of a series)*	la semaine dernière: *last (just passed)*
pauvre	pauvre homme!: *poor (pathetic)*	un homme pauvre: *poor*
seul	la seule raison: *only*	un homme seul: *alone*
propre	mes propres yeux: *own* l'amour-propre: *pride, vanity (love of self), self-respect*	des mains propres: *clean*

NOTES 1. Un pauvre élève: *a student without much money*

Un mauvais élève: *a poor student (without ability or accomplishment)*

2. Même = (adj.) *same, very, self,* as shown in the following examples:

la même chose *the same thing*   ce jour même *that very day*

moi-même *myself*   nous-mêmes *we ourselves*

As adverb = *even.*

On a même refusé de nous parler.   *They even refused to speak to us.*

III. LECTURES

DEUX POÈMES DE PAUL VERLAINE

CHANSON D'AUTOMNE

Les sanglots longs
Des violons
　　De l'automne
Blessent mon cœur
D'une langueur
　　Monotone.

Tout suffocant
Et blême, quand
　　Sonne l'heure,
Je me souviens
Des jours anciens
　　Et je pleure.

Et je m'en vais
Au vent mauvais
　　Qui m'emporte
Decà, delà,
Pareil à la
　　Feuille morte.

IL PLEURE DANS MON CŒUR

Il pleure dans mon cœur
Comme il pleut sur la ville,
Quelle est cette langueur
Qui pénètre mon cœur?

O bruit doux de la pluie
Par terre et sur les toits!
Pour un cœur qui s'ennuie,
O le chant de la pluie!

Il pleure sans raison
Dans ce cœur qui s'écœure.
Quoi! nulle trahison!
Ce deuil est sans raison.

C'est bien la pire peine
De ne savoir pourquoi,
Sans amour et sans haine,
Mon cœur a tant de peine!

LE PONT MIRABEAU

par

Guillaume Apollinaire

(Guillaume Apollinaire n'emploie jamais de ponctuation dans ses poèmes.)

Sous le pont Mirabeau coule la Seine
　　Et nos amours
　　Faut-il qu'il m'en souvienne
La joie venait toujours après la peine

　　　Vienne la nuit sonne l'heure
　　　Les jours s'en vont je demeure

Les mains dans les mains restons face à face
　　　Tandis que sous
　　Le pont de nos bras passe
Des éternels regards l'onde si lasse

Vienne la nuit sonne l'heure
Les jours s'en vont je demeure

L'amour s'en va comme cette eau courante
L'amour s'en va
Comme la vie est lente
Et comme l'Espérance est violente

Vienne la nuit sonne l'heure
Les jours s'en vont je demeure

Passent les jours et passent les semaines
Ni temps passé
Ni les amours reviennent
Sous le pont Mirabeau coule la Seine

Vienne la nuit sonne l'heure
Les jours s'en vont je demeure

DEUX POÈMES DE JACQUES PRÉVERT

DÉJEUNER DU MATIN

Il a mis le café
Dans la tasse
Il a mis le lait
Dans la tasse de café
Il a mis le sucre
Dans le café au lait
Avec la petite cuiller
Il a tourné
Il a bu le café au lait
Et il a reposé la tasse
Sans me parler
Il a allumé
Une cigarette
Il a fait des ronds
Avec la fumée
Il a mis les cendres
Dans le cendrier
Sans me parler
Sans me regarder
Il s'est levé
Il a mis
Son chapeau sur sa tête
Il a mis

Son manteau de pluie
Parce qu'il pleuvait
Et il est parti
Sous la pluie
Sans une parole
Sans me regarder
Et moi j'ai pris
Ma tête dans ma main
Et j'ai pleuré.

CHANSON DE LA SEINE

La Seine a de la chance[1]
Elle n'a pas de soucis
Elle se la coule douce[2]
Le jour comme la nuit
   Et elle sort de sa source
Tout doucement sans bruit
Et sans se faire de mousse
   Sans sortir de son lit
Elle s'en va vers la mer
   En passant par Paris

La Seine a de la chance
Elle n'a pas de soucis
Et quand elle se promène
Tout le long de ses quais
Avec sa belle robe verte
   Et ses lumières dorées
      Notre Dame jalouse
      Immobile et sévère
Du haut de toutes ses pierres
   La regarde de travers[3]
Mais la Seine s'en balance[4]

   Elle n'a pas de soucis
   Elle se la coule douce
   Le jour comme la nuit
Et s'en va vers le Havre
Et s'en va vers la mer
En passant comme un rêve
Au milieu des mystères
   Des misères de Paris.

---

[1] de la chance *good luck*   [2] se la couler douce *to take things easy*   [3] La regarde de travers *scowls at her*   [4] s'en balancer *not to care a bit*

VOCABULAIRE POUR LES LECTURES

allumer *to light*
blême *pale*
blesser *to wound*
cendres *f.pl. ashes*
cendrier *m. ashtray*
chant *m. song*
deça, delà *here and there*
deuil *m. mourning*
doré *golden*
dou-x, -ce *gentle, soft, sweet*
écœurer; s'—, *to become disheartened*
espérance *f. hope*
feuille *f. leaf*
fumée *f. smoke*

haine *f. hate, hatred*
jalou-x, -se *jealous*
las, -se *tired, weary*
manteau *m. coat*
mousse *f. foam*
onde *f. water*
pareil (à) *like*
pire *worse;* le —, *the worst*
pleurer *to weep*
quai *m. embankment*
sanglot *m. sob*
terre: par —, *on the ground*
vent *m. wind*
vert *green*

IV. EXERCICES

A. *Exemple:* La Tour Eiffel est haute de 300 mètres.
La Tour Eiffel a 300 mètres de haut (ou de hauteur).

Changez les phrases suivantes selon l'exemple donné, puis lisez-les à haute voix:
1. La ville de Paris est longue de 11 kilomètres. 2. La ville de Paris est large de 9 kilomètres. 3. L'Arc de Triomphe est haut de 50 mètres. 4. L'Arc de Triomphe est large de 45 mètres. 5. L'avenue des Champs-Élysées est longue de 1880 mètres. 6. La Galerie des Glaces du Palais de Versailles est longue de 74 mètres et large de 10 mètres. 7. La Loire, qui est le plus long fleuve de la France, est longue de 1000 kilomètres. 8. Le fleuve Saint-Laurent, qui se trouve au Canada, est long de 3800 kilomètres. 9. Le Mont-Blanc, qui est la montagne la plus élevée des Alpes, est haut de 4807 mètres. 10. Le Mont McKinley, qui est la plus haute montagne des Montagnes Rocheuses, est haut de 6240 mètres.

B. *Read aloud the following pairs of nouns and adjectives, placing the adjectives before or after the nouns, as may be correct.   All these phrases are used in Lessons 1–10, where they may be checked for correct usage.*

NOUN	ADJECTIVE	NOUN	ADJECTIVE
Un Américain	/ jeune	Une cathédrale	/ grande
Une étudiante	/ américaine	Une visite	/ rapide
Une chambre	/ confortable	Les fontaines	/ grandes
Une lampe	/ jolie	La personne	/ première
Une lampe	/ électrique	Le dôme	/ troisième

L'eau	/ courante	Les règles	/ bonnes
Un tapis	/ grand	L'époque	/ romaine
Un restaurant	/ petit	Une variété	/ remarquable
Un stylo	/ bleu	Les quartiers	/ pauvres
Un appartement	/ agréable	La plaine	/ vaste
Un téléviseur	/ portatif	Un pays	/ centralisé
Un accent	/ mauvais	La différence	/ seule
Une idée	/ merveilleuse	Les restaurants	/ petits, intéressants
Un ami	/ français	Les achats	/ tous, nécessaires
Un garçon	/ laid		

C. *Traduisez, en employant* valoir *dans chaque phrase:*

1. It is better to be right than to be rich, isn't it?   2. There's an idea which is no good!   3. It would be better to be right *and* to be rich!

4. If you could not arrive at the theater before nine o'clock, it would be better not to go there at all.   5. There's another (**encore une**) idea which is no good! 6. It would be better to see four acts than to (**de**) miss (**manquer**) the entire play.   7. Better late than never!

D. *Traduisez en anglais:*

1. Savez-vous ce que vaut ce tableau-là?   2. Non, mais il ne vaut pas dix mille francs!   3. Est-ce que la Suisse vaut une visite?   4. Bien sûr! Il vaut la peine d'y aller.   5. Et la ville où vous êtes né?   6. N'y allez pas! Il vaudrait mieux rester à Paris!

E. *Traduisez à haute voix, puis écrivez:*

1. The Romantic poets spoke about their own feelings, especially their love.   2. Victor Hugo was the greatest French Romantic poet.   3. When Paul Verlaine wrote: "Music before everything," he was not saying that music is more important than poetry, he said that music is the most important quality of poetry.   4. The music which he liked best was a sad music, which makes (one) weep.   5. The poet used to weep also when it rained!   6. The song of the rain was a sweet sound for his heart, which was sad without reason.

7. Can you imagine a young man and a girl, on the Pont Mirabeau in Paris? 8. They are standing there, face to face, hands in hands.   9. Their arms make (form) a bridge, under which flows the Seine.   10. As the water flows towards the sea, it (**elle**) never stops, it never returns.   11. Love which goes away never returns!

12. Is the Seine sad because its water will never return to Paris?   13. No! The Seine is lucky!   14. It has no feelings, like the poets, like young people who are in love!   15. By night and by day, the Seine passes through Paris, goes towards Le Havre, goes towards the sea, and pays no attention to the mysteries and the miseries of Paris!

Trente-neuvième leçon

I. DIALOGUE

ROGER. Nous aurons fini nos cours et nos examens avant le 14 juillet. Qu'est-ce que nous pourrions faire avant de retourner aux États-Unis?

ALBERT. Le 14 juillet, nous pourrions danser dans les rues de Paris avec Jeanne et Pauline Gagnon!

ROGER. Et après? Le voyage que nous avons fait sur la Côte d'Azur était un grand succès, n'est-ce pas? Maurice doit retourner tout de suite aux États-Unis. Mais toi et moi, nous pourrions faire un voyage en voiture pour voir d'autres régions de France.

ALBERT. Quelles régions?

ROGER. Je te propose d'aller voir les stations balnéaires[1] de la Manche et de l'Atlantique.

ALBERT. C'est une bonne idée. Ici, à Paris, nous avons vu comment les Français s'amusent en hiver. Voyons comment ils s'amusent en été!

ROGER. Nous commencerions notre voyage au Touquet-Paris-Plage, la plus luxueuse et la plus fréquentée[2] de toutes les plages du Nord. C'est ce que je viens de lire dans un guide![3]

ALBERT. J'ai entendu parler de Deauville, où il y a, je crois, non seulement une plage mais aussi un Casino.

[1] les stations balnéaires *the seaside resorts* [2] la plus fréquentée *the most popular (i.e., visited by the largest number of people)* [3] un guide *a guidebook*

ROGER. En route nous verrions le Mont-Saint-Michel.   Personne ne devrait quitter la France sans l'avoir vu!

ALBERT. Nous verrons les plages où les Américains ont débarqué le 6 juin 1944.

ROGER. Mon père a débarqué à «Omaha Beach», quelques jours plus tard.

ALBERT. Maintenant la plupart des Américains débarquent au Havre ou à Cherbourg!

ROGER. Nous verrons ces grands ports et aussi de petits ports pittoresques, tels que Pont-Aven en Bretagne.

ALBERT. Là où les jolies Bretonnes portent des coiffes!   Mais en été, pendant les vacances, les hôtels seront affreusement[4] chers!

ROGER. On trouve partout des terrains pour les campeurs.   Comme des millions de Français, nous ferons du camping.

ALBERT. Excellente idée!

[4] affreusement *terribly*

II. GRAMMATICAL USAGE

A. Third Person Present Subjunctive with Force of an Imperative

1. Qu'il vienne tout de suite!   *Let him come at once!*
   Qu'ils viennent tout de suite!   *Let them come at once!*
   Que tes ennemis voient ton   *Let (May) your enemies see your triumph!*
      triomphe!

   Que la victoire accoure sous nos   *Let (May) victory come quickly beneath*
      drapeaux!   *our banners!*

The third person singular and plural present subjunctive introduced by **Que** may be used to express a command or a wish.

2. Vive le roi!   *Long live the king!*
   Vive la France!   *Long live (Hurrah for) France!*

These "cheers" represent grammatically the construction described in paragraph 1, without the introductory **que**.

B. Imperfect and Pluperfect Subjunctive—Forms

parler		finir		perdre	
parlasse	parlassions	finisse	finissions	perdisse	perdissions
parlasses	parlassiez	finisses	finissiez	perdisses	perdissiez
parlât	parlassent	finît	finissent	perdît	perdissent

1. The imperfect subjunctive forms of **avoir** and **être**:

avoir		être	
eusse	eussions	fusse	fussions
eusses	eussiez	fusses	fussiez
eût	eussent	fût	fussent

2. The imperfect subjunctive of irregular verbs may be obtained by dropping the final letter of the first person singular of the past definite and adding the endings **-sse, -sses, -t, -ssions, -ssiez, -ssent**; the last vowel of the third person singular has a circumflex accent, as in the case of **parler, finir,** and **perdre.**

3. The imperfect subjunctive of **avoir** or **être** and a past participle form the pluperfect subjunctive.

—que j'eusse parlé   —que j'eusse fini
—que tu eusses parlé   —que tu eusses fini
—qu'il eût parlé   — qu'il cût fini
       etc.   etc.

C. Imperfect and Pluperfect Subjunctive—Uses

1. Napoléon voulait qu'on le fît empereur.

Napoleon wanted to be made emperor.

Bien qu'il ne fût pas malade, cet homme se croyait mourant!

Although he was not sick, that man thought he was dying!

Elle était d'une telle impatience, qu'avant que je fusse parti, elle aurait voulu que, déjà, je fusse de retour.

She was so impatient that before I had left she would have already wanted me to be back.

In literary French, a past tense in a main clause used to require the imperfect or pluperfect subjunctive in a subordinate clause.

Many modern writers may still use the simple third person singular forms like **eût, fût, fît,** etc., but usually avoid the longer forms, like **parlassions, perdissions,** etc.

One should be able to recognize the imperfect and pluperfect subjunctive forms because of their frequent occurrence in literary French, especially in that of past centuries, but they are not common in modern French.

2. Je voulais qu'il s'en aille.   *I wanted him to go away.*

Je ne croyais pas qu'il ait dit cela.   *I did not think that he had said that.*

Informal, conversational, and modern written French avoids using the imperfect and pluperfect subjunctive forms by using instead the present or perfect subjunctives—or constructions which do not require a subjunctive at all.

D. Idioms

French is a very idiomatic language.   An idiom can be defined either (a) as a special meaning of a word or (b) as a group of words whose meaning is different from that of its component parts.   Examples:

(a) aller   — regular meaning = *to go*
            — special meaning = *to be (of health)*
(b) faire   — regular meaning = *to do, to make*
  beau   — regular meaning = *beautiful*
  faire beau — idiomatic meaning = *to be fine weather*

The idioms in the following list have been selected, out of a very large number, on the basis of general usefulness.   Most of these have appeared in previous lessons, so that this section is largely a review; a few of them, however, are new and so serve as a transition from this book to future study.

aller *to be (of health)*
s'appeler *to be named*
s'attendre à *to expect*
avoir *to be the matter with*
  (Qu'avez-vous?   *What is the matter with you?*)
y avoir *to be the matter*
  (Qu'y a-t-il?   Qu'est-ce qu'il y a?   *What is the matter?*)
il y a *ago (of time)*
avoir . . . (20) ans *to be (20) years old*
avoir besoin (de) *to need*
avoir chaud *to be warm or hot (of persons)*
avoir faim *to be hungry*
avoir froid *to be cold (of persons)*
avoir lieu *to take place (of events)*
avoir peur *to be afraid*
avoir raison *to be right*
avoir soif *to be thirsty*
avoir sommeil *to be sleepy*
avoir tort *to be wrong*
avoir de la chance *to be lucky*

se demander *to wonder*
descendre *to stay, stop (at a hotel)*
à droite *on or to the right*
entendre parler de *to hear about, hear of*
faire ⎰ beau *to be fine (weather)*
        chaud *to be hot or warm*
        froid *to be cold*
        (du) soleil *to be sunny*
        du vent *to be windy*
faire une promenade *to take a walk*
faire un voyage *to take a trip*
à la fois *at the same time*
à gauche *on or to the left*
de bonne heure *early*
se mettre à *to begin (to)*
se moquer de *to make fun of*
se passer *to take place*
à peu près *approximately, nearly*
en plein air *in the open air, out of doors*
qu'est-ce que c'est que . . . ? *what (sort of a thing) is . . . ?*
à quoi bon? *what's the use?*
se sauver *to run away*
se servir de *to use*

tant mieux *so much the better*

en même temps *at the same time*

de temps en temps *from time to time*

tout à coup *suddenly, all at once*

tout à fait *entirely, quite*

tout de suite *at once, immediately*

se tromper *to be mistaken*

se trouver *to be*

valoir la peine de *to be worth while to*

valoir mieux *to be better*

venir de *to have just*

à voix basse *in a low voice, in a whisper*

à haute voix *in a loud voice, out loud*

vouloir bien *to be willing*

vouloir dire *to mean*

III. EXERCICES

A. *Répondez en français aux questions suivantes:*

1. Quand est-ce que Roger et Albert auront fini leurs examens? 2. Qu'est-ce qu'ils pourraient faire le 14 juillet? 3. Quel événement a eu lieu le 14 juillet? 4. En quelle année cet événement a-t-il eu lieu? 5. Où se trouve la Côte d'Azur? 6. Quand est-ce que les trois amis y sont allés? 7. Quel voyage est-ce que Roger veut faire?

8. Est-ce que les stations balnéaires se trouvent près de la mer ou près de la Suisse? 9. Est-ce que le Touquet-Paris-Plage se trouve dans l'Île-de-France? 10. Qu'est-ce que Roger venait de lire dans un livre?

11. Avez-vous jamais entendu parler de Deauville? 12. Où se trouve le Mont-Saint-Michel?

B. *Répondez en français aux questions suivantes:*

1. A quoi bon aller voir le Mont-Saint-Michel? 2. Pourquoi la plupart des Américains débarquent-ils au Havre ou à Cherbourg? 3. En quelle province y a-t-il de petits ports pittoresques? 4. Qu'est-ce que Albert voudrait voir à Pont-Aven? 5. Pourquoi les hôtels sont-ils plus chers en été qu'en hiver? 6. Si on ne veut pas descendre à un hôtel, qu'est-ce qu'on peut faire?

C. *Répétez:*

Avez-vous froid ou chaud? # J'ai froid. #

Cet enfant-là a-t-il faim ou soif? # Il a faim. #

Answer the following questions by saying that the first of the two alternatives is correct:

Est-ce que vous avez froid ou chaud? # Est-ce que vous avez faim ou soif? # Est-ce que vous avez le plus souvent raison ou tort? # Est-ce que Roger a plus de vingt ans ou moins de vingt ans? # Est-ce qu'il va faire froid ou chaud aujourd'hui? # Est-ce qu'il va faire du vent ou du soleil aujourd'hui? #

Allez-vous vous en aller de bonne heure ou tard? # Est-ce que Maurice va s'en aller avant ou après le 14 juillet? # Est-ce que vous vous servez d'ordinaire d'un stylo noir ou d'un stylo bleu? # Quand un professeur vous pose une question, est-ce que vous lui répondez à haute voix ou à voix basse? # Est-ce que vous vous trompez quelquefois ou jamais? #

D. *Répondez en français:*

1. Comment vous appelez-vous?   2. Comment vos amis vous appellent-ils?
3. Quel âge avez-vous?   4. En quelle année êtes-vous né?

5. Si vous aviez faim, qu'est-ce que vous voudriez manger?   6. Si vous aviez soif, qu'est-ce que vous voudriez boire?   7. Si vous aviez chaud, qu'est-ce que vous voudriez faire?   8. Si vous aviez sommeil, qu'est-ce que vous voudriez faire?   9. Si vous aviez peur, qu'est-ce que vous voudriez faire?

10. Si un de vos amis se trompe, est-ce qu'il a raison ou tort?   11. Quand est-ce que vous vous êtes mis à étudier cette leçon?   12. Depuis combien de temps l'étudiez-vous?

IV. LECTURE

Au commencement de l'année 1792, la France se trouva dans une situation désespérée.   Les événements des années précédentes avaient inquiété les souverains d'Europe.   N'avait-on pas dit, dans *La Déclaration des Droits de l'Homme et du Citoyen,* que «le principe de toute souveraineté réside essentiellement dans la nation»?   N'entendait-on pas partout les mots célèbres: Liberté, Égalité, Fraternité?

Une alliance se forma entre le roi de Prusse et l'empereur d'Autriche. Leurs armées se mirent à envahir la France.   «La Patrie est en danger!» s'écriait-on.

Le 24 avril, un obscur officier, qui se trouva à Strasbourg, non loin de la frontière, écrivit les mots et la musique d'un chant patriotique pour encourager ses compatriotes à se défendre contre les envahisseurs.   Ce chant, écrit par Rouget de Lisle, est devenu *la Marseillaise,* l'hymne national français.

LA MARSEILLAISE

par

Rouget de Lisle

Allons, enfants de la patrie,
Le jour de gloire est arrivé!
Contre nous de la tyrannie
L'étendard sanglant est levé! *(bis)*
Entendez-vous, dans les campagnes,
Mugir ces féroces soldats?
Ils viennent jusque dans nos bras
Égorger nos fils, nos compagnes!

Aux armes, citoyens! formez vos bataillons!
Marchons! Marchons! qu'un sang impur abreuve nos sillons!

Que veut cette horde d'esclaves,
De traîtres, de rois conjurés?
Pour qui ces ignobles entraves,
Ces fers dès longtemps préparés? *(bis)*
Français! pour nous, ah! quel outrage!
Quels transports il doit exciter!
C'est nous qu'on ose méditer
De rendre à l'antique esclavage!

Aux armes, etc.

Quoi! ces cohortes étrangères
Feraient la loi dans nos foyers!
Quoi! ces phalanges mercenaires
Terrasseraient nos fiers guerriers! *(bis)*
Grand Dieu! par des mains enchaînées
Nos fronts sous le joug se ploiraient!
De vils despotes deviendraient
Les maîtres de nos destinées!

Aux armes, etc.

Tremblez, tyrans! et vous, perfides,
L'opprobre de tous les partis,
Tremblez! vos projets parricides
Vont enfin recevoir leur prix! *(bis)*
Tout est soldat pour vous combattre.
S'ils tombent, nos jeunes héros,
La France en produit de nouveaux,
Contre vous tout prêts à se battre!

Aux armes, etc.

Français, en guerriers magnanimes,
Portez ou retenez vos coups!
Épargnez ces tristes victimes,
A regret s'armant contre nous. *(bis)*
Mais ces despotes sanguinaires,
Mais ces complices de Bouillé,[1]
Tous ces tigres qui, sans pitié,
Déchirent le sein de leur mère!

Aux armes, etc.

[1] Bouillé: *marquis and French general who helped in Louis XVI's attempted flight from France (1791)*.

Amour sacré de la patrie,
Conduis, soutiens nos bras vengeurs!
Liberté, Liberté chérie,
Combats avec tes défenseurs! *(bis)*
Sous nos drapeaux, que la victoire
Accoure à tes mâles accents!
Que tes ennemis expirants
Voient ton triomphe et notre gloire!

Aux armes, etc.

VOCABULAIRE POUR LA LECTURE

Autriche *f. Austria*
bis *twice; repeat*
chéri *beloved, cherished*
citoyen *m. citizen*
compatriote *m. fellow-countryman*
complice *m. accomplice*
conjuré *conspiring*
déchirer *to tear, tear open, rend*
désespéré *desperate*
despote *m. tyrant*
égorger *to slaughter*
enchaîné *in chains*
entrave *f. shackle*
envahisseur *m. invader*
esclavage *m. slavery*
esclave *m. slave*
étendard *m. banner*
fers *m.pl. bonds, fetters*
foyer *m. hearth, home*
inquiéter *to worry*

joug *m. yoke*
jusque *even*
mâle *manly*
mugir *to bellow, roar*
opprobre *m. disgrace*
perfide *perfidious, treacherous*
phalange *f. army, cohort*
ployer *to bend, bow*
porter *to deal, strike (a blow)*
prix *m. reward*
projet *m. project, plan*
regret: à —, *regretfully, unwillingly*
retenir *to hold back*
sanglant *bloody*
sanguinaire *bloody*
sein *m. breast, bosom*
soutenir *to uphold*
terrasser *to overwhelm, crush*
transports *m.pl. outbursts (of feeling)*

JACQUES PRÉVERT (à droite)

Huitième dialogue culturel

Robert et Charlotte Cartier sont chez Philippe Lefort.

PHILIPPE. Charlotte nous a lu son exposé sur l'histoire de France; je me rappelle qu'il était d'ailleurs très bien rédigé.[1] Maintenant c'est le tour de Robert de nous lire celui qu'il a écrit sur la littérature française.

ROBERT. Tout ce que j'ai fait, c'est de mettre ensemble les notes que j'ai prises pendant les conférences du professeur Bouchard et celles que j'ai prises, en lisant quelques-uns des chefs-d'œuvre de la littérature française.

PHILIPPE. Je serai heureux de savoir ce qu'un étudiant américain trouve d'intéressant dans notre littérature. Les auteurs et les ouvrages[2] que vous allez mentionner sont sans doute ceux que vous voudriez faire connaître à vos camarades américains.

ROBERT. Le premier chef-d'œuvre de la littérature française est *la Chanson de Roland,* qui est une «chanson de geste,» c'est-à-dire un poème épique, écrit en ancien français. Personne ne sait la date de la composition de ce beau poème: est-ce 1060? 1080? 1120? Personne ne sait le nom du poète qui montre dans cet ouvrage son patriotisme, sa piété et son imagination épique. Le poème raconte une guerre entre Charlemagne et les Sarrasins[3] d'Espagne, au cours de laquelle eut lieu la mort héroïque de Roland, neveu de l'Empereur.

Les «romans bretons,»[4] écrits au douzième siècle, racontent des légendes celtiques. Les héros de ces poèmes sont les chevaliers[5] de la Table ronde et le roi Arthur. Les exploits de Lancelot et de Perceval sont bien connus en Amérique. C'est un Français, Chrétien de Troyes, qui a introduit ces légendes dans la littérature européenne. Chrétien a écrit aussi le premier poème qui existe sur le Saint-Graal.[6]

Tristan et Iseut sont le héros et l'héroïne d'une légende populaire. Marie de France a écrit de courts poèmes qu'on appelle «lais»; ils sont charmants.

CHARLOTTE. Je suis heureuse que tu aies mentionné au moins une femme-auteur!

ROBERT. Ce qu'on appelle le *Roman de Renard* est une collection de poèmes, dans lesquels les personnages sont des animaux qui ressemblent à des hommes—et peut-être aussi à des femmes, Charlotte—par leurs qualités—et leurs vices.

L'origine du théâtre au moyen âge est très intéressante. D'abord, à Pâques[7] et à Noël, les prêtres[8] ajoutaient aux textes latins de la liturgie des vers en latin. Ainsi le drame liturgique est né. Quel immense progrès ce drame a fait, en

---

[1] rédigé *written, composed*   [2] ouvrage *m. work*
[3] Sarrasin *m. Saracen*

[4] romans bretons *m. pl. Breton romances (these long poems relate legends which originated in Brittany)*   [5] chevalier *m. knight*   [6] Saint-Graal *Holy Grail*   [7] Pâques *m. Easter*   [8] prêtre *m. priest*

GAWAIN · BORT · LICHCELOT · GALAHH · PERCEVAL · LE·ROY·ARTYS · DELIAS · LIOYNEL · TRISTA

LE·ROY·NEOTIS · LE·ROY·CARAOOS · LE·ROY·YDIER · LE·ROY·BANCEMEU

«CHEVALIERS DE
LA TABLE RONDE»

Tmaintenant quil yfut entrez,
fu le palais remplie de si bônee
odeuve que si toutee lee espicee
du monde y feuſſent entrees et espâducee
et il aſa ſout entour le palais d'une part
et dautre et tout ainſi comme il paſſort

passant par *le Jeu*[9] *d'Adam* du douzième siècle, *le Jeu de Saint-Nicolas*
et *le Miracle de Théophile* du treizième
siècle, les *Miracles de Notre-Dame* du
quatorzième siècle jusqu'aux *Mystères* des quinzième et seizième
siècles!

Le chef-d'œuvre du théâtre comique du moyen âge est *la Farce de
Maître Pierre Pathelin.* Il y a beaucoup d'autres farces amusantes.

CHARLOTTE. Les élèves de ma
classe de français ont joué *la Farce du
Cuvier.*[10] J'ai joué le rôle de la
femme de Jacquinot.

[9] Jeu *m. Play*   [10] Cuvier *m. Tub*

PHILIPPE. C'est donc vous qui êtes
tombée dans le cuvier, en faisant la
lessive![11]

ROBERT. Si vous l'aviez vue, vous
auriez ri aux éclats![12] . . .

Quant aux ouvrages en prose du
moyen âge, Villehardouin a écrit
une histoire de la quatrième Croisade; Joinville a écrit une vie de
Saint-Louis; Froissart, dans ses *Chro-
niques,* raconte des épisodes de la
guerre de Cent ans et toutes sortes
d'événements du quatorzième siècle.
Enfin, on a conservé deux mille

[11] lessive *f. laundry, washing*   [12] rire aux
éclats *to burst out laughing*

377

poèmes lyriques, écrits par des trouvères.

CHARLOTTE. Est-ce que les trouvères étaient des troubadours?

ROBERT. Les troubadours étaient des poètes du Midi, qui écrivaient leurs poèmes ou leurs chansons en provençal. Les poètes du Nord étaient des trouvères. Il est vrai que les trouvères ont souvent imité les troubadours.

Le plus grand poète du moyen âge est en même temps le premier grand poète moderne. C'est François Villon, qui parle surtout du temps et de la mort, qui détruisent la beauté des femmes. Où sont les belles femmes du passé? demande-t-il.

PHILIPPE. «Mais où sont les neiges d'antan?»[13]

[13] «les neiges d'antan»: *"the snows of yester-year"*

ROBERT. Quand on étudie la littérature de la Renaissance, on trouve trois écrivains qui sont beaucoup plus importants que leurs contemporains: Rabelais, Ronsard et Montaigne. Rabelais s'intéressa à tous les problèmes du siècle. Sur la guerre, l'éducation, la justice, le mariage, les superstitions, la nature humaine, il eut des idées hardies, qu'il cacha sous l'histoire de deux géants, Gargantua et Pantagruel.

Ronsard, imitant les poètes grecs et latins, a écrit quelques-uns des meilleurs poèmes de la langue française. Il parle admirablement de la nature et de l'amour.

Montaigne est un des plus grands philosophes français. Dans ses *Essais,* il parle d'une grande variété de sujets: la mort, l'éducation, l'amitié, les livres classiques, les mœurs des

«LA FARCE DE
MAÎTRE PATHELIN»

cannibales, le remords, l'expérience, et bien d'autres choses. Surtout, il parle de lui-même! En s'analysant, il fait de la philosophie introspective. Sur tous ces sujets il a eu des idées sages[14] et originales.

Dans la première partie du dix-septième siècle les auteurs les plus importants sont Malherbe, Corneille, Descartes et Pascal. Le chef-d'œuvre de Malherbe est un poème, *Consolation à M. du Périer sur la mort de sa fille,* que vous trouverez dans presque toutes les anthologies. Malherbe a voulu simplifier la langue française et établir les règles de la composition littéraire. Dans son chef-d'œuvre il n'exprime pas la douleur[15] de M. du Périer mais il

donne à son ami des raisons pour oublier la douleur que la mort de sa fille lui a causée. Dans le classicisme la raison doit vaincre[16] les émotions.

Les chefs-d'œuvre de Corneille sont des tragédies en vers: *le Cid* (1637), *Horace, Polyeucte.* Dans ces pièces, Corneille montre des conflits entre l'amour et l'honneur, ou le patriotisme, ou la foi. Ces conflits ont lieu dans l'âme des personnages principaux.

Descartes est l'auteur du *Discours de la Méthode.* Dans cet ouvrage «le père de la philosophie moderne» affirme qu'il faut chercher la vérité partout de la même manière qu'on la cherche dans les mathématiques,

[14] sage *adj. wise*   [15] douleur *f. sorrow, suffering*   [16] vaincre *to conquer, overcome*

GUSTAVE DORÉ:

«GARGANTUA PLEURANT»

en se servant de la raison.

Pascal a moins de confiance que Descartes dans la raison humaine. Pour les problèmes religieux, au moins, il trouve plus raisonnable d'avoir confiance dans le cœur, car «Le cœur a ses raisons que la raison ne connaît pas.» Pascal s'intéressa profondément aux mathématiques et à la physique. Dans ses *Pensées,* un des livres les plus remarquables de la littérature française, il analyse les rapports[17] entre l'homme et l'univers, entre l'homme et Dieu.

CHARLOTTE. Je comprends maintenant, mon frère, pourquoi je te vois si rarement. Tu passes tout ton temps dans les bibliothèques à lire des ouvrages littéraires!

ROBERT. Si tu n'allais pas si souvent aux Galeries Lafayette, tu aurais le temps . . .

PHILIPPE. Pas de querelle de famille, s'il vous plaît. Robert n'est pas un «rat de bibliothèque!» Continuez, Robert.

ROBERT. La littérature de la seconde moitié du dix-septième siècle est extrêmement riche. Les auteurs les plus importants sont Molière, La Rochefoucauld, La Fontaine, Racine, La Bruyère, Boileau, madame de Sévigné, et madame de La Fayette. Ces auteurs font du dix-septième siècle l'âge d'or de la littérature française.

Molière a écrit des comédies; il faut remarquer le réalisme de ses personnages et la modération raisonnable de sa philosophie. Les jeunes gens aiment les *Maximes* de La Rochefoucauld; cet auteur nous fait rire des vices des hommes. Il faut admirer l'art des *Fables* de La Fontaine. Dans les tragédies de Racine on trouve des êtres faibles, victimes de leurs passions. Boileau met en vers, dans son *Art poétique,* les principes du classicisme français: «Aimez la raison!» dit-il. «Avant d'écrire, apprenez à penser!»

Madame de Sévigné a écrit des lettres nombreuses qui sont charmantes et qui nous font savoir ce qu'on pensait, disait et faisait dans la société aristocratique de Paris et de Versailles. Madame de La Fayette, dans un ouvrage qu'on a appelé «le premier roman[18] moderne,» *la Princesse de Clèves,* s'intéresse plus à la psychologie de ses personnages qu'à leurs actions.

Quelle variété dans la littérature de l'âge d'or de la civilisation française! Chaque auteur avait son propre génie mais tous les auteurs acceptaient une discipline littéraire, ils obéissaient[19] tous à une autorité raisonnable.

Au dix-huitième siècle une révolte contre le principe de l'autorité se fait sentir.[20] Montesquieu, Voltaire, Diderot et Rousseau sont les chefs de cette révolte. Dans les *Lettres Persanes* Montesquieu se moque des femmes, des médecins, des poètes, même du roi et du pape! Il veut faire perdre aux Français leur admiration pour les croyances[21] et

---

[17] rapports *m.pl. relations*

[18] roman *m. novel* [19] obéir *to obey* [20] sentir *to feel;* se faire —, *to make itself felt* [21] croyance *f. belief*

HOUDON:
BUSTE DE MOLIÈRE
(détail)

les usages établis. Son *Esprit des Lois* est plus sérieux; il y analyse tous les systèmes politiques. On peut trouver l'influence de ce chef-d'œuvre dans la Constitution des États-Unis.

Peu de personnes ont lu tout ce que Voltaire a écrit: poèmes épiques, lyriques, philosophiques; tragédies et comédies; romans et contes; histoires, essais et lettres. Voltaire s'est distingué dans tous les genres[22] littéraires. Dans ses romans, tels que *Zadig* et *Candide,* Voltaire veut faire rire et faire penser ses lecteurs. Ses tragédies, les meilleures du dix-huit-ième siècle, sont de beaucoup inférieures à celles de Corneille et de Racine. Il a écrit des lettres innombrables qui ont répandu ses idées et par conséquent son influence à travers l'Europe. Au service de sa raison, Voltaire possédait l'esprit le plus mordant[23] qui ait jamais existé. Ce que Voltaire détestait surtout, c'était le fanatisme;[24] ce qu'il voulait surtout, c'était la tolérance et la justice.

Diderot a été un des plus grands ennemis du fanatisme et de l'injustice, un des philosophes les plus hardis de son siècle.

[22] genre *m. form, kind (of literature)*

[23] mordant *biting* [24] fanatisme *m. fanaticism*

381

Le dix-huitième siècle, qu'on appelle souvent l'Age de la Raison, était aussi un Age du Sentiment, une époque où on admirait les gens tourmentés de passions fortes. L'abbé Prévost nous présente, dans *Manon Lescaut,* un héros qui souffre et pleure parce qu'il aime une femme frivole.

PHILIPPE. Le roman est peut-être trop sentimental, mais sans le roman nous n'aurions jamais eu l'opéra *Manon,* dont la musique est de Massenet.

ROBERT. Dans le roman, et dans l'opéra, l'amour fait souffrir le chevalier des Grieux. Dans les comédies de Marivaux il y a des jeunes filles et des jeunes gens qui se rencontrent et qui commencent tout de suite à s'aimer—sans souffrir! En effet, l'amour renverse tous les obstacles qui les séparent.

Jean-Jacques Rousseau est un des auteurs les plus importants du dix-huitième siècle. Son roman, *Julie ou la Nouvelle-Héloïse,* est extrêmement long parce qu'il y raconte une histoire d'amour et en même temps discute tous les problèmes de son temps. *Émile* est un traité d'éducation sous la forme d'une biographie. L'œuvre la plus célèbre de Rousseau est son autobiographie, qu'il appelle ses *Confessions,* et dans laquelle il parle de lui-même avec une franchise[25] étonnante. Dans *le Contrat social,* Rousseau proclame la souveraineté du peuple, posant ainsi les bases de la démocratie moderne. Jean-Jacques a écrit tous ses livres

«MONSIEUR DE VOLTAIRE»

d'une manière si éloquente que son influence a été et reste encore énorme.

Un des disciples de Rousseau est Bernardin de Saint-Pierre, auteur d'un roman sentimental et populaire, *Paul et Virginie.*

Les deux drames de Beaumarchais, *le Barbier de Séville* et *le Mariage de Figaro* sont moins célèbres aujourd'hui que les opéras qu'on en a faits, mais, en présentant un personnage, Figaro, homme du peuple, qui par son intelligence était supérieur à son maître, le comte Almaviva, Beaumarchais a donné à ces ouvrages un caractère révolutionnaire.

Pendant la Révolution on a vu paraître peu de chefs-d'œuvre. André Chenier a écrit des poèmes lyriques émouvants *(la Jeune Captive,* par exemple), et on doit mentionner ici *la Marseillaise* de Rouget de Lisle.

[25] franchise *f. frankness*

Au commencement du dix-neuvième siècle, le romantisme des
artistes Géricault et Delacroix se retrouve dans les ouvrages de Chateaubriand, qui nous fait faire un voyage
en Amérique. Dans la forêt primitive nous faisons la connaissance de
deux jeunes Peaux-Rouges,[26] Chac-
tas et Atala. Dans un autre roman
Chateaubriand nous présente un
jeune Français, René, qui ressemble
aux héros de Prévost et de Rousseau,
mais qui ressemble davantage[27] à
Chateaubriand lui-même.

Les théories de Malherbe et de
Boileau avaient presque tué la poésie
en France. Trop de règles étouffai-
ent[28] le génie lyrique. Avec La-
martine, en 1820, la poésie renaît.[29]

[26]Peaux-Rouges *m.pl. Redskins, Indians* [27]da-
vantage *more* [28] étouffer *to smother, stifle*
[29] renaître *to be born again, reappear*

Ce grand poète révèle la douleur
profonde de son âme dans des vers
d'une harmonie exquise. *Le Lac* est
son poème le mieux connu.

Alfred de Vigny exprime des idées
philosophiques dans de beaux
poèmes (*Moïse, la Mort du Loup,* par
exemple), tandis que Alfred de Mus-
set, un des meilleurs poètes lyriques
du siècle, parle seulement de
l'amour; mais il en parle merveilleusement bien.

Comment peut-on décrire,[30] en
peu de mots, le génie universel de
Victor Hugo? Sa carrière poétique
s'étend sur toute sa vie. Il a écrit
plusieurs volumes de poèmes lyriques. Deux de ses drames en vers,
Hernani et *Ruy Blas,* sont les chefs-
d'œuvre du théâtre romantique.

[30] décrire *to describe*

HOUDON: BUSTE DE ROUSSEAU

Poète épique, il a composé six volumes où il raconte des épisodes de l'histoire de la race humaine. Ses romans sont célèbres: *Notre-Dame de Paris, les Misérables, Quatre-vingt-treize, les Travailleurs*[31] *de la mer.* Quel était le secret de son art? C'est qu'il possédait une maîtrise[32] parfaite de la langue française, au service de son imagination créatrice. En vers ou en prose, Victor Hugo était au-dessus de la plupart de ses contemporains par son don[33] de l'expression et de l'image.

CHARLOTTE. Est-ce que le professeur Bouchard croyait que Victor Hugo était le plus grand écrivain de la littérature française?

ROBERT. Je ne sais pas ce que le professeur vous aurait dit si vous lui aviez posé cette question.

PHILIPPE. Peut-être vous aurait-il dit que Victor Hugo était le plus grand écrivain si l'on pensait à l'ensemble[34] de son œuvre mais que dans un tel ou tel genre il y avait des écrivains qui lui étaient supérieurs.

ROBERT. Oui, les romans d'Honoré de Balzac sont meilleurs que ceux de Victor Hugo. Dans *Eugénie Grandet,* dans *le Père Goriot,* par exemple, quelle vérité! Quelle vigueur dans la peinture réaliste de la nature humaine et de la société! Que les personnages de Balzac sont vivants! Il y a sans doute des gens qui aiment les meilleurs romans de Stendhal *(le Rouge et le Noir, la Chartreuse de Parme)*[35] autant que ceux de Victor Hugo ou de Balzac.

CHARLOTTE. Que pensez-vous d'Alexandre Dumas?

ROBERT. Je pense que l'auteur des *Trois Mousquetaires* réussit à amuser ses lecteurs; il ne leur demande pas de penser. Mais laissez-moi lire mon essai! Après Balzac, le meilleur auteur réaliste du dix-neuvième siècle est Gustave Flaubert. Son chef-d'œuvre est *Madame Bovary.*

RODIN: STATUE DE BALZAC

[31]Travailleurs *m.pl. Toilers* [32]maîtrise *f. mastery* [33] don *m. gift* [34] ensemble *m. whole* [35] *«La Chartreuse de Parme»:* "The (Carthusian) *Monastery of Parma" (in Italy)*

384

MATISSE: PORTRAIT DE BAUDELAIRE

Les meilleurs auteurs dramatiques du Second Empire sont Émile Augier et Alexandre Dumas fils.

PHILIPPE. Il me semble que l'on lit et l'on représente de moins en moins les pièces de ces deux auteurs. Mais *la Dame aux Camélias,* de Dumas fils, a ému des millions de spectateurs.

ROBERT. De la même époque sont trois grands poètes: Théophile Gautier, qui aime à décrire ce qui est beau; Leconte de Lisle, qui révèle la poésie des choses simples *(Midi)* et des animaux sauvages *(les Éléphants)* et qui était le chef des Parnassiens; et Baudelaire, qui, dans *les Fleurs du mal,* parle avec une franchise étonnante de ses péchés[36]— et des nôtres! Baudelaire exerce une grande influence sur les poètes d'aujourd'hui.

Entre 1870 et 1900, les plus

grands poètes étaient Verlaine, Rimbaud et Mallarmé. Verlaine veut «de la musique avant toute chose». Ses meilleurs poèmes sont pleins d'une tristesse tranquille. Rimbaud a écrit tous ses poèmes avant d'avoir 21 ans! La plupart de ses vers sont difficiles à lire; Rimbaud a essayé de pénétrer, par l'hallucination, dans le surnaturel et dans l'inconscient. Mallarmé, lui aussi, a écrit des poèmes qui sont très difficiles à comprendre, même pour des lecteurs français. A plus forte raison[37] le sont-ils pour un étudiant américain! Il arrive quelquefois que deux professeurs donnent deux interprétations différentes du même poème! Paul Valéry, lui aussi, a écrit des poèmes «symbolistes». Les poètes symbolistes ont cherché à exprimer les impressions les plus subtiles que l'âme puisse ressentir.[38]

Parmi les romanciers de cette époque, le plus influent était sans doute Émile Zola, chef de l'école naturaliste. Les auteurs de cette école voulaient baser leurs œuvres sur des principes scientifiques.

PHILIPPE. Naturellement! C'était l'époque de Louis Pasteur!

ROBERT. C'est vrai. Mais est-il nécessaire que la littérature soit scientifique?—Dans les romans de certains auteurs contemporains de Zola —tels que Anatole France, et dans les contes de Maupassant et de Daudet, d'ailleurs, on ne trouve qu'un naturalisme atténué.[39] On trouve même une renaissance du romantisme dans le chef-d'œuvre

36 péché *m. sin*

37 à plus forte raison *all the more so*   38 ressentir *to feel*   39 atténué *toned down, lessened*

MARCEL PROUST

d'Edmond Rostand, *Cyrano de Bergerac* (1897).

Un écrivain belge, Maurice Maeterlinck, a écrit un drame, *Pelléas et Mélisande,* dont Claude Debussy devait faire, en 1902, un opéra qui a révolutionné la musique.

Dans les années tranquilles qui ont précédé la première Guerre mondiale, Romain Rolland a fait publier les dix volumes d'un «roman-fleuve», *Jean-Christophe,* biographie d'un musicien allemand imaginaire. Grâce à cet ouvrage, on a décerné à Rolland, en 1916, le Prix Nobel de littérature.

Quel effet la Guerre a-t-elle eue sur la littérature française? Le poète Guillaume Apollinaire fut blessé en 1916; il mourut deux ans après. Ami de Picasso, de Braque et de Matisse, Apollinaire aida au développment du Cubisme et du Surréalisme en art et en littérature. Longtemps méconnu, le génie d'Apollinaire lui assure une place importante dans l'histoire de la poésie française. Des romanciers, tels que Georges Duhamel et André Maurois, ont honoré les soldats de la guerre dans leurs premiers contes et romans.

Les plus grands écrivains de la période dite «entre-deux-guerres» sont Marcel Proust et André Gide. Dans les 16 volumes de son roman, *A la Recherche du temps perdu,* Proust présente les résultats d'une étude profonde de la mémoire; en même temps il dépeint[40] la société aristocratique du siècle. André Gide a écrit des œuvres d'une grande variété; un Américain devrait lire d'abord ses romans, surtout *L'Immoraliste, La Porte étroite, La Symphonie pastorale.* Gide reçut le Prix Nobel en 1947.

Un troisième romancier français qui a reçu le même Prix (en 1952) est François Mauriac, pessimiste et catholique.

J'ai mentionné le Surréalisme. Le chef de ce mouvement était André Breton, qui voulait exprimer «la pensée pure» sans être limité par la raison ou la logique. Breton s'intéressait à la psychologie anormale et à l'inconscient.

De nombreux écrivains ont connu la célébrité depuis la seconde Guerre mondiale, c'est-à-dire depuis 1945. Bien entendu, on ne sait pas combien de temps durera leur renom. Dans cet exposé je ne peux mentionner que quelques noms représentatifs. Parmi les poètes Paul Éluard (mort en 1952) et Louis Aragon étaient tous les deux communistes mais, malgré cela, patriotiques. Saint-John Perse a reçu en 1960 le Prix Nobel pour la pureté de son œuvre poétique. Jacques Prévert, enfin, est sans doute le poète français qui jouit de la plus grande popularité en Amérique.

Tout le monde a entendu parler de l'existentialisme, système philosophique complexe qu'il est impossible d'expliquer en quelques mots. Parmi ses traits les plus frappants sont le pessimisme (tout est *absurde!*) et l'athéisme. Jean-Paul Sartre a exposé l'existentialisme dans des essais philosophiques et en a donné des exemples dans des pièces de théâtre (e.g., *Les Mains sales*).[41] Albert Camus, né en Algérie et mort jeune, a d'abord imité Sartre dans sa doctrine de l'absurde mais ses meilleurs romans, *L'Étranger* et *La Peste,*[42] aussi bien que plusieurs contes, sont moins tendancieux. Camus a bien mérité de recevoir le Prix Nobel (en 1957).

Parmi les auteurs importants du vingtième siècle il y a une femme, Françoise Sagan, dont les romans ont joui d'une popularité immense. Elle sait bien peindre les mœurs d'une certaine partie de la société moderne.

L'originalité—voilà le trait dis-

[41]sale *soiled, dirty*   [42]«La Peste» *f. "The Plague"*

ALBERT CAMUS

[40] dépeindre *to depict*

387

tinctif de plusieurs écrivains contemporains, tels que les romanciers Robbe-Grillet et Nathalie Sarraute et les auteurs dramatiques Jean Anouilh et Eugène Ionesco. Mais que pensera-t-on de leurs ouvrages dans une vingtaine d'années?

Au dix-huitième siècle, un Français, Rivarol, a dit: «Ce qui n'est pas clair n'est pas français.» On a répété cette phrase des milliers de fois. Aujourd'hui on semble croire que ce qui est clair est superficiel et qu'il ne vaut pas la peine de le publier! Faut-il chercher la vérité dans ce qui est obscur, c'est-à-dire dans les profondeurs mystérieuses de l'âme? C'est avec cette question que je finis mon exposé sur la littérature française.

PHILIPPE. J'espère quand même que quand vous serez en Amérique, vous allez continuer à lire et à essayer de comprendre les ouvrages de nos meilleurs auteurs, de sorte que, quand vous reviendrez en France . . .

CHARLOTTE. Nous ne reviendrons vous voir en France qu'à une condition: il faut que vous veniez nous voir en Amérique!

PHILIPPE. A quoi bon aller en Amérique? Quand on a vu les gratte-ciel de New York et les chutes du Niagara, il ne reste plus grand'-chose à voir, n'est-ce pas?

ROBERT. Vous riez—mais il y a une culture américaine que trop peu de Français connaissent. Venez passer un an dans une université américaine . . .

CHARLOTTE. Quelle idée merveilleuse!

PHILIPPE. Je vous promets de faire de mon mieux pour vous revoir là-bas le plus tôt possible!

APPENDIX

Appendix

I. REGULAR VERBS

Regular verbs are conjugated in their simple tenses as follows:

I	II	III

INFINITIVE

| parl **er,** *to speak* | fin **ir,** *to finish* | perd **re,** *to lose* |

PRESENT PARTICIPLE

| parl **ant,** *speaking* | fin **iss ant,** *finishing* | perd **ant,** *losing* |

PAST PARTICIPLE

| parl **é,** *spoken* | fin **i,** *finished* | perd **u,** *lost* |

INDICATIVE MOOD

PRESENT

| *I speak, am speaking, etc.* | *I finish, am finishing, etc.* | *I lose, am losing, etc.* |

je parl **e** nous parl **ons**	je fin **is** nous fin **iss ons**	je perd **s** nous perd **ons**
tu parl **es** vous parl **ez**	tu fin **is** vous fin **iss ez**	tu perd **s** vous perd **ez**
il parl **e** ils parl **ent**	il fin **it** ils fin **iss ent**	il perd ils perd **ent**

IMPERFECT

| *I was speaking, used to speak, etc.* | *I was finishing, used to finish, etc.* | *I was losing, used to lose, etc.* |

je parl **ais** nous parl **ions**	je fin **iss ais** nous fin **iss ions**	je perd **ais** nous perd **ions**
tu parl **ais** vous parl **iez**	tu fin **iss ais** vous fin **iss iez**	tu perd **ais** vous perd **iez**
il parl **ait** ils parl **aient**	il fin **iss ait** ils fin **iss aient**	il perd **ait** ils perd **aient**

FUTURE

| *I shall speak, etc.* | *I shall finish, etc.* | *I shall lose, etc.* |

je parler **ai** nous parler **ons**	je finir **ai** nous finir **ons**	je perdr **ai** nous perdr **ons**
tu parler **as** vous parler **ez**	tu finir **as** vous finir **ez**	tu perdr **as** vous perdr **ez**
il parler **a** ils parler **ont**	il finir **a** ils finir **ont**	il perdr **a** ils perdr **ont**

CONDITIONAL

I would speak, etc.	*I would finish, etc.*	*I would lose, etc.*
je parler **ais** nous parler **ions**	je finir **ais** nous finir **ions**	je perdr **ais** nous perdr **ions**
tu parler **ais** vous parler **iez**	tu finir **ais** vous finir **iez**	tu perdr **ais** vous perdr **iez**
il parler **ait** ils parler **aient**	il finir **ait** ils finir **aient**	il perdr **ait** ils perdr **aient**

PAST DEFINITE

I spoke, etc.	*I finished, etc.*	*I lost, etc.*
je parl **ai** nous parl **âmes**	je fin **is** nous fin **îmes**	je perd **is** nous perd **îmes**
tu parl **as** vous parl **âtes**	tu fin **is** vous fin **îtes**	tu perd **is** vous perd **îtes**
il parl **a** ils parl **èrent**	il fin **it** ils fin **irent**	il perd **it** ils perd **irent**

IMPERATIVE MOOD

Speak, etc.	*Finish, etc.*	*Lose, etc.*
parl **e**	fin **is**	perd **s**
(qu'il parl **e**)	(qu'il fin **iss e**)	(qu'il perd **e**)
parl **ons**	fin **iss ons**	perd **ons**
parl **ez**	fin **iss ez**	perd **ez**
(qu'ils parl **ent**)	(qu'ils fin **iss ent**)	(qu'ils perd **ent**)

SUBJUNCTIVE MOOD

PRESENT

(that) I (may) speak, etc.	*(that) I (may) finish, etc.*	*(that) I (may) lose, etc.*
je parl **e** nous parl **ions**	je fin **iss e** nous fin **iss ions**	je perd **e** nous perd **ions**
tu parl **es** vous parl **iez**	tu fin **iss es** vous fin **iss iez**	tu perd **es** vous perd **iez**
il parl **e** ils parl **ent**	il fin **iss e** ils fin **iss ent**	il perd **e** ils perd **ent**

IMPERFECT

je parl **asse** nous parl **assions**	je fin **isse** nous fin **issions**	je perd **isse** nous perd **issions**
tu parl **asses** vous parl **assiez**	tu fin **isses** vous fin **issiez**	tu perd **isses** vous perd **issiez**
il parl **ât** ils parl **assent**	il fin **ît** ils fin **issent**	il perd **ît** ils perd **issent**

II. AUXILIARY VERBS

The auxiliary verbs **avoir**, *to have*, and **être**, *to be*, are conjugated in their simple tenses as follows:

INFINITIVE

avoir, *to have*   **être**, *to be*

Present Participle

ayant, *having*   étant, *being*

Past Participle

eu, *had*   été, *been*

Indicative Mood

PRESENT

I have, am having, etc.   *I am, etc.*

j'ai	nous avons	je suis	nous sommes
tu as	vous avez	tu es	vous êtes
il a	ils ont	il est	ils sont

IMPERFECT

I had, was having, etc.   *I was, etc.*

j'avais	nous avions	j'étais	nous étions
tu avais	vous aviez	tu étais	vous étiez
il avait	ils avaient	il était	ils étaient

FUTURE

I shall have, etc.   *I shall be, etc.*

j'aurai	nous aurons	je serai	nous serons
tu auras	vous aurez	tu seras	vous serez
il aura	ils auront	il sera	ils seront

CONDITIONAL

I would have, etc.   *I would be, etc.*

j'aurais	nous aurions	je serais	nous serions
tu aurais	vous auriez	tu serais	vous seriez
il aurait	ils auraient	il serait	ils seraient

PAST DEFINITE

I had, etc.   *I was, etc.*

j'eus	nous eûmes	je fus	nous fûmes
tu eus	vous eûtes	tu fus	vous fûtes
il eut	ils eurent	il fut	ils furent

Imperative Mood

Have, etc.   *Be, etc.*

	ayons		soyons
aie	ayez	sois	soyez
(qu'il ait)	(qu'ils aient)	(qu'il soit)	(qu'ils soient)

SUBJUNCTIVE MOOD

PRESENT

(that) I (may) have, etc.

j'aie	nous ayons	je sois	nous soyons
tu aies	vous ayez	tu sois	vous soyez
il ait	ils aient	il soit	ils soient

(that) I (may) be, etc.

IMPERFECT

(that) I (might) have, etc.

(that) I (might) be, etc.

j'eusse	nous eussions	je fusse	nous fussions
tu eusses	vous eussiez	tu fusses	vous fussiez
il eût	ils eussent	il fût	ils fussent

III. COMPOUND TENSES

Compound tenses are formed from the past participle of the principal verb with an auxiliary verb (usually **avoir,** sometimes **être**).

Formed with **avoir**	*Formed with* **être**

PERFECT INFINITIVE

avoir parlé, *to have spoken*   être allé, *to have gone*

PERFECT PARTICIPLE

ayant parlé, *having spoken*   étant allé, *having gone*

INDICATIVE MOOD

PASSÉ COMPOSÉ

I have spoken, etc.   *I have gone, etc.*

j'ai parlé   je suis allé
etc.   etc.

PLUPERFECT

I had spoken, etc.   *I had gone, etc.*

j'avais parlé   j'étais allé
etc.   etc.

FUTURE PERFECT

I shall have spoken, etc.   *I shall have gone, etc.*

j'aurai parlé   je serai allé
etc.   etc.

CONDITIONAL PERFECT

I would have spoken, etc.

j'aurais parlé
etc.

I would have gone, etc.

je serais allé
etc.

PAST ANTERIOR

I had spoken, etc.

j'eus parlé
etc.

I had gone, etc.

je fus allé
etc.

SUBJUNCTIVE MOOD

PERFECT

(that) I (may) have spoken, etc.

(que) j'aie parlé
etc.

(that) I (may) have gone, etc.

(que) je sois allé
etc.

PLUPERFECT

(that) I (might) have spoken, etc.

(que) j'eusse parlé
etc.

(that) I (might) have gone, etc.

(que) je fusse allé
etc.

IV. FORMATION OF TENSES

(PRINCIPAL PARTS)

By the following principles, the various tenses of all regular verbs and of most irregular verbs may be known from the five forms of the verb which are called "principal parts."

1. The Infinitive gives the Future by adding **-ai, -as, -a, -ons, -ez, -ont,** and the Conditional by adding **-ais, -ais, -ait, -ions, -iez, -aient** — dropping the final **-e** of the infinitive of the third conjugation for both tenses.

2. The Present Participle gives the Imperfect Indicative by dropping **-ant** and adding **-ais, -ais, -ait, -ions, -iez, -aient,** and the Present Subjunctive by dropping **-ant** and adding **-e, -es, -e, -ions, -iez, -ent.**

3. The Past Participle gives the Compound Tenses, with the auxiliary **avoir** or **être,** and the Passive, with **être.**

4. The First Person Singular of the Present Indicative indicates the remaining forms of the present tense. The second person singular (the **-s** of the first conjugation being dropped) and the first and second persons plural are the forms of the Imperative.

5. The First Person Singular of the Past Definite indicates the remaining forms

of the past definite.   By changing the final letter of the first singular (–i or –s) into –sse, –sses, –t, –ssions, –ssiez, –ssent, and putting a circumflex accent over the last vowel of the third singular, one has the Imperfect Subjunctive.

NOTE

The tenses, except the future and conditional, are not really *derived from* the principal parts; the principles given are merely an aid to memory.

V. IRREGULAR VERBS

A. VERBS IN –ER

1. **aller,** *to go:* PRES. PART. allant; PAST PART. allé

PRES. IND.	IMPERF.	FUT.	PAST. DEF.	PRES. SUBJ.	IMPERF. SUBJ.
vais	allais	irai	allai	aille	allasse
vas	etc.	etc.	allas	ailles	allasses
va	———	———	alla	aille	allât
allons	IMPERAT.	CONDL.	allâmes	allions	allassions
allez	va	irais	allâtes	alliez	allassiez
vont	allons	etc.	allèrent	aillent	allassent
	allez				

2. **envoyer,** *to send:* PRES. PART. envoyant; PAST PART. envoyé

PRES. IND.	IMPERF.	FUT.	PAST DEF.	PRES. SUBJ.	IMPERF. SUBJ.
envoie	envoyais	enverrai	envoyai	envoie	envoyasse
envoies	etc.	etc.	envoyas	envoies	envoyasses
envoie	———	———	envoya	envoie	envoyât
envoyons	IMPERAT.	CONDL.	envoyâmes	envoyions	envoyassions
envoyez	envoie	enverrais	envoyâtes	envoyiez	envoyassiez
envoient	envoyons	etc.	envoyèrent	envoient	envoyassent
	envoyez				

B. VERBS IN –IR

3. **conquérir,** *to conquer:* PRES. PART. conquérant; PAST PART. conquis

PRES. IND.	IMPERF.	FUT.	PAST DEF.	PRES. SUBJ.	IMPERF. SUBJ.
conquiers	conquérais	conquerrai	conquis	conquière	conquisse
conquiers	etc.	etc.	conquis	conquières	conquisses
conquiert	———	———	conquit	conquière	conquît
conquérons	IMPERAT.	CONDL.	conquîmes	conquérions	conquissions
conquérez	conquiers	conquerrais	conquîtes	conquériez	conquissiez
conquièrent	conquérons	etc.	conquirent	conquièrent	conquissent
	conquérez				

4. **courir,** *to run:* PRES PART. courant; PAST PART. couru

PRES. IND.	IMPERF.	FUT.	PAST DEF.	PRES. SUBJ.	IMPERF. SUBJ.
cours	courais	courrai	courus	coure	courusse
cours	etc.	etc.	courus	coures	courusses
court	————	————	courut	coure	courût
courons	IMPERAT.	CONDL.	courûmes	courions	courussions
courez	cours	courrais	courûtes	couriez	courussiez
courent	courons	etc.	coururent	courent	courussent
	courez				

5. **dormir,** *to sleep:* PRES. PART. dormant; PAST PART. dormi

PRES. IND.	IMPERF.	FUT.	PAST DEF.	PRES. SUBJ.	IMPERF. SUBJ.
dors	dormais	dormirai	dormis	dorme	dormisse
dors	etc.	etc.	dormis	dormes	dormisses
dort	————	————	dormit	dorme	dormît
dormons	IMPERAT.	CONDL.	dormîmes	dormions	dormissions
dormez	dors	dormirais	dormîtes	dormiez	dormissiez
dorment	dormons	etc.	dormirent	dorment	dormissent
	dormez				

Like **dormir:** partir, *to leave*   se servir, *to use*
                 sentir, *to feel*   sortir, *to go* or *come out*
                 servir, *to serve*

Observe particularly the Present Indicative of the following verbs, which are like **dormir:**

partir	**sentir**	**servir**	**sortir**
pars	sens	sers	sors
pars	sens	sers	sors
part	sent	sert	sort
partons	sentons	servons	sortons
partez	sentez	servez	sortez
partent	sentent	servent	sortent

6. **mourir,** *to die:* PRES. PART. mourant; PAST PART. mort

PRES. IND.	IMPERF.	FUT.	PAST DEF.	PRES. SUBJ.	IMPERF. SUBJ.
meurs	mourais	mourrai	mourus	meure	mourusse
meurs	etc.	etc.	mourus	meures	mourusses
meurt	————	————	mourut	meure	mourût
mourons	IMPERAT.	CONDL.	mourûmes	mourions	mourussions
mourez	meurs	mourrais	mourûtes	mouriez	mourussiez
meurent	mourons	etc.	moururent	meurent	mourussent
	mourez				

NOTE
The stem vowel becomes **eu** whenever it bears the stress.

7. **ouvrir,** *to open:* PRES. PART. ouvrant; PAST PART. ouvert

PRES. IND.	IMPERF.	FUT.	PAST DEF.	PRES. SUBJ.	IMPERF. SUBJ.
ouvre	ouvrais	ouvrirai	ouvris	ouvre	ouvrisse
ouvres	etc.	etc.	ouvris	ouvres	ouvrisses
ouvre	————	————	ouvrit	ouvre	ouvrît
ouvrons	IMPERAT.	CONDL.	ouvrîmes	ouvrions	ouvrissions
ouvrez	ouvre	ouvrirais	ouvrîtes	ouvriez	ouvrissiez
ouvrent	ouvrons	etc.	ouvrirent	ouvrent	ouvrissent
	ouvrez				

Like **ouvrir:** couvrir, *to cover* (*pp.* couvert)
               découvrir, *to discover, uncover* (*pp.* découvert)
               offrir, *to offer* (*pp.* offert)
               souffrir, *to suffer* (*pp.* souffert)

8. **venir,** *to come:* PRES. PART. venant; PAST PART. venu

PRES. IND.	IMPERF.	FUT.	PAST DEF.	PRES. SUBJ.	IMPERF. SUBJ.
viens	venais	viendrai	vins	vienne	vinsse
viens	etc.	etc.	vins	viennes	vinsses
vient	————	————	vint	vienne	vînt
venons	IMPERAT.	CONDL.	vînmes	venions	vinssions
venez	viens	viendrais	vîntes	veniez	vinssiez
viennent	venons	etc.	vinrent	viennent	vinssent
	venez				

NOTE
The stem vowel becomes **ie** whenever it bears the stress.
Like **venir:** devenir, *to become;* redevenir, *to become again;* revenir, *to come back, return*

C. VERBS IN -RE

9. **boire,** *to drink:* PRES. PART. buvant; PAST PART. bu

PRES. IND.	IMPERF.	FUT.	PAST DEF.	PRES. SUBJ.	IMPERF. SUBJ.
bois	buvais	boirai	bus	boive	busse
bois	etc.	etc.	bus	boives	busses
boit	————	————	but	boive	bût
buvons	IMPERAT.	CONDL.	bûmes	buvions	bussions
buvez	bois	boirais	bûtes	buviez	bussiez
boivent	buvons	etc.	burent	boivent	bussent
	buvez				

10. **conduire,** *to conduct, drive:* PRES. PART. conduisant; PAST PART. conduit

PRES. IND.	IMPERF.	FUT.	PAST DEF.	PRES. SUBJ.	IMPERF. SUBJ.
conduis	conduisais	conduirai	conduisis	conduise	conduisisse
conduis	etc.	etc.	conduisis	conduises	conduisisses
conduit	———	———	conduisit	conduise	conduisît
conduisons	IMPERAT.	CONDL.	conduisîmes	conduisions	conduisissions
conduisez	conduis	conduirais	conduisîtes	conduisiez	conduisissiez
conduisent	conduisons	etc.	conduisirent	conduisent	conduisissent
	conduisez				

Like **conduire:** construire, *to construct*   reconstruire, *to reconstruct*
détruire, *to destroy*   reproduire, *to reproduce*
introduire, *to introduce*   traduire, *to translate*
produire, *to produce*

11. **connaître,** *to know:* PRES. PART. connaissant; PAST PART. connu

PRES. IND.	IMPERF.	FUT.	PAST DEF.	PRES. SUBJ.	IMPERF. SUBJ.
connais	connaissais	connaîtrai	connus	connaisse	connusse
connais	etc.	etc.	connus	connaisses	connusses
connaît	———	———	connut	connaisse	connût
connaissons	IMPERAT.	CONDL.	connûmes	connaissions	connussions
connaissez	connais	connaîtrais	connûtes	connaissiez	connussiez
connaissent	connaissons	etc.	connurent	connaissent	connussent
	connaissez				

Like **connaître:** reconnaître, *to recognize*

12. **craindre,** *to fear:* PRES. PART. craignant; PAST PART. craint

PRES. IND.	IMPERF.	FUT.	PAST DEF.	PRES. SUBJ.	IMPERF. SUBJ.
crains	craignais	craindrai	craignis	craigne	craignisse
crains	etc.	etc.	craignis	craignes	craignisses
craint	———	———	craignit	craigne	craignît
craignons	IMPERAT.	CONDL.	craignîmes	craignions	craignissions
craignez	crains	craindrais	craignîtes	craigniez	craignissiez
craignent	craignons	etc.	craignirent	craignent	craignissent
	craignez				

Like **craindre:** peindre, *to paint*

13. **croire,** *to believe:* PRES. PART. croyant; PAST PART. cru

PRES. IND.	IMPERF.	FUT.	PAST DEF.	PRES. SUBJ.	IMPERF. SUBJ.
crois	croyais	croirai	crus	croie	crusse
crois	etc.	etc.	crus	croies	crusses
croit	———	———	crut	croie	crût
croyons	IMPERAT.	CONDL.	crûmes	croyions	crussions
croyez	crois	croirais	crûtes	croyiez	crussiez
croient	croyons	etc.	crurent	croient	crussent
	croyez				

14. **dire,** *to say, tell:* PRES. PART. disant; PAST PART. dit

PRES. IND.	IMPERF.	FUT.	PAST DEF.	PRES. SUBJ.	IMPERF. SUBJ.
dis	disais	dirai	dis	dise	disse
dis	etc.	etc.	dis	dises	disses
dit	———	———	dit	dise	dît
disons	IMPERAT.	CONDL.	dîmes	disions	dissions
dites	dis	dirais	dîtes	disiez	dissiez
disent	disons	etc.	dirent	disent	dissent
	dites				

15. **écrire,** *to write:* PRES. PART. écrivant; PAST PART. écrit

PRES. IND.	IMPERF.	FUT.	PAST DEF.	PRES. SUBJ.	IMPERF. SUBJ.
écris	écrivais	écrirai	écrivis	écrive	écrivisse
écris	etc.	etc.	écrivis	écrives	écrivisses
écrit	———	———	écrivit	écrive	écrivît
écrivons	IMPERAT.	CONDL.	écrivîmes	écrivions	écrivissions
écrivez	écris	écrirais	écrivîtes	écriviez	écrivissiez
écrivent	écrivons	etc.	écrivirent	écrivent	écrivissent
	écrivez				

Like **écrire:** décrire, *to describe*

16. **faire,** *to do, make:* PRES. PART. faisant; PAST PART. fait

PRES. IND.	IMPERF.	FUT.	PAST DEF.	PRES. SUBJ.	IMPERF. SUBJ.
fais	faisais	ferai	fis	fasse	fisse
fais	etc.	etc.	fis	fasses	fisses
fait	———	———	fit	fasse	fît
faisons	IMPERAT.	CONDL.	fîmes	fassions	fissions
faites	fais	ferais	fîtes	fassiez	fissiez
font	faisons	etc.	firent	fassent	fissent
	faites				

17. **lire,** *to read:* PRES. PART. lisant; PAST PART. lu

PRES. IND.	IMPERF.	FUT.	PAST DEF.	PRES. SUBJ.	IMPERF. SUBJ.
lis	lisais	lirai	lus	lise	lusse
lis	etc.	etc.	lus	lises	lusses
lit	———	———	lut	lise	lût
lisons	IMPERAT.	CONDL.	lûmes	lisions	lussions
lisez	lis	lirais	lûtes	lisiez	lussiez
lisent	lisons	etc.	lurent	lisent	lussent
	lisez				

18. **mettre,** *to put:* PRES. PART. mettant; PAST PART. mis

PRES. IND.	IMPERF.	FUT.	PAST DEF.	PRES. SUBJ.	IMPERF. SUBJ.
mets	mettais	mettrai	mis	mette	misse
mets	etc.	etc.	mis	mettes	misses
met	———	———	mit	mette	mît
mettons	IMPERAT.	CONDL.	mîmes	mettions	missions
mettez	mets	mettrais	mîtes	mettiez	missiez
mettent	mettons	etc.	mirent	mettent	missent
	mettez				

Like **mettre:** se mettre (à), *to begin;* permettre, *to permit, allow;* remettre, *to put back, deliver*

19. **naître,** *to be born;* PRES. PART. naissant; PAST PART. né

PRES. IND.	IMPERF.	FUT.	PAST DEF.	PRES. SUBJ.	IMPERF. SUBJ.
nais	naissais	naîtrai	naquis	naisses	naquisse
nais	etc.	etc.	naquis	naisses	naquisses
naît	———	———	naquit	naisse	naquît
naissons	IMPERAT.	CONDL.	naquîmes	naissions	naquissions
naissez	nais	naîtrais	naquîtes	naissiez	naquissiez
naissent	naissons	etc.	naquirent	naissent	naquissent
	naissez				

NOTE

Stem vowel i has a circumflex accent everywhere before **t.**
Like **naître:** renaître, *to be born again, reappear*

20. **plaire,** *to please:* PRES. PART plaisant; PAST PART. plu

PRES. IND.	IMPERF.	FUT.	PAST DEF.	PRES. SUBJ.	IMPERF. SUBJ.
plais	plaisais	plairai	plus	plaise	plusse
plais	etc.	etc.	plus	plaises	plusses
plaît	———	———	plut	plaise	plût
plaisons	IMPERAT.	CONDL.	plûmes	plaisions	plussions
plaisez	plais	plairais	plûtes	plaisiez	plussiez
plaisent	plaisons	etc.	plurent	plaisent	plussent
	plaisez				

21. **prendre,** *to take;* PRES. PART. prenant; PAST PART. pris

PRES. IND.	IMPERF.	FUT.	PAST DEF.	PRES. SUBJ.	IMPERF. SUBJ.
prends	prenais	prendrai	pris	prenne	prisse
prends	etc.	etc.	pris	prennes	prisses
prend	———	———	prit	prenne	prît
prenons	IMPERAT.	CONDL.	prîmes	prenions	prissions
prenez	prends	prendrais	prîtes	preniez	prissiez
prennent	prenons	etc.	prirent	prennent	prissent
	prenez				

Like **prendre:** apprendre, *to learn;* comprendre, *to understand*

22. **rire,** *to laugh:* PRES. PART. riant; PAST PART. ri

PRES. IND.	IMPERF.	FUT.	PAST DEF.	PRES. SUBJ.	IMPERF. SUBJ.
ris	riais	rirai	ris	rie	risse
ris	etc.	etc.	ris	ries	risses
rit	———	———	rit	rie	rît
rions	IMPERAT.	CONDL.	rîmes	riions	rissions
riez	ris	rirais	rîtes	riiez	rissiez
rient	rions	etc.	rirent	rient	rissent
	riez				

Like **rire:** sourire, *to smile*

23. **suivre,** *to follow;* (*of courses of study*) *to take:* PRES. PART. suivant; PAST PART. suivi

PRES. IND.	IMPERF.	FUT.	PAST DEF.	PRES. SUBJ.	IMPERF. SUBJ.
suis	suivais	suivrai	suivis	suive	suivisse
suis	etc.	etc.	suivis	suives	suivisses
suit	———	———	suivit	suive	suivît
suivons	IMPERAT.	CONDL.	suivîmes	suivions	suivissions
suivez	suis	suivrais	suivîtes	suiviez	suivissiez
suivent	suivons	etc.	suivirent	suivent	suivissent
	suivez				

24. **vaincre,** *to conquer:* PRES. PART. vainquant; PAST PART. vaincu

PRES. IND.	IMPERF.	FUT.	PAST DEF.	PRES. SUBJ.	IMPERF. SUBJ.
vaincs	vainquais	vaincrai	vainquis	vainque	vainquisse
vaincs	etc.	etc.	vainquis	vainques	vainquisses
vainc	———	———	vainquit	vainque	vainquît
vainquons	IMPERAT.	CONDL.	vainquîmes	vainquions	vainquissions
vainquez	vaincs	vaincrais	vainquîtes	vainquiez	vainquissiez
vainquent	vainquons	etc.	vainquirent	vainquent	vainquissent
	vainquez				

NOTE
Stem **c** becomes **qu** before any vowel except **u.**

25. **vivre,** *to live:* PRES. PART. vivant; PAST PART. vécu

PRES. IND.	IMPERF.	FUT.	PAST DEF.	PRES. SUBJ.	IMPERF. SUBJ.
vis	vivais	vivrai	vécus	vive	vécusse
vis	etc.	etc.	vécus	vives	vécusses
vit	————	————	vécut	vive	vécût
vivons	IMPERAT.	CONDL.	vécûmes	vivions	vécussions
vivez	vis	vivrais	vécûtes	viviez	vécussiez
vivent	vivons	etc.	vécurent	vivent	vécussent
	vivez				

D. VERBS IN -*OIR*

26. **devoir,** *to owe, ought:* PRES. PART. devant; PAST PART. dû (*f.* due)

PRES. IND.	IMPERF.	FUT.	PAST DEF.	PRES. SUBJ.	IMPERF. SUBJ.
dois	devais	devrai	dus	doive	dusse
dois	etc.	etc.	dus	doives	dusses
doit	————	————	dut	doive	dût
devons	IMPERAT.	CONDL.	dûmes	devions	dussions
devez	(*none*)	devrais	dûtes	deviez	dussiez
doivent		etc.	durent	doivent	dussent

27. **falloir,** *to be necessary, must:* PRES. PART. (*none*); PAST PART. fallu

PRES. IND.	IMPERF.	FUT.	PAST DEF.	PRES. SUBJ.	IMPERF. SUBJ.
il faut	il fallait	il faudra	il fallut	il faille	il fallût
	IMPERAT.	CONDL.			
	(*none*)	il faudrait			

28. **pleuvoir,** *to rain:* PRES. PART. pleuvant; PAST PART. plu

PRES. IND.	IMPERF.	FUT.	PAST DEF.	PRES. SUBJ.	IMPERF. SUBJ.
il pleut	il pleuvait	il pleuvra	il plut	il pleuve	il plût
	IMPERAT.	CONDL.			
	(*none*)	il pleuvrait			

29. **pouvoir,** *to be able, can:* PRES. PART. pouvant; PAST PART. pu

PRES. IND.	IMPERF.	FUT.	PAST DEF.	PRES. SUBJ.	IMPERF. SUBJ.
peux (puis)	pouvais	pourrai	pus	puisse	pusse
peux	etc.	etc.	pus	puisses	pusses
peut	————	————	put	puisse	pût
pouvons	IMPERAT.	CONDL.	pûmes	puissions	pussions
pouvez	(*none*)	pourrais	pûtes	puissiez	pussiez
peuvent		etc.	purent	puissent	pussent

NOTE

The first person sing. pres. indic. in negation is usually **je ne peux pas** or **je ne puis;** in questions, only **puis-je?** otherwise **puis** or **peux.**

30. **recevoir,** *to receive:* PRES. PART. recevant; PAST PART. reçu

PRES. IND.	IMPERF.	FUT.	PAST DEF.	PRES. SUBJ.	IMPERF. SUBJ.
reçois	recevais	recevrai	reçus	reçoive	reçusse
reçois	etc.	etc.	reçus	reçoives	reçusses
reçoit	————	————	reçut	reçoive	reçût
recevons	IMPERAT.	CONDL.	reçûmes	recevions	reçussions
recevez	reçois	recevrais	reçûtes	receviez	reçussiez
reçoivent	recevons	etc.	reçurent	reçoivent	reçussent
	recevez				

NOTE

Stem vowel becomes **oi** wherever it receives the stress.   Stem **c** is written with cedilla **(ç)** before **o** or **u.**

31. **savoir,** *to know:* PRES. PART. sachant; PAST PART. su

PRES. IND.	IMPERF.	FUT.	PAST DEF.	PRES. SUBJ.	IMPERF. SUBJ.
sais	savais	saurai	sus	sache	susse
sais	etc.	etc.	sus	saches	susses
sait	————	————	sut	sache	sût
savons	IMPERAT.	CONDL.	sûmes	sachions	sussions
savez	sache	saurais	sûtes	sachiez	sussiez
savent	sachons	etc.	surent	sachent	sussent
	sachez				

32. **valoir,** *to be worth:* PRES. PART. valant; PAST PART. valu

PRES. IND.	IMPERF.	FUT.	PAST DEF.	PRES. SUBJ.	IMPERF. SUBJ.
vaux	valais	vaudrai	valus	vaille	valusse
vaux	etc.	etc.	valus	vailles	valusses
vaut	————	————	valut	vaille	valût
valons	IMPERAT.	CONDL.	valûmes	valions	valussions
valez	vaux	vaudrais	valûtes	valiez	valussiez
valent	valons	etc.	valurent	vaillent	valussent
	valez				

33. **voir,** *to see:* PRES. PART. voyant; PAST PART. vu

PRES. IND.	IMPERF.	FUT.	PAST DEF.	PRES. SUBJ.	IMPERF. SUBJ.
vois	voyais	verrai	vis	voie	visse
vois	etc.	etc.	vis	voies	visses
voit	————	————	vit	voie	vît
voyons	IMPERAT.	CONDL.	vîmes	voyions	vissions
voyez	vois	verrais	vîtes	voyiez	vissiez
voient	voyons	etc.	virent	voient	vissent
	voyez				

Like **voir:** revoir, *to see again*

34. **vouloir,** *to will, wish:* PRES. PART. voulant; PAST PART. voulu

PRES. IND.	IMPERF.	FUT.	PAST DEF.	PRES. PART.	IMPERF. SUBJ.
veux	voulais	voudrai	voulus	veuille	voulusse
veux	etc.	etc.	voulus	veuilles	voulusses
veut	————	————	voulut	veuille	voulût
voulons	IMPERAT.	CONDL.	voulûmes	voulions	voulussions
voulez	veux	voudrais	voulûtes	vouliez	voulussiez
veulent	voulons	etc.	voulurent	veuillent	voulussent
	voulez				

NOTE

The stem vowel becomes **eu** whenever it is stressed. — The regular imperative **veux, voulons, voulez** is rare; **veuillez,** *have the kindness to, please,* generally serves as second person plural imperative.

E. REFERENCE LIST OF IRREGULAR VERBS

Each verb in the following list, which includes only verbs used in this book, is referred to the number of the section under V in which its forms are given.

A		F		R	
aller	1	faire	16	recevoir	30
apprendre	21	falloir	27	reconnaître	11
				reconstruire	10
B		**I**		remettre	18
		introduire	10	renaître	19
boire	9			reproduire	10
		L		revenir	8
C		lire	17	revoir	33
				rire	22
comprendre	21	**M**			
conduire	10	mettre	18	**S**	
connaître	11	mourir	6		
conquérir	3			savoir	31
construire	10	**N**		sentir	5
courir	4			servir	5
craindre	12	naître	19	sortir	5
croire	13			souffrir	7
		O		sourire	22
D		offrir	7	suivre	23
découvrir	7	ouvrir	7	**T**	
décrire	15				
détruire	10	**P**		traduire	10
devenir	8				
devoir	26	partir	5	**V**	
dire	14	peindre	12		
dormir	5	permettre	18	vaincre	24
		plaire	20	valoir	32
E		pleuvoir	28	venir	8
		pouvoir	29	vivre	25
écrire	15	prendre	21	voir	33
envoyer	2	produire	10	vouloir	34

VI. VERBS REQUIRING NO PREPOSITION, A, OR DE BEFORE INFINITIVE[1]

No Preposition

aimer,[2] *to like*

aller, *to go*

croire, *to think*

désirer, *to desire, wish*

devoir, *ought, to be (to)*

envoyer, *to send*

espérer, *to hope*

faire, *to make, cause*

falloir, *to be necessary*

laisser, *to allow, let*

oser, *to dare*

pouvoir, *can, may*

préférer, *to prefer*

savoir, *to know how to*

valoir mieux, *to be better*

venir, *to come*

voir, *to see*

vouloir, *to will, wish*

Verbs Requiring à

aider, *to help*

amuser (s'), *to amuse oneself (in, by)*

apprendre, *to learn, teach*

arrêter (s'),[3] *to stop*

attendre (s'), *to expect*

chercher, *to seek, try*

commencer, *to begin*

concourir, *to coöperate*

condamner, *to condemn*

continuer, *to continue*

enseigner, *to teach*

exercer, *to practice*

hésiter, *to hesitate*

inviter, *to invite*

mettre (se), *to begin*

obliger,[3] *to oblige*

passer, *to spend (time)*

penser, *to think*

réussir, *to succeed*

Verbs Requiring de

cesser, *to cease*

conseiller, *to advise*

craindre, *to fear*

décider, *to decide*

demander, *to ask*

dépêcher (se), *to hurry*

dire, *to tell*

empêcher, *to prevent*

essayer, *to try*

finir, *to finish*

menacer, *to threaten*

mériter, *to deserve*

négliger, *to neglect*

obliger,[2] *to oblige*

offrir, *to offer*

ordonner, *to order*

oublier, *to forget*

prier, *to beg*

proposer, *to propose*

refuser, *to refuse*

regretter, *to regret*

résoudre, *to resolve*

risquer, *to risk*

venir, *to have just*

[1] These lists are neither exhaustive nor absolute.   They have been compiled for the benefit of elementary students and are not intended to reproduce lists found in advanced or reference grammars.   [2] Sometimes **à**.   [3] Sometimes **de**.

VOCABULARY

Preliminary Note

The French-English Vocabulary is designed to give a translation of all the French words, except proper nouns, used in Lessons 1–40 and to indicate, by phonetic symbols, the correct pronunciation of these words.

Proper nouns listed in the *"Lecture"* vocabularies of the first 19 lessons, those occurring for the first time in Lessons 20–40 but not listed in *"Lecture"* vocabularies, and those used in the eight cultural dialogues are included in the general French-English Vocabulary only when they have different spellings or meanings in French and in English or when they offer some particular difficulty of pronunciation.

The English-French Vocabulary is intended to provide all the assistance needed by students when they do the English-French exercises of Lessons 1–40.

The following abbreviations are used:

adj.	adjective	n.	noun
adv.	adverb	num.	number
art.	article	pl.	plural
conj.	conjunction	poss.	possessive
def.	definite	pp.	past participle
exclam.	exclamation	pers.	personal
exp.	expression	prep.	preposition
f.	feminine	pres.	present
impers.	impersonal	pron.	pronoun
indef.	indefinite	reflex.	reflexive
interrog.	interrogative	rel.	relative
lit.	literally	sing.	singular
m.	masculine	vb.	verb

Vocabulary

FRENCH-ENGLISH

A

à [a] at, in, to
abandonner [abɑ̃dɔne] to abandon, give up
abbé [abe] *m.* abbot
abdication [abdikɑsjɔ̃] *f.* abdication
abdiquer [abdike] to abdicate
abonnement [abɔnmɑ̃] *m.* subscription
abord: *see* **d'abord**
abriter [abrite] to shelter, house
absence [apsɑ̃:s] *f.* absence
absolu [apsɔly] absolute
absolument [apsɔlymɑ̃] absolutely, entirely
absurde [apsyrd] absurd
accent [aksɑ̃] *m.* accent, voice
accepter [aksɛpte] to accept
accès [aksɛ] *m.* access
accident [aksidɑ̃] *m.* accident
accompagner [akɔ̃paɲe] to accompany
accord [akɔ:r] *m.* agreement; **d'—,** agreed; **être d'— (avec),** to agree with
accourir [akuri:r] to hasten up, run up, come quickly
accrocher [akrɔʃe] to run against, run into, bump into
accueillir [akœji:r] to greet, meet, welcome
achat [aʃa] *m.* purchase
acheter [aʃte] to buy
achever [aʃve] to complete, finish
acte [akt] *m.* act
acteur [aktœ:r] *m.* actor
actrice [aktris] *f.* actress
actuel, -le [aktyɛl] contemporary, of today
actuellement [aktyɛlmɑ̃ *or* aktyɛlmɑ̃] at the present time
adaptation [adaptasjɔ̃] *f.* adaptation
adapter [adapte] to adapt
adieu [adjø] *m.* farewell, good-bye
admirable [admirabl] admirable
admirablement [admirabləmɑ̃] admirably
admiration [admirasjɔ̃] *f.* admiration
admirer [admire] to admire
adorer [adɔre] to adore
adresse [adrɛs] *f.* skill
aéroport [aerɔpɔ:r] *m.* airport
affaire [afɛ:r] *m.* affair; *pl.* business; **homme d'—s,** businessman
affermir [afɛrmi:r] to strengthen
affirmati-f, -ve [afirmati-f, -:v] affirmative
affirmer [afirme] to affirm, assert
affluent [aflyɑ̃] *m.* tributary
affreusement [afrø:zmɑ̃] terribly
affreu-x, -se [afrø, -ø:z] frightful, terrible
afin de [afɛ̃də] in order to
âge [ɑ:ʒ] *m.* age, **quel — avez-vous?** how old are you?; **le moyen —,** the Middle Ages
agent [aʒɑ̃]: **— de police,** *m.* policeman
agir [aʒi:r]: **s'— de,** to be a question of, to be a matter of
agité [aʒite] agitated, excited
agrandir [agrɑ̃di:r] to enlarge
agréable [agreabl] agreeable, pleasant
agréer [agree] to accept
agriculture [agrikylty:r] *f.* agriculture
aide [ɛd] *f.* aid, help
aider [ɛde] to aid, help
aile [ɛl] *f.* wing; **—-avant** (*of auto*) front fender
ailleurs [ajœ:r] elsewhere; anywhere else; **d'—,** besides, moreover
aimer [ɛme] to like, love
aîné [ɛne] elder, eldest
ainsi [ɛ̃si] so, thus; **et — de suite,** and so on, and so forth; **pour — dire,** so to speak, practically
air [ɛ:r] *m.* air, appearance; **avoir l'—(de),** to look, appear; **en plein —,** in the open air
aise [ɛ:z] glad
ajouter [aʒute] to add
alexandrin [alɛksɑ̃drɛ̃] *m.* Alexandrine (*verse*)
Alger [alʒe] Algiers

Algérie [alʒeri] *f.* Algeria
Allemagne [almaɲ] *f.* Germany
allemand [almã] *adj.* German; **Allemand**
n. m. German
aller [ale] to go; (*of health*) to be; **s'en —**, to
go away; **comment ça va?** How are you?
alliance [aljã:s] *f.* alliance
allumer [alyme] to light
alors [alɔ:r] then, in that case
Alpes [alp] *f. pl.* Alps
alternance [altɛrnã:s] *f.* alternation
amateur [amatœ:r] *m.* lover (*as of music*)
Ambassade (ãbasad] *f.* Embassy
ambitieu-x, -se [ãbisjø, -:z] ambitious
ambition [ãbisjɔ̃] *f.* ambition
âme [a:m] *f.* soul
améliorer [ameljɔre] to improve
amer, amère [amɛ:r] bitter
Américain [amerikɛ̃] *m.* American; **américain** *adj.* American
Amérique [amerik] *f.* America
ami [ami] *m.* friend
amie (ami) *f.* friend
amitié [amitje] *f.* friendship
amour [amu:r] *m.* love; **—-propre,** love of
self, pride, vanity, self-respect
amoureu-x, -se [amurø, -:z] loving, in love
(**de,** with); *n. m. or f.* lover
amputation [ãpytasjɔ̃] *f.* amputation
amusant [amyzã] amusing
amuser [amyze] to amuse; **s'—,** to have a
good time, enjoy oneself
an [ã] *m.* year; **le Nouvel An,** New Year's
Day
analyser [analize] to analyze
ancêtre [ãsɛ:tr] *m.* ancestor
ancien, -ne [ãsjɛ̃, -ɛn] ancient, old, former
âne [ɑ:n] *m.* donkey
ange [ã:ʒ] *m.* angel
anglais [ãglɛ] *adj.* English; *n. m.* English
(*language*); **Anglais** *n.* Englishman
Angleterre [ãglɛtɛ:r] *f.* England
animation [animasjɔ̃] *f.* animation
année [ane] *f.* year
anniversaire [anivɛrsɛ:r] *m.* anniversary,
birthday
annoncer [anɔ̃se] to announce
anormal [anɔrmal] *adj.* abnormal
anthologie [ãtɔlɔʒi] *f.* anthology
antiquaire [ãtikɛ:r] *m.* antique dealer
antique [ãtik] ancient, former
antiquité [ãtikite] *f.* antiquity, antique
antithèse [ãtitɛ:z] *f.* antithesis, contrary

août [u] *m.* August
apparence [aparã:s] *f.* appearance
appartement [apartəmã] *m.* apartment
appeler [aple] to call; **s'—,** to be named
application [aplikasjɔ̃] *f.* application
apporter [apɔrte] to bring
apprécier [apresje] to appreciate
apprendre [aprã:dr] to learn, teach
approcher [aprɔʃe]: **s'— de,** to approach
après [aprɛ] *prep.* after; *adv.* afterwards;
d'—, according to
après-demain [aprɛdəmɛ̃] the day after tomorrow
après-midi [aprɛmidi] *m. or f.* afternoon
aptitude [aptityd] *f.* aptitude
aqueduc [akədyk] *m.* aqueduct
Arabe [arab] *m.* Arab
arbre [arbr] *m.* tree
arc [ark] *m.* arch
arc-boutant [arkbutã] *m.* flying buttress
architecte [arʃitɛkt] *m.* architect
architecture [arʃitɛkty:r] *f.* architecture
arènes [arɛ:n] *f. pl.* arena
argent [arʒã] *m.* money
aristocratique [aristɔkratik] aristocratic
arme [arm] *f.* arm, weapon
armée [arme] *f.* army
armer [arme] to arm
armoire [armwa:r] *f.* wardrobe
arracher [araʃe] to extract, pull out
arrêt [arɛ] *m.* stop, stopping place
arrêter [arɛte] to arrest, stop; **s'—,** to stop
arrivée [arive] *f.* arrival
arriver [arive] to arrive, happen, manage,
succeed (**à,** in)
arroser [aroze] to water
art [a:r] *m.* art
artère [artɛ:r] *f.* artery
article [artikl] *m.* article
artificiel, -le [artifisjɛl] artificial
artiste [artist] *m.* artist
artistique [artistik] artistic
ascenseur [asãsœ:r] *m.* elevator
aspect [aspɛ] *m.* aspect
aspiration [aspirasjɔ̃] *f.* aspiration
aspirine [aspirin] *f.* aspirin
assassiner [asasine] to assassinate
asseoir [aswa:r]: **s'—,** to sit down; *pp.* **assis,**
seated, sitting
assez [ase] enough, rather
assiette [asjɛt] *f.* plate
assis [asi] *see* **asseoir**
assister [asiste] (**à**) to be present (at)

associer [asɔsje]: **s'— avec,** to associate with, join
astronaute [astronot] *m.* astronaut
athéisme [ateism] *m.* atheism
Atlantique [atlɑ̃tik] *adj. and n. m.* Atlantic
attaquer [atake] to attack
attendre [atɑ̃dr] to wait, wait for; **s'— à,** to expect
atténuer [atenɥe] to tone down, soften
attirer [atire] to attract, appeal to
attraction [atraksjɔ̃] *f.* attraction
aube [o:b] *f.* dawn
auberge [obɛrʒ] *f.* inn, hostel
aucun, -e [okœ̃, okyn] and; **ne . . . —,** not any, none
audacieu-x, -se [odasjø, -ø:z] bold, daring
au-dessus (de) [odsy(də)] above, over
augmenter [ɔgmɑ̃te *or* ogmɑ̃te] to increase
auguste [ogyst] august, majestic
Auguste [ogyst] *m.* Augustus (*Roman emperor*)
aujourd'hui [oʒurdɥi] today
aussi [osi] also, too; **— . . . que,** as . . . as
aussitôt que [ositokə] as soon as
autant [otɑ̃] as much, as many
auteur [otœ:r] *m.* author
authentique [otɑ̃tik] authentic
autobiographie [otɔbiɔgrafi] *f.* autobiography
autobus [ɔtɔby:s *or* otobys] *m.* bus
autocar [ɔtɔka:r *or* otoka:r] *m.* bus (*interurban*)
automne [otɔn] *m.* autumn
automobile [ɔtɔmɔbil *or* otomɔbil] *f.* automobile
autorité [ɔtɔrite *or* otorite] *f.* authority
autoroute [ɔtorut *or* otorut] *f.* superhighway
autour [otur] **(de)** around
autre [otr] other
autrefois [otrəfwa] formerly
Autriche [otriʃ] *f.* Austria
avant [avɑ̃] *prep. and adv.* before; **— que** *conj.* before
avant-garde [avɑ̃gard] advanced
avare [ava:r] *m.* miser
avec [avek] with
aventure [avɑ̃ty:r] *f.* adventure, experience
avenue [avny] *f.* avenue
aveuglément [avœglemɑ̃] blindly
avion [avjɔ̃] *m.* airplane, plane; **par —,** by plane, by airmail
avis [avi] *m.* opinion; **à mon —,** in my opinion; **changer d'—,** to change one's mind

avocat [avɔka] *m.* lawyer
avoir [avwa:r] to have; to be the matter (with); **qu'y a-t-il? qu'est-ce qu'il y a?** what's the matter?; **— (20) ans,** to be (20) years old; **y —,** to be; **il y a,** there is, there are; **il y a** (*with exp. of time*) ago
avouer [avwe] to confess
avril [avril] *m.* April
azur [azy:r] *m.* azure, blue; **la Côte d'Azur,** the French Riviera (*coast of Mediterranean Sea from Saint-Raphaël to Italian border*)

B

baccalauréat [bakalɔrea] *m.* bachelor's degree
Bachot [baʃo] baccalaureat
baigner [beɲe] to bathe
baiser [beze] *m.* kiss
baisser [bese]: **se —,** to bend down, stoop
balancer [balɑ̃se]: **s'en —,** not to care a bit about
balbutier [balbysje] to stammer
balnéaire [balneɛ:r] *see* **station**
banc [bɑ̃] *m.* bench
barbare [barba:r] *adj.* barbarous; *n.m.* barbarian
Barberousse [barbərus] Barbarossa (*lit. = Red Beard*)
barbier [barbje] *m.* barber
baron [barɔ̃] *m.* baron
barque [bark] *f.* boat
barrage [bɑra:ʒ] *m.* dam
barrière [barje:r] *f.* barrier
bas, basse [bɑ, bɑ:s] *adj.* low
bas [bɑ] *m.* stocking
base [bɑ:z] *f.* basis
baser [baze] to base
basilique [bazilik] *f.* basilica (*church*)
bassin [basɛ̃] *m.* basin, pool
Bastille [basti:j] *f.* Bastille
bataille [batɑ:j] *f.* battle
bateau, -x [bato] *m.* boat
bâtiment [batimɑ̃] *m.* building
bâtir [bɑti:r] to build
bâtisse [bɑtis] *f.* building, structure
bâton [bɑtɔ̃] *m.* stick
battre [batr] to beat; **se —,** to fight
beau, bel, belle, *pl.* **beaux, belles** [bo, bɛl, bo, bɛl] beautiful, fine; **faire —,** to be fine (*weather*)
beaucoup [boku] much, many, a great deal, a lot, very much

beauté [bote] *f.* beauty
beaux-arts [boza:r] *m. pl.* fine arts
belge [bɛlʒ] *adj.* Belgian
Belgique [bɛlʒik] *f.* Belgium
bénir [beni:r] to bless
berger [bɛrʒe] *m.* shepherd; **berger, bergère,** *adj.* of shepherds and shepherdesses
besoin [bəzwɛ̃] *m.* need; **avoir — de,** to need
bête [bɛ:t] *f.* beast, animal; *adj.* foolish, stupid
beurre [bœ:r] *m.* butter
bibliothèque [bibliɔtɛk] *f.* library
bicyclette [bisiklɛt] *f.* bicycle; **à —,** by bicycle
bien [bjɛ̃] *adv.* well, very, much, many; **— que,** *conj.* although; **ou —,** or else; **— à vous,** Sincerely Yours
bientôt [bjɛ̃to] soon
bienveillant [bjɛ̃vɛjã] kind
bière [bjɛ:r] *f.* beer
billet [bije] *m.* note, ticket, letter
biographie [biɔgrafi] *f.* biography
bis [bi:s] repeat (*after a line of a song, etc.*)
bison [bizɔ̃] *m.* bison
bizarre [biza:r] odd, peculiar, queer, strange
blanc, blanche [blã, blã:ʃ] white; **nuit blanche,** sleepless night
blé [ble] *m.* wheat
blême [blɛ:m] pale
blessé [blɛse] *m.* wounded man
blesser [blɛse] to wound
bleu [blø] blue
bloc [blɔk] *m.* block
blond [blɔ̃] blond, light
boire [bwa:r] to drink
bois [bwɑ] *m.* wood; *pl.* woods
boisson [bwasɔ̃] *f.* drink, beverage
boîte [bwat] *f.* box; **— de nuit,** night-club
bon, bonne [bɔ̃, bɔn] good, kind; **à quoi —,** what's the use
bonbon [bɔ̃bɔ̃] *m.* candy
bonjour [bɔ̃ʒu:r] good morning, good day
bonnet [bɔnɛ] *m.* cap
bonsoir [bɔ̃swa:r] *m.* good evening
bonté [bɔ̃te] *f.* kindness; **avec —,** kindly
bord [bɔ:r] *m.* coast, shore, edge, side
borner [bɔrne] to limit
bosse [bɔs] *f.* dent
bouche [buʃ] *f.* mouth
boue [bu] *f.* mud
boulanger [bulãʒe] *m.* baker
boulevard [bulva:r] *m.* boulevard

bourgeois [burʒwa] *adj.* middle-class; *n. m.* middle-class man
bourgeoisie [burʒwasi] *f.* middle class
Bourgogne [burgɔɲ] *f.* Burgundy
Bourguignon [burgiɲɔ̃] *m.* Burgundian
bout [bu] *m.* end
boutique [butik] *f.* shop
branche [brã:ʃ] *f.* branch
bras [bra] *m.* arm
brave [bra:v] brave, fine, good
bref, brève [brɛf, brɛ:v] *adj.* short; *adv.* in short
Bretagne [brətaɲ] *f.* Brittany
Bretonne [brətɔn] *f.* Breton (*girl or woman*)
brillant [brijã] brilliant
brique [brik] *f.* brick
briser [brize] to break, smash
brosser [brɔse] to brush
brouillard [bruja:r] *m.* fog
bruit [brɥi] *m.* noise, sound
brûler [bryle] to burn
brumeu-x, -se [brymø, -:z] misty
brun, -e [brœ̃, bryn] brown
brutal [brytal] brutal
brutalement [brytalmã] brutally, cruelly
bulle [byl] *f.* bubble; **— de savon,** soap bubble
butin [bytɛ̃] *m.* booty

C

ça [sa] that
cabane [kaban] *f.* hut
cabaret [kabarɛ] *m.* cabaret
cabinet [kabinɛ] *m.* office
cacher [kaʃe] to hide
cachot [kaʃo] *m.* dungeon, cell
cadeau, -x [kado] *m.* gift, present
café [kafe] *m.* café, coffee; **— au lait,** coffee with (*hot*) milk
calembour [kalãbu:r] *m.* pun
camarade [kamarad] *m. or f.* comrade, friend; **— de chambre,** roommate
camélia [kamelja] *m.* camellia (*flower*)
camembert [kamãbɛ:r] *m.* camembert (*a kind of cheese*)
campagne [kãpaɲ] *f.* country; **à la —,** in the country; **en pleine —,** out in the country; **faire —,** to wage war
campeur [kãpœ:r] *m.* camper
camping [kãpiŋ] *m.*: **faire du —,** to camp out
caniche [kaniʃ] *m.* poodle

cannibale [kanibal] *m.* cannibal

canon [kanɔ̃] *m.* cannon

capitale [kapital] *f.* capital

caractère [karaktɛ:r] *m.* character

caractéristique [karakteristik] *f.* characteristic

cardinal [kardinal] *m.* cardinal

caricature [karikaty:r] *f.* caricature

carnet [karne] *m.* book (*as of tickets*)

carolingien, -ne [karɔlɛ̃ʒjɛ̃, -n] Carolingian

carré [kare] square

carrière [karje:r] *f.* career

carte [kart] *f.* card, map; — **postale,** postcard; — **du jour,** bill of fare

cas [kɑ] *m.* case; **en tout —,** in any case

Casino [kazino] *m.* Casino

catalogue [katalɔg] *m.* catalogue

cathédrale [katedral] *f.* cathedral

catholique [katɔlik] *adj.* Catholic

cause [ko:z] *f.* cause; **à — de,** because of, on account of

causer [koze] to converse, talk

causerie [kozri] *f.* informal talk

cavalier [kavalje] *m.* partner, escort

caverne [kavɛrn] *f.* cave, cavern

ce [sə] *pron.* it; **ce qui, ce que,** that which, what

ce (cet, cette) [sə, sɛt, sɛt] *adj.* this, that; *pl.* ces [se], these, those

ceci [səsi] *pron.* this

cela [səla] *pron.* that

célèbre [selɛbr] celebrated, famous

celtique [sɛltik] Celtic

celui, celle, ceux, celles [səlɥi, sɛl, sø, sɛl] this one, that one, these, those

cendres [sɑ̃:dr] *f. pl.* ashes

cendrier [sɑ̃drie] *m.* ash-tray

cent [sɑ̃] hundred

centaine [sɑ̃ten] *f.* a hundred

centième [sɑ̃tjɛm] hundredth

centime [sɑ̃tim] *m.* centime (*1/100 of a franc*)

centimètre [sɑ̃timɛtr] *m.* centimeter (*about 2/5 of an inch*)

central, -aux [sɑ̃tral, -o] central

centraliser [sɑ̃tralize] to centralize

centre [sɑ̃:tr] *m.* center, middle

cependant [səpɑ̃dɑ̃] however

cercle [sɛrkl] *m.* circle

cérémonie [seremɔni] *f.* ceremony

certain [sɛrtɛ̃] certain, sure; *pl.* some

certainement [sɛrtenmɑ̃] certainly

César, Jules [seza:r, ʒyl] Julius Caesar

cesse [sɛs]: **sans —,** incessantly, continually

cesser [sɛse] to cease, stop

césure [sezy:r] *f.* caesura (*pause*)

chacun [ʃakœ̃] each (*one*)

chaîne [ʃɛ:n] *f.* chain

chaise [ʃɛ:z] *f.* chair

chambre [ʃɑ̃:br] *f.* room

champ [ʃɑ̃] *m.* field

champagne [ʃɑ̃paɲ] *m.* champagne

Champs-Élysées [ʃɑ̃zelize] *an avenue*

chance [ʃɑ̃:s] *f.* luck

chancelier [ʃɑ̃səlje] *m.* chancellor

changement [ʃɑ̃ʒmɑ̃] *m.* change

changer [ʃɑ̃ʒe] to change

chanson [ʃɑ̃sɔ̃] *f.* song; **—s,** *f.pl.* nonsense

chant [ʃɑ̃] *m.* song

chanter [ʃɑ̃te] to sing

Chantilly [ʃɑ̃tiji] *a chateau*

chapeau, -x [ʃapo] *m.* hat

chapelle [ʃapɛl] *f.* chapel

chapitre [ʃapitr] *m.* chapter

chaque [ʃak] each, every

char [ʃar] *m.* chariot

charlatan [ʃarlatɑ̃] *m.* quack

Charlemagne [ʃarləmaɲ] *an emperor*

charmant [ʃarmɑ̃] charming, delightful

charmer [ʃarme] to charm

charte [ʃart] *f.* charter

Chartres [ʃartr] *city and cathedral*

chasse [ʃas] *f.* hunt

chasser [ʃase] to hunt, drive (*away*)

château, -x [ʃato] *m.* castle, château; **— fort,** castle

chaud [ʃo] warm, hot; **avoir —,** *of persons,* to be warm; **faire —,** *of weather,* to be warm or hot

chauffage [ʃofa:ʒ] *m.* heating

chauffer [ʃofe] to heat, warm

chauffeur [ʃofœ:r] *m.* driver (*of auto or taxi*)

chauve [ʃo:v] bald

chef [ʃɛf] *m.* chief, leader

chef-d'œuvre [ʃedœ:vr] (*pl.* chefs-d'œuvre) *m.* masterpiece

chemin [ʃəmɛ̃] *m.* road, way; **— de fer,** railroad

cheminée [ʃəmine] *f.* chimney

chemise [ʃəmi:z] *f.* shirt

cher, chère [ʃɛ:r] dear, expensive; **coûter —,** to cost a lot, much, a great deal

chercher [ʃɛrʃe] to look for, seek; **aller —,** to go and get, go for; **envoyer —,** to send for; **venir —,** to come and get, come for

chéri [ʃeri] cherished, beloved

cheval, -aux [ʃəval -o] *m.* horse; **à —,** on horseback

chevalier [ʃəvalje] *m.* knight

cheveu, -x [ʃəvø] m. hair

chez [ʃe] at, in, or to the home, house, office, store, etc. of

chien [ʃjɛ̃] m. dog

chirurgien [ʃiryrʒjɛ̃] m. surgeon

chocolat [ʃɔkɔla] m. chocolate

chœur [kœ:r] m. choir, chorus

choisir [ʃwazi:r] to choose

choix [ʃwa] m. choice

chose (ʃo:z] f. thing; autre —, something else; quelque —, something, anything; toute —, all, everything

chrétien, -ne [kretjɛ̃, -jɛn] Christian (n. and adj.)

Christ [krist]: le —, Christ

christianisme [kristjanism] m. Christianity

chronologique [krɔnɔlɔʒik] chronological

chute [ʃyt] f. fall

ciel [sjɛl] (pl. cieux [sjø]) m. sky

cigarette [sigaret] f. cigarette

cinéma [sinema] m. movies

cinq [sɛ̃:k] five

cinquante [sɛ̃kɑ̃:t] fifty

cinquième [sɛ̃kjɛm] fifth

circulation [sirkylasjɔ̃] f. traffic; circulation

ciseaux [sizo] m.pl. scissors, shears

citer [site] to quote

citoyen [sitwajɛ̃] m. citizen

citron [sitrɔ̃] m. lemon

civil [sivil] civil

civilisation [sivilizasjɔ̃] f. civilization

clair [klɛ:r] clear

classe [klɑ:s] f. class; salle de —, classroom

classer [klɑse] to classify

classicisme [klasisism] m. classicism

classique [klasik] classic

client [kliɑ̃] m. customer

climat [klima] m. climate

Clovis [klɔvi:s] a king (466–511)

coalition [kɔalisjɔ̃] f. coalition

Code [kɔd] m. Code

cœur [kœ:r] m. heart

cohorte [kɔɔrt] f. cohort

coiffe [kwaf] f. headdress

coin [kwɛ̃] m. corner, nook

col [kɔl] m. (mountain) pass

colère [kɔlɛ:r] f. anger; mettre en —, to anger, make angry; se mettre en —, to become angry

colis [kɔli] m. package

collection [kɔlɛksjɔ̃] f. collection

collège [kɔlɛ:ʒ] m. school (secondary)

coller [kɔle] to paste, stick

colombe [kɔlɔ̃:b] f. dove

colonial, -aux [kɔlɔnjal, -jo] colonial

colonie [kɔlɔni] f. colony

colonne [kɔlɔn] f. column

combattre [kɔ̃batr] to fight

combien [kɔ̃bjɛ] how much, how many

combinaison [kɔ̃binɛzɔ̃] f. combination

combiner [kɔ̃bine] to combine, unite

comédie [kɔmedi] f. comedy

comique [kɔmik] comic

commandant [kɔmɑ̃dɑ̃] m. commander

commander [kɔmɑ̃de] to command, lead; to order (a meal)

comme [kɔm] as, like

commencement [kɔmɑ̃smɑ̃] m. beginning

commencer [kɔmɑ̃se] to begin

comment [kɔmɑ̃] how; exclam. what!

commerce [kɔmɛrs] m. commerce

communiste [kɔmynist] n. and adj. Communist

compagne [kɔ̃paɲ] f. companion; pl. women-folk

compagnie [kɔ̃paɲi] f. company, troupe

compagnon [kɔ̃paɲɔ̃] m. companion

comparaison [kɔ̃parɛzɔ̃] f. comparison

compatriote [kɔ̃patriot] m. fellow-country-man

complémentaire [kɔ̃plemɑ̃tɛ:r] (of courses of study) second-level, advanced

complet, complète [kɔ̃plɛ, kɔ̃plɛt] complete

complètement [kɔ̃plɛtmɑ̃] completely

complexe [kɔ̃plɛks] complicated, intricate

complice [kɔ̃plis] m. accomplice

compliment [kɔ̃plimɑ̃] m. compliment

compliquer [kɔ̃plike] to complicate

composer [kɔ̃poze] to compose, organize; se — de, to be composed of

composition [kɔ̃pozisjɔ̃] f. composition

compréhensible [kɔ̃preɑsibl] comprehensible, understandable

comprendre [kɔ̃prɑ̃:dr] to understand, comprise

comprimé [kɔ̃prime] m. tablet (of aspirin, etc.)

compte [kɔ̃:t] m. account; se rendre — de, to realize

compter [kɔ̃te] to count

comte [kɔ̃:t] m. count

comtesse [kɔ̃tɛs] f. countess

concerner [kɔ̃sɛrne] to concern

concert [kɔ̃sɛ:r] m. concert

concierge [kɔ̃sjɛrʒ] m. janitor, caretaker

condamner [kɔ̃dane] to condemn

condenser [kɔ̃dɑ̃se] to condense
condition [kɔ̃disʃɔ̃] f. condition
conduire [kɔ̃dɥi:r] to conduct, drive, take
conduite [kɔ̃dɥi:t] f. conduct
conférence [kɔ̃ferɑ̃:s] f. lecture
confession [kɔ̃fɛsjɔ̃] f. confession
confiance [kɔ̃fjɑ̃:s] f. confidence
confirmer [kɔ̃firme] to confirm
confiseur [kɔ̃fizœ:r] m. confectioner
confiture [kɔ̃fity:r] f. jam
conflit [kɔ̃fli] m. conflict
confort [kɔ̃fɔ:r] m. comfort
confortable [kɔ̃fɔrtabl] comfortable
conjuré [kɔ̃ʒyre] adj. conspiring
connaissance [kɔnɛsɑ̃:s] f. acquaintance; faire la — de, to meet, become acquainted with
connaître [kɔnɛ:tr] to know, be acquainted with
connu [kɔny] pp. of connaître; known
conquérant [kɔ̃kerɑ̃] m. conqueror
conquérir [kɔ̃keri:r] to conquer; pp. conquis
conquête [kɔ̃kɛ:t] f. conquest
consacrer [kɔ̃sakre] to devote
consciencieu-x, -se [kɔ̃sjɑ̃sjø, -z] conscientious
conseil [kɔ̃sɛ:j] m. advice; council
conseiller [kɔ̃sɛje] vb. to advise; n. m. counsellor
conséquent [kɔ̃sekɑ̃]: par —, therefore
conservateur, -trice [kɔ̃sɛrvatœ:r, -tris] adj. conservative
conserver [kɔ̃sɛrve] to preserve
consister [kɔ̃siste] to consist
consolation [kɔ̃sɔlasjɔ̃] f. consolation
consonne [kɔ̃sɔn] f. consonant
constant [kɔ̃stɑ̃] constant
constitutionnel, -le [kɔ̃stitysjɔnɛl] constitutional
construction [kɔ̃stryksjɔ̃] f. construction
construire [kɔ̃strɥi:r] to construct, build
consultation [kɔ̃syltasjɔ̃] f. visit (to dentist or doctor)
conte [kɔ̃:t] m. story, short story
contempler [kɔ̃tɑ̃ple] to contemplate
contemporain [kɔ̃tɑ̃pɔrɛ̃] n. m. and adj. contemporary
content [kɔ̃tɑ̃] glad, happy, satisfied (de, with)
contenter [kɔ̃tɑ̃te]: se — de, to be satisfied with
continuel, -le [kɔ̃tinɥɛl] continual

continuer [kɔ̃tinɥe] to continue
contraire [kɔ̃trɛ:r]: au —, on the contrary
contrat [kɔ̃tra] m. contract
contre [kɔ̃:tr] against
contribuer [kɔ̃tribɥe] to contribute
convenablement [kɔ̃vnablmɑ̃] properly
conversation [kɔ̃vɛrsasjɔ̃] f. conversation
conversion [kɔ̃vɛrsjɔ̃] f. conversion
convertir [kɔ̃vɛrti:r] to convert
copie [kɔpi] f. copy
copier [kɔpie] to copy
coque [kɔk] f. shell; see œuf
coquette [kɔkɛt] f. flirt
corbeille [kɔrbɛ:j] f. basket
corps [kɔ:r] m. body
côte [ko:t] f. coast; la — d'Azur, the French Riviera
côté [kote] m. side; à — de, by the side of, next to
cou [ku] m. neck
coucher [kuʃe]: se —, to go to bed
couler [kule] to flow; se la — douce, to take things easy
couleur [kulœ:r] f. color
couloir [kulwa:r] m. corridor, hall
coup [ku] m. blow; — de pied, kick; tout à —, suddenly
cour [ku:r] f. court, courtyard
courageu-x, -se [kuraʒø, -:z] courageous, brave
courant [kurɑ̃] adj. running; être au — de, to be informed about; se mettre au — de, to become informed about, learn about
courber [kurbe] to bend, bow
courir [kuri:r] to run
couronne [kurɔn] f. crown
couronnement [kurɔnmɑ̃] m. coronation
couronner [kurɔne] to crown
cours [ku:r] m. course; — d'eau, river
course [kurs] f. race; errand; faire des —s, to go shopping
court [ku:r] short
couteau [kuto] m. knife
coûter [kute] to cost
coutume [kutym] f. custom
couturier [kutyrje] m. dressmaker, dress designer
couturière [kutyrjɛ:r] f. dressmaker
couvrir [kuvri:r] to cover
craindre [krɛ̃:dr] to fear
créateur, -trice [kreatœ:r, -tris] adj. creative; n. m. creator

créer [kree] to create
crépus ulaire [krepyskylɛ:r] twilight
crête [krɛ:t] f. crest
crier [krie] to cry, shout
crise [kri:z] f. crisis
critique [kritik] m. critic; f. criticism; adj.
  critical
critiquer [kritike] to criticize
croire [krwa:r] to believe, think
croisade [krwazad] f. crusade
Croisé [krwaze] m. Crusader
croissant [krwasɑ̃] m. crescent-roll; adj. increasing
croix [krwa] f. cross
croyance [krwajɑ̃:s] f. belief
cruel, -le [kryɛl] cruel
cube [kyb] m. cube
Cubisme [kybism] m. Cubism
cuiller [kyjɛ:r] f. spoon
cuisine [kyizin] f. kitchen, cooking
cultivé [kyltive] cultivated, cultured
culture [kylty:r] f. culture, cultivation
culturel, -le [kyltyrɛl] cultural
curieu-x, -se [kyrjø, -:z] curious
curiosité [kyrjozite] f. curiosity
cycle [sikl] m. cycle

D

d'abord [dabɔ:r] first, in the first place
dame [dam] f. lady
dans [dɑ̃] in
danser [dɑ̃se] to dance
danseuse [dɑ̃sø:z] f. dancer, ballet girl
date [dat] f. date
dater [date] to date
dauphin [dofɛ̃] m. dauphin, crown prince
davantage [davɑ̃ta:ʒ] more
de [də] from, of, than
débarquer [debarke] to disembark, get off,
  land, come ashore
debout [dəbu] standing
deçà, delà [dəsa, dəla] here and there
décembre [desɑ̃:br] m. December
décerner [desɛrne] to award
déchirer [deʃire] to tear, tear open, rend
décider [deside] to decide
décision [desizjɔ̃] f. decision
déclarer [deklare] to declare
décorateur [dekɔratœ:r] m. decorator
décorer [dekɔre] to decorate
décourager [dekuraʒe] to discourage

découverte [dekuvɛrt] f. discovery
découvrir [dekuvri:r] to discover
décrire [dekri:r] to describe
déesse [deɛs] f. goddess
défaite [defɛt] f. defeat
défaut [defo] m. fault
défavorable [defavɔrabl] unfavorable
défendre [defɑ̃:dr] to defend
défenseur [defɔ̃sœ:r] m. defender
défilé [defile] m. parade
définir [defini:r] to define
dehors [dəɔ:r]: en — de, outside of
déjà [deʒa] already
déjeuner [deʒøne] m. lunch, luncheon; le
  petit —, breakfast; — sur l'herbe, picnic
déjeuner [deʒøne] vb. to breakfast, have or
  eat breakfast; to lunch, have or eat lunch
délicat [delika] delicate
délicieu-x, -se [delisjø, -:z] delicious, delightful
demain [dəmɛ̃] tomorrow
demander [dəmɑ̃de] to ask, ask for; se —,
  to wonder
demeure [dəmœ:r] f. residence
demeurer [dəmœre] to live, dwell, reside,
  remain
demi [dəmi] half
demi-heure [dəmiœ:r] f. half an hour
démocratie [demɔkrasi] f. democracy
démontrer [demɔ̃tre] to demonstrate, show
dent [dɑ̃] f. tooth; avoir mal aux —s, to
  have a toothache
dentiste [dɑ̃tist] m. dentist
départ [depa:r] m. departure
département [departəmɑ̃] m. department
dépêcher [depeʃe]: se —, to hasten, hurry
dépeindre [depɛ̃:dr] to depict, describe
dépendre [depɑ̃:dr] to depend
dépenser [depɑ̃se] to spend (money)
déployer [deplwaje] to unfold
depuis [dəpɥi] since; — que, conj. since
dérision [derizjɔ̃] f. derision, mockery
derni-er, -ère [dɛrnje, -ɛ:r] last, latest
derrière [dɛrjɛ:r] behind, rear
dès que [dɛkə] as soon as
désagréable [dezagreabl] disagreeable
désastre [dezastr] m. disaster
descendre [desɑ̃:dr] to descend, come or go
  down; (at a hotel) to stay, stop; (from a
  vehicle) to get off
désert [dezɛ:r] deserted
désespéré [dezɛspere] desperate
désigner [deziɲe] to designate

désir [dezi:r] *m.* desire
désirer [dezire] to desire, want
désolé [dezole] terribly sorry
despote [dɛspɔt] *m.* tyrant
dessin [desɛ̃] *m.* drawing
dessiner [desine] to draw, design, lay out
(*a garden or a park*)
destinée [dɛstine] *f.* destiny
détacher [detaʃe] to detach
détail [deta:j] *m.* detail
détester [deteste] to detest, dislike, hate
détour [detu:r] *m.* detour
détroit [detrwa] *m.* strait
détruire [detryi:r] to destroy
dette [dɛt] *f.* debt
deuil [dœ:j] *m.* mourning
deux [dø] two
deuxième [døzjɛm] second
devant [dəvɑ̃] before, in front of
développement [devlɔpmɑ̃] *m.* develop-
ment
devenir [dəvni:r] to become
deviner [dəvine] to guess
devoir [dəvwa:r] *vb.* owe, ought, should,
must, have to
devoir [dəvwa:r] *m.* assignment, essay, exercise, theme
dévoué [devwe] devoted
diapositive [diapoziti·v] *f.* (*photographic*)
slide
dictateur [diktatœ:r] *m.* dictator
dictionnaire [diksjɔnɛ:r] *m.* dictionary
Dieu, dieu [djø] *m.* God, god; **Mon Dieu!**
Good Heavens!
différence [diferɑ̃:s] *f.* difference
différent [diferɑ̃] different, various
différer [difere] to differ, be different
difficile [difisil] difficult, hard
difficulté [difikylte] *f.* difficulty
digestion [diʒestjɔ̃] *f.* digestion
dimanche [dimɑ̃:ʃ] *m.* Sunday
diminuer [diminɥe] to diminish, lessen
dîner [dine] *m.* dinner; *vb.* to dine, have
dinner
diplomatique [diplɔmatik] diplomatic
diplôme [diplo:m] *m.* diploma, degree
dire [di:r] to say, tell; **pour ainsi —,** so to
speak
directeur [dirɛktœ:r] *m.* director
diriger [diriʒe] to direct; **se — vers,** to go
towards
disciple [disipl] *m.* disciple, follower
discipline [disiplin] *f.* discipline

discours [disku:r] *m.* discourse, speech
discussion [diskysjɔ̃] *f.* discussion
discuter [diskyte] to discuss
dispute [dispyt] *f.* dispute, quarrel
disque [disk] *m.* record
distinctement [distɛ̃ktəmɑ̃] distinctly
distincti-f, -ve [distɛ̃ktif, -:v] distinctive
distinction [distɛ̃ksjɔ̃] *f.* distinction
distinguer [distɛ̃ge] to distinguish
distraction [distraksjɔ̃] *f.* distraction
dit [di] (*pp. of* dire) said, told
diviser [divize] to divide
dix [dis] ten
dix-huit [dizɥit] eighteen
dix-huitième [dizɥitjɛm] eighteenth
dixième [dizjɛm] tenth
dix-neuf [diznœf] nineteen
dix-neuvième [diznœvjɛm] nineteenth
dix-sept [dissɛt] seventeen
dix-septième [dissɛtjɛm] seventeenth
dizaine [dizen] *f.* about ten
docteur [dɔktœ:r] *m.* doctor
doctrine [dɔktrin] *f.* doctrine
doigt [dwa] *m.* finger
dollar [dɔla:r] *m.* dollar
domaine [dɔmɛn] *m.* domain
dôme [do:m] *m.* dome
dominer [dɔmine] to dominate
dommage [dɔma:ʒ]: **c'est —,** that's (it's) a
pity, that's too bad
don [dɔ̃] *m.* gift
donc [dɔ̃:k] therefore, so, then; **pensez —!**
just think!
donner [dɔne] to give
dont [dɔ̃] of which, of whom, whose
doré [dɔre] golden
dormir [dɔrmi:r] to sleep
dos [do] *m.* back
dot [dɔt] *f.* dowry
doucement [dusmɑ̃] softly, quietly
douleur [dulœ:r] *f.* sorrow, suffering
doute [dut] *m.* doubt; **sans —,** of course,
surely, very probably (*not as strong as
English "without doubt" or "doubtless"*)
dou-x, -ce [du, dus] gentle, soft, sweet
douzaine [duzɛn] *f.* dozen
douze [du:z] twelve
douzième [duzjɛm] twelfth
doyen [dwajɛ̃] *m.* dean
drame [dram] *m.* drama
drapeau, -x [drapo] *m.* flag, banner
droit [drwa *or* drwɑ] *adj.* right, straight;
à droite, on *or* to the right

droit [drwa *or* drwɑ] *m.* right, law
drôle [dro:l] funny
duc [dyk] *m.* duke
dur [dy:r] hard
durable [dyrabl] durable, lasting
durer [dyre] to last, go on
dynastie [dinasti] *f.* dynasty

E

eau [o] *f.* water
échange [eʃɑ̃:ʒ] *m.* exchange
échiquier [eʃikje] *m.* chessboard
échouer [eʃwe] to fail
éclair [eklɛ:r] *m.* eclair (*pastry*); flash
éclairer [eklɛre] to light up, illuminate
éclat [ekla] *m.* brilliance; rire aux —s, to
    burst out laughing
éclatant [eklatɑ̃] brilliant
éclos [eklo] open
écœurer [ekœre]: s'—, to be disheartened
école [ekɔl] *f.* school; à l'—, at school
économe [ekɔnɔm] thrifty
économique [ekɔnɔmik] economic
écossais [ekose] Scot
écouter [ekute] to listen (to)
écran [ekrɑ̃] *m.* screen
écrier [ekrije]: s'—, to exclaim
écrire [ekri:r] to write
écriteau, -x [ekrito] *m.* notice, sign
écrivain [ekrivɛ̃] *m.* writer
écrouler [ekrule]: s'—, to collapse
écume [ekym] *f.* foam
édifice [edifis] *m.* edifice, building
édit [edi] *r:.* edict, proclamation
effet [efe] *m.* effect; en —, indeed, in fact
efficace [efikas] efficacious
effort [efɔ:r] *m.* effort
effroi [efrwa] *m.* fright, terror
effroyable [efrwajabl] frightful, terrible
égal, -aux [egal, -o] equal; cela (ça) m'est
    —, that's all the same to me
également [egalmɑ̃] equally
égalité [egalite] *f.* equality
église [egli:z] *f.* church
égorger [egɔrʒe] to slaughter, slay
Égypte [eʒipt] *f.* Egypt
égyptien, -ne [eʒipsjɛ̃, -ɛn] Egyptian
Eiffel [efɛl] Eiffel
élargir [elarʒi:r] to enlarge
élection [elɛksjɔ̃] *f.* election
électricité [elɛktrisite] *f.* electricity

électrique [elɛktrik] electric
élégance [elegɑ̃:s] *f.* elegance
élégant [elegɑ̃] elegant
élément [elemɑ̃] *m.* element
élémentaire [elemɑ̃tɛ:r] elementary
éléphant [elefɑ̃] *m.* elephant
élève [elɛ:v] *m. or f.* student, pupil
élevé [elve] high
élire [eli:r] (*pp.* élu) to elect
elle [ɛl] she, her, it
elles [ɛl] *f.pl.* they, them
éloquent [elɔkɑ̃] eloquent
embarquement [ɑ̃barkəmɑ̃] *m.* embark-
    ment
embellir [ɑ̃bɛli:r] to make beautiful
embouteillage [ɑ̃butɛja:ʒ] *m.* traffic jam
émeute [emø:t] *f.* riot
emmener [ɑ̃mne] to take (*of persons*)
émotion [emosjɔ̃] *f.* emotion
émouvant [emuvɑ̃] moving, stirring, touch-
    ing
empêcher [ɑ̃pɛʃe] to prevent
empereur [ɑ̃prœ:r] *m.* emperor
empire [ɑ̃pi:r] *m.* empire
employé [ɑ̃plwaje] *m.* employee, clerk
employer [ɑ̃plwaje] to employ, use
emporter [ɑ̃pɔrte] to carry away *or* off, to
    take along
emprunter [ɑ̃prœ̃te] to borrow
ému [emy] (*pp. of* émouvoir) affected,
    moved, stirred, touched
en [ɑ̃] *prep.* in; *pron.* of it, of them; *partitive*
    some, any
enceinte [ɑ̃sɛ̃:t] *f.* enclosure, wall
enchaîné [ɑ̃ʃene] in chains
enchanté [ɑ̃ʃɑ̃te] delighted, glad
enchanter [ɑ̃ʃɑ̃te] to enchant, delight
encore [ɑ̃kɔ:r] again, still, yet
encourager [ɑ̃kurɑ̃ʒe] to encourage
encre [ɑ̃:kr] *f.* ink
encyclopédie [ɑ̃siklɔpedi] *f.* encyclopaedia
endommager [ɑ̃dɔmaʒe] to damage
endroit [ɑ̃drwa] *m.* place
enfance [ɑ̃fɑ̃:s] *f.* childhood
enfant [afɑ̃] *m.* child
Enfer [ɑ̃fɛ:r] *m.* Hell; Enfers *m.pl.* Hades
enfermer [ɑ̃fɛrme] to confine, shut up (*with-
    in a place*)
enfin [ɑ̃fɛ̃] at last, finally
enfoncer [ɑ̃fɔ̃se] to break in, smash in
enfuir [ɑ̃fyi:r]: s'—, to flee
ennemi [ɛnmi] *m.* enemy
ennuyer [ɑ̃nyije] to bore: s'—, to be bored

ennuyeu-x, -se [ãnyijø, -:z] boring, tiresome
énorme [enɔrm] enormous
enragé [ãraʒe] mad
enseigne [ãsɛɲ] f. sign
enseignement [ãsɛɲmã] m. teaching, education
enseigner [ãsɛɲe] to teach
ensemble [ãsã:bl] adv. together; n.m. whole
ensuite [ãsyit] next, then
entendre [ãtã:dr] to hear; — parler de, to hear about, hear of; bien entendu, of course
enterrement [ãtɛrmã] m. burial
enthousiasme [ãtuzjasm] m. enthusiasm
enti-er, -ère [ãtje, -ɛ:r] entire, whole
entièrement [ãtjɛrmã] entirely
entourer [ãture] to surround
entrave [ãtra:v] f. shackle, bond
entre [ã:tr] between, among
entrecroiser [ãtrəkrwaze]; s'—, to cross (one another)
Entre-deux-guerres [ãtrədəgɛ:r] Between-wars
entreprendre [ãtrəprã:dr] to undertake
entrer [ãtre] to enter
entretenir [ãtrətni:r] to maintain
envahir [ãvai:r] to invade
envahisseur [ãvaisœ:r] m. invader
envie [ãvi] f. desire
environ [ãvirɔ̃] adv. about
environs [ãvirɔ̃] m.pl. surroundings, vicinity
envoyer [ãvwaje] to send
épais, -se [epɛ, -ɛ:s] thick
épargner [eparɲe] to spare
épatant [epatã] wonderful
épaule [epo:l] f. shoulder
épicerie [episri] f. grocery-store
épicier [episje] m. grocer
épique [epik] epic
épisode [epizɔd] m. episode
époque [epɔk] f. epoch, period, time
épouser [epuze] to marry
épouvantable [epuvãtabl] dreadful, frightful
escalier [ɛskalje] m. stairway, stairs
esclavage [ɛsklava:ʒ] m. slavery
esclave [ɛskla:v] m. slave
Espagne [ɛspaɲ] f. Spain
espagnol [ɛspaɲɔl] adj. Spanish; n.m. Spanish (language)
espèce [ɛspɛs] f. species, kind
espérance [ɛsperã:s] f. hope
espérer [ɛspere] to hope

esprit [ɛspri] m. mind, spirit, wit
essai [ɛsɛ] m. essay
essayer [ɛsɛje] to try; (of clothes) try on
essentiel, -le [ɛsãsjɛl] essential; n. m. essential part, main thing
essentiellement [ɛsãsjɛlmã] essentially
est [ɛst] m. east
et [e] and
établir [etabli:r] to establish, set up
établissement [etablismã] m. establishment, school
étage [eta:ʒ] m. floor, story (of a building)
état [eta] m. state, condition; État, state (political), national government
États-Généraux [etaʒenero] m. pl. States-General
États-Unis [etazyni] m. pl. United States
été [ete] m. summer
été [ete] (pp. of être) been
étendard [etãdar] m. standard, banner
étendre [etã:dr]: s'—, to extend, grow larger
éternel, -le [etɛrnɛl] eternal
étoile [etwal] f. star
étonnant [etɔnã] astonishing, surprising
étonnement [etɔnmã] m. astonishment
étonner [etɔne] to astonish, surprise; s'—, to be astonished, be surprised
étouffer [etufe] to smother, stifle
étrang-er, -ère [etrãʒe, -ɛ:r] n. foreigner; adj. foreign; être à l'—, to be abroad
être [ɛ:tr] vb. to be
être [ɛ:tr] n. m. being
étroit [etrwa] narrow
étude [etyd] f. study; faire des —s, to study, carry on studies
étudiant [etydjã] m., étudiante [etydjãt] f., student
étudier [etydje] to study
eu [y] (pp. of avoir) had
Europe [ørɔp] f. Europe
européen -ne [ørɔpeɛ̃, -ɛn] European
eux [ø] they, them; eux-mêmes [ømɛ:m], themselves
événement [evɛnmã] m. event
évident [evidã] evident
évoquer [evɔke] to evoke
exact [ɛgzakt] exact; c'est —, that's right
exactement [ɛgzaktəmã] exactly
exagérer [ɛgzaʒere] to exaggerate
examen [ɛgzamɛ̃] m. examination, quiz
examiner [ɛgzamine] to examine

excellent [ɛksɛlã] excellent
excepté [ɛksɛpte] except
exceptionel, -le [ɛksɛpsjɔnel] exceptional, out of the ordinary
exciter [ɛksite] to excite
exécuter [ɛgzekyte] to execute
exemple [ɛgzã:pl] m. example; par —, for example, for instance
exercer [ɛgzɛrse] to exercise
existence [ɛgzistã:s] f. existence
existentialisme [egzistãsyalism] m. existentialism
exister [ɛgziste] to exist
expédition [ɛkspedisjɔ̃] f. expedition
expérience [ɛksperjã:s] f. experience; experiment
expérimentateur [ɛksperimãtatœ:r] m. experimentor
expirer [ɛkspire] to expire, die
explication [ɛksplikasjɔ̃] f. explanation
expliquer [ɛksplike] to explain
exploit [ɛksplwa] m. exploit, deed
exportation [ɛkspɔrtasjɔ̃] f. exportation, export-trade
exporter [ɛkspɔrte] to export
exposer [ɛkspoze] to set forth, present
exposition [ɛkspozisjɔ̃] f. exhibition
express [ɛksprɛ:s] m. express (fast train)
expression [ɛksprɛsjɔ̃] f. expression
Expressionniste [ɛksprɛsjɔ̃nist] m. Expressionist
exprimer [ɛksprime] to express, indicate
exquis [ɛkski] exquisite
extase [ɛksta:z] f. ecstasy
extérieur [ɛksterjœ:r] m. exterior
extrait [ɛkstrɛ] m. extract
extraordinaire [ɛkstraɔrdinɛ:r] extraordinary
extrêmement [ɛkstrɛmmã] extremely
extrémité [ɛkstremite] f. extremity, end

F

fable [fɑ:bl] f. fable
façade [fasad] f. façade, front
face [fas]: — à —, face to face; en — de, across from, opposite
façade [fasad] f. façade, front
facile [fasil] easy
facilement [fasilmã] easily
façon [fasɔ̃] f. manner, way
Faculté [fakylte] f. Faculty, School, Division (of a university)

faible [fɛ:bl] feeble, weak
faiblesse [fɛblɛs] f. weakness
faim [fɛ̃] f. hunger; avoir —, to be hungry
faire [fɛ:r] to do, make; (of weather) to be; — une promenade, to take a walk or ride; — un voyage, to take a trip; se —, to become, be done; cela (ça) ne fait rien, that doesn't matter, that makes no difference
fait [fɛ] m. fact
falloir [falwa:r] to be necessary, must
fameu-x -se [famø, -:z] famous
famille [fami:j] f. family
fanatique [fanatik] fanatic
fanatisme [fanatism] m. fanaticism
farce [fars] f. farce
fatal [fatal] fatal
fatigué [fatige] tired
faute [fo:t] f. fault, mistake
fauteuil [fotœ:j] m. armchair
fauve [fo:v] m. wild beast
fau-x, -sse [fo, fo:s] false
favori, -te [favɔri -t] favorite
favoriser [favɔrize] to favor
félicitations [felisitasjɔ̃] f. pl. congratulations
féliciter [felisite] to congratulate
féminin [feminɛ̃] feminine
femme [fam] f. woman, wife; — de chambre, maid
fenêtre [fɔnɛ:tr] f. window
féodal, -aux [feɔdal, -o] feudal
fers [fɛ:r] m. pl. bonds, fetters
fermer [fɛrme] to close
féroce [ferɔs] ferocious
fertile [fɛrtil] fertile
fervent [fɛrvã] n. m. enthusiast
fête [fɛt] f. celebration, festival, holiday
feu, -x [fø] m. fire
feuille [fœ:j] f. leaf; (of paper) sheet
février [fevrije] m. February
fidèlement [fidɛlmã] faithfully, accurately
fi-er, -ère [fjɛ -:r] proud
fièrement [fjɛrmã] proudly
fierté [fjɛrte] f. pride
figure [figy:r] f. figure, face
fille [fi:j] f. daughter, girl; jeune —, girl
film [film] m. film; (at movies) picture
fils [fis] m. son
fin [fɛ̃] f. end
fin [fɛ̃] adj. fine, delicate
financi-er, -ère [finãsje, -ɛ:r] financial
finir [fini:r] to finish

fixe [fiks]: à prix —, fixed price
flanqué [flãke] flanked
flatter [flate] to flatter
fleur [flœ:r] f. flower
fleuve [flœ:v] m. river
flot [flo] m. wave
flotter [flɔte] to float
foi [fwa or fwa] f. faith, religion; par ma —!
    upon my word!
foie [fwa] m. liver
fois [fwa] f. time (occasion); à la —, at the
    same time; une —, once
folie [fɔli] f. folly
fonction [fɔ̃ksjɔ̃] f. function
fondamental, -aux [fɔ̃damãtal, -o] funda-
    mental, basic
fondateur [fɔ̃datœ:r] m. founder
fondation [fɔ̃dasjɔ̃] f. foundation
fonder [fɔ̃de] to found, establish
fontaine [fɔ̃ten] f. fountain
Fontainebleau [fɔtɛnblo] city and palace
forcer [fɔrse] to force, oblige
forêt [fɔrɛ] f. forest
formation [fɔrmasjɔ̃] f. formation
forme [fɔrm] f. form, shape
former [fɔrme] to form
formidable [fɔrmidabl] formidable, terrific
fort [fɔ:r] adj. strong, good; château —,
    castle; adv. very
forteresse [fɔrtɔres] f. fortress
fou (fol), folle [fu, fɔl, fɔl] crazy, insane,
    mad
foudre [fudr] f. thunderbolt
foule [ful] f. crowd
fourchette [furʃet] f. fork
foyer [fwaje] m. hearth, home
frais [frɛ] m. pl. expenses
franc [frã] m. franc
Franc [frã] m. Frank
français [frãse] m. French (language); adj.
    French
Français [frãse] m. Frenchman; pl. French
    people
Française [frãse:z] f. French woman,
    French girl
franchise [frãʃi:z] f. frankness
franco-américain [frãko-amerikɛ̃] Franco-
    American
François [frãswa] Francis
franco-italien [frãko-italjɛ̃] Franco-Italian
franco-prussien [frãko-prysjɛ̃] Franco-
    Prussian
frappant [frapã] striking

frapper [frape] to strike, hit, knock
fraternité [fraternite] f. fraternity
fréquenter [frekãte] to attend or visit fre-
    quently; pp. popular
frère [frɛ:r] m. brother
fresque [fresk] f. fresco
frivole [frivɔl] frivolous
froid [frwa] cold; avoir —, (persons) to be
    cold; faire —, (weather) to be cold
froideur [frwadœ:r] f. coldness
fromage [frɔma:ʒ] m. cheese
front [frɔ̃] m. forehead
frontière [frɔ̃tjɛ:r] f. frontier, border
fruit [frɥi] m. fruit
fruitier [frɥitje] m. fruit-dealer
fuite [fɥit] f. flight
fumée [fyme] f. smoke
futur [fyty:r] adj. future

G

gagner [gaɲe] to gain, earn, win
gai [ge] gay, joyful
gaieté [gete] f. gaiety, joy
galant [galã] gallant
galerie [galri] f. gallery, hall
gallo-romain [gallorɔmɛ̃ or gallorɔmɛ̃] adj.
    Gallo-Roman
gant [gã] m. glove
garantie [garãti] f. guarantee
garçon [garsɔ̃] m. boy, fellow, waiter
garder [garde] to keep; — la chambre to
    stay in the room
gardien [gardjɛ̃] m. guardian
gare [ga:r] f. station (railroad)
garni [garni] (de) filled (with)
gâteau, -x [gato] m. cake
gauche [go:ʃ] left; à —, on or to the left
Gaule [go:l] f. Gaul (country)
gaulois [golwa] adj. Gallic; Gaulois n. m.
    Gaul (inhabitant of Gaul)
géant [ʒeã] m. giant
gendre [ʒã:dr] m. son-in-law
général, -aux [ʒeneral, -o] n. m. and adj.
    general; en —, in general
génie [ʒeni] m. genius
genou, -x [ʒənu] m. knee
genre [ʒã:r] m. (of literature) form, kind
gens [ʒã] m. pl. people; jeunes —, young
    people
gentil, -le [ʒãti, -:j] nice
gentilhomme [ʒãtijɔm] m. nobleman
géographie [ʒeografi] f. geography

géométrique [ʒeɔmetrik] geometrical

geste [ʒɛst] *m.* gesture; **chanson de —,** epic poem

glace [glas] *f.* mirror; ice, ice cream

gloire [glwa:r] *f.* glory

gorge [gɔrʒ] *f.* throat

gothique [gɔtik] Gothic

gouffre [gufr] *m.* gulf, abyss

gourmand [gurmɑ̃] *adj.* gourmand

goût [gu] *m.* taste

goutte [gut] *f.* drop

gouvernement [guvernəmɑ̃] *m.* government

gouverner [guvɛrne] to govern

grâce [grɑ:s] *f.* grace, gracefulness; **— à,** thanks to

graine [grɛn] *f.* grain, seed

grand [grɑ̃] big, great, large, tall; **grand'- chose,** much; **grand'rue** *f.* main street

grandeur [grɑ̃dœ:r] *f.* grandeur, size

grandir [grɑ̃di:r] to grow larger

grand-mère [grɑ̃mɛ:r] *f.* grandmother

grand-parent [grɑ̃parɑ̃] *m.* grand-parent

grand-père [grɑ̃pe:r] *m.* grandfather

gratte-ciel [gratsjɛl] *m.* skyscraper

gratuit [gratɥi] free

gratuitement [gratɥitmɑ̃] free of charge

grec, -que [grɛk] *adj.* Greek

Grèce [grɛs] *f.* Greece

gris [gri] gray

gros, -se [gro, -s] big

grossir [grosi:r] to enlarge

grotesque [grɔtɛsk] grotesque

grotte [grɔt] *f.* grotto

groupe [grup] *m.* group

guère [gɛ:r] **ne . . . —,** hardly, scarcely

guérir [géri:r] to cure, get well

guerre [gɛ:r] *f.* war

guerrier [gɛrje] *m.* warrior

guichet [giʃɛ] *m.* ticket window

guide [gid] *m.* guide

guider [gide] to guide

Guillaume [gijo:m] William

guillotine [gijɔtin] *f.* guillotine

guillotiner [gijɔtine] to guillotine

H

(Words beginning with an aspirate **h** are shown by the sign: ')

habiller [abije] to dress; **s'—,** to get dressed

habitant [abitɑ̃] *m.* inhabitant

habiter [abite] to live in

habitude [abityd] *f.* habit, custom; **d'—,** usually

'hache [aʃ] *f.* battle-axe

'haillons [ajɔ̃] *m.pl.* rags

'haine [ɛ:n] *f.* hate

'halle [al] *f.* market

hallucination [alysinasjɔ̃] *f.* hallucination

'hardi [ardi] bold

harmonie [armɔni] *f.* harmony

'haut [o] *m.* height; *adj.* high, tall; *adv.* high, loud

'hauteur [otœ:r] *f.* height

'Havre [ɑ:vr] **le —,** *a seaport*

hélas [ela:s] *exclam.* alas

herbe [ɛrb] *f.* grass

héritier [eritje] *m.* heir

hermite [ɛrmit] *m.* hermit

héroïne [erɔin] *f.* heroine

héroïque [erɔik] *adj.* heroic

'héros [ero] *m.* hero

hésitation [ezitasjɔ̃] *f.* hesitation

hésiter [ezite] to hesitate

heure [œ:r] *f.* hour, o'clock; **à cette —,** right now; **de bonne —,** early

heureusement [œrøzmɑ̃] happily, fortu- nately

heureu-x, -se [œrø, -:z] happy, glad, lucky

hier [je:r] yesterday; **— soir,** last night

histoire [istwa:r] *f.* history, story

historien [istɔrjɛ̃] *m.* historian

historique [istɔrik] historic, historical

hiver [ive:r] *m.* winter

homme [ɔm] *m.* man

honnête [ɔnɛ:t] honest

honneur [ɔnœ:r] *m.* honor

honorer [ɔnɔre] to honor

hôpital, -aux [ɔpital, -o] *m.* hospital

horaire [ɔrɛ:r] *m.* time-table

'horde [ɔrd] *f.* horde

horizon [ɔrizɔ̃] *m.* horizon

horloger [ɔrlɔʒe] *m.* watchmaker, clock- maker

'hors de [ɔrdə] outside of

'hors-d'œuvre [ɔrdœ:vr] *m.* hors-d'oeuvre, appetizer

hostile [ɔstil] hostile

hôte [ot] *m.* host

hôtel [otɛl] *m.* hotel; **—-de-ville,** city hall, town hall

'hue [y] *exclam.* giddap!

'huit [ɥit] eight; **— jours,** a week

'huitième [ɥitjɛm] eighth

humain [ymɛ̃] human

humeur [ymœ:r] *f.* humor

humide [ymid] damp

hymne [im] *m.* hymn (*patriotic song*)
hypocrite [ipɔkrit] *m.* hypocrite

I

ici [isi] here
idéal [ideal] *n. and adj.* ideal
idéaliser [idealize] to idealize
idée [ide] *f.* idea
ignoble [iɲɔbl] ignoble
ignorance [iɲɔrɑ̃:s] *f.* ignorance
ignorant [iɲɔrɑ̃] ignorant
il, ils [il] he, it; they
île [il] *f.* island
illumination [ilyminasjɔ̃] *f.* illumination
illuminer [ilymine] to light up
illustre [ilystr] illustrious, famous
image [ima:ʒ] *f.* image
imaginaire [imaʒinɛ:r] imaginary
imagination [imaʒinasjɔ̃] *f.* imagination
imitation [imitasjɔ̃] *f.* imitation
imiter [imite] to imitate
immense [imɑ̃:s] immense
immeuble [imœbl] *m.* building, block
impatience [ɛ̃pasjɑ̃s] *f.* impatience
impatient [ɛ̃pasjɑ̃] impatient
impératrice [ɛ̃peratris] *f.* empress
importance [ɛ̃pɔrtɑ̃:s] *f.* importance
important [ɛ̃pɔrtɑ̃] important
importe [ɛ̃pɔrt]: n'—, no matter
importer [ɛ̃pɔrte] to import
imposant [ɛ̃pozɑ̃] imposing
impossible [ɛ̃pɔsibl] impossible
impôt [ɛ̃po] *m.* tax
imprenable [ɛ̃prənabl] impregnable
impression [ɛ̃presjɔ̃] *f.* impression
impressionnant [ɛ̃presjɔnɑ̃] impressive
Impressionniste [ɛ̃presjɔnist] *m.* Impressionist (*in painting*)
incalculable [ɛ̃kalkylabl] incalculable
incliner [ɛ̃kline] to bow
inconscient [ɛ̃kɔ̃sjɑ̃] *m.* unconscious, subconscious
indépendance [ɛ̃depɑ̃dɑ̃:s] *f.* independence
indépendant [ɛ̃depɑ̃dɑ̃] independent
indifférent [ɛ̃diferɑ̃] *adj.* indifferent
individualiste [ɛ̃dividyalist] *n. and adj.* individualist, individualistic
individualité [ɛ̃dividɥalite] *f.* individuality
Indo-Chine [ɛ̃doʃin] *f.* Indo-China
industrie [ɛ̃dystri] *f.* industry
industriel, -le [ɛ̃dystrijɛl] industrial
inférieur [ɛ̃ferjœ:r] inferior

infini [ɛ̃fini] infinite
infirmerie [ɛ̃firməri] *f.* infirmary
influence [ɛ̃flyɑ̃:s] *f.* influence
influencer [ɛ̃flyɑ̃se] to influence
influent [ɛ̃flyɑ̃] influential
ingénieur [ɛ̃ʒenjœ:r] *m.* engineer
injustice [ɛ̃ʒystis] *f.* injustice
innombrable [innɔ̃brabl] innumerable
inoubliable [inubliabl] unforgettable
inquiéter [ɛ̃kjete] to worry
insister [ɛ̃siste] (sur) to insist (upon), emphasize
installer [ɛ̃stale] to install
instant [ɛ̃stɑ̃] *m.* instant, moment
instituteur [ɛ̃stitytœ:r] *m.* teacher
institutrice [ɛ̃stitytris] *f.* teacher
insupportable [ɛ̃sypɔrtabl] unbearable, (*of persons*) impossible
intelligence [ɛ̃tɛliʒɑ̃:s] *f.* intelligence
intelligent [ɛ̃tɛliʒɑ̃] intelligent
intensité [ɛ̃tɑ̃site] *f.* intensity, force
intention [ɛ̃tɑ̃sjɔ̃] *f.* intention; avoir l'— de, to intend to
intéressant [ɛ̃terɛsɑ̃] interesting
intéresser [ɛ̃terese] to interest; s'— à, to be *or* become interested in
intérêt [ɛ̃terɛ] *m.* interest
intérieur [ɛ̃terjœ:r] *n. m. and adj.* interior, inside
international, -aux [ɛ̃tɛrnasjɔnal, -o] international
interprétation [ɛ̃tɛrpretasjɔ̃] *f.* interpretation
interroger [ɛ̃tɛrɔʒe] to question
interrompre [ɛ̃terɔ̃:pr] to interrupt
introduire [ɛ̃trɔdɥi:r] to introduce
introspecti-f, -ve [ɛ̃trɔspɛktif, -v] introspective
invasion [ɛ̃vazjɔ̃] *f.* invasion
invincible [ɛ̃vɛ̃sibl] invincible
invitation [ɛ̃vitasjɔ̃] *f.* invitation
inviter [ɛ̃vite] to invite
irréguli-er, -ère [iregylje, -jɛ:r] irregular
Italie [itali] *f.* Italy
italien, -ne [italjɛ̃, -ɛn] Italian
itinéraire [itinerɛ:r] *m.* itinerary

J

Jacques [ʒa:k *or* ʒɑ:k] James, Jack
jalou-x, -se [ʒalu, -:z] jealous
jamais [ʒamɛ] (*alone*) never; ne ... (*vb.*) —, never; *with vb., without* ne, ever

jambe [ʒɑ̃:b] f. leg
janvier [ʒɑ̃vje] m. January
jardin [ʒardɛ̃] m. garden, park
jaune [ʒo:n] yellow
Jean [ʒɑ̃] m. John
Jeanne [ʒɑ:n] f. Jean, Joan; — d'Arc, Joan of Arc
Jésus [ʒezy] Jesus; avant Jésus-Christ (av. J.-C.), B.C.
jeter [ʒəte] to throw; se — , (of river) to empty, flow
jeu [ʒø] m. play; Jeu de Paume, (indoor) Tennis Court
jeudi [ʒødi] m. Thursday
jeune [ʒœn] young; —s gens, m. pl. young people
jeunesse [ʒønɛs] f. youth
joie [ʒwa] f. joy
joindre [ʒwɛ̃:dr]: se — à, to join
joli [ʒɔli] pretty, nice
joue [ʒu] f. cheek
jouer [ʒwe] to play
joug [ʒu(g)] m. yoke
jouir [ʒwi:r] to enjoy
jour [ʒu:r] m. day; huit —s a week; tous les —s, every day; de nos —s, in our time
journal, -aux [ʒurnal, -o] m. newspaper
journée [ʒurne] f. day
joyeu-x, -se [ʒwajø, -:z] joyous
jugement [ʒyʒmɑ̃] m. judgment
juger [ʒyʒe] to judge
juillet [ʒɥijɛ] m. July
juin [ʒɥɛ̃] m. June
jus [ʒy] m. juice
jusqu'à [ʒyska] until, up to, as far as
jusqu'à ce que [ʒyskas(ə)kə] conj. until
jusque [ʒysk(ə)] even
juste [ʒyst] just, right
juste-milieu [ʒystmiljø] m. golden mean, happy medium
justice [ʒystis] f. justice

K

kilomètre [kilɔmɛtr] m. kilometer (1000 meters, about 5/8 of a mile)

L

là [la] there
là-bas [labɑ] down there; over there
laboratoire [labɔratwa:r] m. laboratory
labours [labu:r] m.pl. ploughed fields

lac [lak] m. lake
là-dedans [ladədɑ̃] in it
lai [lɛ] m. lay
laid [lɛ] homely, ugly
laisser [lɛse] to let, allow, leave
lait [lɛ] m. milk
lampe [lɑ̃:p] f. lamp
lancer [lɑ̃se] to throw; se —, to go into, dash, rush
langage [lɑ̃ga:ʒ] m. language, style
langue [lɑ̃:g] f. tongue, language
langueur [lɑ̃gœ:r] f. languor
large [larʒ] broad, wide
largeur [larʒœ:r] f. width
larme [larm] f. tear
las, -se [lɑ, -s] tired
latin [latɛ̃] adj. Latin; n.m. Latin (language); le Quartier —, the Latin Quarter
lavabo [lavabo] m. washstand
laver [lave] to wash
leçon [ləsɔ̃] f. lesson
lecteur [lɛktœ:r] m. reader
lecture [lɛkty:r] f. reading
légende [leʒɑ̃:d] f. legend
légion [leʒjɔ̃] f. legion
légume [legym] m. vegetable
lendemain [lɑ̃dmɛ̃] next day; le — matin, the next morning
lent [lɑ̃] slow
lentement [lɑ̃tmɑ̃] slowly
lequel, laquelle, pl. lesquels, lesquelles [ləkɛl, lakɛl, lekɛl] rel. pron. who, whom, which; interrog. pron. which (one, ones)
lessive [lɛsi:v] f. washing, laundry
lettre [lɛtr] f. letter; à la —, exactly, literally: Lettres f.pl. Humanities
leur [lœ:r] adj. their; pers. pron. to them; poss. pron. theirs
lever [ləve] to raise; se —, to rise, get up
lèvre [lɛ:vr] f. lip
libéral, -aux [liberal, -o] liberal
libérer [libere] to liberate, free
liberté [liberte] f. liberty; mettre en —, to set free
libraire [librɛ:r] m. bookseller
librairie [libreri] f. bookstore
libre [libr] free
lien [ljɛ̃] m. bond
lieu, -x [ljø] m. place; avoir —, to take place; au — de, in place of, instead of
ligature [ligaty:r] f. ligature, binding, tying
ligne [liɲ] f. line
limiter [limite] to limit

linge [lɛ̃:ʒ] *m.* linen
lion [ljɔ̃] *m.* lion
lire [li:r] to read
liste [list] *m.* list
lit [li] *m.* bed
littéraire [literɛ:r] literary
littérature [literaty:r] *f.* literature
liturgie [lityrʒi] *f.* liturgy (*religious service*)
livre [li:vr] *m.* book
livre [li:vr] *f.* pound
logement [lɔʒmɑ̃] *m.* lodging
logique [lɔʒik] *f.* logic
loi [lwa] *f.* law
loin [lwɛ̃] far; au —, in the distance; far away; de —, from afar, from a distance
lointain [lwɛ̃tɛ̃] distant
loisir [lwazi:r] *m.* leisure
Londres [lɔ̃:dr] London
long, -ue [lɔ̃, -:g] long; le — de, along
longtemps [lɔ̃tɑ̃] long, a long time
longueur [lɔ̃gœ:r] *f.* length
lorsque [lɔrskə] when
louer [lue *or* lwe] to hire, rent
lourdeur [lurdœ:r] *f.* heaviness
lui [lɥi] him; — -même, himself
lumière [lymjɛ:r] *f.* light
lumineu-x, -se [lyminø, -:z] luminous
lundi [lœ̃di] *m.* Monday
lune [lyn] *f.* moon; — de miel, honeymoon
lunettes [lynɛt] *f. pl.* eyeglasses, spectacles
lutte [lyt] *f.* struggle
luxueu-x, -se [lyksɥø, -:z] luxurious
lycée [lise] *m.* lycee (*secondary school*)
Lyon [ljɔ̃] *m.* Lyons
lyrique [lirik] lyric
lys [lis] *m.* lily

M

madame [madam] *pl.* mesdames [medam] Mrs., lady
mademoiselle [madmwazɛl] *pl.* mesdemoiselles [medmwazɛl] Miss; young lady
magasin [magazɛ̃] *m.* store; grand —, department store
magnanime [maɲanim] magnanimous
magnifique [maɲifik] magnificent
mai [mɛ] *m.* May
main [mɛ̃] *f.* hand
maintenant [mɛ̃tnɑ̃] now
maire [mɛ:r] *m.* mayor
mairie [mɛri] *f.* town hall
mais [mɛ] but

maison [mɛzɔ̃] *f.* house; à la —, at home; — de santé, insane asylum
maître [mɛ:tr] *m.* master, teacher
maîtresse [mɛtrɛs] *f.* mistress, teacher
maîtrise [mɛtri:z] *f.* mastery
majesté [maʒɛste] *f.* majesty
majorité [maʒɔrite] *f.* majority
mal [mal] (*pl.* maux) [mo] *m.* evil, harm, difficulty, trouble; avoir — à, to have an ache *or* pain in; faire (du) — à, to hurt
mal [mal] *adv.* badly
malade [malad] *adj.* sick; *n.* sick person
maladie [maladi] *f.* sickness, illness
mâle [mɑl] manly
malgré [malgre] in spite of
malheureusement [malœrøzmɑ̃] unfortunately
malheureu-x, -se [malœrø, -:z] unfortunate, unhappy
malice [malis] *f.* malice
maman [mamɑ̃] mama
Manche [mɑ̃:ʃ] *f.* Channel
manger [mɑ̃ʒe] to eat
manière [manjɛ:r] *f.* manner
manquer [mɑ̃ke] to miss, fail, lack
manteau, -x [mɑ̃to] *m.* cloak, coat
manuscrit [manyskri] *m.* manuscript
marchand [marʃɑ̃] *m.* dealer, merchant
marchandise [marʃɑ̃di:z] *f.* merchandise
marché [marʃe] *m.* market; — aux fleurs, flower market; (à) bon —, cheap, inexpensive
marcher [marʃe] to walk
mardi [mardi] *m.* Tuesday
maréchal [mareʃal] *m.* marshal (*military title*)
mari [mari] *m.* husband
mariage [marja:ʒ] *m.* marriage
marier [marje] to marry off; se —, to get married
maritime [maritim]: les Alpes maritimes, the Maritime Alps
marquant [markɑ̃] striking
marquer [marke] to mark
marquis [marki] *m.* marquis (*title*)
marquise [marki:z] *f.* marchioness (*title*)
mars [mars] *m.* March
Marseillaise [marsɛjɛ:z] *f.* Marseillaise
martyre [marti:r] *m.* martyrdom
martyriser [martirize] to martyrise
masculin [maskylɛ̃] *adj.* masculine
massacre [masakr] *m.* massacre

masse [mas] *f.* mass
massif [masif] *m.* mountain mass
matériel, -le [materjɛl] material
mathématiques [matematik] *f. pl.* mathematics
matin [matɛ̃] *m.* morning
matinée [matine] *f.* morning
mauvais [movɛ] bad, poor
maxime [maksim] *f.* maxim
méconnu [mekɔny] unrecognized
mécontent [mekɔ̃tɑ̃] **(de)** dissatisfied (*with*)
médecin [metsɛ̃] *m.* doctor
médecine [metsin] *f.* medicine
médiocre [medjɔkr] mediocre
méditer [medite] to meditate, think
Méditerranée [mediterane] *adj. and n. f.* Mediterranean (Sea)
méfier [mefje]: **se — (de),** to beware (of)
meilleur [mɛjœ:r] better; **le —,** best
mélange [melɑ̃:ʒ] *m.* mixture
mêler [mɛle] to mingle, blend
membre [mɑ̃:br] *m.* member
même [mɛ:m] same, even, very
mémoire [memwa:r] *f.* memory
menace [mənas] *f.* threat
menacer [mənase] to threaten
mener [məne] to lead
mentionner [mɑ̃sjɔne] to mention
menton [mɑ̃tɔ̃] *m.* chin
mépriser [meprize] to scorn
mer [mɛ:r] *f.* sea, seashore
mercenaire [mɛrsənɛ:r] mercenary
merci [mɛrsi] *f.* mercy
merci [mɛrsi] *adv.,* thanks **(de,** for) **— bien,** thank you very much
mercredi [mɛrkrədi] *m.* Wednesday
mère [mɛ:r] *f.* mother
mériter [merite] to merit, deserve
mérovingien, -ne [merɔvɛ̃ʒjɛ̃, -ɛn] *adj. and n.* Merovingian
merveille [mɛrvɛ:j] *f.* marvel, wonder
merveilleusement [mɛrvɛjøzmɑ̃] marvelously, wonderfully
merveilleu-x, -se [mɛrvɛjø, -:z] marvelous, wonderful
messieurs [mɛsjø *or* mesjø] *see* **monsieur**
méthode [metɔd] *f.* method
mètre [mɛtr] *m.* meter (*about 39 inches*)
Métro [metro] *m.* Subway (*in Paris*)
mettre [mɛtr] to put; (*of time*) to take; **se — à,** to begin (to); **— au point,** to perfect (*an invention*); **se — en ro ute,** to set out, start out, start off

meuble [mœbl] *m.* piece of furniture; **meubles** *pl.* furniture
meublé [møble] furnished
microbe [mikrɔb] *m.* microbe, germ
midi [midi] *m.* noon
Midi [midi] *m.* South
mien, -ne [mjɛ̃, mjen]: **(le, la)** mine
mieux [mjø] better; **le —,** best; **tant —,** so much the better; **de mon —,** the best I can, as well as I can
milieu, -x [miljø] *m.* middle; **au — de,** in the middle of, in the midst of
militaire [militɛr] military
mille [mil] *num.* thousand
mille [mil] *f.* mile
millier [milje] *m.* thousand
million [miljɔ̃] *m.* million
millionnaire [miljɔnɛ:r] *m. or f.* millionaire
miniature [minjaty:r] *f.* miniature
ministre [ministr] *m.* minister (*political*)
minuit [minɥi] *f.* midnight
minute [minyt] *f.* minute
miracle [mira:kl] *m.* miracle
miroir [mirwa:r] *m.* mirror
misanthrope [mizɑ̃trɔp] *m.* misanthropist
misérable [mizerabl] miserable, wretched
misère [mize:r] *f.* misery
mixte [mikst] (*of schools*) coeducational
mode [mɔd] *f.* fashion, style
modèle [mɔdɛl] *m.* model
modération [mɔderasjɔ̃] *f.* moderation
moderne [mɔdɛrn] modern
modeste [mɔdɛst] modest
mœurs [mœrs] *f. pl.* manners, customs
moi [mwa] I, me: **—-même,** myself
moins [mwɛ̃] less, fewer; **au —,** at least; **à — que,** unless; **de — en —,** less and less
mois [mwɑ] *m.* month
moisson [mwasɔ̃] *f.* harvest
moissonneuse-batteuse [mwasɔ̃nœ:z-batœ:z] *f.* harvester-reaper, combine
moitié [mwatje] *f.* half
moment [mɔmɑ̃] *m.* moment; **à ce —-là,** at that time; **en ce —,** just now
mon, ma, mes [mɔ̃, ma, me] my
monarchie [mɔnarʃi] *f.* monarchy
monarchiste [mɔnarʃist] *m.* monarchist
monde [mɔ̃:d] *m.* world; **tout le —,** everybody, everyone
mondial, -aux [mɔ̃djal,-o] *adj.* world
Monoprix [mɔnɔpri *or* monopri] *m. low cost department store; discount-store*

monotone [mɔnɔtɔn] monotonous
monsieur [məsjø] *pl.* **messieurs** [mɛsjø *or* mesjø] sir, gentleman
mont [mɔ̃] *m.* mount, mountain
montagne [mɔ̃taɲ] *f.* mountain
monter [mɔte] to come *or* go up; to get in *or* on (*a vehicle*)
montre [mɔ̃:tr] *f.* watch
montrer [mɔ̃tre] to show, point out
monument [mɔnymɑ̃] *m.* monument, historic building
moquer [mɔke]: **se — de,** to make fun of
morceau, -x [mɔrso] *m.* piece
mordant [mɔrdɑ̃] biting, morbid
mordre [mɔrdr] to bite
mort [mɔ:r] (*pp.* of **mourir**) dead; *n. f.* death; *n. m.* dead person
mot [mo] *m.* word; **bon —,** witty remark, witticism, joke
mouchoir [muʃwa:r] *m.* handkerchief
moulin [mulɛ̃] *m.* mill
mourir [muri:r] to die
mousquetaire [muskətɛ:r] *m.* musketeer
mousse [mus] *f.* foam
mouvement [muvmɑ̃] *m.* motion, movement
mouvementé [muvmɑ̃te] *adj.* eventful, animated, lively, busy
moyen [mwajɛ̃] *adj.* **le — âge,** the Middle Ages; **en moyenne,** on the average
mugir [myʒi:r] to bellow, roar
mule [myl] *f.* mule
mur [myr] *m.* wall
muraille [myra:l] *f.* wall
murer [myre] to wall in
murmure [myrmy:r] *m.* murmur
murmurer [myrmyre] to murmur
musée [myze] *m.* museum
music-hall [myzik-ol] *m.* vaudeville-theater
musicien [myzisjɛ̃] *m.* musician
musique [myzik] *f.* music
mystère [mistɛ:r] *m.* mystery
mystérieu-x, -se [misterjø, -:z] mysterious
mythologique [mitɔlɔʒik] mythological

N

nager [naʒe] to swim
naissance [nɛsɑ̃:s] *f.* birth
naître [nɛ:tr] to be born
nappe [nap] *f.* tablecloth
nation [nasjɔ̃] *f.* nation
national, -aux [nasjɔnal, -o] national

naturalisme [natyralism] *m.* naturalism
nature [naty:r] *f.* nature
naturel, -le [natyrɛl] natural
naturellement [natyrɛlmɑ̃] naturally, of course
naufrage [nofrɑ:ʒ] *m.* shipwreck; **faire —,** to be shipwrecked
navire [navi:r] *m.* ship
ne [nə] **... pas** [pɑ] not
nécessaire [nesesɛ:r] necessary
négliger [negliʒe] to neglect
négociation [negɔsjasjɔ̃] *f.* negotiation
neige [nɛ:ʒ] *f.* snow
neiger [neʒe] to snow
néo-classique [neoklasik] neo-classic
nerveu-x, -se [nɛrvø, -:z] nervous
nervure [nɛrvy:r] *f.* rib (*architecture*)
neuf [nœf] nine
neu-f, -ve [nœf, nœ:v] new
neuvième [nœvjɛm] ninth
neveu, -x [nəvø] *m.* nephew
nez [ne] *m.* nose
ni [ni]: **ni ... ni ...,** neither ... nor ...
nid [ni] *m.* nest
nièce [njɛs] *f.* niece
niveau [nivo] *m.* level
noble [nɔbl] *adj.* noble; *n. m.* noble, nobleman
nocher [nɔʃe] *m.* boatman
Noël [noel] *m.* Christmas
noir [nwa:r] black, dark
nom [nɔ̃] *m.* name
nombre [nɔ̃:br] *m.* number
nombreu-x, -se [nɔ̃brø, -:z] numerous
nommer [nɔme] to name
non [nɔ̃] no, not
nord [nɔ:r] *m.* north
nord-est [nɔrɛst] *m.* northeast
nord-ouest [nɔrwɛst] *m.* northwest
normal [nɔrmal] normal
normand [nɔrmɑ̃] *adj. and n. m.* Norman
Normandie [nɔrmɑ̃di] *f.* Normandy
note [nɔt] *f.* bill; grade, mark
noter [nɔte] to note, observe
notre, nos [nɔtr, no] our
nôtre [no:tr]: **(le, la)** ours
nourriture [nurity: r] *f.* food
nous [nu] we, us; **— -mêmes,** ourselves
nouv-eau, -elle [nuvo, -ɛl] new; **de —,** again
nouvelle [nuvɛl] *f.* piece of news
novembre [nɔvɑ̃:br] *m.* November
nuage [nɥa:ʒ] *m.* cloud

nuit [nɥi] *f.* night; darkness
nul, -le [nyl] no
numéro [nymero] *m.* number

O

obéir [ɔbei:r] to obey
obélisque [ɔbelisk] *m.* obelisk (*four-sided, tapering pillar*)
objet [ɔbʒe] *m.* object
obligatoire [ɔbligatwa:r] compulsory
obligé [ɔbliʒe] forced, grateful, obliged
obliger [ɔbliʒe] to force, oblige, compel
obscur [ɔpsky:r] obscure, dark
obscurité [ɔpskyrite] *f.* obscurity, darkness
observation [ɔpsɛrvasjɔ̃] *f.* observation
obstacle [ɔpstakl] *m.* obstacle
obtenir [ɔptəni:r] to obtain
occasion [ɔkɑsjɔ̃] *f.* occasion, opportunity
occupation [ɔkypasjɔ̃] *f.* occupation
occuper [ɔkype]: s'— de, to be busy with, concerned about; to take it upon oneself to
océan [ɔseɑ̃] *m.* ocean
octobre [ɔktɔbr] *m.* October
octroi [ɔktrwa] *m.* tax, toll
œil [œ:j] (*pl.* yeux [jø]) *m.* eye
œuf [œf, *pl.* ø] *m.* egg; — à la coque, soft-boiled egg
œuvre [œ:vr] *f.* work
officiel, -le [ɔfisjɛl] official
officier [ɔfisje] *m.* officer
offrir [ɔfri:r] to offer
ogive [ɔʒi:v] *f. Gothic arch*
oignon [ɔɲɔ̃] *m.* onion
ombre [ɔ̃:br] *f.* shadow, darkness
omelette [ɔmlɛt] *f.* omelet
omnibus [ɔmniby:s] *m.* slow train
on [ɔ̃] one, people, 'they', 'you'
oncle [ɔ̃:kl] *m.* uncle
onde [ɔ̃:d] *f.* water (*poetic*)
onze [ɔ̃:z] eleven
onzième [ɔ̃zjɛm] eleventh
opéra [ɔpera] *m.* opera
opinion [ɔpinjɔ̃] *f.* opinion
opposition [ɔpozisjɔ̃] *f.* opposition
opprobre [ɔprɔbr] *m.* disgrace
optimiste [ɔptimist] optimistic
or [ɔ:r] *m.* gold; âge d' —, golden age
orage [ɔra:ʒ] *m.* storm
orange [ɔrɑ̃:ʒ] *f.* orange
ordinaire [ɔrdinɛ:r] ordinary, usual; d'—, ordinarily, usually

ordonner [ɔrdɔne] to order, command
ordre [ɔrdr] *m.* order
oreille [ɔrɛ:j] *f.* ear
organisation [ɔrganizasjɔ̃] *f.* organization
organiser [ɔrganize] to organize
original, -aux [ɔriʒinal, -o] original
originalité [ɔriʒinalite] *f.* originality
origine [ɔriʒin] *f.* origin
ornementation [ɔrnəmɑ̃tasjɔ̃] *f.* ornementation
oser [oze] to dare
ou [u] or
où [u] where
oublier [ublije] to forget
ouest [wɛst *or* uɛst] *m.* west
oui [wi] yes
outrage [utra:ʒ] *m.* outrage, insult
outre [u:tr]: en —, besides, moreover
ouvert [uvɛ:r] (*pp. of* ouvrir) open, opened
ouvrage [uvra:ʒ] *m.* work
ouvrier [uvrie] *m.* worker
ouvrir [uvri:r] to open

P

page [pa:ʒ] *f.* page (*of a book*); être à la —, to be up to date
païen, -ne [pajɛ̃, -jɛn] pagan
pain [pɛ̃] *m.* bread; petit —, roll
paire [pɛ:r] *f.* pair
paix [pɛ] *f.* peace
palais [palɛ] *m.* palace
pâle [pɑl] pale
palpiter [palpite] to throb
panorama [panɔrama] *m.* panorama
panser [pɑ̃se] to tend, treat (*wounds*)
pantoufle [pɑ̃tufl] *f.* slipper
papa [papa] *m.* papa
pape [pap] *m.* pope
papier [papje] *m.* paper
Pâques [pɑ:k] *m.* Easter
paquet [pakɛ] *m.* package, bundle
par [par] by, through; — jour, a day
paraître [parɛ:tr] to appear, seem
parc [park] *m.* park
parce que [parskə] because
pardessus [pardəsy] above, over
pardon [pardɔ̃] *m.* pardon
pareil, -le [parɛ:j] like
parent [parɑ̃] *m.* parent, relative
paresseu-x, -se [parɛsø, -:z] lazy
parfait [parfɛ] perfect
parfois [parfwa] sometimes

parfum [parfœ̃] *m.* perfume
Parisien, -ne [parizjɛ̃, -ɛn] *n. m., f.* Parisian;
  parisien, -ne *adj.* Parisian
parler [parle] to speak, talk
parmi [parmi] among
Parnassien [parnasjɛ̃] *m.* Parnassian (*a poet
  belonging to "Parnassian" school of poetry*)
parole [parɔl] *f.* word
parricide [parisid] *adj.* parricidal, murder-
  ous
part [pa:r] *f.* part, share
partager [partaʒe] to share
parti [parti] *m.* party
particuli-er, -ère [partikylje, -ɛ:r] particular
partie [parti] *f.* part; (*sports*) game, match;
  faire — de, to be a part of
partir [parti:r] to leave, go away, start out
partout [partu] everywhere
pas [pɑ] *m.* step, footstep
pas [pɑ] *adv.* not; **— mal,** not bad
passage [pɑsa:ʒ] *m.* passage
passant [pɑsɑ̃] *m.* passer-by
passé [pɑse] *n.m.* past; *adj.* past, last
passer [pɑse] to pass; (*of time*) to spend;
  (*with object*) to pass, hand (to); **se —,** to
  take place, occur, go on
passion [pɑsjɔ̃] *f.* passion
passionner [pɑsjɔne]: **se — pour,** to be
  enthusiastic about
pasteurisation [pastørizasjɔ̃] *f.* Pasteuriza-
  tion
pastoral, -aux [pastɔral, -o] pastoral
pâtisserie [pɑtisri] *f.* pastry, pastry-shop;
  pl. cakes
patrie [patri] *f.* country, fatherland
patriotique [patriɔtik] patriotic
patriotisme [patriɔtism] *m.* patriotism
patronne [patrɔn] *f.* patron saint
patte [pat] *f.* paw
paume [po:m] *see* **jeu**
pause [po:z] *f.* pause
pauvre [po:vr] *adj.* poor; *n.m.* poor man
paver [pave] to pave
payer [peje] to pay, pay for
pays [pei] *m.* country
paysage [peiza:ʒ] *m.* landscape, scenery
paysan [peizɑ̃] *m.* peasant; **paysan, -ne** *adj.*
  peasant
paysanne [peizan] *f.* peasant woman
peau [po] *f.* skin
Peau-Rouge [poru:ʒ] *m.* Redskin (*Indian*)
pêche [pɛ:ʃ] *f.* fishing

péché [peʃe] *m.* sin
pécuniaire [pekynjɛ:r] financial
peigner [peɲe] to comb
peindre [pɛ̃:dr] to paint
peine [pɛn] *f.* sorrow
peintre [pɛ̃:tr] *m.* painter
peinture [pɛ̃ty:r] *f.* painting; **faire de la —,**
  to study painting, to paint
péjorati-f, -ve [peʒɔratif, -:v] unfavorable
pendant [pɑ̃dɑ̃] during; **— que,** while
pénétrer [penetre] to penetrate
pensée [pɑ̃se] *f.* thought
penser [pɑ̃se] to think
penseur [pɑ̃sœ:r] *m.* thinker
perdre [pɛrdr] to lose; (*of time*) to waste
père [pɛ:r] *m.* father
perfectionner [pɛrfɛksjɔne] to improve
perfide [pɛrfid] perfidious, treacherous
période [perjɔd] *f.* period
permettre [pɛrmɛtr] to permit, allow
permission [pɛrmisjɔ̃] *f.* permission
perpétuel, -le [pɛrpetɥɛl] perpetual
perplexité [pɛrplɛksite] *f.* perplexity
Persan [pɛrsɑ̃] *m.* Persian; **persan** *adj.*
  Persian
Perse [pɛrs] *f.* Persia (*now Iran*)
personnage [pɛrsɔna:ʒ] *m.* personage; (*in a
  play*) character
personne [pɛrsɔn] *f.* person
personne [pɛrsɔn] *m.* nobody, no one, not
  anyone
personnel, -le [pɛrsɔnɛl] personal
personnellement [pɛrsɔnɛlmɑ̃] personally
perspective [pɛrspɛkti:v] *f.* view, v👁
pessimisme [pɛsimism] *m.* pessimism
pessimiste [pesimist] pessimistic
peste [pɛst] *f.* plague
petit [pɔti] little, small
petit-fils [pɔtifis] *m.* grandson
petits-enfants [pɔtizɑ̃fɑ̃] *m.* grandchildren
peu [pø] little, few; **— à —,** little by little;
  à — près, nearly, approximately
peuple [pœpl] *m.* people
peuplé [pœple] thickly settled
peur [pœ:r] *f.* fear; **avoir —,** to be afraid
peut-être [pøtɛ:tr] perhaps
phalange [falɑ̃:ʒ] *f.* army, host
Philippe [filip] *m.* Philip
philosophe [filɔzɔf] *m.* philosopher
philosophie [filɔzɔfi] *f.* philosophy
philosophique [filɔzɔfik] philosophical
photo [fɔto] *m.* photograph
photographie [fɔtɔgrafi] *f.* photography

phrase [frɑ:z] *f.* sentence
physiologie [fizjɔlɔʒi] *f.* physiology
physique [fizik] *f.* physics
pièce [pjɛs] *f.* piece; room; play
pied [pje] *m.* foot; **à —,** on foot; **un coup de
—,** a kick
piège [pjɛ:ʒ] *m.* pitfall, trap
pierre [pjɛ:r] *f.* stone
Pierre [pjɛ:r] Peter
piété [pjete] *f.* piety
pilier [pilje] *m.* pillar, column
pique-nique [piknik] *m.* picnic
pire [pi:r] *adj.* worse; **le —,** worst
pis [pi] *adv.* worse; **tant —,** so much the
worse
pitié [pitje] *f.* pity
pittoresque [pitɔrɛsk] picturesque
place [plas] *f.* place, seat, square, space,
room
plage [pla:ʒ] *f.* beach
plaine [plɛn] *f.* plain
plaire [plɛ:r] to please; **s'il vous plaît,** (if
you) please
plaisanterie [plɛzɑ̃tri] *f.* joke
plaisir [plɛzi:r] *m.* joke; **faire — à,** to please
plan [plɑ̃] *m.* plan; (*of city*) map
plancher [plɑ̃ʃe] *m.* floor
planter [plɑ̃te] to plant
plat [pla] *m.* dish
plateau [plato] *m.* plateau, tray
plein [plɛ̃] full; **en — hiver,** in the middle
of winter
pleurer [plœre] to weep
pleureuse [plœrœ:z] *f.* weeping one
pleurs [plœ:r] *f.pl.* tears
pleuvoir [plœvwa:r] to rain; **il pleut,** it is
raining
plonger [plɔ̃ʒe] to plunge; (*poetic*) to penetrate
pluie [plɥi] *f.* rain
plupart [plypa:r] *f.* most
plus [ply] more; **ne . . . —,** no more, no
longer; **de —,** moreover, furthermore;
de — en —, more and more; **non —,**
either
plusieurs [plyzjœ:r] several
Pluton [plytɔ̃] Pluto
poche [pɔʃ] *f.* pocket
poème [pɔɛ:m] *m.* poem
poésie [pɔezi] *f.* poetry
poète [pɔɛt] *m.* poet
poids [pwɑ] *m.* weight
poignée [pwaɲe] *f.* handful
poignet [pwaɲɛ] *m.* wrist

poing [pwɛ̃] *m.* fist
point [pwɛ̃] *m.* point; **être sur le—de,** to be
on the point of, be about to; **mettre au
—,** to perfect; *adv.* **ne . . . —,** not, not at
all
poisson [pwasɔ̃] *m.* fish
poitrine [pwatrin] *f.* chest
pôle [po:l] *m.* pole
poli [pɔli] polished, polite
police [pɔlis] *f.* police
politique [pɔlitik] political
Pologne [pɔlɔɲ] *f.* Poland
pomme de terre [pɔmdətɛ:r] *f.* potato
pont [pɔ̃] *m.* bridge
popularité [pɔpylarite] *f.* popularity
porcelaine [pɔrsəlɛn] *f.* porcelain, china
porche [pɔrʃ] *m.* porch
port [pɔ:r] *m.* port; **— de mer,** seaport
portail [pɔrta:j] *m.* portal; (*pl.* **portails**)
portati-f, -ve [pɔrtatif, -:v] portable
porte [pɔrt] *f.* door, gate
portefeuille [pɔrtəfœ:j] *m.* wallet
porter [pɔrte] to carry, wear; (*of names*) to
bear, have; **un coup (des coups),** to
deal a blow (blows)
portier [pɔrtje] *m.* porter, doorkeeper, gate-
keeper, guard
portrait [pɔrtrɛ] *m.* portrait; **—-buste,** por-
trait-bust
portraitiste [pɔrtretist] *m.* portrait painter
poser [poze] to place; **— une question,** to
ask a question
posséder [pɔsede] to possess
possible [pɔsibl] possible
poste [pɔst] *f.* post office
pot [po] *m.* pot; **— -de-fer,** iron pot
potage [pɔta:ʒ] *m.* soup
poubelle [pubɛl] *f.* trashcan
pouce [pu:s] *m.* thumb
poumon [pumɔ̃] *m.* lung
pour [pur] for, in order to; **— que,** in order
that
pourboire [purbwa:r] *m.* tip
pourquoi [purkwa] why
pourtant [purtɑ̃] however
pousser [puse] to push, push on
pouvoir [puvwa:r] to be able, can
pratique [pratik] *adj.* practical; *n. f.* practice
précédent [presedɑ̃] preceding
précéder [presede] to precede
prêcher [prɛʃe] to preach
précieu-x, -se [presjø, -:z] precious
précis [presi] precise, exact
prédécesseur [predesesœ:r] *m.* predecessor

préféré [prefere] favorite
préférer [prefere] to prefer
préfet [prefɛ] *m.* prefect; — de police, chief of police
premi-er, -ère [prəmje, -ɛ:r] first
prendre [prɑ̃:dr] to take
préparer [prepare] to prepare; to study for (*a degree or exam*)
près [prɛ] *adv.*: à peu —, about, almost, approximately; *prep.* — de, near
présentation [prezɑ̃tasjɔ̃] *f.* introduction
présenter [prezɑ̃te] to present, introduce, offer
président [prezidɑ̃] *m.* president
présider [prezide] to preside
presque [prɛsk] almost, nearly
pressé [prese] in a hurry
prestige [prɛsti:ʒ] *m.* prestige
prêt [prɛ] ready
prêter [prɛte] to lend, loan; (*an oath*) to take
prêtre [prɛ:tr] *m.* priest
preuve [prœ:v] *f.* proof
prévoir [prevwa:r] to foresee
prier [prije] to beg
prière [priɛ:r] *f.* prayer
primaire [primɛ:r] primary
primiti-f, -ve [primitif, -:v] primitive
prince [prɛ̃:s] *m.* prince
princesse [prɛ̃ses] *f.* princess
principal, -aux [prɛ̃sipal, -o] principal
principe [prɛ̃sip] *m.* principle
printemps [prɛ̃tɑ̃] *m.* spring
prise [pri:z] *f.* capture, taking
prison [prizɔ̃] *f.* prison
prisonnier [prizɔnje] *m.* prisoner
privé [prive] private
privilégié [privileʒje] privileged, favorable
prix [pri] *m.* price, prize, reward; *see* fixe
probable [prɔbabl] probable
probablement [prɔbabləmɑ̃] probably
problème [prɔblɛm] *m.* problem
procédé [prɔsede] *m.* process
prochain [prɔʃɛ̃] next
proclamation [prɔklamasjɔ̃] *f.* proclamation
proclamer [prɔklame] to proclaim
procurer [prɔkyre] to procure, get
producteur [prɔdyktœ:r] *m.* producer
production [prɔdyksjɔ̃] *f.* production
produire [prɔdɥi:r] to produce
produit [prɔdɥi] *m.* product
professeur [prɔfɛsœ:r] *m.* professor, teacher
profit [prɔfi] *m.* profit, benefit
profiter [prɔfite] (de), to benefit, profit (by)

profond [prɔfɔ̃] profound, deep
profondément [prɔfɔ̃demɑ̃] profoundly, deeply
profondeur [prɔfɔ̃dœ:r] *f.* depth
progrès [prɔgrɛ] *m.* progress
projecteur [prɔʒɛktœ:r] *m.* projector
projet [prɔʒɛ] *m.* project, plan
promenade [prɔmnad] *f.* walk, ride; faire une —, to take a walk, ride
promener [prɔmne]: se —, to take a walk
promettre [prɔmɛtr] to promise
promulguer [prɔmylge] to issue
proportion [prɔpɔrsjɔ̃] *f.* proportion
propos [prɔpo]: à — de, about, concerning
proposer [prɔpoze] to propose
propre [prɔpr] proper, own, clean
proprement [prɔprəmɑ̃]: à — parler, properly speaking
propriétaire [prɔprietɛ:r] *m.* owner
propriété [prɔpriete] *f.* property
prosaïque [prozaik] prosaic
proscrit [prɔskri] *m.* outlaw, exile
prose [pro:z] *f.* prose
prospère [prɔspɛ:r] prosperous
prospérité [prɔsperite] *f.* prosperity
protéger [prɔteʒe] to protect
protestant [prɔtɛstɑ̃] *adj. and n. m.* Protestant
protester [prɔtɛste] to protest
provençal, -aux [prɔvɑ̃sal, -o] *adj.* Provençal; *n. m.* Provençal (*language*)
proverbe [prɔvɛrb] *m.* proverb
province [prɔvɛ̃:s] *f.* province
provincial, -aux [prɔvɛ̃sjal, -o] provincial
prune [pryn] *f.* plum
Prusse [prys] *f.* Prussia
psychologie [psikɔlɔʒi] *f.* psychology
publier [pyblie] to publish
puis [pɥi] *from* pouvoir (*1st pers. sing. pres.*)
puis [pɥi] *adv.* then, next, moreover
puisque [pɥisk(ə)] since
puissance [pɥisɑ̃:s] *f.* power
puissant [pɥisɑ̃] powerful
pur [py:r] pure
purgation [pyrgasjɔ̃] *f.* purging
Pyrénées [pirene] *f. pl.* Pyrenees

Q

quai [ke] *m.* (*railroad*) platform; (*river*) embankment
qualité [kalite] *f.* quality, nobility, rank, characteristic

quand [kã] when; — **même,** all the same, just the same, though

quant [kã]: — **à,** as for, as to

quantité [kãtite] *f.* quantity; *pl.* lots

quarantaine [karãtɛ:n] *f.* about forty

quarante [karã:t] forty

quart [ka:r] *m.* quarter, fourth

quartier [kartje] *m.* quarter, district, section (*of a city*)

quatorze [katɔrz] fourteen

quatorzième [katɔrzjɛm] fourteenth

quatre [katr] four

quatre-vingt-dix [katrəvɛ̃dis] ninety

quatre-vingts [katrəvɛ̃] eighty

quatre-vingt-treize [katrəvɛ̃trɛ:z] ninety-three

quatrième [katrijɛm] fourth

que [kə] *rel. pron.* whom, which, that; **ce —,** that which, what; *interrog. pron.* what; *conj.* than, as; **ne . . . —,** only; **qu'est-ce que c'est que . . . ?** what (*sort of a thing*) is . . . ?

quel, -le [kɛl] *adj.* what, which

quelque [kɛlkə] *adj.* some; *pl.* a few; — **chose,** something

quelquefois [kɛlkəfwa] sometimes

quelqu'un, quelqu'une quelques-uns, quelques-unes [kɛlkœ̃, kɛlkyn, kɛlkəzœ̃, kɛlkəzyn] *pron.* someone; *pl.* a few, some

querelle [kərɛl] *f.* quarrel

question [kɛstjɔ̃] *f.* question, matter; **poser une —,** to ask a question

qui [ki] *rel. pron.* who, whom, which, that; **ce —,** that which, what; *interrog. pron.* who, whom

quinze [kɛ̃:z] fifteen

quinzième [kɛ̃zjɛm] fifteenth

quitter [kite] to leave

quoi [kwa] what; **à — bon?** what's the use? — **que,** whatever

quoique [kwakə] although

R

rabais [rabɛ] *m.* reduction

race [ras] *f.* race

raconter [rakɔ̃te] to relate, tell, tell about

radeau [rado] *m.* raft

radio [radjo] *f.* radio

raide [rɛd] stiff

raisin [rɛzɛ̃] *m.* grape

raison [rɛzɔ̃] *f.* reason; **avoir —,** to be right; **à plus forte —,** all the more so

raisonnable [rɛzɔnobl] reasonable

ramasser [ramase] to pick up

ramener [ramne] to bring back

rapide [rapid] rapid, fast, quick, *m.* (*train*) express

rapidement [rapidmã] rapidly, fast

rappeler [raple]: **se —,** to recall, remember

rapport [rapɔ:r] *m.* relation

rapporter [rapɔrte] to bring back; **se — à,** to be related to

rare [rɑ:r] *adj.* rare

rarement [rɑ:rmã] rarely

rasoir [rɑzwa:r] *m.* razor

rat [ra] *m.* rat; — **de bibliothèque,** library-rat (*a person who spends an inordinate amount of time in the public reading-room of a library*)

rayon [rɛjɔ̃] *m.* ray; — **de soleil,** sunbeam

réalisme [realism] *m.* realism

réaliste [realist] *n. and adj.* realistic

réalité [realite] *f.* reality

récemment [resamã] recently

réception [resɛpsjɔ̃] *f.* reception

receveur [rəsəvœ:r] *m.* conductor (*of a bus*)

recevoir [rəsəvwa:r] to receive; *pp.* **reçu,** received

recherche [rəʃɛrʃ] *f.* research, search

réciter [resite] to recite

recommencer [rəkɔmãse] to repeat

reconnaître [rəkɔnɛ:tr] to recognize

reconstruire [rəkɔ̃strɥi:r] to reconstruct, rebuild

recourber [rəkurbɛ] to bend

récréation [rekreasjɔ̃] *f.* recreation

rédigé [rediʒe] *pp.* written

réduit [redɥi] *pp.* reduced

réel, -le [reɛl] real, actual

référer [refere]: **se — à,** to refer to

réfugier [refyʒje]: **se —,** to take refuge

refuser [rəfyze] to refuse

regard [rəga:r] *m.* gaze, look

regarder [rəgarde] to look at, watch; **cela ne vous regarde pas,** that does not concern you, that is none of your business

région [reʒjɔ̃] *f.* region

règle [rɛ:gl] *f.* rule

règne [rɛɲ] *m.* reign

régner [reɲe] to reign

regret [rəgrɛ]: **à —,** regretfully

regretter [rəgrɛte] to regret, be sorry

réguli-er, -ère [regylje, -ɛ:r] regular

Reims [rɛ̃:s] *m.* Rheims

reine [rɛ:n] *f.* queen

reine-claude [rɛnklo:d] *f. a species of plum*

rejoindre [rəʒwɛ̃'dr] (*pp.* **rejoint**) to join

relier [rəlje] to connect, join
religieu-x, -se [rəliʒjø, -:z] religious
remarquable [rəmarkabl] remarkable
remarque [rəmark] f. remark, observation
remarquer [rəmarke] to observe, notice
remerciement [rəmɛrsimã] m. thanks
remercier [rəmɛrsje] to thank
remettre [rəmɛtr] to deliver, restore, put again, put back
remords [rəmɔ:r] m. remorse
remplacer [rãplase] to replace
remplir [rãpli:r] to fill (up)
remporter [rãpɔrte] to win (a victory)
Renaissance [rənɛsã:s] f. Renaissance
renaître [rənɛ:tr] to be born again, reappear
renard [rəna:r] m. fox
rencontrer [rãkɔ̃tre] to meet, find
rendez-vous [rãdɔvu] m. appointment
rendre [rã:dr] to render, give back; — compte de, to perceive, understand; — visite à, to visit; se —, to surrender; se — à, to go to
renne [rɛn] m. reindeer
renom [rənɔ̃] m. renown, fame
renommé [rənɔme] renowned, famous
rentrer [rãtre] to return, come or go back
renverser [rãvɛrse] to overthrow
répandre [repã:dr] to spread
réparer [repare] to repair
reparler [rəparle] to speak again
repas [rəpɑ] m. meal
repasser [rəpɑse] to review
répéter [repete] to repeat
répondre [repɔ̃:dr] to answer, reply
réponse [repɔ̃:s] f. response, answer
repos [rəpo] m. rest
reposer [rəpoze] to set down
repousser [rəpuse] to push back, repulse
représentati-f, -ve [rəprezãtati-f, -:v] representative
représentation [rəprezãtasjɔ̃] f. performance, representation
représenter [rəprezãte] to represent, perform
reproche [rəprɔʃ] m. reproach
reproduire [rəprɔdɥi:r] to reproduce
Républicain [repyblikɛ̃] m. Republican
république [repyblik] f. republic
résidence [rezidã:s] f. residence
résister [reziste] to resist
résoudre [rezu:dr] to resolve
ressembler [rəsãble] to resemble, be like
ressentir [rəsãti:r] to feel

ressortir [rəsɔrtir] to bring out, stand out
ressusciter [resysite] to resuscitate
restaurant [rɛstɔrã] m. restaurant
restauration [rɛstɔrasjɔ̃] f. restoration
restaurer [rɛstɔre] to restore
reste [rɛst] m. rest, remainder
rester [rɛste] to remain, stay; to be left
résultat [rezylta] m. result
résumé [rezyme] m. summary
retard [rəta:r]: en —, late
retenir [rətəni:r] to hold back
retour [rətu:r] m. return; être de —, to be back; aller et —, round-trip
retourner [rəturne] to return, go back; se —, to turn around
retrouver [rətruve] to find again, recover, meet, join; se —, to meet (again)
réunir [reyni:r] to unite
réussir [reysi:r] to succeed; — à, (exam.) to pass
rêve [rɛ:v] m. dream; faire un —, to have a dream
réveiller [reveje] to wake up; se —, to wake up
révéler [revele] to reveal
revenir [rəvni:r] to return, come back
revoir [rəvwa:r] to see again; au —, good-bye
révolte [revɔlt] f. revolt
révolter [revɔlte]: se —, to revolt, rebel
révolution [revɔlysjɔ̃] f. revolution
révolutionnaire [revɔlysjɔnɛ:r] revolutionary
révolutionner [revɔlysjɔne] to revolutionize
revue [rəvy] f. periodical, magazine; passer la — de, to review
Rhin [rɛ̃] m. Rhine
Rhône [ro:n] m. Rhone
riche [riʃ] rich
richesse [riʃɛs] f. richness, wealth
rideau [rido] m. curtain
ridicule [ridikyl] ridiculous
rien [rjɛ̃] nothing, not anything
rime [ri:m] f. rhyme
rire [ri:r] to laugh
rive [ri:v] f. bank, shore
rivière [rivjɛ:r] f. river, stream
robe [rɔb] f. dress
robuste [rɔbyst] robust, strong
rocher [rɔʃe] m. rock
roi [rwa or rwɑ] m. king
rôle [ro:l] m. role, part
romain [rɔmɛ̃] adj. Roman
Romain [rɔmɛ̃] m. Roman

roman [rɔmã] *m.* novel
roman [rɔmã] *adj.* Romanesque
romancier [rɔmãsje] *m.* novelist
romantique [rɔmãtik] *adj.* Romantic
Romantique [rɔmãtik] *m.* Romanticist
romantisme [rɔmãtism] *m.* Romanticism
rond [rɔ̃] *adj.* round; *n. m.* circle
rose [ro:z] *f.* rose
rosé [roze] rosé (*wine*)
Rouen [rwã] *m.* Rouen
rouge [ru:ʒ] red
rougir [ruʒi:r] to redden, blush
route [rut] *f.* route, highway, road; en —,
    on the way; se mettre en —, to start off
rouvrir [ruvri:r] to open again
royal, -aux [rwajal, -o] royal
royaume [rwajo:m] *m.* kingdom
rue [ry] *f.* street
ruine [rɥin] *f.* ruin
ruiner [rɥine] to ruin
rumeur [rymœ:r] *f.* murmur, faint sound,
    rumor

S

sac [sak] *m.* bag; — à main, handbag
sachez [saʃe] *imperative of* savoir, to know
sacre [sakr] *m.* coronation
sacré [sakre] sacred; Sacré-Cœur, Sacred
    Heart
sacrer [sakre] to crown
sage [sa:ʒ] wise
saignée [sɛɲe] *f.* bleeding
saint [sɛ̃] *adj.* holy; *n. m.* saint
sainte [sɛ̃:t] *f.* saint
Saint Graal [sɛ̃gral] Holy Grail
saisir [sɛzi:r] to seize
saison [sɛzɔ̃] *f.* season
salade [salad] *f.* salad
sale [sal] *adj.* dirty
salle [sal] *f.* hall, large room; — de classe,
    classroom; — à manger, dining-room;
    — d'attente, waiting-room
salon [salɔ̃] *m.* drawing room, living room;
    — de thé, tea-room
samedi [samdi] *m.* Saturday
sandwich [sãdwitʃ *or* sãdviʃ] *m.* sandwich
sang [sã] *m.* blood
sanglant [sãglã] bloody
sanglot [sãglo] *m.* sob
sanguinaire [sãginɛ:r] bloody
sans [sã] without
santé [sãte] *f.* health; maison de —, insane
    asylum

Sarrasin [sarazɛ̃] *m.* Saracen
satirique [satirik] satirical
satisfaisant [satisfəzã] satisfying, satisfac-
    tory
sauf [sof] except
sauter [sote] to jump, leap
sauvage [sova:ʒ] savage, wild
sauver [sove] to save; se —, to run away
savant [savã] *adj.* learned; *n. m.* scientist,
    scholar
savoir [savwa:r] to know
savon [savɔ̃] *m.* soap
scandaliser [skãdalize] to scandalize
scène [sɛ:n] *f.* scene
science [sjã:s] *f.* science
scientifique [sjãtifik] scientific
scolaire [skɔlɛ:r] academic
sculpteur [skyltœ:r] *m.* sculptor
se [sə] *reflex. pron.* oneself, himself, herself,
    themselves, each other, one another
second [səgɔ̃] second
secondaire [səgɔ̃dɛ:r] secondary
secours [səku:r] *m.* aid, help
secr-et, -ète [səkrɛ, -ɛt] *adj.* secret; *n. m.*
    secret
seigneur [sɛɲœ:r] *m.* lord, noble
sein [sɛ̃] *m.* breast, bosom
Seine [sɛ:n] *f.* Seine
seize [sɛ:z] sixteen
seizième [sɛzjɛm] sixteenth
séjour [seʒu:r] *m.* sojourn, stay
semailles [səma:j] *f. pl.* sowing
semaine [səmɛn] *f.* week
semblable [sãblabl] similar
sembler [sãble] to seem
semer [səme] to sow, plant
semeur [səmœ:r] *m.* sower
sens [sã:s] *m.* sense, meaning; le bon —,
    common sense
sensation [sãsasjɔ̃] *f.* sensation
sensé [sãse] sensible
sentiment [sãtimã] *m.* feeling
sentimental, -aux [sãtimãtal, -o] senti-
    mental
sentir [sãti:r] to feel
séparer [separe] to separate
sept [sɛt] seven
septembre [sɛptã:br] *m.* September
septième [sɛtjɛm] seventh
série [seri] *f.* series
sérieusement [serjøzmã] seriously
sérieu-x, -se [serjø, -ø:z] serious
serment [sɛrmã] *m.* oath
service [sɛrvis] *m.* service

serviette [sɛrvjɛt] *f.* napkin, towel
servir [sɛrvi:r] to serve; se — de, to use
seul [sœl] alone, only
seulement [sœlmɑ̃] only
sévère [seve:r] severe
si [si] *conj.* if; *adv.* so, yes
siècle [sjɛkl] *m.* century
siège [sjɛ:ʒ] *m.* siege; seat
sien, -ne [sjɛ̃, -ɛn] (le, la) his, hers, its
signaler [siɲale] to mark
signer [siɲe] to sign
signification [siɲifikasjɔ̃] *f.* meaning
silence [silɑ̃:s] *m.* silence
silhouette [silwɛt] *f.* silhouette
sillon [sijɔ̃] *m.* furrow
simple [sɛ̃pl] simple
simplement [sɛ̃plmɑ̃] simply
simplicité [sɛ̃plisite] *f.* simplicity
simplifier [sɛ̃plifje] to simplify
sincère [sɛ̃sɛ:r] sincere
situation [sitɥasjɔ̃] *f.* situation
situer [sitɥe] to locate, place
six [sis] six
sixième [sizjɛm] sixth
sobriété [sɔbriete] *f.* sobriety, soberness
social, -aux [sɔsjal, -o] social
socialiste [sɔsjalist] socialistic
société [sɔsjete] *f.* society
sœur [sœ:r] *f.* sister
soif [swaf] *f.* thirst; avoir —, to be thirsty
soin [swɛ̃] *m.* care
soir [swa:r] *m.* evening; hier —, last night
soirée [sware] *f.* evening
soit . . . soit [swa . . . swa] either . . . or
soixante [swasɑ̃:t] sixty
soixante-dix [swasɑ̃tdis] seventy
soldat [sɔldat] *m.* soldier
soleil [sɔlɛ:j] *m.* sun, sunshine; faire du —, to be sunny
solide [sɔlid] solid, strong
sombre [sɔ̃:br] dark, somber
somme [sɔm] *f.* sum, amount
sommeil [sɔmɛ:j] *m.* sleep; avoir —, to be sleepy
sommet [sɔmɛ] *m.* summit
son [sɔ̃] *m.* sound
son, sa, ses [sɔ̃, sa, se] his, her, its
songer [sɔ̃ʒe] to think, meditate, dream
sonner [sɔne] to ring
Sorbonne [sɔrbɔn] *f. divisions of humanities and sciences at the University of Paris*
sorcier [sɔrsje] *m.* sorcerer
sort [sɔ:r] *m.* chance, luck

sorte [sɔrt] *f.* sort, kind; d'autre —, differently; de — que, so that
sortie [sɔrti] *f.* coming out
sortir [sɔrti:r] to come *or* go out
sou [su] *m.* cent
souci [susi] *m.* care, concern, worry
soucoupe [sukup] *f.* saucer
souffrance [sufrɑ̃:s] *f.* suffering
souffrant [sufrɑ̃] indisposed, not well
souffrir [sufri:r] to suffer
souhaiter [swete] to wish
soulier [sulje] *m.* shoe
soupe [sup] *f.* soup
soupir [supi:r] *m.* sigh
source [surs] *f.* spring
sourire [suri:r] to smile; *n. m.* smile
sous [su] under
soutenir [sutni:r] to hold up
souvenir [suvni:r]: se — de, to remember; *n. m.* memory
souvent [suvɑ̃] often
souverain [suvrɛ̃] *m.* sovereign
souveraineté [suvrɛnte] *f.* sovereignty
spécialisé [spesjalize] specialized
spécialiser [spesjalize] to specialize
spécialité [spesjalite] *f.* specialty
spectacle [spɛktakl] *m.* spectacle, show, sight
spectateur [spɛktatœ:r] *m.* spectator
splendeur [splɑ̃dœ:r] *f.* splendor
splendide [splɑ̃did] splendid
sport [spɔ:r] *m.* sport(s)
stabilité [stabilite] *f.* stability
station [stasjɔ̃] *f.* stand (*for taxis*); — balnéaire, seaside resort
statue [staty] *f.* statue
stéthoscope [stetɔskɔp] *m.* stethoscope
style [stil] *m.* style
stylo [stilo] *m.* fountain pen
sublime [syblim] sublime
substance [sybstɑ̃:s] *f.* substance
subtil [syptil] subtle
succès [syksɛ] *m.* success
successeur [syksɛsœ:r] *m.* successor
sucre [sykr] *m.* sugar
sud [syd] *m.* south
sud-est [sydɛst] *m.* south-east
sud-ouest [sydwɛst] *m.* southwest
suffisant [syfizɑ̃] sufficient
suffocant [syfɔkɑ̃] suffocating
Suisse [sɥis] *f.* Switzerland
suite [sɥit] *f.* tout de —, at once, immediately

suivant [sɥivɑ̃] following, next
suivre [sɥiːvr] to follow; (*of courses of study*) to take
sujet [syʒe] *m.* subject
superficiel, -le [sypɛrfisjɛl] superficial
supérieur [syperjœːr] superior, higher
superstition [sypɛrstisjɔ̃] *f.* superstition
supporter [sypɔrte] to support
supprimer [syprime] to suppress, abolish
sur [syr] on, upon, over
sûr [syr] sure; **bien —!** of course! certainly!
surface [syrfas] *f.* surface
surnaturel, -le [syrnatyrɛl] *adj. and n. m.* supernatural
surprendre [syrprɑ̃ːdr] to surprise
surpris [syrpri] *adj. and pp.* surprised
surprise [syrpriːz] *f.* surprise
Surréalisme [syrealism] *m.* Surrealism
surtout [syrtu] above all, especially
survivant [syrvivɑ̃] *m.* survivor
syllabe [silab] *f.* syllable
symbole [sɛ̃bɔl] *m.* symbol
symboliste [sɛ̃bɔlist] *adj. and n. m.* symbolist
symétrie [simetri] *f.* symmetry
sympathie [sɛ̃pati] *f.* sympathy
symphonie [sɛ̃fɔni] *f.* symphony
synagogue [sinagɔg] *f.* synagogue
syndicat [sɛ̃dika] *m.* labor union
système [sistɛm] *m.* system

T

table [tabl] *f.* table
tableau [tablo] *m.* picture; **— noir,** blackboard
tailleur [tajœːr] *m.* suit (*ladies'*)
talent [talɑ̃] *m.* talent
tandis que [tɑ̃di(s)kə] while
tant [tɑ̃] so much, so many; **— que,** as long as; **— mieux,** so much the better
tante [tɑ̃ːt] *f.* aunt
tantôt [tɑ̃to]: **— ... —,** now ... now
tapis [tapi] *m.* rug
tard [taːr] late
tasse [tɑs] *f.* cup; **— à thé,** tea-cup
taxi [taksi] *m.* taxi
technique [teknik] technical
tel, -le [tɛl] such; **tellement,** so much
téléphone [telefɔn] *m.* telephone
téléphoner [telefɔne] to telephone
téléviseur [televizœːr] *m.* television set

télévision [televizjɔ̃] *f.* television
témoin [temwɛ̃] *m.* witness
tempête [tɑ̃pɛːt] *f.* tempest
temple [tɑ̃ːpl] *m.* (*Protestant*) church
temps [tɑ̃] *m.* time, weather; **combien de —,** how long; **de — en —,** from time to time; **en même —,** at the same time
tendancieu-x, -se [tɑ̃dɑ̃sjø, -ːz] tendentious
tenir [təniːr] to hold, keep up, maintain; **tiens!** (*exclam.*) Really! My! *etc.*
tentation [tɑ̃tasjɔ̃] *f.* temptation
terme [tɛrm] *f.* term
terminer [tɛrmine]: **se —,** to end
terrain [tɛrɛ̃] *m.* ground, camping-ground
terrasse [tɛras] *f.* terrace; (*part of café on pavement or sidewalk*)
terrasser [tɛrase] to crush, overwhelm
terre [tɛːr] *f.* earth; *pl.* fields; **à —,** to the ground; **par —,** on the ground; **Terre Sainte,** Holy Land
terreur [tɛrœr] *f.* terror
terrible [tɛribl] terrible
territoire [tɛritwaːr] *m.* territory
tête [tɛt] *f.* head
texte [tɛkst] *m.* text
thé [te] *m.* tea
théâtre [teaːtr] *m.* theater
théorie [teɔri] *f.* theory
ticket [tikɛ] *m.* ticket
tien, -ne [tjɛ̃, tjɛn]: **(le, la)** yours
tiens! [tjɛ̃] *see* **tenir**
tigre [tigr] *m.* tiger
timide [timid] timid
tirer [tire] to shoot, drag, pull
tiroir [tirwaːr] *m.* drawer
titre [titr] *m.* title
toi [twa] you
toit [twa] *m.* roof
tolérance [tɔlerɑ̃ːs] *f.* tolerance
tombe [tɔ̃ːb] *f.* tomb, grave
tombeau [tɔ̃bo] *m.* tomb
tomber [tɔ̃be] to fall; **laisser —,** to drop
ton, ta, tes [tɔ̃, ta, te] your
ton [tɔ̃] *m.* tone
tort [tɔːr] *m.* wrong; **avoir —,** to be wrong
tôt [to] soon
touchant [tuʃɑ̃] touching, moving
toujours [tuʒuːr] always
tour [tuːr] *f.* tower
tour [tuːr] *m.* turn, tour, trip; **— de France,** trip around France, annual bicycle race
touriste [turist] *m.* tourist
touristique [turistik] touristic

tourment [turmã] *m.* torment
tourmenté [turmãte] tormented
tournedos [turnədo] *m.* steak (*like filet mignon*)
tourner [turne] to turn, stir
tousser [tuse] to cough
tout, toute, tous, toutes [tu, tut, tu(s), tut] *adj.* all, every, entire, whole; *pron.* all, everything; *adv.* very; **— à coup,** suddenly; **— à fait,** altogether, entirely, quite; **— de suite,** at once, immediately; **en —,** altogether
tracer [trace] to trace
tracteur [traktœ:r] *m.* tractor
tradition [tradisjɔ̃] *f.* tradition
traduction [tradyksjɔ̃] *f.* translation
traduire [tradɥi:r] to translate, express
tragédie [traʒedi] *f.* tragedy
trahison [traizɔ̃] *f.* treason
train [trɛ̃] *m.* train
trait [trɛ] *m.* feature, characteristic
traité [trɛte] *m.* treatise, treaty
traître [trɛ:tr] *m.* traitor
tranquille [trãkil] tranquil, quiet
tranquillement [trãkilmã] quietly
transformer [trãsfɔrme] to transform
transport [trãspɔ:r] *m.* outburst (*of feeling*)
transporter [trãspɔrte] to transport
travail, -aux [trava:j, -o] *m.* work
travailler [travaje] to work
travailleur [travajœ:r] *m.* worker, toiler
travers [travɛr]: **à —,** through; **regarder de —,** to scowl at
traverser [travɛrse] to cross, go *or* pass through
treize [trɛ:z] thirteen
treizième [trɛzjɛm] thirteenth
trembler [trãble] to tremble
trente [trã:t] thirty
trentième [trãtjɛm] thirtieth
très [trɛ] very
tribu [triby] *f.* tribe
triomphe [triɔ̃:f] *m.* triumph
triompher [triɔ̃fe] to triumph
triste [trist] sad
tristesse [tristɛs] *f.* sadness
trois [trwɑ] three
troisième [trwɑzjɛm] third
tromper [trɔ̃pe] to cheat, deceive; **se —,** to be mistaken, make a mistake
trône [tro:n] *m.* throne
trop [tro] too, too much, too many
trottoir [trɔtwa:r] *m.* sidewalk

trou [tru] *m.* hole
troubadour [trubadu:r] *m.* troubadour (*poet of southern France in Middle Ages*)
trouble [trubl] *m.* trouble, disorder
troupe [trup] *f.* troupe, company
trouver [truve] to find; **se —,** to be, be located, be situated
trouvère [truvɛ:r] *m.* trouvère (*poet of northern France in Middle Ages*)
tu [ty] you
tuer [tye *or* tɥe] to kill
tunnel [tynɛl] *m.* tunnel
typique [tipik] typical
tyran [tirã] *m.* tyrant
tyrannie [tirani] *f.* tyranny

U

un, une [œ̃, yn] a, an, one
UNESCO [ynɛsko] *United Nations Educational, Scientific and Cultural Organization*
unique [ynik] unique, single
unir [yni:r] to unite, join
univers [ynivɛ:r] *m.* universe
universel, -le [ynivɛrsɛl] universal
universitaire [ynivɛrsitɛ:r] *adj.* university
université [ynivɛrsite] *f.* university
usage [yza:ʒ] *m.* usage, custom
usine [yzin] *f.* factory
ustensile [ystãsil] *m.* utensil
utile [ytil] useful
utilité [ytilite] *f.* utility, usefulness

V

va, vas [va] *from* **aller; ça va,** all right, O.K.
vacances [vakã:s] *f.pl.* vacation
vaccin [vaksɛ̃] *m.* vaccine
vache [vaʃ] *f.* cow
vaincre [vɛ̃:kr] to conquer
valet-de-chambre [valɛdəʃã:br] *m.* manservant
valeur [valœ:r] *f.* value
vallée [vale] *f.* valley
valoir [valwa:r] to be worth; **— mieux,** to be better; **— la peine de,** to be worth while to
vanité [vanite] *f.* vanity
varié [varje] *adj.* varied
varier [varje] to vary
variété [varjete] *f.* variety
vase [va:z] *m.* vase

vaste [vast] vast
vaut [vo] *from* valoir
vedette [vədɛt] *f.* star (*performer*)
vendange [vãdã:ʒ] *f.* grape-harvest
vendeuse [vãdø:z] *f.* clerk, salesgirl
vendre [vã:dr] to sell
vendredi [vãdrədi] *m.* Friday
veng-eur, -eresse [vãʒœ:r, -ərɛs] *adj.* aveng-
   ing
venir [vəni:r] to come; — de, to have just
vent [vã] *m.* wind; faire du —, to be windy
verbe [vɛrb] *m.* verb
véritable [veritabl] real, true
vérité [verite] *f.* truth
verre (vɛ:r] *m.* glass
vers [vɛ:r] *m.* line (*of poetry*); *pl.* poetry,
   poem
vers [vɛ:r] *prep.* towards
Versailles [vɛrsɑ:j] *m. city, palace*
vert [vɛ:r] green
vertu [vɛrty] *f.* virtue
veste [vɛst] *f.* coat, jacket
vestibule [vɛstibyl] *m.* vestibule, hall
vestige [vɛsti:ʒ] *m.* trace
vêtements [vɛtmã] *m.pl.* clothes, clothing
veuillez [vœje] (*from* vouloir) please
viande [vjã:d] *f.* meat
vice [vis] *m.* vice
vicomte [vikɔ̃:t] *m.* viscount
victime [viktim] *f.* victim
victoire [viktwa:r] *f.* victory
victorieu-x, -se [viktɔrjø, -:z] victorious
vie [vi] *f.* life
vieillard [vjɛja:r] *m.* old man
Vierge [vjɛrʒ] *f.* the Virgin Mary
vieux, vieille [vjø, vjɛ:j] old
vigne [viɲ] *f.* vine
vignoble [viɲɔbl] *m.* vineyard
vigueur [vigœ:r] *f.* vigor
vil [vil] vile
village [vila:ʒ] *m.* village
ville [vil] *f.* city
vin [vɛ̃] *m.* wine
vingt [vɛ̃] twenty
vingtaine [vɛ̃tɛn] *f.* about twenty, score
vingtième [vɛ̃tjɛm] twentieth
violent [vjɔlã] violent
violon [vjɔlɔ̃] *m.* violin
visage [viza:ʒ] *m.* face
visite [vizit] *f.* visit, tour (*of city*); call
   (*social*); caller

visiter [vizite] to visit
visiteur [vizitœ:r] *m.* visitor
vit [vi] *past def. of* voir
vitalité [vitalite] *f.* vitality
vite [vit] fast, quickly, rapidly
vitrail, -aux [vitra:j, -o] *m.* stained glass
   window
vivant [vivã] alive, living; de son —, in his
   lifetime
vivre [vi:vr] to live
voici [vwasi] here is, here are
voilà [vwala] there is, there are
voile [vwal] *m.* veil; *f.* sail
voir [vwa:r] to see
voisin [vwazɛ̃] *adj.* next, nearby
voiture [vwaty:r] *f.* car, automobile
voix [vwa] *f.* voice; à haute —, à — haute,
   out loud, in a loud voice; à — basse, in a
   low voice, in a whisper
volonté [vɔlɔ̃te] *f.* will, will-power
volontiers [vɔlɔ̃tje] willingly, gladly; — !
   Sure!
volume [vɔlym] *m.* volume
votre, vos [vɔtr, vo] *adj.* your
vôtre [vo:tr]: (le, la) *pron.* yours
vouloir [vulwa:r] to want, wish, like; —
   bien, to be willing; — dire, to mean
vous [vu] you, to you
voûte [vut] *f.* vault
voyage [vwaja:ʒ] *m.* voyage, trip; faire un
   —, to take a trip
voyageur [vwajaʒœ:r] *m.* traveler
voyelle [vwajɛl] *f.* vowel
voyons [vwajɔ̃] (*from* voir) let's see
vrai [vrɛ] true
vraiment [vrɛmã] truly, really
vu [vy] (*pp. of* voir) seen
vue [vy] *f.* view; à première —, at first sight
vulgaire [vylgɛ:r] vulgar

W

wagon [vagɔ̃] *m.* railway-car

Y

y [i] there
yeux [jø] *see* œil

ENGLISH-FRENCH

A

a *indef. art.* un, une
able: to be —, pouvoir
about: *prep.* de; **to think —,** penser à
academic scolaire
accent accent *m.*
accept accepter
acquaintance connaissance *f.*
act acte *m.*
admire admirer
after après
afternoon après-midi *m. or f.*
age âge *m.;* **the Middle Ages,** le moyen âge
airmail: by —, par avion
airplane avion *m* ; **by —,** par avion
alas hélas
all tout (*m. pl.* tous)
almost presque
Alps Alpes *f. pl.*
already déjà
although bien que, quoique
always toujours
A.M. du matin
America Amérique *f.*
American *adj.* américain
amuse amuser
amusing amusant
announce annoncer
another: *see* **one**
answer répondre (à)
anthology anthologie *f.*
any (*partitive*) de, du, de la, de l', des; *pron.* en; *adj.* quelques; **not —,** ne . . . pas de
arch arc *m.*
arm bras *m.*
armchair fauteuil *m.*
arrive arriver
art art *m.*
as comme; **— . . . —,** aussi . . . que; *see* **soon**
ask demander; **to — a question,** poser une question
aspirin aspirine *f.*

astonished: to be —, être étonné; s'étonner **at** à
attention: to pay —, (to), faire attention (à)
August août *m.*
autumn automne *m.*
avenue avenue *f.*

B

bad mauvais; **too —,** dommage
bag sac *m.*
be être; (*of health*) aller; (*of weather*) faire; (*of location*) être, se trouver; (*of existence*) y avoir; **there is, there are,** il y a; **to be better,** valoir mieux; *see* **cold, hot, warm**
beautiful beau (bel), belle, beaux, belles
because parce que
bed lit *m.;* **to go to —,** se coucher
bedroom chambre (*f.*) à coucher
before *prep.* (*of time*) avant (de); (*of place*) devant; *conj.* (*of time*) avant que
begin commencer (à), se mettre (à)
beginning commencement *m.*
believe croire
beside à côté de
best *adj.* le meilleur; *adv.* le mieux
better *adj.* meilleur; *adv.* mieux; **to be —,** valoir mieux; **to be —** (*of health*) aller mieux
between entre
bicycle bicyclette *f.*
big grand; gros, -se
birthday anniversaire *m.*
blow coup *m.;* **at one —,** d'un seul coup
book livre *m.*
bookseller libraire *m.*
bore ennuyer
boulevard boulevard *m.*
boy garçon *m.*
breakfast petit déjeuner *m.*

bridge pont *m.*
bring apporter
building bâtiment *m., édifice m.*
but mais
butter beurre *m.*
buy acheter
by par

C

Caesar, Julius Jules César
café café *m.*
cake gâteau, -x *m.*
can pouvoir
car voiture *f.,* automobile *f.,* auto *f.*
catch cold: *see* **cold**
cathedral cathédrale *f.*
century siècle *m.*
chance occasion *f.*
château château, -x *m.*
chocolate chocolat *m.*
choose choisir
church église *f.*
city ville *f.*
coffee café *m.*
cold froid; **to be —,** (*of persons*) avoir froid, (*of weather*) faire froid; **to catch —,** prendre froid
collection collection *f.*
come venir; **to — back,** revenir
comfortable confortable
congratulate féliciter
conversation conversation *f.*
cost coûter
cough tousser
could: *see* **can**
count (*vb.*) compter
country pays *m.;* **the — around Paris,** les environs de Paris
course cours *m.;* **to take a —,** suivre un cours; **in the — of,** au cours de; **of course,** bien entendu, bien sûr
crazy fou, folle
crescent-roll croissant *m.*
cruel cruel, -le
culture culture *f.*

D

damage (*vb.*) endommager
dark noir
date (*vb.*) dater
daughter fille *f.*

day jour *m.,* journée *f.;* **a —,** par jour
dean doyen *m.*
delicious délicieu-x, -se
delightful délicieu-x, -se
department store grand magasin *m.*
derisively par dérision
description description *f.*
difference différence *f.*
dinner dîner *m.*
do faire
doctor médecin *m.*
dog chien *m.*
drawing-room salon *m.*
drink *vb.* boire
drop laisser tomber
drugstore pharmacie *f.*
during pendant

E

each chaque; **— other,** l'un l'autre, l'un à l'autre
earn gagner
easily facilement
eat manger
eight huit
electric électrique
elegant élégant
end *n.* fin *f.*
English *n.* (*language*) anglais *m.*
enormous énorme
enough assez (de)
enter entrer (dans)
entire enti-er, -ère, tout
especially surtout
even même
every tout (*m. pl.* tous); **— day,** tous les jours
everyone tout le monde
everything tout, tout ce qui (que, dont), toute chose
everywhere partout
exaggerate exagérer
example exemple *m.;* **for —,** par exemple
excellent excellent
exclaim s'écrier
execute exécuter, mettre à mort
explain expliquer
express (*train*) rapide *m.*

F

face face *f.,* figure *f.,* visage *m.*

famous célèbre; fameu-x, -se
far loin; as — as, jusqu'à
fashion mode f.
fast rapidement, vite
February février m.
feeling sentiment m.
feminine féminin
few peu de; a —, (adj.) quelques; pron.
   quelques-uns (-unes)
fifteen quinze
fight se battre
film film m.
finally enfin
find trouver
fine beau (bel), belle, beaux, belles; fin; to
   be —, (of weather) faire beau
finish finir
first adj. premi-er, -ère
five cinq
flow couler
flower fleur f.
fly mouche f.
follow suivre
foot pied m.
for pour
forest forêt f.
four quatre
franc franc m.
France France f.
Frank Franc m.
French n. (language) français m.; adj. français
Frenchman Français m.
friend ami m., amie f.
front: in — of, devant
furnish meubler

G

Gaul (pers.) Gaulois m.; (country) Gaule f.
general: in —, en général
Geneva Genève f.
get (of tickets) prendre; to — well, guérir; to
   go and —, aller chercher
giant géant m.
gift cadeau m.
girl jeune fille f.
girl-friend amie f.
give donner
glad content; heureu-x, -se
go aller; to — away, s'en aller; to — in,
   into, entrer (dans); to — up, monter;
   to — with, aller avec, accompagner
gold or m.

golden d'or
good bon, bonne
good-bye au revoir
Goth n. Goth m.
Gothic adj. gothique
grape raisin m.
great grand
guide guide m.
guide book guide m.

H

half n. moitié f.
hand main f.
handbag sac (m.) à main
happen arriver, se passer
happy heureu-x, -se
have avoir; to have to, falloir
headache: to have a —, avoir mal à la tête
help aider (à)
here ici; here is, voici; here are, voici
historical historique
history histoire f.
home, at home à la maison, chez + pron.
horse cheval, -aux m.
hospital hôpital m.
hot chaud; to be —, (of persons) avoir chaud
hotel hôtel m.
hour heure f.
house maison f.
how comment; — long, depuis quand,
   depuis combien de temps; — much, —
   many, combien (de)
however cependant, pourtant
hundred cent
hurry, hurry up se dépêcher
hurt faire mal (à)
husband mari m.

I

I moi, je
idea idée f.
if si
ill malade, souffrant
imagine s'imaginer
immediately tout de suite
importance importance f.
important important
impossible impossible
in dans, en, à
industrial industriel, -le

inside *prep*. à l'intérieur de
intend avoir l'intention de
intently fixement
interest intéresser; **to be interested in,** s'intéresser à
interesting intéressant
into dans
introduce présenter
invent inventer
invite inviter (à)

J

jam confiture *f.*
January janvier *m.*
July juillet *m.*
June juin *m.*
just: **to have —,** venir de

K

kill tuer
kilometer kilomètre *m.*
kind sorte *f.;* **what — of weather,** quel temps
king roi *m.*
know savoir, connaître

L

lady dame *f.*
lamp lampe *f.*
large grand
late en retard, tard; **later,** plus tard
learn apprendre (à)
least *adv.* **at —,** au moins
leave laisser, partir, quitter, sortir, s'en aller
less moins
let laisser, permettre (à quelqu'un de faire quelque chose)
life vie *f.*
like *prep*. comme
like *vb*. aimer, vouloir
line (*of poetry*) vers *m.*
linen linge *m.*
listen écouter
little *adj*. petit; *adv*. (un) peu (de)
live (*reside*) demeurer; (*be alive*) vivre
long *adv*. longtemps; *see also* how
look: **to — at,** regarder; **to — for,** chercher
loud: **out —,** à haute voix

love *n.* amour *m.;* **to be in — with,** être amoureux de
love *vb.* aimer
lucky: **to be —,** avoir de la chance
lunch déjeuner *m.*

M

magnificent magnifique
mail *vb.* mettre à la poste
make faire, former
man homme *m.;* **old —,** vieillard *m.*
manuscript manuscrit *m.*
many beaucoup (de), bien (de + *art.*); **a great —,** beaucoup (de); **how —,** combien (de); **so —,** tant (de)
March mars *m.*
Maritime *adj.* Maritime
marriage mariage *m.*
marry épouser; **to get married,** se marier; **to be married,** être marié
marvelous merveilleu-x, -se
marvelously merveilleusement
masculin masculin
May mai *m.*
me moi
meal repas *m.*
meet rencontrer; faire la connaissance (de)
middle milieu, -x *m. see* âge
mirror glace *f.*
misery misère *f.*
mistaken: **to be —,** se tromper
modern moderne
moment moment *m.*
month mois *m.*
monument monument *m.*
more plus
morning matin *m.*
most *adv.* le plus; *pron.* la plupart
mother mère *f.*
movies cinéma *m.*
much beaucoup; **very —,** beaucoup
museum musée *m.*
music musique *f.*
must devoir, falloir
mystery mystère *m.*

N

name nom *m.;* **to be named,** s'appeler
napkin serviette *f.*
near près de

need avoir besoin (de)
neither . . . nor ni . . . ni
never ne . . . jamais
new nouveau (nouvel), nouvelle, nouveaux, nouvelles
next *adj.* prochain; *adv.* ensuite, puis
night nuit *f.;* **—-club,** boîte-de-nuit *f.*
nine neuf
no *adv.* non
not ne . . . pas; **— at all,** pas du tout
note billet *m.*
novel roman *m.*
now maintenant
number nombre *m.*

O

o'clock heure *f.*
often souvent
old vieux (vieil), vieille, vieux, vieilles
omnibus (*train*) omnibus *m.*
on sur
one un, une; *pron.* on; **— another,** l'un(e) l'autre, **to — another,** l'un(e) à l'autre
only seulement, ne . . . que
open ouvrir
or ou
order: in — to, pour; **in — that,** pour que, afin que
other autre
ought devoir
own propre
owner propriétaire *m. or f.*

P

package paquet *m.*
palace palais *m.*
parent parent *m.*
Parisian Parisien, -ne *m., f.*
park parc *m.*
part partie *f.*
pass passer
peasant paysan *m.*
perfume parfum *m.*
perhaps peut-être
person personne *f.*
philosophy philosophie *f.*
picnic pique-nique *m.* déjeuner sur l'herbe
picture tableau, -x *m.*
picturesque pittoresque

pity: it's a — that, c'est dommage que
place endroit *m.*
plate assiette *f.*
platform (*in R.R. station*) quai *m.*
play (*theater*) pièce (*f.*) (de théâtre)
please plaire (à); (*imper.*) veuillez; **if you —,** s'il vous plaît; **will you —,** voulez-vous bien
poem poème *m.*
poet poète *m.*
poetry poésie *f.,* vers *m. pl.*
poodle caniche *m.*
poor pauvre; (*of quality*) mauvais
porcelain porcelaine *f.*
portal portail *m.*
possible possible
pretty joli
primary primaire
princess princesse *f.*
principle principe *m.*
probable probable
professor professeur *m.*
prose prose *f.*
province province *f.*
punch punch *m.*

Q

quality qualité *f.*
question question *f.;* **to ask a —,** poser une question
quickly vite

R

rain (*vb.*) pleuvoir; **it rains, it is raining,** il pleut; *n.* pluie *f.*
rather assez
read lire
really vraiment
reason raison *f.*
receive recevoir
reception réception *f.*
refuse refuser (de)
regret regretter (de)
relate raconter
remain rester
rent louer
restaurant restaurant *m.*
restore restaurer
return (*to come back*) revenir; (*to go back*) retourner

rich riche
ridiculous ridicule
right: to be —, avoir raison; **that's right,** c'est exact, c'est vrai
Roman *adj.* romain; *n.* Romain *m.*
Romantic romantique
room chambre *f.*
roommate camarade (*m.*) de chambre
rose rose *f.*
route route *f.*
running courant

S

sad triste
saint saint *m.,* sainte *f.*
same même
say dire
scene scène *f.*
school école *f.*
scorn mépriser
sea mer *f.*
seashore le bord de la mer
seat place *f.*
seated assis
see voir; **to — again,** revoir
sell vendre
send envoyer; **to — for,** envoyer chercher
seriously sérieusement
seven sept
seventeenth dix-septième
several plusieurs
shop boutique *f.*
short: in —, bref
show montrer
sick malade
sight curiosité *f.*
since depuis
sister sœur *f.*
sitting assis
six six
sleep dormir; **to go to —,** s'endormir
slide diapositive *f.*
slowly lentement
snow *vb.* neiger; *n.* neige *f.*
so si: **— many, —much,** tant (de)
some (*partitive*) de, du, de la, de l', des; *adj.* quelque(s); *pron.* en, quelques-un(e)s
something quelque chose *m.*
sometimes quelquefois
son fils *m.*
song chanson *f.,* chant *m.*

soon bientôt; **as — as,** aussitôt que, dès que
Sorbonne Sorbonne *f.*
sore: to have a — throat, avoir mal à la gorge
sound son *m.*
source source *f.*
speak parler
spend (*of money*) dépenser; (of time) passer
spoon cuiller *f.*
spring printemps *m.;* **in —,** au printemps
square place *f.*
stained glass window vitrail *m.* (*pl.* vitraux)
stand être debout
statue statue *f.*
stay rester
stone pierre *f.*
stop arrêter; s'arrêter
store magasin *m.;* **department —,** grand magasin
story conte *m.,* histoire *f.*
street rue *f.*
student élève *m. or f.;* étudiant *m.,* étudiante *f.* (*in general,* élève = *pupil or student;* étudiant(e) = *college or university student*)
study étudier
successor successeur *m.*
such tel, telle
suit (*for women*) tailleur *m.;* (*for men*) complet *m.*
sum somme *f.*
summer été *m.*
sure sûr, certain
surprised: to be —, être surpris, être étonné, s'étonner
sweet dou-x, -ce
syllable syllabe *m.*

T

table table *f.*
tailor tailleur *m.*
take prendre; **to —** (*a course of study*), suivre (*un cours*)
talk parler; **to — about,** parler de
teach enseigner
teacher professeur *m.;* maître *m.,* maîtresse *f.*
tell dire; **to — about,** parler de, raconter; (*a story*) raconter
ten dix
than que; (*before number*) de
thank: — you, — you very much, merci bien, merci beaucoup

that *indef. pron.* cela, ça; *adj.* ce, cet, cette; *conj.* que; **that is . . .,** c'est . . .
theater théâtre *m.; (for movies)* cinéma *m.*
then alors, ensuite, puis
there là, y; **— is, — are,** il y a, voilà
think penser, croire; **you — so?** vous croyez? vraiment?
this *adj.* ce, cet, cette
thousand mille
three trois
throat; to have a sore —, avoir mal à la gorge
through par
throw jeter
time temps *m.,* fois *f.;* **a long —,** longtemps; **at the same —,** en même temps
timid timide
to à, en
today aujourd'hui
together ensemble
tomorrow demain
too trop; **— much, — many,** trop (de)
top sommet *m.*
tourist touriste *m.*
towards vers
tower tour *f.*
train train *m.*
translate traduire
tray plateau, -x *m.*
tree arbre *m.*
triumph triomphe *m.*
twelfth douzième
twelve douze
two deux

U

under sous
understand comprendre
unfortunately malheureusement
unhappy malheureu-x, -se
university université *f.*
unless à moins que
until *prep.* jusqu'à; *conj.* jusqu'à ce que
us nous
use employer, se servir de
usher ouvreuse *f.*
usually d'ordinaire

V

valet valet *m.*

verse vers *m.*
very très, fort
visit visite *f.*
voice voix *f.* **in a low —,** à voix basse

W

wait attendre; **to — for,** attendre
wake up réveiller, se réveiller
walk: to take a —, faire une promenade, se promener
want désirer, vouloir
war guerre *f.;* **World War,** Guerre mondiale
wardrobe armoire *f.*
warm chaud; **to be — (of persons),** avoir chaud; *(of weather)* faire chaud
washstand lavabo *m.*
watch *vb.* regarder
watch *n.* montre *f.*
water eau *f.*
weather temps *m.;* **to be fine weather,** faire beau (temps); **to be (very) bad weather,** faire (très) mauvais (temps)
week semaine *f.*
weekend week-end *m.*
weep pleurer
well bien; *interj.* **— then,** eh bien alors; **to get well,** guérir
what *rel. pron.* ce qui, ce que, ce . . . quoi; *interrog. pron.* qu'est-ce qui? que? qu'est-ce que? quoi? *interrog. adj.* quel, quelle
when quand
where où
which *rel. pron.* qui, que; **of —,** dont; *rel. and interrog. pron.* lequel, laquelle, lesquels, lesquelles; *interrog. adj.* quel, quelle
who qui
whom qui, que, lequel *etc.;* **of —,** de qui, dont
why pourquoi; **— yes!** mais oui!
wife femme *f.*
window fenêtre *f.;* **stained glass —,** vitrail *m.* (pl. vitraux)
winter hiver *m.*
with avec
woman femme *f.*
wonder se demander
wonderful excellent, merveilleu-x, -se
world monde *m.; (adj.)* mondial
worse pire, plus mauvais; **so much the —,** tant pis
write écrire
writer écrivain *m.*

Y

year an *m.*, année *f.;* **last** —, l'an dernier,
l'année dernière; **next** —, l'année prochaine

yes oui; (*exclam., denoting contradiction*) si!

yesterday hier

yet encore; **not** —, pas encore

you vous

young jeune; — **people,** (des) jeunes gens

GRAMMATICAL INDEX

Grammatical Index

References to forms of irregular verbs introduced in the lessons are not included in this Index. For such forms see Section V of the Appendix.

Photograph Credits

34567890

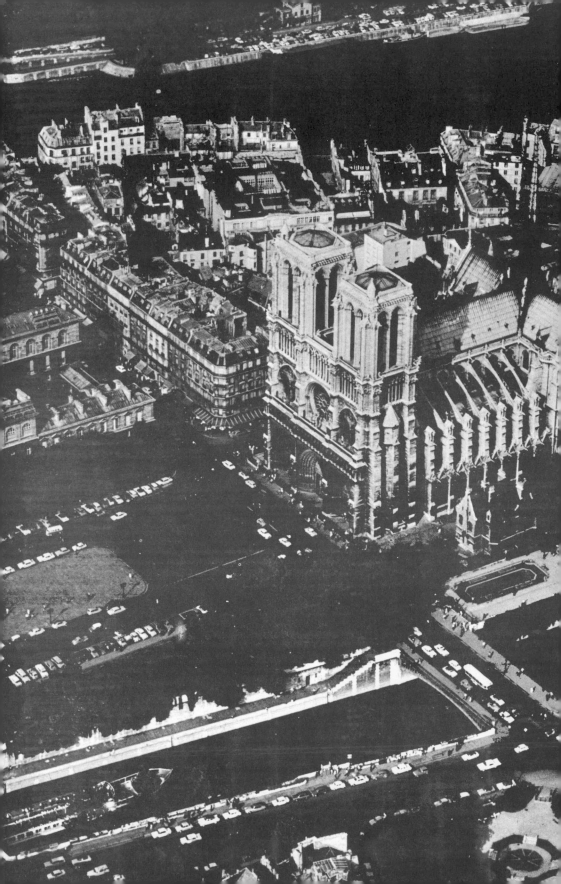